4

ERASMO Y EL ERASMISMO

FILOLOGÍA
Director: FRANCISCO RICO

MARCEL BATAILLON

ERASMO Y EL ERASMISMO

Nota previa de
FRANCISCO RICO

Traducción castellana de
CARLOS PUJOL

EDITORIAL CRÍTICA
Grupo editorial Grijalbo
BARCELONA

CC

Diseño de la cubierta: Enric Satué
© 1977: Marcel Bataillon, París
© 1977: Editorial Crítica, S. A., plaza Eguilaz, 8 bis, Barcelona-17
ISBN: 84-7423-033-0
Depósito legal: B. 600 - 1978
Impreso en España
1977. — Gráficas Rigsa, Estruch, 5, Barcelona-2

NOTA PREVIA

Ninguna justificación requiere reunir en un volumen los trabajos de Marcel Bataillon sobre Erasmo y el erasmismo posteriores a la segunda edición castellana, «corregida y aumentada», de Erasmo y España *(México-Buenos Aires, 1966). Obvios son el valor de cada pieza y la coherencia del conjunto. Pero quizá convenga realzar, para quien no hubiera caído en la cuenta, que al final del camino, en el último decenio de una vida ejemplarmente laboriosa (1895-1977), don Marcelo dedicó a la* matière *erasmiana entusiasmos de mozo y toda la sabiduría de una experiencia riquísima. Al calor del centenario celebrado en 1967, por ejemplo, había escrito varias síntesis y contribuciones de amplio alcance que deben considerarse modelos de comprensión y de exactitud elegante. La ilusión de ver reimpreso y puesto al día el texto original lo espoleaba a atar cabos sueltos de* Érasme et l'Espagne *(París, 1937), en ensayos tan apasionantes como el centrado en la fortuna del* Elogio de la Locura; *las novedades de la investigación ajena eran a veces estímulos convergentes con tal designio, y de ahí podía brotar, por caso, una densa serie de meditaciones en torno a Juan de Valdés. Ocurría también que ciertas curiosidades de la madurez se proyectaban en dominios asediados en la juventud o los motivos del erasmismo pedían examen más hondo en el propio Erasmo: de suerte que en la monografía sobre el Erasmo narrador, así, no es difícil reconocer la misma atención por el relato en primera persona y por la cantera folclórica que alienta en estudios de Bataillon justamente apreciados acerca del* Viaje de Turquía *o el* Lazarillo de Tormes, *mientras el análisis del* Europa *del doctor La-*

*guna se adivina acicate para examinar la «Europa» de Erasmo.
En la advertencia preliminar al* Erasmo y España *de 1966, se pon-
deraban dos factores destinados a reorientar substancialmente las
indagaciones al propósito: por un lado, la prevista edición crítica
de las* opera omnia *erasmianas «conforme a las exigencias de la
erudición»; por otro, «el ambiente actual de ecumenismo» pro-
clive al «renacer del irenismo religioso de Erasmo, en especial en
el seno de la Iglesia católica». No sorprende, entonces, que la salida de esa edición invitara a don Marcelo a un par de fecundas
exploraciones disimuladas bajo la simple veste de reseñas, ni que
al respirar ese «ambiente actual» redactara páginas más penetrantes
que nunca sobre la vigencia del pensamiento de Erasmo: vigencia
no consistente en la posibilidad de modernizarlo, aproximándo-
noslo «abusivamente», sino en sentirlo «formando parte de nuestro
ayer»* (infra, p. 16).

*Había, pues, buenas razones de oportunidad y hasta de bio-
grafía para que el inolvidable maestro acogiera con particular complacencia el proyecto de este libro. En él, decía, se hallarán los
trabajos de Marcel Bataillon sobre Erasmo y el erasmismo publicados después de 1966, tras la segunda edición castellana de*
Erasmo y España. *Apenas si ha quedado fuera una nota sumamente
ocasional (número 474 de la* Bibliografía *aneja), y, a cambio, figura
aquí «Juan Luis Vives, reformador de la beneficencia» (aparecido
en 1952), en gracia a una substancial «referencia a la* Ptochologia
*de Erasmo» y «porque Vives sí es un erasmiano —comentaba Ba-
taillon— del cual sienten algunos que no me haya ocupado bastante» (carta del 15 de marzo de 1977). Como figura «Sobre el
humanismo del doctor Laguna» (de 1963), para representar los
estudios «que giran alrededor de Laguna» con uno «que trata
bastante a fondo de su manera de aprovecharse de los* Adagia *de
Erasmo y algo del* Bellum *y de la* Querela pacis» (ibidem). *Los
dieciocho ítem recogidos (en quince capítulos, al agruparse varias
contribuciones afines) se han dispuesto en una secuencia que dé
una cierta idea de la complejidad de la aventura intelectual en
que deben situarse las estampas y los episodios evocados, al tiempo
que insinúa la propia aventura del autor y del lector de hoy en la
aproximación a Erasmo y el erasmismo.*

Don Marcelo, tras aprobar el contenido y el orden del volumen (al igual que los títulos para los capítulos 6, 8 y 11), envió todos los sobretiros de que disponía, con diligente corrección de no pocas erratas, ocasionalmente graves (tal la omisión de un par de líneas en «Un extremo del irenismo erasmiano en el adagio Bellum»). Por otro lado, aportó una docena de breves adiciones a diversos lugares, mayormente «Sobre el humanismo del doctor Laguna» y «Un problema de influencia de Erasmo en España. El Elogio de la Locura». Por desgracia, ya no le fue dado, como se proponía, mandarme más añadidos, ni, sobre todo, introducir los retoques que salvaran alguna repetición de «Acerca de la influencia de Erasmo» en «Nuevas consideraciones sobre Juan de Valdés». Adviértase aún que la numeración de las notas puede diferir de las versiones publicadas, pues, por uniformidad, se ha pasado al pie una serie de referencias bibliográficas primitivamente incluidas en el cuerpo de la página. Esa tarea de regularización, la revisión de pruebas y otras cuestiones tipográficas han sido cuidadas por Josep Poca, en tanto Carlos Pujol ha traducido los textos franceses con la máxima diligencia.

Cierra el tomo una Bibliografía de los escritos científicos de Bataillon, generosamente compilada por Charles Amiel, y pienso que condice en especial con varios artículos reunidos ahora. Erasmo y el erasmismo, en efecto, abunda en noticias y ecos autobiográficos. La Introduction à la philosophie de l'histoire (París, 1938), de Raymond Aron, había minado la confianza que inspiraba la redacción de Érasme et l'Espagne: «que l'histoire pouvait être strictement objective»; y Bataillon, a vuelta de unos años, se franqueaba: «J'ai pris de plus en plus conscience que ma vision de ce passé [des disciples d'Érasme et de leurs adversaires] était commandée par notre present et par ma position dans ce présent»; para sugerir en seguida: «Il faudrait peut-être que chaque historien surmonte à la fois la pudeur et l'amour-propre pour confesser comment il a pris possession de son sujet» (Bulletin Hispanique, LII, p. 13). Pues bien, en el presente libro hay singulares testimonios e indicios en ese sentido, y ellos ponen un enjundioso trasfondo a las entradas necesariamente secas de la Bibliografía (por lo demás, espléndido instrumento de trabajo). Cuando todavía *nos sacude el dolor reciente de la pérdida, ciertas páginas de* Erasmo y el erasmismo *son preciosas no sólo por darnos lecciones de historia —extendida incluso a la España de las dos últimas dictaduras— y lecciones de historiografía, sino también por revelarnos etapas importantes en el itinerario del humanista Marcel Bataillon.*

FRANCISCO RICO

I

ERASMO

1. ACTUALIDAD DE ERASMO *

Hablar de la actualidad de Erasmo en este momento quizá no sea más que una *manera de hablar*, aceptable sobre todo para nosotros a quienes nos reúne aquí un interés común por la cultura del Renacimiento y la convicción de que esta cultura sigue siendo en ciertos aspectos ejemplar. No nos hagamos demasiadas ilusiones sobre el atractivo que pueden ejercer el personaje llamado Erasmo y sus escritos en el seno de una humanidad para la cual la «actualidad» sensacional de este momento histórico es la llegada de los primeros hombres a la Luna. Evidentemente, no fue Erasmo quien escribió estas líneas que abrevio: «¿Qué puedes ver en otra parte que aquí no lo veas? Aquí ves el cielo y la tierra y todos los elementos, y de éstos fueron hechas todas las cosas [...]. Si vieses todas las cosas delante de ti, ¿qué sería sino una vista vana? [...]. Deja lo vano a los vanos, y tú ten cuidado de lo que te manda Dios. Cierra tu puerta sobre ti y llama en tu favor a Jesús tu amado. Estáte con Él en tu aposento [etc.]». Sin duda habéis reconocido el lenguaje de la *Imitación de Cristo* (I, xx), que, subrayémoslo con fuerza, no es el lenguaje de Erasmo. Éste no escribió para personas que se encerraban en su celda o en su aposento, sino para personas presentes en el mundo. Sin embargo, no parece que sintiese ninguna admiración entusiasta por los hombres de su época que hacían retroceder los límites del mundo conocido de los occidentales antiguos y medievales. Pudo debatir en su coloquio *Problema* la cuestión física de la *gravitas* y de la *levitas*, y abor-

* «Actualité d'Érasme», *Colloquia Erasmiana Turonensia* (Douzième Stage International d'Études Humanistes, Tours, 1969), Vrin, París, 1972, II, pp. 877-889.

dar también el problema de los *antipodes* sin hacer la menor alusión a los navegantes que tenían el legítimo orgullo de haber superado por la experiencia errores compartidos por los Padres de la Iglesia (Lactancio, Agustín, etc.) acerca de esos inverosímiles hombres opuestos a nosotros diametralmente y como nosotros de pie sobre la superficie terrestre, o acerca de la zona supuestamente tórrida en la que el hombre no podría vivir. En la *Ichtyophagia* le vemos dirigir una mirada desengañada a un mapamundi en el que se representan tierras australes señaladas con el signo de la cruz. Y comenta a la manera de un moralista: «Lo he visto; me he enterado de que han traído de allí un botín; pero no he oído decir que en estas tierras se haya introducido el cristianismo». Semejantemente, en una epístola dedicatoria al rey de Portugal Juan III, felicita a sus navegantes por haber establecido relaciones seguras con la India asiática, pero se lamenta de que este beneficio se vicie con los monopolios de algunos. Ignora que el propio rey de Portugal es la cabeza de un poderoso monopolio, y añade (destruyendo sin saberlo toda esperanza de una pensión que le hubiera podido venir por este lado): «Parece ser que por su culpa, cuando la importación se ha hecho más fácil, el precio de las mercancías no sólo no ha bajado sino que, por el contrario, ha aumentado considerablemente; y algunas, como el azúcar, no sólo nos llegan más caras, sino también de peor calidad». No fue Erasmo, sino Vives, quien en su dedicatoria del *De disciplinis* al mismo rey Juan III, proclamó la gloria de los navegantes portugueses porque «nos han revelado en el cielo y en el océano caminos de los que nunca se había oído ni hablar, pueblos y naciones sorprendentes por sus costumbres y su barbarie». Y Vives añade —fórmula bella y lapidaria— que gracias a estos navegantes oceánicos «en verdad el género humano ha visto a *su* mundo abrirse ante él (*plane generi humano suus est orbis patefactus*)».[1] Tampoco esto lo escribió Erasmo.

Pero como todo el mundo puede imaginarse, no voy a recorrer la obra de Erasmo llevando en la mano unas cuantas muestras de actualidad rabiosa a manera de péndulo o de varilla de zahorí, es-

1. Cf. M. Bataillon, *Études sur le Portugal au temps de l'Humanisme*, Coimbra, 1952, pp. 70-87: «Érasme et la cour de Portugal».

perando que ésta se incline hacia una corriente de agua subterránea o un filón metálico que sería un presentimiento de nuestro tiempo que hubiese descubierto Erasmo. Eso sería tanto como abandonarnos no poco neciamente a esa idea del *precursor* que Lucien Febvre denunció con razón como antihistórica. Equivaldría, pues, a corromper a la juventud y a deteriorar entre los asistentes al coloquio las excelentes lecciones de comprensión histórica que les han dispensado durante tres semanas unos sabios afanosos por comprender a Erasmo, no en relación a nuestro tiempo, sino en relación al suyo, y por comprender mejor, escrutando su obra desde más cerca, lo que fue verdaderamente este período del Renacimiento que él representa eminentemente. La superstición de lo actual es una de las formas actuales de la *stultitia*. Pero, sin dejar de volverle resueltamente la espalda, quizá tengamos derecho a interrogarnos sobre las principales razones que nos impulsan, a nosotros, especialistas del Renacimiento, a dedicarnos a Erasmo, no sólo como un objeto de estudio curioso, todavía incompletamente explorado, sino incluso como a un autor muy próximo a nosotros, cuyas preocupaciones son aún en parte las nuestras (o han vuelto a convertirse en las nuestras), y de quien, tal vez por esta causa, nos sentimos movidos a explorar mejor ciertos aspectos, guardándonos bien, desde luego, de caer en el pecado de anacronismo. Si yo parezco caer en él empleando de vez en cuando algunas expresiones del tiempo presente, consideradlo como bromas, aceptad que yo sea el *morio* de esta reunión, que exhibe complacidamente un cetro rematado por la cabeza de Erasmo. Confiad en que sabré detenerme a tiempo en esta pendiente de la modernización de Erasmo a la que se abandonan felizmente los ilustradores del *Elogio de la Locura* que se las dan de modernos. Sólo es posible hablar de Erasmo actual o moderno *cum grano salis,* sugiriendo siempre que es *mutatis mutandis,* a costa de *transposiciones* que carecen de peligro si se avisa que se hacen.

Imagináis quizá que me acerco insensiblemente a un punto de vista que fue el de Henri Hauser en su librito titulado *La modernité du XVIe siècle*.[2] Porque decir del siglo XVI que tiene algo de

2. Este librito de 1930 ha sido reeditado en 1963 con un prólogo de Fernand Braudel.

moderno no puede ser afirmar sencillamente que forma parte de la franja cronológica llamada tiempos modernos. Si queremos decir algo que no sea una estúpida tautología, es forzoso que tengamos presentes algunos aspectos de esta época que sentimos aún como formando parte de nuestro *ayer*, de lo que ocurrió ayer, casi hace un instante, *modo*; de un siglo xvi que está aún cercano a nosotros; y que está tal vez (¿por qué no llegar hasta esta paradoja?) más próximo a nosotros que otro xvi, o un siglo xvii más reciente en el eje del tiempo, digámoslo de una vez, para fijar ideas: el *barroco*. Aunque el barroco haya podido ser descubierto, y en cierto modo inventado desde hace poco más de cuarenta años, porque en ciertos aspectos concordaba con ciertas búsquedas del arte y de la cultura de los tiempos actuales. Cada época (y cada corriente de una época) se busca en el pasado de los antepasados que se le parecen más o menos.

Tratemos, pues, sin aproximarlo abusivamente a nosotros, de discernir en Erasmo lo que hace de él un representante excepcional de este siglo xvi ascendente que sentimos moderno. Si nos sentimos cercanos a él es sin duda porque este siglo legó a los siguientes problemas que están siempre de candente actualidad, porque se enfrentó con ellos sin resolverlos y a veces agravando sus dificultades. El siglo xvi también puede parecernos cercano a nosotros en el sentido de haber iniciado con un raro vigor ciertos procesos, por ejemplo los que intensifican y amplían la comunicación de los hombres entre sí (navegaciones o multiplicación de lo escrito con ayuda de la imprenta), y que estos procesos se nos aparecen hoy en día terminados, o sustituidos por otros que los continúan transponiéndolos a otros terrenos. Acabo de dar a entender que Erasmo no tenía una opinión moderna de los descubrimientos marítimos de los que fue testigo, al menos en tanto que tomas de posesión del universo físico y humano. En cambio, sin duda nadie representa tan evidente e intensamente como él la propagación multiplicada del pensamiento por el libro impreso. Éste es uno de los factores esenciales, una *causa* poderosa al mismo tiempo que un *efecto* incesantemente renovado de su situación única de príncipe de los humanistas, de su soberanía intelectual que se respetó muy ampliamente a través de toda Europa, desde Inglaterra y Portugal hasta Polonia. A pesar del antierasmismo que en España dificultó y estimuló el erasmismo, a pesar de las reticencias generalizadas de Italia o más localizadas en Francia, a pesar de Julio César Escalígero y de Étienne Dolet, este bátavo, durante su vida y en los años que siguieron a su muerte, llegó a *un público geográficamente más extendido, socialmente más diferenciado* (que iba desde los papas y los reyes hasta los burgueses y las burguesas) de lo que había conseguido influir en aquel entonces cualquier otro escritor. El principado intelectual al que se elevó parece ser el primer caso, y uno de los más impresionantes, del prestigio internacional que alcanzan en nuestros días, y sin duda a partir del «siglo de las luces», algunos hombres que saben escribir y que están ávidos de guiar a los demás. Generalmente el caso de Erasmo se compara con el de Voltaire. El señor Telle prefería hace unos días compararlo a Rousseau. Ambas comparaciones son buenas, desde el punto de vista exterior y sociológico en el que ahora nos situamos. Y si para apelar a una medida *actual* de la celebridad mundial, decimos que Erasmo hubiera podido ser, *mutatis mutandis,* un premio Nobel de literatura (dado que este premio se da algunas veces a filósofos) al mismo tiempo que un «premio Nobel de la paz», nos veríamos obligados a añadir en seguida que la preeminencia de Erasmo, a diferencia de la de numerosos premios Nobel, fue un fenómeno duradero, a pesar de los numerosos ataques de que fue víctima, y que durante los últimos veinte años de su vida no conoció rival. Si los enemigos de la revolución francesa han podido decir alternativamente «la culpa es de Voltaire, la culpa es de Rousseau», los peores enemigos de la Reforma luterana no han buscado otro corruptor de la opinión que Erasmo.

Una de las características modernas de este principado intelectual fue el hecho de que Erasmo supo mantenerse en una situación de *escritor independiente,* aunque interesadísimo por asegurarse poderosos apoyos temporales y espirituales. Una vez célebre y controvertido, huyó de las universidades donde hubiera tenido que incorporarse a un coro de teólogos que definían una estricta ortodoxia. Si aceptó un cargo honorífico de consejero del soberano de los Países Bajos, que no tardó en ser emperador, fue sin frecuentar la corte, salvo en un breve lapso de tiempo. Cuando los príncipes de la familia imperial le invitaron a Viena o a Bruselas, siempre encontró buenas razones para declinar la invitación o para diferirla... hasta la muerte. Se guardó mucho de vincularse a un poderoso mecenas. Una vez salió del convento, vivió como un clérigo secularizado *ganándose directa o indirectamente el sustento con su pluma*, no con los emolumentos de un cargo de consejero, o como secretario generosamente pagado con beneficios eclesiásticos, como tantos clérigos escritores de su tiempo acumulaban sin escrúpulo y sin intención de desempeñar jamás ninguno. En el *Ecclesiastes* [3] cuenta cómo William Warham le coaccionó para hacerle aceptar un único y modesto beneficio que él quería rechazar porque comportaba cura de almas, que su ignorancia de la lengua del país le impedía asumir. El arzobispo de Canterbury convirtió el beneficio en pensión y dijo a Erasmo: ¿Por qué vas a predicar a unos rústicos lugareños («agresti popello») cuando *instruyes a todos los pastores con tus libros*? Se han escrito una serie de libros titulados *De qué vivía Voltaire*, *De qué vivía Balzac*. No falta al menos materia para un largo artículo que respondiese a la pregunta: *De qué vivía Erasmo*.[4] Pensemos en ciertas quejas del gran hombre acerca del retraso con que se le pagaba su pensión de consejero imperial, en algunas de sus decepciones, como la de no recibir recompensa del rey de Portugal por la dedicatoria de sus *Chrysostomi lucubrationes*. Cuando digo que vivió directa o indirectamente de su pluma, remito de una parte a las numerosas pensiones que recibió como gratificación por sus obras dedicadas a soberanos o a prelados que fueron sus mecenas, de otra parte a las obras que, en cierto modo, vendió en manuscrito a grandes editores, Aldo, Froben, Josse Bade... Véase el estudio de Allen sobre las relaciones de Erasmo con sus impresores.[5] Si he insistido un poco en el aspecto pecuniario de estas relaciones y de sus problemas accesorios, en las ganancias de Erasmo como escritor, es para recordar su independencia económica, el considerable desahogo al que

3. Libro I, p. 128 de la edición in-8.° de Froben, 1535.
4. Esto fue lo que hizo Jean Hoyoux en su estudio «Les moyens d'existence d'Érasme», *Bibliothèque d'Humanisme et Renaissance* (1944).
5. P. S. Allen, *Erasmus. Lectures and Wayfaring Sketches*, Oxford, 1934, pp. 109-137.

llegó, viviendo con criados en una hermosa casa y «preocupado por sus intereses».[6] Así fue Erasmo asumiendo su papel de *intelectual independiente,* por encima de las naciones.

Pero hay otra vertiente moderna de este papel en la época en que lo representaba, la estrecha simbiosis profesional que aceptó entre su actividad de erudito y grandes imprentas como las de Aldo y Froben, en particular para los *Adagia* de Venecia, 1508, y el *Novum Instrumentum* de Basilea, 1516. Erasmo no fue un mártir, sino un héroe de la nueva técnica de multiplicación de la escritura en la mejor época de su auge. Aceptó sus servidumbres, desde la larga paciencia de la corrección de pruebas hasta la prisa que le imponía a veces el ritmo estacional de lo que hoy llamamos lanzamiento o comercialización de un libro. Un libro tenía que entregarse a la imprenta con la suficiente anticipación para llegar a tiempo del envío a la Feria de Frankfurt. Erasmo conoció además el orgullo, pero también la inquietud de ver multiplicarse fuera de su control las ediciones de sus obras más discutidas, de sus manifiestos más agresivos para con los teólogos escolásticos y los frailes y monjes. Los libros voluminosos criaban. Sabemos que adagios como el *Sileni Alcibiadis* y el *Bellum* se convirtieron en libros de bolsillo al independizarse del volumen grande y bajo la misma forma fueron traducidos a diversas lenguas vernáculas. En ocasiones Erasmo se irritaba ante la obra de sus desconocidos traductores y decía que multiplicaban el odio suscitado por su obra al mismo tiempo que su popularidad. Pero si alguna vez Erasmo manifestó amargas dudas sobre la noble función de la imprenta y sobre los beneficios que reportaba a la humanidad, fue cuando la vio envilecida por comerciantes sin escrúpulos que lanzaban al mercado productos de detestable calidad tipográfica y también libelos difamatorios contra él, Erasmo, a quien no gustaba mucho ser objeto de escritos satíricos, él que había sido autor de tantos.[7]

Si, en conjunto, puede decirse que para los modernos su nom-

6. Franz Bierlaire, *La familie d'Érasme*, Vrin, París, 1968, p. 107. Este libro describe de manera muy vivaz y precisa la evolución del «sistema de vida» de Erasmo a medida que se extendían sus relaciones y sus medios de existencia.

7. Cf. *Colloquium Erasmianum*, Mons, 1968, p. 11 [Cf. infra, p. 40].

bre va asociado a la formidable era de la imprenta en pleno desarrollo, es la pureza del gusto tipográfico lo que dio preeminencia a
los Aldo y a los Froben, a quienes se deben tantas bellas ediciones
de Erasmo. Muchos de sus frontispicios son una fiesta para los
ojos por la sobriedad de su paginación, donde a menudo el emblema del impresor es el único adorno añadido a la arquitectura
tipográfica del título: satisfacen plenamente el gusto de hoy, a
diferencia de tantos frontispicios de la segunda mitad del siglo
cuya complicada ornamentación de frontones y columnas salomó-
nicas nos parece decadente. (Pero el otro privilegio moderno de
este arte tipográfico en plena expansión es la *libertad*, o al menos la
relativa tolerancia de que gozaba. Los teólogos censuran. Erasmo
sabe no poco de eso. Raros son aún los escritores, traductores o
editores a quienes se entrega al brazo secular para sufrir el último
suplicio, como Berquin en vida de Erasmo, o Dolet diez años después de su muerte. Dejará el mundo en 1536 en un estado muy
alejado de la edad de oro con la que había podido soñar hacia
1516. Al menos se irá antes de haber oído hablar del primer índice
de libros prohibidos que incluía una lista de títulos de sus obras.)
Si nos gusta imaginarnos como una gran época de la imprenta la
época en la que Erasmo reina por el libro, sin duda es porque
asistimos a una nueva «revolución del libro» (se ha llamado así el
auge de los «libros de bolsillo» o *paperbacks*) que traslada a otro
nivel cuantitativo y social la difusión del saber que empezaba a
llegar a los semiilustrados en tiempos de Erasmo: porque asistimos
a pesar de eso a una crisis de lectura, y quizá también porque nos
sentimos sumergidos por el océano de papel impreso cuyo volumen
ha ido en aumento de un modo excesivamente triunfal. Ahora hemos llegado al punto de pensar en otras técnicas distintas de las
del libro para conservar la palabra o el escrito, a preguntarnos qué
es lo que vale verdaderamente la pena de que se imprima, después
de haber sido, como solemos decir, «pasado a máquina», a libe-
rarnos tal vez de lo que el difunto William Riley Parker llamaba
hace un año «el complejo de Gutenberg».[8]

8. William Riley Parker, «The Future of the Modern Humanities», en
el vol. del mismo título, The Papers delivered at the Jubilee Congress of the
Modern Humanities Research Association in August 1968, 1969, p. 119.

Dentro de dos o tres milenios, si la humanidad no sufre un accidente, puede imaginarse que a Erasmo y a nosotros se nos verá juntos en el seno de un mismo ciclo de las artes gráficas del que Erasmo vivió la fase ascendente y del que nosotros vivimos una crisis que desemboca en técnicas nuevas.

Pero el contenido de los centenares de millares de volúmenes, grandes o pequeños, desde los imponentes infolios patrísticos hasta los delgados manuales pedagógicos, con los que el *polígrafo* Erasmo, sin duda el hombre más impreso de su tiempo, inundó el mundo, sería una audaz paradoja querer atribuirle globalmente un carácter moderno, y más aún un interés *actual,* en un momento en que nuestra cultura está en crisis, y la cultura humanística en concreto en trance de perder, al menos en apariencia, las últimas posiciones, ya muy disminuidas, que ocupaba tradicionalmente en nuestro sistema educativo. Pues, a fin de cuentas, toda esta frondosa producción de libros, aun teniendo en cuenta que conoció una buena cantidad de traducciones impresas en lenguas vulgares, está en latín, lengua sobre cuyo entierro se vierten en Francia este año muchas lágrimas, ¿y acaso no es de temer que pronto no haya que decir —naturalmente en francés— *latinum est, non legitur*? Me limitaré acerca de esta cuestión a unos cuantos comentarios de sentido común. Si una sección de estudios latinos y griegos puede no solamente salvarse en nuestra enseñanza, sino incluso revitalizarse desembarazándose de los alumnos que la llenan a pesar suyo, es de prever que será gracias a una pedagogía renovada, que revisará la tabla de valores útiles a la formación histórica y estética, que conservará, espero, a Virgilio, Lucrecio y Tácito, pero que quizá prescinda de Cicerón para hacer un hueco a la latinidad tardía, ¿y por qué no a la del Renacimiento? Pienso en los hombres y en las mujeres que defienden «el latín vivo», que publican una revista titulada *Vita Latina,* en la que aparecen textos muy curiosos redactados en latín sobre temas archicontemporáneos como los de la investigación espacial. Estos pioneros han editado como texto escolar un largo fragmento de las *Metamorfosis* de Apuleyo («El amor y psique»). ¿Por qué no publicar algún día los *Sileni Alcibiadis*? En la presente impugnación de la cultura humanística la baza más favorable de Erasmo es la de haber ido a contracorriente del ciceronismo oratorio para contribuir a dar forma a lo que pudiera llamarse un latín moderno. Mrs. Mann-Phillips nos ha recordado uno de los efectos de la *Duplex copia rerum et verborum*, que arroja a manos llenas ante el aprendiz las diferentes maneras de formular la misma cosa, pero que en seguida obliga a ver que nunca es la misma cosa, que no hay sinónimos. De tal modo que Erasmo, para los otros y para sí mismo, muestra el ideal de una lengua no sujeta a ningún modelo rígido, sino sometida a la verdad de la idea, a la verdad de la cosa, y disponiendo para responder a esta exigencia de toda la gama del vocabulario y de la sintaxis, desde lo sublime hasta lo familiar. Los cómicos le sirven en este sentido más que los discursos de Cicerón. Erasmo no tiene la elocuencia que exaltaba *Dolet* el ciceroniano. Hay ese otro género de eficacia literaria que es la expresividad no oratoria hacia la cual se han orientado irreversiblemente nuestras lenguas modernas. Antes insinuaba que Erasmo se sometió él mismo a este aprendizaje que propone. Tuvo consciencia de progresar en su edad madura y en su vejez hacia el ideal de la *sencillez* y de la transparencia, cuando había partido de un estilo humanístico no poco amanerado o afectado, como vemos leyendo sus cartas de juventud. El padre De Lubac [9] tiene razón al destacar esta confesión de 1533: «Nemo fastidiat dictionis simplicitatem, sed amplectantur sententiarum pietatem Hoc eo admoneo quod suspicer multos esse *tales qualis ego fui olim*, qui nauseant ad omnia quae carent rhetorum condimentis et ornamentis». Claro está que Erasmo fue a pesar de todo fiel a ciertos adornos como los *similia* y los *adagios*. Pero tendió hacia la sencillez que preconiza en el *Ecclesiastes*.

Entre los libros escritos por Erasmo para modernizar la pedagogía y para formar en el arte de hablar o de escribir familiar y correctamente, consideremos una vez más, aunque sin insistir demasiado en ello, los *Coloquios*. Nada más evidente que hay que *transponer* si queremos concebir la intención de este libro como no ajena a los problemas siempre vivos entre los pedagogos de hoy.

9. *Exégèse médiévale*, París, 1964, II, 2, p. 449. Texto del prólogo a *Haymo in Psalmos* (1533), en P. S. Allen, H. M. Allen y H. W. Garrod, *Opus epistolarum Des. Erasmi Roterodami*, 12 vols., Oxford, 1906-1958 [citado en adelante: Allen y el volumen correspondiente], X, p. 165.

Pienso en el aprendizaje de la expresión oral y escrita en las lenguas modernas, y en primer lugar en la lengua materna. Erasmo trató el latín como una lengua materna. Y para nosotros es instructivo ver que parte, por esta misma razón, en las *Colloquiorum formulae* que fueron la base del volumen, de las situaciones más triviales de la vida cotidiana del escolar. Pero a medida que los *Colloquia* se aumentan con nuevos diálogos, Erasmo compone conversaciones sobre temas más variados que abarcan situaciones e incluso debates que preocupan a los adultos, y por consiguiente a los *estudiantes,* desde las de la vida conyugal hasta las de la vida monástica o al problema de las ceremonias: Franz Bierlaire ha analizado muy bien la de 1522,[10] demostrando que aquí es donde Erasmo efectúa la transición «de la conversación latina a la piedad cristiana», empezando a abordar temas religiosos muy controvertidos como el de la vocación religiosa prematura de las jóvenes. Bierlaire se propone estudiar en otro lugar los coloquios que a partir de este momento provocan las críticas de los teólogos de Lovaina.

Pero, ¿qué va a pasar con las ediciones de 1526, en las que aparecerán coloquios sobre temas tan candentes como la devoción de las *peregrinaciones* y la materia de las observancias externas resumida en la *Ictiofagia?* Entonces la Sorbona, siguiendo el ejemplo de la Universidad de Lovaina, hará de los *Coloquios* uno de sus terrenos de caza favoritos para descubrir allí una increíble diversidad de herejías. Pero hasta los que consideran indigno tal encarnizamiento y se niegan a tomar estas acusaciones por lo trágico, a menudo están de acuerdo con la Sorbona en pensar que es muy atrevido (y en modo alguno indispensable) introducir en *libros escolares* temas lo suficientemente controvertidos como para suscitar tales acusaciones. Vives se abstendrá totalmente, en sus *Exercitationes* dialogadas, de estas audacias. Dado el lugar de primer plano que ocupaban entonces en la opinión las cuestiones religiosas, como

10. «La première édition reconnue des *Colloques* d'Érasme», en *Les Études Classiques,* Namur, XXXVII, n.º 1 (1969), p. 59: «La historia de los *Coloquios,* que podría titularse "De la conversación latina a la piedad cristiana", no hace más que empezar[...]». El capítulo siguiente de esta historia ha sido publicado por Bierlaire con el título «Le *Libellus colloquiorum* de mars 1522 et Nicolas Baechem, dit Egmondanus», en *Scrinium Erasmianum,* I, Leiden, 1969, I, p. 81.

hoy en día las cuestiones políticas, ¿es abusivo sugerir que el escándalo provocado por Erasmo con sus coloquios más audaces es del mismo orden que las protestas que han surgido en nuestros días por lo que se llama en los periódicos «la política en la universidad»?

Pero ya es hora de decir cuál es, entre los temas típicos de las obras de Erasmo, el más ostensiblemente próximo a nuestras preocupaciones actuales. Cuando hablaba de problemas a los que el siglo XVI se enfrentó, sin poder, ay, resolverlos, de manera que nos obsesionan como obsesionaban a Erasmo y a sus contemporáneos, pensaba *en primer lugar* en el *problema de la paz entre los pueblos.* No me entretendré mucho en la cuestión. El señor Brachin nos ha hablado muy bien de las concepciones de Erasmo sobre las guerras y sobre la paz. Es indudable que hemos hecho progresos en la polemología, en la dilucidación de los factores económicos y sociales de las guerras. Incluso hemos fundado un cierto número de instituciones internacionales consagradas a la «seguridad» de los pueblos. Pero, ay, hace muchos años que no podemos releer la *Querela pacis* y el *Bellum* sin pensar en una serie de temas de actualidad que nos hacen amargamente dar la razón a Erasmo, y constatar que su concepción sicológica de las causas de las guerras no ha caducado. Basta también en este punto transponer. A la voluntad de poder, a las ambiciones, a las intrigas dinásticas de los reyes que denunciaba Erasmo, basta en ciertos casos sustituir las de las naciones, sin olvidar las tiranías colectivas o colegiadas que se imponen con mucha eficacia sobre pueblos enteros, y les hacen entrar en ligas o en bloques, entidades colectivas que son accesibles a la *philautia,* como Erasmo ya entreveía en una época en la que los sentimientos nacionales tenían menos fuerza que hoy. Desde luego hay casos que nos hacen dudar de la razón del pacifismo integral de Erasmo, y de que cualquier paz sea preferible a la guerra. Aunque tengamos respecto a las guerras ideológicas la misma justificada desconfianza que Erasmo respecto a las cruzadas, podemos concebir la necesidad de una resistencia armada para defender libertades que son nuestras razones de vivir. Sólo en el curso de estas reuniones nuestras, y sin hablar de la interminable guerra del Vietnam, hemos visto eternizarse guerras muy crueles en Oriente Medio y en Biafra; hemos visto estallar de pronto otra en América Central. Y leyendo las noticias de las operaciones bélicas, de las destrucciones y matanzas, de las inútiles tentativas de conciliación que llevan a cabo los organismos internacionales, si somos lectores asiduos de Erasmo sólo podemos repetir *in petto* las lamentaciones de la paz por estos males que los hombres se infligen a sí mismos. Ciertamente, se puede reconocer que algunos pueblos al menos, los mismos a cuyos reyes Erasmo conjuraba sin cesar a hacer la paz, hoy han establecido relaciones pacíficas entre sí, y hacer votos porque las naciones jóvenes lleguen antes de cuatro siglos a resolver sus conflictos por algún medio que no sea la guerra. Sin duda la famosa «aceleración de la historia» podría contribuir a ello.

Pero, a decir verdad, fue como *teólogo* que Erasmo fue a la vez el más célebre y el más discutido, sin rival por la masa de los elogios y de los anatemas de que fue objeto en su tiempo. Y es su teología, su concepción de la Iglesia, lo que ha vuelto a ser *actual* desde hace una veintena de años debido a la profunda mutación que se opera en el seno de la Iglesia católica y en sus relaciones con las demás confesiones cristianas, pues en los principales puntos que habían hecho denunciar a Erasmo como peligroso, hasta el extremo de calificarle de *auctor damnatus primae classis* en el Índice de Paulo IV, el catolicismo, bajo Juan XXIII y Pablo VI, en cierto modo ha llegado a coincidir con Erasmo, o a ir incluso más lejos que él abundando en lo que él había dicho. El fenómeno de actualización inesperada de Erasmo concierne en primer lugar a la Iglesia católica. Sólo afecta a los protestantes en la medida en que, sensibles por los cambios del catolicismo a lo que le acerca a ellos, escuchan las llamadas del espíritu ecuménico. Pues fue como portavoz de un *irenismo* (religioso), del que Erasmo hacía la medicación ecuménica de urgencia requerida por un cisma naciente, que pareció en su tiempo peligroso y que ahora vuelve a ser actual.

En el momento en que van a terminar estas reuniones que Pierre Mesnard había concebido, y en cuya preparación ha desaparecido súbitamente, quisiera que esta parte de mi exposición estuviera como dedicada a su memoria. Mesnard no necesitaba del recordatorio de los centenarios para interesarse profundamente por

Erasmo, pensador religioso tanto como político. En el curso de
estas tres semanas se han citado muchas veces sus trabajos erasmianos. ¿Me permitís recordar que en la sesión inaugural de las
primeras reuniones de este Centro fundado por él me pidió que
hablara de «La edad de Erasmo»? Ahora quisiera sobre todo
atraer vuestra atención sobre la dedicatoria de su librito póstumo
publicado en la colección «Philosophes de Tous les Temps»; lo
dedicó «A la memoria del padre Portal, apóstol del ecumenismo». Este nombre, que todos los de mi generación hemos oído
citar admirativamente por nuestros camaradas católicos partidarios de la «apertura», es por sí mismo suficientemente elocuente.
El espíritu, o para hablar con más propiedad, «la acción ecuménica» de Erasmo, ocupa su justo lugar en este librito de Mesnard,
que le dedica algunas de sus mejores páginas comentando el *De
sarcienda Ecclesiae concordia* de 1533. La antología erasmiana
que completa el volumen comporta una sección titulada «Controversias y ecumenismo»; ésta se inicia con un texto significativo
de 1523, extraído de la epístola dedicatoria de las *Obras de san
Hilario* a Jean Carondelet.[11] Permitidme que os remita a este texto y que os lea otro pasaje de la misma epístola, otra formulación
del irenismo erasmiano: «Lo esencial de nuestra religión es la
paz, la unanimidad (*Summa nostrae religionis pax est et unanimitas*). Ésta no puede convertirse en realidad más que si reducimos
al mínimo las definiciones y si, acerca de numerosos puntos, dejamos a cada cual su libertad de juicio[...]». Y después de severas críticas al furor de la controversia en materias oscuras, contra
los rabinos que no se resignan a dejar preguntas sin respuesta,
Erasmo termina así este pasaje: «Lo propio de la ciencia teológica no consiste en definir más allá de lo que viene dado por los
textos sagrados, y lo que aparece en ellos debe enseñarlo de
buena fe. Actualmente se aplaza una multitud de problemas para
el concilio ecuménico; mucho mejor sería aplazar las cuestiones
de este género para el tiempo en que, sin espejo interpuesto y sin
enigma (*sublato speculo et aenigmate*) veamos a Dios cara a
cara».[12]

11. Allen, V, pp. 180-181.
12. Ibid., pp. 177-178.

Este afán por conseguir la comunión de las almas, la *unanimitas,* en lo esencial, ¿acaso no es la tendencia que preside todos los esfuerzos actuales de acercamiento entre los católicos y los que ellos llaman ahora «los hermanos separados»? Sería demasiado largo detallar aquí todos los aspectos de la vida religiosa auténtica tal como la concebía Erasmo, y que devuelve al primer plano la gran transformación que se ha producido en la Iglesia católica de hoy. Ya he tenido ocasión de decir en el curso de estas reuniones que me parecía más desdichada que útil la expresión de «tercera Iglesia» propuesta por Renaudet para resumir el ideal en nombre del cual Erasmo se negaba a dar la razón tanto a los luteranos como a sus irreductibles adversarios. Me he abstenido, sobre todo para evitar confusiones anacrónicas con el modernismo denunciado por Pío X en la encíclica *Pascendi,* de adoptar la expresión «modernismo erasmiano» lanzada por Lucien Febvre y Renaudet. Pero sería cerrar los ojos a la evidencia no ver que catolicismo erasmiano, catolicismo modernista y catolicismo del ala avanzada de la ortodoxia postconciliar concuerdan sobre todo en una concepción de la fe que suaviza el peso de las definiciones dogmáticas, que se dirige a un Dios vivo y vivido más que demostrado.

Es probable que algunos se dediquen hoy a buscar en la obra de Erasmo, en particular desde la epístola al obispo de Basilea *De esu carnium* hasta el *Ecclesiastes,* pasando por los coloquios polémicos de los que acabo de hablar, las exigencias y las tendencias que empiezan a encontrar una notable satisfacción en el proceso evolutivo del catolicismo de hoy. Básteme recordar unos cuantos puntos para fijar las ideas de los aquí reunidos.

En la columna de *lo puesto en tela de juicio* pongamos el rechazamiento de la superstición de las prácticas que Erasmo llama judaicas. ¿Quién cree todavía que es un rasgo esencial del cristiano practicar estrictamente la *ictiofagia,* abstenerse de comer carne los viernes y en cuaresma, o que las ropas de los clérigos y de los monjes están prescritas para la eternidad, y son portadoras de un carácter sagrado, digno de una veneración religiosa? Los hombres de mi generación han visto cambiar todo eso ante sus ojos, y desde hace veinte años muy aprisa, excepto en algunos países mediterráneos, y aún... Semejantemente, el culto de los santos (y en consecuencia la devoción vinculada a ciertas peregrinaciones) pierde todo el terreno que gana la piedad cristocéntrica a la cual la devoción mariana se articula cada vez mejor. El culto de ciertos santos auxiliares, como san Cristóbal, gran escándalo a los ojos de Erasmo, ha quedado reducido a la categoría de superstición folklórica.

En la columna de las *afirmaciones erasmianas* más insistentes que hoy han pasado al primer plano de la enseñanza cristiana, creo que hay que inscribir la de la Iglesia como cuerpo místico del que los cristianos son los miembros y Cristo la cabeza, concepción que concede al laicado una importancia no menor que a la jerarquía eclesiástica. Y en cuanto a ésta (la iglesia jerárquica), Erasmo la concibe como reposando esencialmente sobre los obispos, pastores por excelencia. Recordemos el carácter eminentemente pastoral, y también misionero, de la Iglesia tal como se dibuja en el *Ecclesiastes* de Erasmo.[13]

Finalmente, para los aquí reunidos, quiero señalar otro proceso histórico del que Erasmo ilustra para nosotros el comienzo, y del que en nuestros días vemos la culminación: la reducción de las órdenes mendicantes, y en particular los franciscanos y los dominicos, a un papel más restringido y mejor definido en el seno del catolicismo. Si leemos el *Funus* tenemos la impresión de que *Erasmo* es el portavoz agresivo de una minoría ilustrada que ya no soporta más la proliferación abusiva de estas órdenes. Erasmo no sólo reprocha a sus frailes, en su conjunto no reformado, el ser ignorantes, sino el ser además conquistadores, ambiciosos, el rivalizar unos con otros, el absorber las energías de las que necesita la sociedad laica atrayendo a sus conventos a los hijos de las

---

13. Indiquemos un punto en el que Erasmo ha quedado ampliamente desbordado por la evolución actual. Si en el *Ecclesiastes*, quince años después de la ruptura de Lutero con Roma, afirma la importancia de las lenguas vernáculas para el predicador, a él, que no cultivaba ninguna, no parece habérsele ocurrido la idea de que pudiesen sustituir al latín en la liturgia de los países católicos, como ocurre hoy en día. Pero no sabemos qué porvenir reservaba a la liturgia en una Iglesia concebida como fundamentalmente pastoral.

personas ricas o de posición holgada cuyas herencias codician, valiéndose de la veneración supersticiosa que inspiran sus hábitos. Pero si leemos el coloquio *Franciscani* o algunos otros textos, advertiremos en Erasmo un esfuerzo por ser justo con los frailes reformados, por concebir su utilidad en una función misionera, ya sea en las tierras recién descubiertas, ya en el seno de la cristiandad de Europa aún tan poco cristiana, tan mal evangelizada. Los frailes mendicantes estaban por todas partes, se les encontraba a cada momento en las calles de las ciudades del siglo XVI. Cuatro siglos y medio después, los religiosos ocupan, y conservan a pesar de los progresos del espíritu laico, el lugar que les es debido en la sociedad cristiana. Sus hábitos ya no son ni vistosos ni obsesionantes. Muchos frailes de hoy quizá leerían con simpatía las consideraciones de los *Franciscani* de Erasmo, y esta fórmula de uno de ellos, el modesto Conradus: «Olim monachi nihil aliud eramus quam purior pars laicorum».

Pero ya es hora de que me detenga y de que restituya en manos de Doña Stultitia el cetro irrisorio que le he pedido prestado para darme más aplomo. Ya comprenderéis que no puedo despedirme de mi tema sin saludar la juventud bien conservada y siempre actual de la *Moria*. No es un homenaje de simple cortesía el que rindo a este libro. Estoy muy de vuelta de la ligereza con la que hace cuarenta años enjuiciaba este divertimento. Lo es sin duda. Pero bástenos a todos recordar con qué oportunidad la *Moria* ha podido citarse estos días en Tours a propósito de los más doctos trabajos de Erasmo, por ejemplo sus trabajos de exegeta, para librarnos de toda tentación de infravalorarla. Este libro es una cumbre luminosa de su obra que no se cesa de reeditar y de leer. Sin duda es la ambigüedad fundamental de su forma lo que la hace indefinidamente estimulante. Por una vez, en lugar de hablar de ideas, Erasmo nos obliga a hablar de una *forma* genialmente concebida por él. El *Elogio* es una *declamatio,* pero es el elogio de la locura *hecho por ella misma.* Para las gentes de hoy, como para Erasmo, Tomás Moro y sus amigos sin duda, la imagen equívoca del «loco» o del «bufón» es «un instrumento de autocomprensión» según la fórmula del desaparecido Robert

Klein.[14] Y Margolin, que la cita, dice muy bien hablando ya por cuenta propia, que «la locura humanista es la conciencia crítica o irónica del yo». No nos irritemos si los lectores mal preparados caen en interpretaciones absurdas ante la cadena necedad-locura-sinrazón-superación de la razón, o ante la ambigüedad del personaje que Erasmo hace hablar en primera persona. El destino de las grandes obras siempre jóvenes es ser víctimas de interpretaciones contradictorias; éste es un aspecto de su fecundidad.

Los presentes que han seguido asiduamente los trabajos del Centro durante estas tres semanas, al menos habrán sido debidamente prevenidos contra numerosos contrasentidos, y más generalmente contra los peligros de una lectura de Erasmo demasiado influida por concepciones de hoy. En el fondo, como habrán comprendido perfectamente, mis consideraciones, que no tienen nada que ver con un informe de síntesis (a continuación vamos a oír uno), han tenido por principal intención repetirles de otra manera cosas ya conocidas, y confirmarnos en la buena conciencia con que, en pleno mes de julio de 1969, hemos escrutado la obra de Erasmo, según su época, gracias a Dios, pero sintiendo esta época singularmente próxima a la nuestra.

14. «Le thème du fou et l'ironie humaniste», en *Archivio di Filosofia,* Roma, n.º 3 [Umanesimo e Ermeneutica, Coloquio reunido en Padua] (1963), p. 11. Fórmula comentada por J. C. Margolin, *Érasme par lui-même,* Éd. du Seuil, París, 1965, p. 38. El estudio de R. Klein es ahora también accesible en la recopilación póstuma de sus trabajos: *La forme et l'intelligible. Écrits sur la Renaissance et l'art moderne,* prólogo de André Chastel, Gallimard, París, 1970, p. 433.

2. LA SITUACIÓN ACTUAL DEL MENSAJE ERASMIANO *

Monseñor,
señores representantes de las altas autoridades guberna-
    mentales, civiles, militares y eclesiásticas,
señor rector del Centro Universitario de Mons,
querido presidente Léon Halkin,
señoras, señores:

Después de las palabras de cordial acogida del señor rector
Drechsel y después de la prometedora presentación del presidente Léon Halkin, temo decepcionar a mi público, que advertirá
en seguida que no pretendo esbozar un retrato nuevo de Erasmo,
sino, más modestamente, situar nuestro coloquio en el momento
actual de nuestros estudios y de los destinos del mensaje erasmiano.

Convocándonos a reunirnos sin más tardanza para conmemorar con eruditos coloquios el quinto centenario del nacimiento de
Erasmo, como es obvio nuestros amigos belgas no han querido
ignorar el debate que sigue abierto sobre el año en que ocurrió
este nacimiento, ni tampoco han pretendido zanjar definitivamente la cuestión. La *Vita Erasmi,* que aparece encabezando
muchas de las antiguas ediciones de nuestro autor, nos dice que
1467 era el año *alrededor* del cual Erasmo calculaba que había

* «La situation présente du message érasmien», *Colloquium Erasmianum* (Actes du Colloque International réuni à Mons du 26 au 29 octobre
1967), Mons, 1968, pp. 4-16.

debido de nacer. Y eso nos basta. Hay demasiadas celebraciones conmemorativas que a causa de negligencias y dificultades tienen lugar con retraso. Agradecemos a los organizadores de este coloquio haber corrido el riesgo de celebrar anticipadamente el semimilenario del nacimiento de Erasmo. Un refrán español que da la razón a los circunspectos dice que «no por mucho madrugar amanece más temprano». Pero, ¿es que los días de la gloria de Erasmo no han amanecido ya? Me refiero a una gloria nueva o renovada, cuya magnitud permite siempre apreciar la perspectiva de los cincuentenarios, centenarios, sesquicentenarios, etc. No es desatinado pensar que nuestro filósofo cristiano ha llegado desde hace algunos años a una fase decisiva de la supervivencia de su espíritu en la conciencia cristiana. Debemos, pues, mucha gratitud a los hombres que, después de haber concebido con entusiasmo el proyecto de este coloquio científico, han sabido convertirlo en realidad sin precipitación ni contemporización, y allegando todos los apoyos y medios que requería. Erasmo es uno de los padres espirituales de Bélgica, no un hijo de su suelo. Su influencia en vuestras provincias ha sido tan amplia y tan prolongada que, haciendo búsquedas en las bibliotecas de otras regiones de Bélgica, se encontraría en ellas, como se ha encontrado ya en el Hainaut, un número impresionante de antiguas ediciones erasmianas como aquellas con las que R. Crahay ha podido formar el núcleo de la exposición que esta tarde va a ser inaugurada en el Ayuntamiento de Mons. En estas condiciones es hermoso, aunque no sorprendente, que los señores Halkin y Crahay hayan reunido en torno a esta celebración altísimos patronazgos nacionales, regionales y locales. La presencia misma entre nosotros de monseñor el obispo de Tournai y del señor director general de la Enseñanza Superior y de la Investigación Científica, revela un interés que no es meramente platónico por nuestra reunión. Universitarios o investigadores, los que se encuentran congregados en este lugar imaginan sin dificultad de qué modo las altas instancias ministeriales protectoras, a las que yo dirijo nuestro respetuoso saludo, han hecho posible esta reunión. En su nombre saludo también, con un sentimiento de gratitud, al presidente de honor del comité de organización, profesor Max Drechsel, rector del Centro Universitario de Mons del que somos huéspedes. Los buenos erasmistas Halkin y Crahay sabían bien lo que hacían al solicitar esta hospitalidad, eligiendo una institución joven como marco de nuestro coloquio. Conocemos en otros países otros centros o colegios universitarios en los que desde hace algunos años la juventud encuentra mejores condiciones de trabajo que en las grandes universidades, que se han hecho demasiado pequeñas. Un centro como éste puede compensar con ventaja la falta de gloriosas tradiciones con la ausencia de pesadas trabas; puede vivir con más facilidad, como comprendíamos al escuchar al señor rector Max Drechsel, al mismo nivel que el presente y con las exigencias del porvenir. Sin duda, el espíritu de Erasmo debe de sentirse mejor aquí que en lugares frecuentados por demasiados fantasmas o herederos de la antigua soberbia doctoral.

Decía antes que nuestra reunión se celebra en una época decisiva para la difusión póstuma del espíritu de Erasmo. Esta afirmación exige un comentario y suscita en algunos de nosotros ciertos recuerdos del pasado. A primera vista, para nosotros, eruditos que trabajamos o hemos trabajado sobre Erasmo en fechas más o menos lejanas, no existe nada radicalmente nuevo en nuestros estudios excepto el surgir de una ambición nueva, común a todas las disciplinas, de una mejor organización, de una mejor información bibliográfica, de la elaboración colectiva de los instrumentos de trabajo indispensables. Después del *Opus epistolarum Erasmi,* publicado por los Allen y por Garrod entre 1906 y 1947, y que ha hecho posibles todas las investigaciones erasmianas de nuestro tiempo, sin duda alguna fue una fecha memorable la de 1961, año en el que, en Rotterdam, se decidió iniciar los trabajos de una edición crítica colectiva de las *Obras completas* de Erasmo. Varios de vosotros colaboráis en ella. Y algo de sus exigencias, de sus esfuerzos, de sus descubrimientos aparece en el tan atractivo programa de nuestro coloquio. Este programa refleja además, para gran satisfacción nuestra, el progreso ininterrumpido del trabajo, que dura desde hace medio siglo, de redescubrir a Erasmo en el corazón de su época, de volver a sacar a la luz su pensamiento, su acción, su inmensa influencia y los duros ataques que tuvo que sufrir. Digo medio siglo pensando en un libro como *Préré-*

forme et humanisme à Paris de Renaudet, publicado en 1916.
Pero no olvidemos que antes de esta fecha, antes incluso de la
aparición del tomo tercero del *Opus epistolarum,* el buen camino
se encontraba ya completamente expedito. Si la gran masa de los
lectores medianamente cultos se aferraba a la idea simplista de
sus manuales de historia, a un Erasmo reducido al *Elogio de la
Locura* y como máximo a los *Coloquios,* a la idea de un Erasmo ingenioso, buen humanista, prudentemente racionalista en su crítica
de la religión, y, para su tiempo, aceptable precursor de Voltaire,
los historiadores dignos de este nombre sabían ya que el mensaje
de Erasmo era un mensaje religioso y no irreligioso, positivo más
que crítico, que su pensamiento y su acción se situaban en el corazón mismo de la revolución religiosa de su tiempo. Un siglo
«que quería creer», según la expresión de Lucien Febvre. El nombre de este mensaje era *philosophia Christi.* No os ofenderé re-
pitiendo ante vosotros el contenido de esta filosofía de Cristo
según el *Enchiridion* o la *Paraclesis ad christianae philosophiae
studium.* Nada más ocioso también que recordaros qué delicadí-
simas investigaciones ha exigido y exige aún el análisis del contenido cristiano que Erasmo, en toda su obra, ha conservado (para
acentuarlo) de los Evangelios y de las Epístolas, sobre todo de
san Pablo, pero también de los Padres de la Iglesia, que fueron
los primeros grandes comentaristas de estos textos.

Lo que quiero subrayar hoy es que este mensaje, que formula
un cristianismo esencial (ese cristianismo en espíritu que debe
vivirse para ser auténtico), iba dirigido a cristianos para exhor-
tarles no a creer menos, sino a creer mejor, a ser conscientes de
lo que exige su fe, y en particular la caridad, el amor que es el
alma de la doctrina: era una llamada a la conciencia cristiana.
Ahora bien, desde mediados del siglo XVI esta religión en espíritu, en su formulación erasmiana, ha sido puesta en cuarentena
por las principales confesiones religiosas que invocan a Jesucristo,
como si este mensaje ocultara peligrosos venenos. Erasmo, después de haber influido en millares de cristianos de su tiempo,
como nadie lo había hecho aún en el umbral de los tiempos modernos con la ayuda de la imprenta, y tras de que sus libros más
significativos consiguieran una notable audiencia en la católica Es-

paña aproximadamente hasta 1555, fue incluido en el Índice por Roma en 1559 por el conjunto de su obra, convirtiéndose en «autor prohibido de primera clase». El luteranismo se había anticipado al catolicismo en su reprobación. No es falsear las cosas simplificándolas excesivamente decir que los luteranos rechazaban a Erasmo como un papista vergonzante y que los católicos le reprochaban haber sido el precursor del luteranismo y recelaban de su *philosophia Christi* como de un inquietante caballo de Troya. Todo ello es bien conocido.

Lo que merece atención es que estas actitudes hayan durado hasta bien entrado el siglo xx. Hace menos de veinte años una dama protestante y erudita me hacía esta pregunta que sonaba como un reproche para nuestro amigo: ¿por qué Erasmo no se hizo protestante? Y por parte de los católicos son incontables los juicios que han llegado hasta mí, incluso de personas que elogiaban mis esfuerzos por describir objetivamente lo que había sido la influencia de Erasmo en España (aunque en su opinión exagerándola un poco); sus principales reticencias se referían al hombre que yo había elegido como héroe de un voluminoso libro. Al hacer un retrato respetuoso del irenismo de Erasmo, a su no poco obstinada negativa a participar a fondo en una batalla entre cristianos, ¿acaso no contribuía solapadamente, o sin saberlo, a un peligroso desarme de la ortodoxia católica? Pues las confesiones habían seguido en pie de guerra desde el siglo en que Erasmo había exaltado en vano la paz y la unanimidad. Evocaré un recuerdo de 1921, el año en que abordé por vez primera los estudios erasmianos. Jean Baruzi, autor de *Saint Jean de la Croix et le problème de l'expérience mystique*, e irenista si los hay, me había prestado el hermoso librito, denso y luminoso, que el abate Auguste Humbert había publicado (con el *imprimatur*) diez años atrás bajo el título de *La Renaissance de l'Antiquité chrétienne (1450-1521)*, como un primer volumen de una gran síntesis de los *Origines de la théologie moderne*. Yo quería tener, para leerlos y releerlos, esos admirables capítulos en los que Erasmo ocupaba su verdadero lugar bajo títulos como «La nueva ciencia», «Philosophia Christi» y «San Jerónimo contra san Agustín»; pero también los que situaban la revolución religiosa del siglo xvi res-

pecto a las «orientaciones tradicionales» de acercamiento a la
Biblia y a los precursores del xv. Pero este libro, que ha circu-
lado demasiado poco, había sido retirado de la venta. Debidamente advertido de esta dificultad por Baruzi, sólo conseguí que
el editor me lo vendiera demostrándole previamente mi condición de investigador. No lo hubiese vendido a cualquiera. El
tomo primero de los *Origines de la théologie moderne* no fue seguido de ningún otro. Se había aconsejado al autor que aplicase
a otros temas sus dotes de historiador, que eran excepcionales.
Aquel magnífico libro, al que quiero rendir homenaje y que sig-
nificó un hito importante en el retorno a la recta comprensión de
Erasmo, no era sin embargo un panegírico disimulado de los innovadores del siglo xvi, irrespetuoso con las posiciones de la ortodoxia moderna. Pero era comprensivo y hacía comprender. Ello
bastaba para que fuera un poco peligroso. Al volverlo a hojear estos días he encontrado en la página 2 este comentario que ilustra
muy bien lo que estoy diciendo: «De san Roberto Belarmino a
Bossuet, de los decretos de Trento a los decretos del Vaticano, el
impulso más fuerte del desarrollo dogmático es la voluntad, con-
fesada, secreta o inconsciente, de reforzar en todos sus puntos el
sistema católico contra las afirmaciones esenciales de la Reforma».
Ya no sería posible escribir estas líneas sin contrapartida después del nuevo Concilio del Vaticano, que ha consagrado y ace-
lerado una evolución en sentido inverso. Hay días en que, leyendo
en nuestro periódico las noticias de Roma, no nos sorprendería
encontrar un suelto diciendo que Erasmo recibe a título póstumo
el capelo cardenalicio que estuvo a punto de recibir a comienzos
del pontificado de Paulo III. ¿No leímos ayer por la tarde que el
papa acababa de dirigir, con motivo del 450 aniversario de la Reforma, un mensaje al presidente de las iglesias luteranas? En el
aggiornamento liberador al que asistimos hay la oportunidad para
el cristianismo erasmiano de conocer una renovada influencia póstuma, después de haber sido tan duramente sofocado por los hermanos enemigos. Los hombres de mi generación recuerdan las
amargas fórmulas de Léon Brunschvicg sobre las guerras de religión, en las que los adversarios se atribuían unos a otros «la
responsabilidad de los crímenes cometidos en nombre de Jesús

contra la paz y la caridad cuyo mensaje Él había traído a la tierra». «El cristianismo —se atrevía a decir— ha fracasado en la cristiandad, que ha perdido el sentido de su comunión, que ya no se atreve a mirar cara a cara a su providencia».[1] Al año siguiente, en una sesión de la Société Française de Philosophie, encontraba esta fórmula más dura: las guerras de religión «habían decidido, por medio de una especie de juicio de Dios, la aptitud del cristianismo para realizar la comunidad espiritual de la humanidad, para promover la esperanza de una catolicidad cristiana en la paz y en la unidad[...]». Si es cierto que la cristiandad de hoy está empeñada en revisar ese juicio de Dios negativo que significaron hace cuatro siglos las guerras de religión, puede esperarse que quiera tener a Erasmo con ella, y que en diversas confesiones se deje de arrojar a las tinieblas exteriores al que fue el hombre de la paz y de la unidad cristianas.

Pero hay más. Si ahora llega la hora de Erasmo no es solamente porque su espíritu gane terreno en el seno del cristianismo entre los «hermanos separados» que se acercan, sino también porque se desea el diálogo entre cristianos y no cristianos. Hoy en día tenemos que ser más sensibles que nunca a la tendencia extremista de su pacifismo, que llegaba hasta a rechazar la idea de la guerra de cruzada a pesar del peligro de conquista y de subyugación que se cernía hasta sobre la Europa central debido a las victorias de los ejércitos turcos. ¿Veía acaso en estas victorias una especie de «juicio de Dios» contra una cristiandad indigna de Cristo? Toda cruzada le parecía imposible, porque el nombre mismo se había convertido para los pueblos en motivo de incredulidad y de escarnio, a fuerza de aplicarse a las «bulas de cruzada», cuya venta era un inmenso fraude, porque los príncipes cristianos eran incapaces de poner fin a sus guerras fratricidas incluso para unirse contra los musulmanes invasores, finalmente porque era inconcebible que Cristo se apiadara de una cristiandad en la que, según la fórmula que citaba hace un momento, faltaba el cristianismo. Sólo podría llegar a triunfar una cristiandad que viviese por fin siguiendo a Cristo. Erasmo insinúa que

1. Léon Brunschvicg, *Le progrès de la conscience dans la philosophie occidentale*, París, 1927, I, p. 118.

en este caso sin duda vencería pacíficamente. El único triunfo posible sobre los infieles es a sus ojos el de una **evangelización** pacífica emprendida, contando quizá con un plazo de tiempo largo,
por la verdadera fe, por el contacto, por el diálogo. No es éste
el momento de evocar toda la corriente de irenismo radical que
viene del siglo xv y atraviesa el xvi, precisamente ante el problema del Islam. Baste recordar que en el *Bellum* Erasmo se atreve a escribir condenando la idea de la guerra contra los turcos:
«Por lo demás, los que llamamos turcos son en gran parte semicristianos, y quizá más próximos al verdadero cristianismo que
la mayoría de nosotros». Audaz manera de expresarse tal vez,
según la cual un monoteísta que vive de acuerdo con los mandamientos de su Dios puede estar más cerca de la verdadera religión que un seudocristiano de rutina que ignora hasta lo que se
supone que cree y las virtudes que debería practicar. Y, ¿no es
lo que dirá Montaigne?: «Si ese rayo de la divinidad nos tocase
de un modo u otro, sus efectos serían visibles en todas las cosas[...]. Comparad nuestras costumbres a las de un mahometa-
no, a las de un pagano: siempre estáis por debajo de ellos[...].
Si tuviéramos una sola gota de fe moveríamos las montañas[...]».[2]
    Así pues, lo que hoy más que nunca puede estimular el re-
descubrimiento del pensamiento de Erasmo es que éste corresponde a las exigencias vitales de una cristiandad que no supo tomar su impulso moderno en tiempos del Concilio de Trento y
que ahora inicia un nuevo camino después del Concilio Vaticano segundo. La *philosophia Christi* erasmiana, ¿es una filosofía?
¿es una teología? Durante mucho tiempo filósofos eminentes han
afirmado que Erasmo no comprendía gran cosa de la filosofía.
La mayoría de los teólogos, por razones análogas, le han acusado
de destructor de la teología. Pero hoy en día, ¿acaso algunos no
se inclinan a pensar que la *philosophia Christi* es a un tiempo filosofía y teología, y que, con las diversas prolongaciones que el
propio Erasmo le daba, esboza no sólo una eclesiología, sino también una antropología, una moral y una política? Hoy contamos
aquí con la presencia de teólogos y filósofos. Su misma presencia

2. *Essais,* II, xiii.

y sus contribuciones a nuestro coloquio prueban la consideración que Erasmo puede aún merecer por parte de sus disciplinas, desde el momento en que no se encierran en una ontología del raciocinio por la que nuestro hombre sin duda alguna tenía aversión.

Si Erasmo merece todavía en 1967 ser leído y meditado en círculos más amplios que el propio de los especialistas del siglo XVI y del humanismo, ello nos crea a nosotros, especialistas, varias obligaciones; ¿y no es nuestra reunión una ocasión excelente para tomar conciencia de la estrategia que requiere la conquista, para la obra de Erasmo, de una audiencia más numerosa? Digo «tomar conciencia» porque esta estrategia ya está inventada. Ha sido puesta a prueba a medida que unos y otros redescubríamos al verdadero Erasmo, y, afirmando el valor, e incluso la actualidad de una obra determinada, uno de entre nosotros la traducía a su lengua materna. Este esfuerzo tiene que desarrollarse aún más. Sin pesimismo, pero sin falsas ilusiones, reconozcamos que en la hora presente, a la inversa de lo que ocurría en tiempos de Erasmo, cualquier lengua moderna, vehículo de una cultura nacional o plurinacional, cuenta en su ámbito con más lectores cultos de los que cuenta el latín. Entre las generaciones jóvenes de historiadores y de filósofos será una minoría cada vez más reducida la que sea capaz de leer a Erasmo en su texto original. Afortunadamente, la inapreciable *Bibliographie érasmienne,* de la que hoy disponemos para los años 1950-1961, demuestra que el esfuerzo de traducción cuya necesidad se impone es más activo de lo que lo ha sido en cualquier época desde el siglo XVI. El *Elogio de la Locura* conserva y manifiesta de año en año en diversas regiones del mundo su poder explosivo de hostigar al mundo humano. Si sus rasgos satíricos han perdido gran parte de su actualidad, su denuncia del absurdo parece beneficiarse en cambio de un nuevo clima propicio. Y —¿por qué no decirlo? —la *Moria* fascina por su misma ambigüedad, que siempre dejará perplejo a más de un amigo de Erasmo. Pero, gracias a Dios, otros mensajes erasmianos, tan claros como vigorosos, recobran vida desde hace veinte años en diversas lenguas modernas en las que aún no eran (o ya no eran) accesibles. Para no citar más que unos pocos ejemplos, aunque significativos, éste es el caso de los grandes manifiestos

de la «philosophia Christi», *Enchiridion, Paraclesis,* de los principales escritos contra la guerra, el adagio *Bellum* y la *Querela
pacis,* del *De libero arbitrio,* que ahondó las diferencias existentes
entre Erasmo y Lutero sin apaciguar por ello a los papistas. No
obstante, más de un escrito revelador del pensamiento de Erasmo
espera aún en la sombra o en la penumbra a que se le haga hablar alguna de nuestras lenguas modernas.

Si me permitís salir de mi papel de encargado de las ideas generales para lanzar a los jóvenes una llamada concreta, me ceñiré
un poco a un ejemplo y propondré una candidatura para los honores de una traducción al francés, la del libro titulado *Lingua, sive
de linguae usu et abusu.* Que yo sepa sólo ha sido traducido al español y al flamenco, y ello en el siglo de Erasmo. Tengo que ha-
cerme perdonar por haber hablado superficial, peligrosamente
quizá para Erasmo, de esta obra, evocando acerca de su manera
de «encadenar anécdotas y reflexiones» el gran nombre de Montaigne. La *Lingua* de Erasmo no abulta poco, es tan voluminosa
como todo un libro de los *Essais.* Pero es el único libro publicado
por Erasmo en 1525, y quizá su idea se remonte a 1520, época
en la que comentaba la Epístola de Santiago *ex abundantia cordis*
iniciando el capítulo tercero con estas palabras: «Grande es la
utilidad de la lengua humana[...]». En 1525, el filósofo está obsesionado por el poder de la lengua al servicio de la verdad o de la
mentira. Un enjambre de avispas luteranas le persigue desde el
De libero arbitrio, sin que cese por ello el acoso de los ultraorto-
doxos. Así vive nuestro hombre de razón, como más tarde Montaigne en el seno de aquellas guerras en las que nadie tiene razón, «maltrecho por unos y por otros», papista para los luteranos, luterano para los papistas. Hace amargas reflexiones sobre
las caricaturas y los libelos que, ay, son para los impresores y sus
familias un medio de ganarse el pan. Le abruman con ataques
malignos, sin consideración por su edad ni por los servicios prestados. La guerra de los campesinos ensombrece el horizonte. Ima-
gino que fue entonces cuando en el adagio *Festina lente,* que el
señor Reedijk ha tenido la acertada idea de traducir al neerlandés, Erasmo introdujo esas digresiones sobre la degradación mercantil de la imprenta que constituyen un raro contrapunto al

elogio de los Aldo Manuzio y de los Froben, y que se prolongan en siniestras profecías políticas. La *Lingua* es un libro muy marcado por la guerra religiosa desde entonces desencadenada en palabras, y dejando escapar él también incisivas expresiones contra sus habituales detractores, Erasmo hace un esfuerzo para seguir siendo digno de la filosofía cristiana que profesa. Una muestra [3] bastará para recordar ese aspecto, a la vez combativo e irónico, que no es precisamente aquel sobre el que yo quería llamar la atención.

«Pablo se afligía de que se oyeran entre los corintios estos gritos de disputa: "Yo soy de Pablo... yo de Apolo... yo de Cefas... yo de Cristo". ¿Qué diría Él si oyera en nuestro siglo la confusión de las lenguas de los hombres: "Yo soy teólogo transalpino... yo cisalpino... yo escotista... yo tomista... yo occamista... yo realista... yo nominalista... yo de París... yo de Colonia... yo luterano... yo karlstadtiano... yo evangélico... yo papista". Me avergüenza seguir... ¿No acabaremos nunca de edificar la torre de Babel, torre de soberbia y de discordia? ¿No empezaremos nunca a restaurar Jerusalén y el templo derrumbado del Señor?». Y después de citar a Esdras (10) y la expulsión de las mujeres extranjeras para aplicarlo metafóricamente al rechazo de las sectas, Erasmo exclama: «¿Cuál es, pues, el remedio para cambiar de lengua? Volvamos al comienzo del Evangelio. Allí se dice: arrepentíos; el reino de Dios está cercano. Que cada cual reconozca sus culpas, que enderece su vida y el Señor nos será propicio, Él cuya cólera se abate con razón sobre nosotros». El único camino para volver a la unidad pasa por que reconozcamos los obstáculos que nosotros mismos ponemos. «Todos nosotros nos reprochamos recíprocamente nuestra manera de vivir y nuestra doctrina. Nadie se dedica a corregir sus defectos. En los demás calumniamos incluso lo que tienen de bueno, en nosotros no hay nada para lo que no encontremos disculpas. Que de la lengua que confiese (*a lingua confitente*) venga, pues, el inicio de la restauración de la concordia[...].» Este libro es uno de los manuales de moral evangélica de Erasmo.

3. *Opera omnia*, Leiden, 1702-1707 [citado en adelante: LB (Lugduni Batavorum) y el volumen correspondiente], IV, cols. 749-750.

La *Lingua* podría, pues, y debería ser presentada a un amplio público del siglo xx en su horizonte religioso del xvi. Pero, orientados en pocas páginas acerca de las circunstancias del libro, unos lectores modernos podrían interesarse más aún por la inmensidad permanente del tema condensado en esta sencilla palabra de *Lingua*: la lengua. En nuestra época de auge y de toma de conciencia de las ciencias humanas, en la que las revistas ilustradas de nivel intelectual más modesto se hacen eco de las especulaciones de la antropología social sobre la posición clave que ocupa entre las ciencias del hombre la lingüística, en la que los sociólogos se dedican a analizar el contenido y la acción de esos mensajes bautizados más allá del Atlántico como *mass media* (medios de influir en las masas), y que, gracias al vehículo de las ondas, se multiplican como por millones de bocas, nuestro libro podría resultar atractivo para lectores cultos como meditación precientífica sobre el lenguaje oral, medio de comunicación y de acción, y en primer término sobre la lengua, órgano de hominización que permite al hombre pasar, como dicen los antropólogos, de la naturaleza a la cultura. Erasmo, sería inútil insistir en ello, no anticipa la ciencia lingüística: admite con excesiva ingenuidad, como buen gramático, la adecuación necesaria del significante al significado. Por otra parte, no somos víctimas de una ilusión óptica impuesta por admirables retratos de Erasmo con la pluma en la mano, cuando admitimos que fue, mucho más que el hombre del discurso oral, el hombre del escrito: en la metamorfosis sin fin de los signos, objeto de la semiología que algunos quieren llamar *gramatología*, encarna la época en la que las hojas ennegrecidas por el escritor se convierten rápidamente en páginas de libros impresos. Recordemos su irritación, en nuestro mismo libro, contra la agresión de los panfletos que por el tono, la violencia, a menudo el anonimato, se emparentan con el lenguaje oral más desenfadado, el menos vigilado por la exigencia de la verdad, el más irresponsable. Pero quisiera pasar una vez más por alto el aspecto moralizador del libro, en el que encontramos el «fundamento ético» que uno de nosotros observa en la actitud de Erasmo ante la verdad y su inserción en la vida.

¿Acaso no es muy digno de notarse que nuestro moralista,

por una vez, no comience de entrada a alinear sus batallones de
sentencias bíblicas y filosóficas de las que usará tan abundantemente, y sienta la necesidad de demorarse un poco, a la manera
de un naturalista, de un fisiólogo, en ese pequeño órgano carnoso
del que tiene la experiencia íntima en su propia boca? Lengua
que tiene funciones y movimientos muy diversos, pero que, por
ejemplo, es distinta por su forma de una lengua de perro, que bebe
a lengüetazos, o de una lengua de rumiante que tantea la hierba antes de morderla; sus proporciones la aproximan más a una lengua de
pájaro, especies que el hombre amaestra para imitar su lenguaje.[4] Tal
vez éste sea uno de esos casos en los que se ve actuar lo que el señor
Margolin llama una antropología y una fenomenología concretas.
No sé si en la antigua literatura hexahemeral que pondera las
maravillas de la obra de los seis días en las más admirables de las
criaturas, o en los elogios más modernos de la «dignidad del
hombre», tuvo Erasmo antecesores tan maravillados como él por
la lengua habladora. A primera vista parece que sobre todo se
haya hecho el elogio de la mano y de sus recursos infinitamente
variados, mientras que la lengua ha inspirado comentarios más
cortos, más reticentes. De modo que Erasmo, entre tantos pensa-
dores que giran en torno al gran tema del *homo faber* podría ser
original por su curiosidad respecto al *homo loquax*. Y él, ¿era
aficionado a hablar? Observemos que, aunque atento a los movimientos de la lengua, no insiste menos en la posibilidad de
mantenerla encerrada «en su caverna», inmóvil, sujeta por sus
ligamentos en la parte baja y el fondo de la boca.[5] En esta situación de reposo y bien protegida por la «barrera de los dientes»,
la siente Erasmo cuando escribe, con la boca cerrada, las páginas
de la *Lingua*. Pero revive una experiencia no menos inmediata
cuando elogia la prodigiosa sensibilidad de este órgano: la finura
de su tacto, sensible al más fino de los cabellos, su apreciación de
las rugosidades, de las temperaturas, de los sabores. ¡Y cuántos
sabores no distingue un degustador de vinos![6] Tal vez la lengua
del escritor recuerda los buenos vinos de Borgoña con los que

4. LB, IV, col. 661.
5. Ibid.
6. LB, IV, col. 660.

sus amigos saben que pueden tentarle. Pero su tema no es la lengua que siente, sino la lengua que obra, que articula al contacto del paladar, de los dientes, de los labios: «Mientras que la naturaleza ha dado a los diversos animales terrestres un grito peculiar, sólo el hombre, con el plectro único de la lengua, imita los gritos de todos ellos con tal similitud que si sólo se oye al imitador podría creerse que un niño en pañales llora, que un cerdo gruñe, que un caballo relincha, que una mujer riñe con su marido, que un cuclillo rivaliza con un ruiseñor. Y sacadme ahora la cuenta de las variedades de letras, de sílabas y de palabras, de las variedades de abertura, de sonidos estridentes o silbantes propios de cada lengua. Ese único plectro forma y reproduce todas estas variaciones en las numerosas lenguas de las diversas naciones».[7]

Así, el filósofo, antes de proponer al *homo loquax* una ética para que se convierta en hacedor de paz, en hombre de concordia, parte de una realidad fundamental, de un poder ambiguo del hombre. Y, aunque la descripción de los estragos que ocasiona la mala lengua maldiciente, calumniadora, difamadora, ocupa la mayor parte de su libro, Erasmo cuida de describir antes unos comportamientos del *homo loquax* que en sí mismos no son ni buenos ni malos, aunque puedan ser risibles o enojosos. También en este sentido puede interesar al lector moderno al describir un aspecto inmemorial de las relaciones humanas del que aún vemos algo más que vestigios, a pesar de la transformación acelerada de los intercambios verbales entre los hombres. Ha observado, para rehuirle, al charlatán, al hombre que no resiste a la tentación de perorar para sus vecinos en las reuniones, en la calle, en un coche, en barco (donde puede hacer sufrir algo peor que el mareo). La intemperancia lingual es una especie de enfermedad congénita del *homo loquax*. No es como la ligera embriaguez verbal que puede provocar el vino, sobre la que Erasmo se expresa con cierta indulgencia, pues no todos sus efectos son negativos, y son además pasajeros, a diferencia de la logorrea.[8] ¡Qué temible es la embriaguez que nace y que se alimenta de las mismas palabras!

7. LB, IV, col. 661.
8. LB, IV, col. 668.

Ese vicio del charlatán que se escucha y su poder contagioso cuenta en ciertas emisiones radiofónicas con demasiados representantes populares, de los que afortunadamente podemos librarnos con un sencillo movimiento de dos dedos.

Con su interés por el absurdo, al menos como objeto de reflexión y fuente de diversión, Erasmo se detiene con placer en los efectos imprevisibles de ciertas incontinencias linguales instantáneas que en sí mismas son ilógicas, sobre todo las de los malhechores, perfectamente capaces de medir muy bien sus palabras ante un juez de instrucción, pero que se delatan soltando una frase comprometedora o cínica. Ya es proverbial la historia de las grullas de Ibicos. En la plaza pública unos desconocidos ven cruzar el cielo una bandada de grullas y se dicen a media voz riendo: «Las grullas vengadoras de Ibicos». Esta expresión resulta enigmática para los que la oyen. Se detiene a los desconocidos. Eran los asesinos del poeta Ibicos, que al cometer su crimen que perpetraron en un despoblado, habían sido los únicos que oyeron a su víctima apelar como testigos a las grullas que cruzaban el cielo. Los bandidos, después de ser sometidos a la tortura, confesaron y fueron ajusticiados. En lugar de apresurarse a extraer de la historia la lección de justicia inmanente que contiene, Erasmo prefiere antes relacionarla con otro caso de *linguae petulantia* que no es una fábula poética, sino un «suceso» del que fue testigo en Londres en la casa en que habitaba. Un ladrón se había introducido en ella por el tejado. Le sorprenden. Empiezan a gritar al ladrón. Los vecinos acuden para perseguirle y cortarle la retirada. Al cabo de unos instantes, cuando el alboroto se ha calmado, el culpable, viendo que no puede escapar por una ventana, decide salir por la puerta. Allí tropieza con un grupo de vecinos que hablan del ladrón y se mezcla con ellos para maldecirle, quejándose de haber perdido el gorro en el tumulto. Ahora bien, se había recogido el gorro como una prueba acusatoria. Reparan mejor en el hombre, le detienen, confiesa, es ahorcado: *Captus est, confessus est, et pependit.* El relato tiene mucha viveza.[9]

No voy a extenderme más en ese resumen de dos o tres as-

9. LB, IV, col. 687.

pectos de la *Lingua* que podrían inducir a algún joven adepto de nuestros estudios a fijarse en el tratado erasmiano del *homo loquax* y a traducirlo —por ejemplo al francés— para ponerlo al alcance de los filósofos y de las personas cultas que no leen a Erasmo en original. Lo dicho es más que suficiente para ilustrar un ejemplo. Si esta sugerencia y otras parecidas se discutieran en el curso de nuestro coloquio, podrían contribuir al desarrollo concertado del trabajo de traducción cuya necesidad sentimos. Nadie esperaba de este discurso un «estado actual» de los estudios erasmianos. Habrá sido dedicado a diversas consideraciones sobre la situación actual del mensaje erasmiano en el mundo y sobre sus posibilidades de que sea mejor entendido mañana de lo que lo fue ayer por los cristianos a los que iba dirigido. La *Lingua* no podía alejarnos de este tema, obra que defendió el uso humano de un atributo humano y predicó la paz de las lenguas caritativas en medio de un tumulto de anatemas que hacía ya presagiar que iba a sofocarse toda predicación irénica. Pero el irenismo vuelve a levantar la cabeza.

Finalmente me ha parecido que «el orador de la compañía» debía de un modo u otro ceder la palabra a Erasmo, ¿y por qué no sobre ese tema de la palabra, en el umbral de estas conversaciones en las que vamos a *hablar* de Erasmo? Sin duda nuestra mutua benevolencia y nuestra disciplina hacen superfluos los preceptos que la *Lingua* recuerda al referirse al ceremonial de las disputas de la Sorbona, no sin ironizar sobre los casos en que «*a veces* se ordena callar a aquel que debía ser oído más que ningún otro». «Pero —añade Erasmo—, es mejor no oír ciertas cosas que no oír nada. Este remedio es particularmente apropiado a la nación gala, que, aun siendo muy cortés, exagera la facilidad de lengua y tiene en la discusión un punto demasiado ardoroso e intenso. Pero por regla general, sea quien fuere quien hable, habla en vano si no obtiene confianza y atención».[10] Los coloquios científicos no son disputas sorbónicas. El que nos han organizado los señores Halkin y Crahay es un banquete demasiado bien preparado y demasiado apetitoso para que nadie tenga la tentación de

10. LB, IV, col. 735-736.

turbar su orden o su armonía con intemperancias linguales. Los tiempos en el uso de la palabra están equitativamente medidos para los oradores.

A veces es en la discusión cuando surgen las tentaciones de dejarnos arrastrar, no, claro está, por la embriaguez verbal, sino por la importancia del tema que se debate y cuya naturaleza puede quizá justificar toda una comunicación. En estos casos, sin duda no está de más recordar que el alcance de lo que decimos no es proporcional a la abundancia de las palabras o incluso de las ideas, sino más bien a su selección, y que toda palabra eficaz se destaca sobre fondo de silencio. Una parte del arte de hablar, nos dice el autor de la *Lingua*, «consiste en callar con oportunidad y en hablar oportunamente, igual que Alcibíades en el *Banquete* de Platón estima que en la guerra no es menos meritorio emprender debidamente la huida que combatir con ardor. Y en efecto, los cantores que se equivocan en los silencios por los cuales las voces se van interrumpiendo sucesivamente, demuestran que no conocen la música y que ni siquiera conocen el arte de la emisión de voz. Semejantemente, el que es capaz de callar con buen juicio, demuestra cada vez que habla, que habla con buen juicio. Y el único discurso fructífero es el que no fluye por su propia fuerza, sino aquél cuya emisión está regulada».[11] *Quae non effluit, sed promitur et dispensatur.* Y al llegar a este punto, Erasmo, que sabía música, hacía sin duda una pausa... La lengua parte del reposo y vuelve al reposo.

11.   LB, IV, col. 674.

3. ERASMO, ¿EUROPEO? *

¿Por qué, al buscar en el umbral de la edad moderna un personaje representativo de Europa, acude el nombre de Erasmo al espíritu? Erasmo, a diferencia de Eneas Silvio, y de Vives, nunca escribió el nombre de Europa en el título de ninguna obra suya. En el completísimo índice general de su ingente correspondencia falta también este nombre. Si éste no expresa un concepto de su ideario político, ¿será su Europa, nada más, un espacio geográfico donde se siente en casa? Aconteció a Erasmo, para situarse por encima de las fronteras y divisiones, decir que quería ser ciudadano del mundo: *ego mundi civis esse cupio.* El «mundo» no puede ser para él —como para los antiguos de quienes hereda la fórmula— sino una ideal patria común de los hombres civilizados. Sin fijar límites a aquella patria, digamos que Erasmo no se contenta con pertenecer sólo a la Holanda de su nacimiento y de su adolescencia (Rotterdam, Deventer), a Francia, a Inglaterra, a Bélgica (París, Oxford y Cambridge, Lovaina y Bruselas) en donde pasó no pocos años; quiere ser también ciudadano de Italia, a cuyos eruditos trató en Venecia y Roma, ciudadano de Basilea en donde fijó su residencia por mucho tiempo, y adonde volvió para morir, después de residir pocos años en Friburgo. Conviene añadir que, para los historiadores de su influen-

* Estas páginas son la versión castellana de una conferencia sobre «Erasme et l'Europe», dada en Bressanone (Brixen) el 16 de julio de 1967, en la sesión inaugural de los cursos de verano de la Universidad de Padua, y publicada en *Revista de Occidente,* n.º 58 (enero 1968), pp. 1-19.

cia, Erasmo no pertenece menos a algunos países por los que no viajó siquiera, pero en los que contó bastantes discípulos y amigos, desde España y Portugal hasta Hungría y Polonia. Basta esta enumeración para evocar un «mundo» heredero de las aspiraciones de la *republica christiana* o *christianitas* de la Edad Media, en el cual Erasmo actúa de corifeo de la *humanitas* renaciente de la cultura grecolatina.

Federico Chabod, que no le dedica capítulo aparte en su *Storia dell'idea de Europa* (Bari, 1961) y da mayor importancia a Maquiavelo como precursor de un concepto político de Europa que sustituye al de *christianitas,* hace una advertencia notable desde su punto de vista italiano. A principios del siglo XVI encarna Erasmo una mutación en la conciencia de la comunidad espiritual de los humanistas, sólo con llegar a ser el más ilustre representante de ella sin ser italiano. Era, en la terminología del siglo xv, un *bárbaro,* palabra que quiso decir entre los humanistas *no-italiano* antes de significar *no-europeo.* Las cosas están cambiando: «He aquí por qué el sentimiento de la unidad espiritual europea está más vivo, bastante más vivo en Erasmo que en Eneas Silvio. No se trata sólo de que nació más tarde, sino también de que nació en otro país que Italia». Esto que Chabod notó de pasada podría puntualizarse largamente con ayuda del *Ciceronianus* de Erasmo debidamente estudiado en la edición bilingüe anotado por monseñor Angiolo Gambaro (La Scuola Editrice, Brescia, 1965). Este diálogo no es de los más polémicos de Erasmo, pero es, de sus obras de vejez, la que suscitó las reacciones más vivas, en particular por parte de algunos italianos. No porque fuese, ni mucho menos, un ataque denigrante contra el humanismo italiano de su tiempo. Era una sátira del estilo ciceroniano como adorno postizo que desfiguraba la autenticidad y la misma vida de una amplia cultura en evolución bimilenaria y en busca de su modernidad. El rasgo más risible del ciceronianismo era la repetición psitacista de la terminología política de la antigua Roma (falsa identificación o continuidad que cultivará todavía en el siglo xx cierto estilo del fascismo). Escuchemos a Erasmo ironizando, no contra los romanos de la antigüedad, sino contra el recién desaparecido Longueil, su imitador belga: «No es la culpa de Longueil, sino de los tiempos. Cicerón se expresaba propiamente hasta más no poder, pero se expresa Longueil con poquísima propiedad, ya que no existen hoy en Roma ni *patres conscripti,* ni *senatus,* ni *populi auctoritas,* ni *tribuum suffragia,* ni las magistraturas de otros tiempos, ni las leyes, ni los comicios, ni el procedimiento judicial, ni las provincias, ni los municipios... En una palabra, ya no existe Roma en Roma. Ésta no guarda sino escombros y ruinas como rastros y cicatrices de su antigua desgracia. Quiten de ella al papa, a los cardenales y obispos, a la Curia con sus oficiales, y también a los embajadores de príncipes, mandatarios de iglesias, colegios y abadías, y por fin aquella muchedumbre de gentes que ya viven de aquella feria, ya acuden a ella en busca de libertad o a caza de la fortuna, ¿qué va a quedar en Roma?». Dígase si se quiere, concluye Erasmo, que la cabeza de la cristiandad es algo más augusto que la del imperio antiguo. Pero a esta realidad debe aplicarse un lenguaje apropiado. El pobre Longueil vivía del mito de la Roma antigua —*rerum dominam gentemque togatam*— «así como los judíos siguen soñando con su Moisés y su templo de Jerusalén».

Habría desde luego más que decir (y menos someramente) acerca de estos mitos y de su perennidad. La culpa que les carga Erasmo es la de ocultar la realidad del mundo moderno, en donde una comunidad de cultura coexiste con una Iglesia universal bien o mal centrada en Roma, y cuyo gobierno está en crisis. El «bárbaro», el «bátavo» Erasmo instalado en la bárbara ciudad de Basilea, se adueña lo mejor que puede de la herencia grecolatina, profana y sagrada, para nutrir con ella su *philosophia Christi.* Su evidente desprecio de las intrigas y de la «feria» de la Curia romana no excluye respeto por los cenáculos del auténtico humanismo romano, y sobre todo por los focos privilegiados de cultura que son la Venecia de Aldo Manuzio y la Padua de Bembo.

Sobre la índole y la estructura descentralizada del «mundo» erasmiano derraman bastante luz unas páginas que le inspiró la imprenta de Aldo, en la cual, en 1508, había vivido meses preparando la primera edición amplia de sus *Adagios,* cuando, siete años después, vuelve a ampliar la colección en Basilea; rinde entonces un sentido homenaje a la hospitalidad de Aldo y a la gloria de su oficina al comentar el *Festina lente* (II, 1, 1) figurado en el ilustre emblema de la casa: áncora y delfín, estabilidad e ímpetu. Esta divisa, cuando servía de efigie a una moneda imperial que circulaba en manos de mercaderes de la antigüedad, no pudo alcanzar mayor gloria de la que le toca modernamente por figurar en el frontispicio de las ediciones aldinas, cuando «en todas las naciones, hasta más allá de los límites de la cristiandad, se propaga con toda clase de libros de una y otra lengua, donde lo reconocen, manejan y celebran todos los que cultivan los estudios liberales». Después de exaltar el alcance grandioso de la empresa editorial de Aldo y de meditar sobre los destinos de la imprenta, pone en su debido lugar, más modesto, el papel de las ediciones frobenianas, cuyo emblema —el caduceo con serpientes y paloma—, si los príncipes de aquel lado de los Alpes fomentasen la cultura tanto como los de Italia, podría competir con el del delfín, y la imprenta de Basilea con la de Venecia.

Estas páginas invitan a pensar que la Europa a la cual Erasmo se enorgullece de pertenecer y de ofrecer su labor, es un área cultural sin fronteras ni orillas, que se ensancha doquiera circulan libremente las ideas y los libros, tanto impresos como manuscritos. Aquí se advierte otra diferencia notable entre la comunidad humanística de tiempos de Eneas Silvio y la de tiempos de Erasmo. La imprenta ha intensificado enormemente la circulación de los libros, y da una importancia nueva a las metrópolis comerciales que son al mismo tiempo emporios de la librería. Erasmo se siente partícipe y corresponsable de un nuevo poder espiritual, o soberanía no-política, por ser el autor que entonces lanza más libros al mercado mundial. Frente al italiano Pietro Corsi, y otros, que se quejan de su imperialismo, de su invasora fecundidad, tiene que disculparse de ser «el polígrafo», el hombre que sin descanso escribe y publica para satisfacer una insaciable demanda europea. Es un aspecto de la situación notada por Chabod como típica del europeísmo cultural de Erasmo. Extraitaliano, representa un mundo descentralizado, pluralista, en que París rivaliza con Roma, Basilea con Venecia.

No se crea, sin embargo, que el gran humanista rebose optimismo sin recelo ante la nueva eficacia que la imprenta da a la difusión del pensamiento en esta región del mundo. El progreso cuantitativo amenaza con la decadencia de la calidad. Pues un mal tipógrafo hace mucho más daño, con sus faltas multiplicadas por miles de ejemplares, que un mal copista. El apresuramiento da un golpe mortal al escrúpulo con que los escribas de antaño practicaban su arte, tan fieles como notarios jurados. Además, como la industria tipográfica entra en el ámbito de la especulación mercantil, cunde la chapucería, la reproducción fraudulenta y defectuosa de las ediciones, pulula la literatura de baja ley; los panfletos, a menudo anónimos, multiplican las agresiones y fomentan la anarquía intelectual. ¿Será porque el propio Erasmo se siente acosado por ataques polémicos?, ¿porque le asustan ciertas agitaciones revolucionarias? Llega a profetizar (adviértase que es pasaje añadido en las ediciones tardías de los *Adagios*) que el término de la desorientación del espíritu público bien podría ser una tiranía: «Si siguen las cosas como han empezado, veremos el poder concentrado en pocas manos, y una bárbara tiranía reinar entre nosotros como existe entre los turcos (nótese, de pasada, la idea, común a Maquiavelo y a Montesquieu, del despotismo como cosa oriental). Todo quedará sometido al arbitrio de uno solo o de unos pocos. No quedará rastro de organización civil, una violencia militar lo gobernará todo. Será la ruina de toda buena disciplina. La sola ley vigente será: así lo quiere el amo del mundo» (¿será este κοσμοκράτωρ el espectro de una monarquía universal o hegemónica, cuya idea sin duda odió Erasmo?). «La jerarquía religiosa será despreciada, y aun si le queda algo de riqueza o prestigio, todo ello será supeditado a los gobernantes cuyo juicio consista en decir *sí* o *no*.»

Es sorprendente que veamos abiertas tan sombrías perspectivas con motivo de los abusos del arte tipográfico. No menos curioso que Erasmo, en otra ocasión, mencione la dictadura militar «a la turca» como una posible degeneración de la concentración de poderes que podría exigir, según algunos, una cruzada contra los turcos. Pero son reveladores los temores de Erasmo del único ideal político que le parece digno de respeto y amor. Implican adhesión a un orden sociopolítico equilibrado, armónico y pluralista, fundado en el imperio de la ley, y en que cada elemento vea su dignidad a salvo, desde el pueblo y sus magistrados hasta el clero, sin excluir los monjes, de modo que toda discordia se resuelva en acuerdo sobre el ideal común: «horum omnium concors discordia et eodem tendens varietas». Esta es la fórmula de la exigencia en que estriba, según Erasmo, en la vida interna de los pueblos como en la coexistencia de los Estados, la floración del humanismo cristiano, cultura común elaborada por y para la región del mundo llamada Europa.

Que alabara los bienes de la armonía civil y abominara los males de la tiranía es postura grata a los europeos de hoy, y de cuya sinceridad no cabe dudar, aunque la expresó de modo no sistemático. Pero entre los escritos de Erasmo, los que hablan con más fuerza al corazón y a la razón de los europeos, y los incitan mejor a clasificarlo de precursor de su ideal, son unos macizos alegatos en contra de la guerra o en pro de la paz. Siguen siendo actuales no pocas páginas del adagio *Bellum*[1] o *Dulce bellum inexpertis* (IV, I, 1: «Agradable es la guerra a los que no la conocen por experiencia»), o de la amarga «Lamentación de la paz (*Querela pacis*) desterrada en todas partes». Es verosímil que si Erasmo pudiera volver a nuestro mundo y ver a media docena de naciones europeas asociándose en comunidad de intereses económicos para sentirse más y más hermanas y solidarias, para prohibirse a ellas mismas, cada vez más, un porvenir de guerras fratricidas como las del pasado en que se destruían ciegamente unas a otras, bendeciría tal máquina de hacer paz. Le desearía buen éxito. Tal vez no le sorprendería mucho la noticia de que los europeos necesitaron, para llegar a tan tardía cordura, la experiencia de dos guerras atroces, nacidas en sus confines, y luego dila-

---

1. Así como existía ya una traducción francesa de *La «Querela Pacis» d'Erasme* (1517): *La plainte de la paix*, con estudio preliminar y notas de Elise Constantinescu Bagdat, t. I de Études d'Histoire Pacifiste, Presses Universitaires de France, París, 1924, puede leerse desde 1953 el *Dulce bellum inexpertis* en edición bilingüe crítica y anotada por Yvonne Remy y René Dunil-Marquebreucq, vol. VIII de la Collection Latomus publicada en Bruselas (anejos de Latomus, *Revue d'Études Latines*). Y en 1964, por fin, salió la obra magistral de Mrs. Margaret Mann-Phillips, *The «Adages» of Erasmus. A Study with translations* (Cambridge University Press) con excelente versión inglesa de los Adagios más significativos.

tadas, con medios de destrucción cada vez más espantosos, a las más alejadas regiones del planeta. Erasmo se anticipa a los europeos por su pacifismo radical y convencido; tal vez cabría hablar de su pacifismo desesperado.

Descubrió con tristeza e indignación la facilidad con que los hombres se dejan arrastrar a las guerras como si cayeran víctimas de un vértigo en un abismo de calamidades sin número ni medida, en que pierden todos sus recursos hasta el agotamiento, y saliendo vencido el propio vencedor. Denunció con clarividente rigor los sofismas de la ambición dinástica y de la razón de Estado, sus cálculos siempre ilusorios a largo plazo; siendo pagada la cuenta varias veces, en lo inmediato, por los pueblos sujetos al impuesto, a la matanza y al saqueo. Hoy, cuando más urgentemente que nunca se hace sentir en varias regiones de la tierra la necesidad de extinguir a tiempo los conflictos bélicos nacientes gracias a un procedimiento de arbitraje, no podemos menos de escuchar con agrado la voz del buen sentido que el autor de *Bellum* concreta en un modesto apólogo, asimilando los conflictos entre estados a litigios privados, y proponiendo el ejemplo de un hombre dispuesto a entrar en un pleito interminable cuyo papeleo le arruinará, pero que se echa atrás después de calcular bien y acepta un compromiso, habiéndose convencido de que toda lucha que se lleva «hasta el cabo» cuesta más, incluso para el vencedor, que concesiones gravosas.

Cierto es que las guerras a las cuales Erasmo asiste escandalizado no son tanto «guerras nacionales» como conflictos entre reyes o entre coaliciones de soberanos. Para tales juegos de príncipes se forman los ejércitos con soldados voluntarios, profesionales, a menudo con mercenarios extranjeros, aunque ya las operaciones de enganche se realizan con frecuencia, para cada soberano beligerante, entre sus propios súbditos, de modo que un tributo de sangre de las clases más desheredadas se añade a los impuestos de las clases contribuyentes. Así viene arraigando en los pueblos el patriotismo agresivo que en Europa alimentará tantas guerras, en las que las pasiones belicosas de las masas servirán a las de los reyes antes de sustituirlas. Erasmo, desde luego, no reprobó toda forma de patriotismo. Este «ciudadano del mundo» hizo un elogio conmovedor de su patria chica, Holanda, y de sus pacíficos modos de vivir (IV, vi, 35: «Auris Batava»). Pero en el *Elogio de la Locura* se burla de la *philautia,* del amor propio localista en que se complace el patriotismo de campanario, propenso a transformar la alabanza de los méritos del reino, provincia o ciudad, con afirmaciones de superioridad sobre los vecinos o rivales. Dañosa raíz del nacionalismo.

El filósofo cristiano condenó severamente los particularismos de órdenes monásticas, pagada cada una de su hábito como los regimientos de sus uniformes. Pero —piénsese en el *Coloquio del cartujo y del soldado*— concentró sobre la gente de guerra y sus admiradores la aversión visceral que sentía por la guerra, crimen de los crímenes contra la humanidad y contra la ley de Cristo. Para un pacifista antimilitarista como el autor de la *Querela pacis,* el colmo del escándalo es, a todas luces, ver a unos sacerdotes o monjes predicando guerra, a unos cardenales o incluso papas metidos en acciones guerreras. No creo que se haya notado aún la sensibilidad de Erasmo, intelectual, a la posición ridícula del intelectual que, sentado y con la pluma en la mano, excita al combate o se convierte en defensor de las pasiones, o si se quiere virtudes, belicosas. Si escribió tantas páginas implacables contra la guerra fue indudablemente porque su temple de intelectual, de pensador solitario, repugnaba todo movimiento gregario, y reforzaba las decisiones de su razón.

Por eso merece salvarse del olvido uno de los más sabrosos escritos de la vejez de Erasmo: su réplica al humanista italiano Pietro Corsi,[2] que se había creído obligado a volar en defensa de la patria ultrajada —y casi amenazada— solo porque Erasmo, al comentar la frase proverbial *Myconius calvus* (II, i, 7), había citado como ejemplos de excepción o *rara avis* «un escita sabio, un italiano guerrero (*italus bellax*), un mercader honrado, [etc.]». No se puede dudar de la sinceridad de Erasmo cuando protesta que la *bellacitas* no es para él una virtud, y que si los italianos no brillan a sus ojos por esta manera de ser, es el reverso de la gran capacidad que admira en ellos para las artes de la paz y las

2. Puede leerse en el gran *Opus epistolarum,* Allen, XI, pp. 172-186; Ep. 3022 a H. Choler, Basilea, hacia agosto de 1535.

tareas de la cultura. Especialmente cómico a sus ojos era el entusiasmo de Corsi por los militares profesionales. Erasmo, en rigor,
admitía la glorificación de los ciudadanos soldados de la república
romana que volvían al arado después de pelear en defensa de los
altares y los hogares. Es punzante su ironía contra el humanista
que ensalza como parangón de la *bellacitas* italiana al ilustre con-
dottiere Bartolomeo Alviano (cuya figura, por cierto, había de
atraer, en el siglo xix, al conde de Gobineau). Da la casualidad
de que no es un desconocido para Erasmo, pues estaba en Venecia, en 1508, cuando el Alviano volvía allá de una campaña al
norte, con triunfal aparato, y el filósofo pudo saber de los propios familiares del general que su éxito no merecía tanto ruido.
Sobre todo le había parecido grotesco al bátavo el deseo que no-
taba en torno suyo de ofender en él una vanidad nacional inexis-
tente, celebrando ante él aquella victoria supuesta sobre sus hermanos «alemanes», cuando aún no había puesto los pies en Alemania. Pero Corsi, con la pluma en la mano, se sentía ufano de
los triunfos del Alviano, ufano por ser italiano, descendiente de
inmemorial abolengo italiano, y como tal obligado a salir en defensa de su raza. Erasmo, no menos escéptico frente al mito racial que frente al nacional, se divierte en cavilar si acaso su contrario se glorificará de antepasados «godos» bajo el nombre de
italianos (el problema es cómicamente «gobiniano»): «Cuando estaba en Roma, pretendían en serio algunos eruditos que la heroica nobleza era descendencia de los godos y otras naciones
bárbaras, mientras los hombres bajitos, feos y flacos eran auténticos representantes de la estirpe romana».
    En fin, que el «italiano» Corsi se pelea con fantasmas cuando
cree vencer, en el pacífico Erasmo, a un monstruo enemigo de su
patria. Compara humorísticamente el bátavo esta escaramuza con
la única corrida de toros que le agradó en su vida; a él que odiaba
esta diversión sanguinaria. Era en Roma. En el intervalo de dos
corridas un mimo de gran talento, llevando la capa en la siniestra,
y en la diestra empuñando la espada, había imitado todas las
suertes con notable agilidad, salvando todas las embestidas de
un imaginario toro; y para acabar, de una zancada, se había puesto
a horcajadas, triunfante, sobre el cadáver de un toro abatido en la

arena. Así como entonces se había divertido Erasmo con el incruento espectáculo, se ríe ahora de la faena oratoria de Corsi: «No existe aquel bátavo acusado de haber querido robar a Italia su gloria militar, y embocado la trompeta para llamar a las salvajes naciones bárbaras a la devastación de Italia». No, no miente el bátavo cuando se declara ajeno a toda clase de espíritu nacionalista o bélico. Nunca predicó a las naciones otra cosa que comprensión mutua, deseo de convergencia, en su variedad, hacia la unión espiritual, *eodem tendens varietas.* Casi diríamos que fue alérgico hacia todo lo militarista o militar. Es notable que habiendo titulado su más famoso manual de cristianismo, *Manual del soldado o caballero cristiano,* nunca la metáfora del combate espiritual le haya sugerido la de un *ejército* en el que los buenos cristianos fuesen soldados disciplinados. Cada *miles christianus* está personal e interiormente unido a Cristo «su cabeza», y hace a los vicios una guerra perpetua, toda interior, con «dos armas principales» que son la oración en espíritu y la ciencia fundada en la Sagrada Escritura. Erasmo no buscó jamás en la disciplina militar una escuela de las virtudes sociales. Desconfiaba demasiado para ello de los guerreros profesionales (los veía curtidos en vicios), y de la *militaris violencia* que señala como modalidad fatal de la *barbarica tyrannis* cuyo espectro ve surgir de la disolución moral de su tiempo. ¿Qué hubiera pensado de las tiranías del nuestro, de su amor a los uniformes, de su exaltación de la fuerza, de sus exclusivas que tanto contribuyeron últimamente a provocar la saludable reacción «europea»?

Para saber hasta dónde llegaba su pacifismo, y cuán reacio era a la idea de una Europa que fuese una coalición de pueblos cristianos movilizados contra el enemigo común de la cristiandad, es preciso examinar la posición que toma ante el problema de la guerra contra los turcos, en su *Consultatio de bello Turcis inferendo,*[3] dirigida en marzo de 1530 al jurisconsulto alemán

---

3. En Allen, VIII, pp. 382-385, sólo se reimprime el principio, el fin y una página central. El texto completo está en LB, V, pp. 345 ss.

Johann Rinck. Los turcos eran la anti-Europa, frente a la cual los pueblos europeos parecían obligados a tomar conciencia de su común riesgo, a falta de conciencia de su comunidad de cultura (*De Europae dissidiis et bello turcico* es el título de un tratado publicado por Luis Vives en 1526). El peligro turco no era nada imaginario. Desde hacía tres cuartos de siglo, desde la instalación de Mohamet II en Constantinopla, la expansión militar otomana había progresado de manera impresionante. Había reducido a esclavitud o vasallaje la mayor parte de los Balcanes. Ya no era sólo Belgrado, eran Budapest y Viena las que vivían con la angustia de caer bajo tal yugo. Lejos de negar la inminencia trágica del peligro recuerda Erasmo que los europeos, hace poco, han quedado aterrorizados con la noticia de la derrota cristiana de Mohacz, en Hungría. Pero, ¿cómo reaccionaron después? No basta, dice Erasmo, con clamorosos llamamientos a la guerra contra los turcos: bestias fieras, enemigos de la Iglesia, pueblo deshonrado con toda clase de crímenes y vergüenzas. Movilizar así a las muchedumbres no preparadas, es entregarlas incautamente al enemigo. Pues, a raíz del desastre de Hungría y de las devastaciones sufridas por Austria, causa estupor el ver cómo el occidente renano, y Alemania en general, siguen viviendo como si no les atañeran los acontecimientos: «Nos cruzamos de brazos. Gastamos en placeres y fruslerías lo que no quisiéramos gastar en defensa de otros cristianos».

Hay que repetir, según el filósofo, la explicación que se oye por doquier de tal estado de ánimo. Es que los papas lanzaron ya demasiadas veces sus siempre iguales campañas de llamamiento al dinero de los fieles —para las bulas de la cruzada como para indulgencias de toda clase—, siempre con irrisorio resultado. «El dinero —dice— quedó en manos de los papas, de los cardenales, de los monjes, de los generales y príncipes. Pues lo que es el soldado, recibe como sueldo la licencia de saquear. Tantas veces hemos oído anunciar la cruzada, la reconquista de la Tierra Santa, tantas veces hemos visto las cruces rojas adornadas con triple corona en sus rojos estuches, tantas veces hemos escuchado los sacrosantos discursos que prometían maravillas, nobles hazañas e inmensas esperanzas... y no veíamos triunfo alguno, a no ser sobre el dinero. Si nos avisa el refrán que no caigamos dos veces en la misma trampa, ¿cómo podemos fiarnos de las promesas más estupendas, después de engañados más de tres veces?»

No creamos que esta protesta contra la estafa de la cruzada sea invención o exageración del anticlericalismo de Erasmo. Uno de los más ilustres autores de exhortación a la guerra contra los turcos, el humanista vienés J. Cuspinianus, que no era, según parece, ningún erasmista, había lanzado, a fines del pontificado de León X, un llamamiento a los alemanes y a los húngaros para que se uniesen en la lucha, pero acompañándolo con críticas tan amargas como las de Erasmo contra la inmoralidad y las borracheras en que se unían las gentes mejor que en el esfuerzo militar: también él había evocado la indecente farsa de la cruzada propuesta por el papa, con sus indulgencias que cercenan los pobres haberes de los humildes, ingente tráfico en el cual quedan olvidados los turcos, mientras prosiguen sus conquistas y estragos. ¿No iban ellos a unirse con los tártaros para sumergir la cristiandad como en tiempos de Atila?

Erasmo, aunque no dirige discursos patéticos a los cristianos, no quiere ser tachado de indiferente o resignado al peligro de la nueva invasión de bárbaros. Su tesis podría resumirse diciendo que la Europa cristiana no podrá defenderse sino mediante una reforma moral y religiosa que la acerque al ideal cristiano, que tiene tan poca influencia en su vida. Sólo con esta condición podría Dios apiadarse de ella, inspirar a los príncipes cristianos pensamientos de unión fraterna (y ¡qué poco esperanzados son los votos reiterados de Erasmo por que los reyes, guiados por Dios, pongan fin a sus guerras fratricidas!). Si el avance turco tropezara así con una acción militar concertada y vigorosa, podría el cielo dar a los cristianos una victoria de la que, por fin, fuesen dignos. Ya se ve cómo Erasmo, una vez más, no ofrece a los cristianos otra vía de salvación que el hacerse de veras cristianos. De tal reforma o conversión depende también el porvenir de las relaciones de los no-cristianos con el cristianismo, de la anti-Europa con Europa.

Si el cristianismo ha de triunfar, no ha de ser militarmente: «La verdadera victoria sobre los turcos no es matarlos, sino hacerlos cristianos». No podrá operarse su conversión sin que vean en los cristianos una conducta digna de Cristo. Se atreve a suponer una posible unificación futura de las tres religiones del Libro, en que se reuniesen con los cristianos no sólo el judaísmo sino el islamismo. «San Pablo —dice— nos da buena esperanza de que un día la nación obstinadísima de los judíos sea ayuntada con nosotros en un mismo aprisco, y reconozca a un mismo pastor, Jesús. Cuánto más se puede esperar lo mismo de los turcos y demás naciones bárbaras de las que ninguna, según dicen, adora ídolos, sino que tienen un medio-cristianismo (*dimidium habet christianismum*).» Sorprende tal fórmula. No es improvisación de un hombre que se viera, en 1530, en trance de explicarse acerca del peligro turco, y no pudiera renunciar a su pacifismo tan radical como desesperado. Ya en 1515, en el *Bellum,* había llevado su reprobación de la guerra hasta el extremo de poner en cuestión la legitimidad de la misma contra los turcos. Sin descartar del todo, frente a ellos, la hipótesis de la guerra de legítima defensa, había denunciado el espíritu, anticristiano en el fondo, de las guerras de cruzada: «Puesto aparte nuestro título, y la insignia de la cruz, peleamos como turcos contra los turcos». Y no vacilaba en escribir: «Por lo demás, los que llamamos turcos son en gran parte unos medio-cristianos (*semichristiani*) y probablemente más cercanos al verdadero cristianismo que los más de nosotros». Bajo la constante acusación lanzada a la faz de una cristiandad indigna del nombre cristiano, vemos apuntar aquí, como más tarde en la *Consultatio,* la idea de que la unificación religiosa del mundo debe hacerse por el diálogo, sobre el terreno común del monoteísmo, pues unos monoteístas son ya cristianos a medias. Lo volverá a insinuar Guillaume Postel, después de viajar por parte del Oriente musulmán: «Dios, sin que nadie piense en ello, ha hecho que los habitantes de los diez doceavos del mundo sean ya medio convertidos y casi cristianos».

Sería equivocación creer que tales consideraciones surgen en el siglo XVI de una conciencia ensanchada de la *oekumenê.* Son más bien resurgencia de un pensamiento que, ya a mediados del siglo anterior, se impone a la atención por «la universalidad de su irenismo», según frase de Maurice de Gandillac en su introducción a las *Obras escogidas* de Nicolás de Cusa.[4] Ya en aquella época, cuando acaba de caer Constantinopla, cuando Europa acaba de salvarse de milagro por la batalla de Belgrado (1456), y está cuajando el pensamiento «europeo» de Eneas Silvio (el futuro papa Pío II), es cuando el Cusano, cardenal obispo de Brixen, desterrado de su diócesis por la guerra, escribe *La paz de la fe*, impávido diálogo de las religiones. En un *Examen crítico del Corán* (1461), el mismo pensador, que como Juan de Segovia pone la atracción pacífica del Islam en primer término de sus preocupaciones, procurará mostrar que, «bien interpretado, el Corán debe conducir a sus secuaces al reconocimiento de la verdad de Cristo». Parece ser que, desligado de las especulaciones metafísicas en que estribaba su aspiración, el irenismo del Cusano se prolonga en el, poco menos universal, de Erasmo. El autor de la *Consultatio*, incluso después de Mohacz, incluso ante el peligro de ruina total que implicaría una victoria militar turca, se empeña en exaltar el ideal de una conquista pacífica de aquellos conquistadores, por métodos que fueron los de los primeros apóstoles, haciendo ver a los turcos un cristianismo que no sea puramente verbal sino encarnado en costumbres dignas del Evangelio. Si éste no los atrae en el acto, habría que fiarse de los efectos de la convivencia para traerlos al cristianismo con lento progreso, como el que hace siglos hizo posible la extinción del paganismo (concepción análoga a la que Las Casas iba a preconizar para la conversión de los indios del Nuevo Mundo en el *De unico vocationis modo*).

Algunos meses después de la *Consultatio,* el nacimiento de la Confesión de Augsburgo es nueva ocasión para Erasmo de manifestar confidencialmente su irenismo también frente a la amenaza protestante, desaconsejando toda guerra religiosa. Pasarán pocos años antes que el viejo filósofo, amargado por el radicalismo de las revoluciones religiosas y sociales que estallan esporádicamente en el mismo corazón de lo que hubiera podido ser su Europa unida, formule sus consejos desengañados para que

4. Nicolás de Cusa, *Oeuvres choisies,* introducción de Maurice de Gandillac, Aubier, París, 1942, pp. 16-17. Numerosos extractos de *La paix de la foi* (1453), pp. 415-449.

se componga la concordia cristiana (*De sarcienda Ecclesiae concordia*, 1533).[5] Las sangrientas y ruinosas competencias entre estados, que viene denunciando con tanto vigor, van a complicarse ahora, sin remedio, con guerra religiosa entre confesiones.

En tanta confusión, ¿a qué «Europa», a qué «cristiandad» podría agarrarse una esperanza? Una hermandad de príncipes europeos contra la anti-Europa se concibe cada vez menos. Más allá de la frontera movediza, cada vez más cercana, detrás de la cual los amenaza Solimán, se está consolidando la vasta «Turquía de Europa», con cuyos dueños los príncipes cristianos no pueden menos de negociar. Para quien, sin confusiones anacrónicas entre su siglo y el nuestro, investigue lo que pudo ser para Erasmo un ideal europeo de convivencia, es natural que no se lean bajo su pluma sino llamamientos más bien desesperados a la unión, y que, a falta de reconciliación entre los cristianos próximos a quienes conjuraba en vano a vivir según el evangelio, siquiera la lucecita lejana y vacilante de un contacto pacífico entre unos nuevos evangelistas y los propios musulmanes, esperanza de una nueva cristiandad. Y si su pacifismo integral le inspiró expresiones de grave desengaño, ¿no fue realismo político su voluntad de que no resucitara, ya contra el hereje, ya contra el infiel, un espíritu de cruzada que veía moribundo? Podría ser que la obsesión del verdadero cristianismo y de su incompatibilidad con la guerra le ayudara a reconocer y acentuar en el tumulto de su época un movimiento paulatino e irreversible en las relaciones entre política y religión, movimiento al cual no concedió atención el ateísmo político de Maquiavelo.

También le fue dado, mejor que al pensador italiano (muerto entre la revolución de los campesinos de Alemania y la insurrección anabaptista), observar aquellas revoluciones plebeyas, que tanto miedo le daban, a él como a todos los humanistas. No oculta el horror que le inspira el segundo movimiento, que transforma en «rey de Sión» a un zapatero, y que ocupa ya mucho terreno en su Holanda natal. No parece tener el fácil desprecio

---

5. En Allen, X, p. 282, puede leerse un fragmento epistolar que resume las conclusiones del tratado *De sarcienda Ecclesiae concordia*. El texto del tratado figura en LB, V.

de Maquiavelo hacia los «profetas desarmados», al estilo de Savonarola. A él como a Vives el comunismo le parece una subversión que los poderes legítimos deben extirpar por la fuerza. Se hubiera sorprendido nuestro pacifista si alguien le hubiera profetizado que las guerras revolucionarias y las cruzadas ideológicas emprendidas para aplastar a la revolución serían como una metamorfosis moderna —en Europa y en los demás continentes— de las guerras religiosas que abominaba. No cabe duda de que el liberalismo que se oponía a la violencia militar y que caracterizó, según parece, la modalidad política peculiar de su Europa ideal, era, en materia social, individualista y conservador. Pero Erasmo se dejó en el tintero mucho de lo que entrañaba su sueño de un Estado capaz de gobernar a unos hombres libres.

4. UN EXTREMO DEL IRENISMO ERASMIANO EN EL ADAGIO «BELLUM» *

Al colega y amigo que tan minuciosa y cumplidamente estudió la huella de los *Adagia* comentados por Erasmo en *La philosophia vulgar,* de Juan de Mal Lara,[1] brindo algunas consideraciones y dudas sobre la posible influencia del amplio comentario al *Dulce bellum inexpertis,* que, señaladamente en su reprobación de la guerra contra los turcos, resulta ser uno de los escritos más revolucionarios de Erasmo. Excuso recordar que no figura el *Bellum* entre los dos centenares de adagios de la colección erasmiana de cuyas glosas hay ecos en la obra del humanista sevillano. Aunque ésta, publicada en 1568, ofrece un caso típico del que podemos llamar período intermedio de la influencia de los *Adagia* en los países católicos: después de la prohibición de las obras de Erasmo por el Índice de Paulo IV (1559) y antes de la publicación de los *Adagia,* severamente expurgados a instigación del Concilio de Trento, edición a la cual dio su respaldo Paulo Manuzio y que había de ser en adelante la única autorizada (1575).[2]

* En *Filología y crítica hispánica (Homenaje al profesor F. Sánchez Escribano),* Ediciones Alcalá, Madrid, 1969, pp. 35-49.
1. F. Sánchez y Escribano, *Los «Adagia» de Erasmo en la «Philosophia vulgar», de Juan de Mal Lara,* Hispanic Institute in the United States, Nueva York, 1944.
2. *Adagia quaecumque ad hanc exierunt,* Paulli Manutii studio atque industria, doctissimorum Theologorum consilio, atque ope, ab omnibus mendis vindicata, quae pium et veritatis Catholicae studiosum lectorem poterant offendere[...]. Florentiae, Apud Iuntas MDLXXV. A continuación del título que reproducimos explicaba la portada que lo suprimido consistía en falsas interpretaciones y vanas digresiones sin relación con los temas,

Mal Lara, nacido hacia 1524, debía a Erasmo lo mejor de su formación de humanista. Había manejado durante muchos años el texto completo de los *Adagia,* del cual conservaba y tenía a la vista muchos apuntes personales cuando redactó *La philosophia vulgar,* utilizándolos con «recato» y «estudiada circunspección», según advierte certeramente Sánchez y Escribano.[3] A los que habían vivido la lucha entre el pensamiento erasmista y la censura eclesiástica no era difícil adivinar qué renglones del texto sospechoso había de tachar un censor decidido a no salvar más que lo inofensivo. Así es como los comentarios erasmianos utilizados por Mal Lara son, con poquísimas excepciones, de los que respetó la edición «manuciana». Un caso en que el recato del sevillano bordeó el precipicio fue el adagio *Multi thyrsigeri, pauci Bacchi,*[4] en que Erasmo, saltando de los misterios paganos a la religión cristiana, había enumerado muchos títulos y distintivos usurpados, sin olvidar, a vueltas de los de poeta, de virgen y de noble, los de teólogo, monje, cristiano, rey, obispo, papa y emperador. Mal Lara se permitió escribir: «No son todos maestros los que traen el bonete y la borla; no todos poetas los que así se llaman; no todos cavalleros los que traen espada y espuela dorada» (fol. 264, v. 2). La edición «manuciana» había de tachar todo lo iconoclasta, incluso «non omnes vere theologi, qui pileum theologicum gerunt, quive hoc nomine sunt donati», crítica que Mal Lara había hecho tolerable con la calificación más neutra de «maestros» sin precisión de facultad. Pero el sonsonete erasmiano de la crítica queda perceptible. Acierta seguramente Sánchez y Escribano[5] al admitir que *La philosophia vulgar,* a pesar de las precauciones del escritor, sufrió una censura algo apresurada al imprimirse —ya autocensura del autor, ya censura de amigos, ya de

que la labor había sido encargada a Paulo Manuzio por los Padres del Concilio de Trento y que la aprobación pontifical otorgada por Gregorio XIII a esta edición implicaba prohibición de todas las demás. Muret dudó de que fuese P. Manuzio el autor de esta «rudis indigestaque moles», a la cual dio su nombre. Cf. Bibliotheca Erasmiana, Bibliografía de las obras de Erasmo, *Adagia,* Gante, 1897, pp. 170-188.

3. *Op. cit.,* p. 50.
4. Ibid., pp. 12-13.
5. Ibid., pp. 49, 57, 66.

inquisidores—, explicándose así la oscuridad de algunos pasajes. La alusión al adagio *Quo transgressus* (III, x, 1) pudo muy bien ser truncada a última hora, pues se trata de uno de los adagios erasmianos que suprimió totalmente la edición «manuciana» por sospechoso en su tendencia a relacionar religión y filosofía antigua. Es distinto el caso de *Sacra haec non aliter constant* (II, iv, 88), que quedó intacto en la edición «manuciana». Pero, más que las «ideas consideradas licenciosas», debió de escandalizar en Sevilla la alusión al estrecho formalismo de algunas ceremonias o devociones («sumptum a sacris quae certis quibusdam ceremo-niis peraguntur»), comentario que se olvidó de tachar el editor italiano (col. 596) y tal vez había traducido Mal Lara de primera intención. Ya se sabe que la contraposición de lo interior a lo exterior, de la auténtica dignidad a las insignias usurpadas o títulos de los indignos, es el tema del monumental ensayo de los *Silenos de Alcibíades* que la relativa libertad de la época de Carlos V había permitido publicar aparte, con unos cuantos retoques, en lengua castellana. Pero ya figuraban los «Silenos de Erasmo» en el *Catálogo de libros que se prohíben* del inquisidor general Valdés (1559). Buen cuidado tuvo Mal Lara de no aludir a los *Silenos*, que en la edición «manuciana» habían de quedar reducidos a la dimensión de los columnas escasas.

Tampoco hay en *La philosophia vulgar* eco alguno del *Dulce bellum inexpertis,* que, con los *Silenos* y el *Scarabeus,* pertenece a las aportaciones más originales y audaces de la edición de las *Adagiorum chiliades* publicada por Erasmo, en Basilea, en 1515. De modo muy expresivo llamó esta edición Mrs. Margaret Mann-Phillips «The Utopian Edition»,[6] para dar a entender que por aquellos años, en que se estrecha la intimidad intelectual de Erasmo con Tomás Moro, desde la publicación del *Moriae encomium* dedicado a Moro por Erasmo (1511) hasta la de la *Utopía* (1516), que tanto entusiasma al filósofo de Basilea, se atreve el pensamiento erasmiano a nuevos vuelos, ensayados en la confianza de la amistad y aligerados por el humorismo. Entonces se expresa Erasmo con vigor desusado sobre grandes temas políticos

6. Margaret Mann-Phillips, *The «Adages» of Erasmus. A Study with Translations,* Cambridge University Press, Cambridge, 1964, cap. IV.

y sociales, sin desligarlos del gran problema del auténtico cristianismo. No le cohíben, como a Moro, responsabilidades de hombre de Estado. No han estallado aún en Alemania la revolución
religiosa de Lutero ni la guerra social de los campesinos. Muy a
sus anchas escribe Erasmo la más corrosiva crítica del poder monárquico (*Scarabeus*) y el más radical alegato contra la guerra
(*Bellum*). Este último ensayo iba a ser desglosado de los *Adagia*
y traducido aparte, en vida del autor; primero al alemán (1519)
y luego al inglés (1533-1534). Había de circular modernamente
en inglés, francés y holandés como folleto de propaganda pacifista. Pero nunca, que sepamos, fue traducido al español.[7] A los
españoles amigos de la paz pareció que bastaba difundir en lengua castellana la *Querela pacis,* que no tenía páginas tan inquietantes como algunas del *Bellum*. Aquí sólo queremos discutir la
resonancia que pudo o no tener en el siglo XVI uno de los atrevi-
mientos mayores de este ensayo: la abierta y rotunda oposición
de Erasmo a la guerra contra los turcos.

Cabe distinguir en este extremo polémico del antibelicismo
erasmiano dos aspectos, uno político-religioso, otro teológico, pero
están dominados los dos por el inmenso problema de la propagación de la fe verdadera.

Para Erasmo, político cristiano, las más escandalosas de las
guerras (negación y destrucción, en general, de los valores traí-
dos al mundo por Cristo) son las guerras entre cristianos. Colmo
del escándalo es que guerree el Papa en uno de los campos. Agu-
da y certeramente puede decir Mrs. Mann-Phillips (p. 105):
«It was Julius II who turned Erasmus into a pacifist». Pero
no por eso admite Erasmo una guerra deliberadamente emprendida por los pueblos cristianos contra los infieles, señaladamente
contra los turcos, poder musulmán invasor de Europa. Como a
regañadientes, reconoce contra ellos un derecho de legítima de-

7. En cambio, disponemos de una cuidadosa edición crítica con traducción francesa, en la Collection Latomus, vol. VIII: Erasme, *Dulce bellum
inexpertis,* texte édité et traduit par Yvonne Remy et René Dunil-Marquebreucq, Berchem-Bruxelles, 1953 (a las líneas del texto crítico nos referimos); y también de una elegante y fiel versión inglesa en la citada
obra de Mrs. Margaret Mann-Phillips, pp. 308-355, con sobrias notas críticas y explicativas.

fensa, insinuando que el que guerrea, después de todo, imita en esto a los turcos. Pero reprueba los proyectos de cruzada que de vez en cuando movilizan las voluntades contra el infiel: «Mihi sane ne hoc quidem adeo probandum uidetur quod subinde bellum molimur in Turcas» (ls. 969-970). Unos quince años después de la «edición utopiana» de los *Adagios*, cuando ya, después de la derrota cristiana de Mohacz y la amenaza contra Viena, se hace cada vez más angustioso el peligro turco, volverá el filósofo a tratar ex profeso el mismo tema en su *Consultatio de bello Turcis inferendo* (1530),[8] y no alterará su posición fundamental de repulsa de las cruzadas. Más bien se hará eco de todas las opiniones adversas a tales empresas, ya por imposibles en el estado permanente de lucha entre cristianos, ya por descalificadas de antemano ante la opinión popular de la cristiandad, pues los fieles, desengañados, consideraban la predicación y venta de las bulas de cruzada como una gigantesca extorsión de fondos, cuyo producto se perdía en muchas manos eclesiásticas y seglares, sin llegar de ello una blanca a supuestos combatientes cristianos. A éstos les quedaba como paga el saqueo. La mayor imposibilidad, según Erasmo, era que Dios ayudase a unas naciones cristianas sólo de nombre, plagadas de todos los vicios y pasiones más opuestos a los mandamientos de Dios y a los ejemplos de Cristo.

Aquí asoma el otro aspecto, lleno de implicaciones teológicas, de la tesis de Erasmo contra la guerra a los turcos. Sólo la práctica ejemplar del cristianismo sería condición y medio adecuado para subyugar a los turcos. Pero «hoy, a menudo, somos malos que combaten malos. También diría —ojalá fuera más atrevido que verdadero— que, quitado nuestro título y el emblema de la cruz, somos turcos que combaten turcos» (ls. 980-982). No es así como los primeros apóstoles propagaron el Evangelio. En larga adición de 1523 (ls. 1006-1085), después de deplorar que Dominicos y Franciscanos tuviesen ocupaciones tan ajenas de la acción apostólica y prefiriesen a ella la defensa de la ortodoxia en

8. Cuyo texto puede leerse en *Opera omnia*, LB, V. Extractos en *Opus epistolarum*, Allen, VIII, pp. 382-385: Ep. 2285 a Joh. Rinck, Freiburg, 17 de marzo de 1530.

las cortes de los soberanos cristianos, añadía Erasmo: «Prefieren reinar para mal del pueblo cristiano a correr peligros para propagar el reino de Cristo. Además, *los que nosotros llamamos turcos son en gran parte semicristianos, y tal vez más cercanos al verdadero cristianismo que los más de nosotros*» (ls. 1026-1028). Subrayamos la fórmula más atrevida, tal vez, del *Bellum*; el autor, distinguiendo entre los dueños musulmanes del imperio turco y los pueblos —cristianos de rito griego— subyugados por ellos, remachaba el clavo diciendo: «Nosotros nos preparamos a aniquilar toda Asia y África con la espada, cuando gran parte de su población *se compone o de cristianos o de semicristianos*. ¿Por qué no reconocemos más bien a los primeros y acariciamos a los segundos, corrigiéndolos con clemencia?» (ls. 1042-1045). «Menor mal —seguía diciendo— es ser francamente turco o judío que fingido cristiano. Dirán que hay que apartar de nuestras cabezas su agresión. ¿Por qué la atraemos sobre nuestras cabezas por nuestras mutuas discordias? Lo cierto es que no nos atacarán fácilmente si estamos de acuerdo, y mejor se convertirán a la fe con nuestra ayuda conservándolos que aniquilándolos. Prefiero un turco sincero a un falso cristiano» (ls. 1059-1065). De la acción violenta de la cruzada sólo podía resultar una reducida minoría de conversiones (falsas) de infieles, y el empeoramiento de los fieles cristianos, desmoralizados, como se ve siempre que cunde el rumor de guerra contra el turco, por la sumisión más servil a una doble tiranía (seglar y eclesiástica). Más valía sembrar el Evangelio, reduciéndolo a la profesión de fe pura y apostólica, no recargada con artículos añadidos por los hombres. «Siendo menos los artículos, más fácil será estar de acuerdo y más fácilmente reinará la concordia si en la mayoría de los casos cada uno queda libre de abundar en su propio sentido, con tal que no sea apasionadamente» (ls. 1080-1085).

¿Incluía Erasmo entre los *articuli humanitus additi* el dogma de la Trinidad? Cabe sospecharlo, ya que para pintar con más optimismo la posible conversión de los musulmanes los llama «semi-christiani». Prometía exponer más a fondo su pensamiento en un *Antipolemos* que nunca llegó a publicar. Sobre el punto que aquí nos interesa demostrará la firmeza inquebrantable de su

oposición a la cruzada, de su esperanza de conversión de los monoteístas al cristianismo, al publicar, en 1530, su *Consultatio de
bello Turcis inferendo*. Pues allí repitió que la verdadera victoria sobre los turcos no es matarlos, sino hacerlos cristianos. «San
Pablo, en efecto, nos enseñó una buena esperanza de que un día
la nación obstinadísima de los judíos se reúna con nosotros en
un mismo aprisco, reconociendo como solo Pastor a Jesús. Cuánto
más lo podemos esperar de los turcos y de las demás naciones
bárbaras que, según me dicen, no adoran ídolos, pero tienen un
medio cristianismo (*dimidium habent christianismum*).»[9]

Este irenismo radical es posición característica de Erasmo
desde que llega al apogeo de la madurez y de la influencia. Sería
error pensar que no tiene precursores en este mismo siglo que
empieza con la conquista de Constantinopla por los turcos (1453).
Precisamente a raíz de esta conquista elaboró un teólogo español,
Juan de Segovia, su «método pacifista» de «meter la espada del
Espíritu divino en los corazones de los sarracenos»,[10] en estrecho
contacto con un prelado mucho más conocido que él como teólogo
y filósofo, el obispo de Brixen y luego cardenal Nicolás de Cusa,
quien en 1453, como reacción a la caída de Bizancio, compuso su
De pace fidei, pacífico diálogo o congreso ideal de las creencias
religiosas. El Cusano en 1461 procede a un *Examen crítico del
Corán* para demostrar que, «bien interpretado este libro, ha de
llevar a sus secuaces a reconocer la verdad de Cristo»,[11] es decir, que está a medio camino del cristianismo. Aunque Erasmo
no menciona jamás a Nicolás de Cusa (ni podía atraerle el temple
metafísico de su pensamiento), no es imposible que haya sabido,
directa o indirectamente, de la «universalidad de su irenismo»,[12]
pues una edición de las obras del Cusano fue publicada en París
por Lefèvre d'Etaples en 1514. Pero la lectura de Nicolás de

9. LB, V, col. 358 A.
10. Darío Cabanelas Rodríguez, O.F.M., *Juan de Segovia y el problema
islámico*, Facultad de Filosofía y Letras, Madrid, 1952, p. 92, cap. III: «El
método pacifista».
11. Véase p. 17 de la introducción de Maurice de Gandillac a Nicolás
de Cusa, *Oeuvres choisies,* Aubier, París, 1942, con amplios extractos de *La
paix de la foi* (1453), pp. 415-449.
12. Ibid., p. 16.

Cusa fue privilegio de una minoría, no siendo reeditado este autor hasta 1565.

Como, entre estas dos fechas, las ediciones de los *Adagios* de Erasmo en que campea el *Dulce bellum inexpertis* fueron muchas, y manejadas por la mayoría de los humanistas, es razonable la sospecha de que las opiniones expresadas por aquel entonces en pro de la conversión pacífica de los turcos llevasen alguna huella del *Bellum*. Nos limitamos a plantear el problema, confesando que tales opiniones apenas las hemos encontrado en más de cuarenta años de atención a la influencia de Erasmo. Sólo en 1963 advertimos,[13] en el discurso de Andrés Laguna sobre *Europa,* algunos ecos del *Bellum* junto con otros, mucho más claros e importantes, de la *Querela pacis* (pues se trata de una *Querela Europae,* una lamentación de Europa destrozada por la guerra). Se nos escapó entonces que la «historieta» que forma un apéndice de la obra de Laguna («Privatum quoddam exemplum a christianis maxime nunc imitandum principibus»)[14] es una página copiada del *Bellum* (ls. 913-938). Pero es una de las más anodinas, pues se limita a asimilar las sangrientas contiendas de los príncipes a los ruinosos pleitos de los intereses privados para demostrar que, a aquéllas como a éstos, es ventajoso sustituir un procedimiento de conciliación. Notábamos que en aquella angustiosa crisis europea de 1542-1544, en que se defiende Carlos V contra una ofensiva del francés aliado del turco, el patético discurso de la infeliz y moderada Europa se abstiene de denunciar a los perturbadores de la paz y carece de virulencia contra el turco, cuyas agresiones son facilitadas por la desunión de los europeos. Era difícil que, en tal coyuntura, el médico Laguna se convirtiese en predicador para aconsejar, en boca de Europa, la renuncia de los cristianos a la cruzada y el ideal de conversión pacífica de los musulmanes. Algunos años más tarde el héroe del *Viaje de Turquía,* con quien creemos que se identifica en gran parte nuestro doctor,

13. M. Bataillon, «Sur l'humanisme du docteur Laguna. Deux petits livres latins de 1543», *Romance Philology*, XVII, n.° 2 (noviembre 1963), pp. 207-234. [Véase cap. 12 de este volumen.]

14. Páginas 236-240 de la edición moderna, facsímil con versión española por don José López de Toro, del librito de Laguna, *Europa* ἑαυτὴν τιμωρουμένη (*Discurso sobre Europa,* Joyas Bibliográficas, Madrid, 1962).

es ambiguo en su reprobación de la religión musulmana, pero el prólogo de la obra se hace eco de los llamamientos a la guerra para libertar las naciones cautivas del turco.

No menos ambigua y escurridiza es la actitud de un orientalista francés, Guillaume Postel, que en una serie de conversiones a cambiantes concepciones proféticas, vivió un episodio romano en la Compañía de Jesús, y en nuestro siglo pudo aparecer retrospectivamente como místico racionalista apóstol de la concordia universal. Tan expuesta a errores es la interpretación del pensamiento de un hombre de tal temple que un plagiario del anónimo tratado *Des merveilles du monde, et principalement des choses admirables des Indes et du Nouveau Monde,* publicado por Postel en 1553, pudo ser presentado por Atkinson como socarrón precursor de los filósofos del siglo XVIII. Le ha tocado a François Secret deshacer este error,[15] mostrando el lugar que corresponde al tratado plagiado por Macer y descubierto por el padre Bernard-Maître,[16] en la evolución religiosa de Postel, a quien viene restituyendo, con Bowsma, su significación de kabalista cristiano.[17] Sin embargo, es interesante para nuestra investigación notar la continuidad con que Postel, buen conocedor del Corán, se preocupó del problema de la concordia con los musulmanes. Y en esta perspectiva llama la atención una frase de Postel utilizada también por Atkinson,[18] en que el iluminado francés expresa su optimismo acerca de la posible conversión de las inmensas regiones del mundo ya ganadas al monoteísmo islámico: «Dieu, sans que nul y pense, a fait que les habitants des dix douzièmes du Monde soient dejà *à demi convertis, et quasi chrétiens*».

En un contexto intelectual distinto, parece que tenemos aquí

15. F. Secret, «Jean Macer, François Xavier et Guillaume Postel, ou un épisode de l'histoire comparée des religions au XVIᵉ siècle», *Revue de l'Histoire des Religions,* CLXX-I (1966), pp. 47-49. Secret rectifica, en pp. 66-67, juicios de L. Blanchet y de Lucien Febvre.

16. Henri Bernard-Maître, S.J., «Aux origines françaises de la Compagnie de Jésus. L'Apologie de Guillaume Postel», *Recherches de Science Religieuse,* XXXVIII, n.º 3-4, pp. 209-233.

17. F. Secret, *Les Kabbalistes chrétiens de la Renaissance,* Coll. Sigma, Dunod, París, 1964 (pp. 171-186 sobre G. Postel).

18. G. Atkinson, *Les nouveaux horizons de la Renaissance française,* Droz, París, 1935, p. 248.

una reminiscencia del concepto erasmiano de *semichristiani* y *dimidius christianismus*. Me advierte F. Secret que esta tesis, formulada por Postel en su tardía publicación (1560, 1575) de la *Tierce partie des orientales histoires*, ya se encontraba en germen en su *De orbis terrae concordia* (Basilea, [1544]) (es decir, antes de que en la Πανθενωσια, *compositio omnium dissidiorum,* Basilea, 1547, rectificase su violenta hostilidad a Mahoma), pues consideraba posible convertir a los musulmanes acudiendo al testimonio del Evangelio, al cual tienen tanta más afición cuanto son más doctos.[19] Todo el libro II del *De orbis terrae concordia* está dedicado a analizar el Corán a base de la traducción del propio autor y a proponer medios de traer a los musulmanes a concordia.[20] El profetismo posteliano no podía coincidir sino de paso con el humanismo de los Adagios, incluso los más «utopianos».

Es curioso que tengamos que citar, entre los libros leídos por fray Bartolomé de Las Casas, partidario de la conquista evangélica, sin soldados, de las Indias Occidentales, no el *Bellum,* sino el *De orbis terrae concordia.* Bien ajeno parece a la cultura

19. G. Postel, *De orbis terrae concordia,* Basilea [1544], p. 331: «[...] adhibendum erit in his Evangelium in testimonium. Ejus enim sunt eo studiosiores Mahumetici, quo sunt doctiores». Al comunicarme este texto, lo comentó Secret recordando que Postel pretendió haber tenido como preceptor, cuando su primer viaje a Constantinopla, un cristiano secreto (cf. W. J. Bouwsma, *Concordia mundi. The career and thought of* G. Postel, Cambridge, Mass., 1957, p. 6; F. Secret, «*Paralipomènes* de Postel sur la vie de François Ier», *Studi Francesi,* Turín, n.° 4, 1958, p. 57), y que puede atribuirse a Postel una nota de la edición de la *Chronica* de Carión publicada en Venecia en 1556, sobre mártires de la fe en Constantinopla en 1540. Con este dato (?) pueden relacionarse folletos claramente novelescos como el que tradujo Laguna del italiano al latín en 1542, en que entre otros prodigios anunciadores del derrumbamiento del imperio turco figura la conversión secreta al cristianismo de los doce sabios del Sultán y su milagrosa salvación del suplicio a que son condenados (cf. M. Bataillon, «Mythe et connaissance de la Turquie au milieu du xvie siècle», en *Venezia e l'Oriente fra tardo Medioevo e Rinascimento,* Fondazione Cini, Sansoni, 1966, pp. 451-470). El Brit. Mus. 1312 b 38 conserva [¿de 1539?] una *Copia di una litera di Constantinopoli della grande occisione che ha fatto il gran Signor de Turchi delli suoi sacerdoti.* Aparte de la sed de ilusiones del Occidente obsesionado por el peligro turco, supone Secret que los turcos «mártires» de la fe pueden ser ecos de herejías islámicas en las cuales Jesús era considerado superior al Profeta (cf. L. Massignon, art. *Zinduk de la Encyclop. de l'Islam,* 1934, IV, col. 1298).

20. F. Secret, «Jean Macer», art. cit., p. 51.

de Las Casas el humanismo de los *Adagios*. Incluso podría extrañar que su doctrina *Del único modo de atraer a todos los pueblos a la verdadera religión* no haga la menor alusión al llamamiento de Erasmo en pro de la traducción de los Evangelios y Epístolas a todas las lenguas, cuando vemos el uso que hizo de la *Paraclesis* fray Juan de Zumárraga en sus *Doctrinas*, impresas en México por los mismos años de que nos ocupamos.[21] Puede atenuarse la extrañeza pensando que no se conserva todo el texto del *De único modo*, sino tres capítulos (V, VI y VII) y que tal vez en la parte no conservada se refiriese Las Casas a la necesidad de traer el Evangelio no sólo sin la menor violencia y en convivencia pacífica, sino también en la lengua de los catecúmenos. Sin embargo, no hay más que una coincidencia tangencial entre la obstinada oposición de Las Casas a toda conquista guerrera de los pueblos americanos que se trata de evangelizar, método reprobado por él en los «conquistadores», como conquista de Mahoma,[22] y la insistente afirmación erasmiana de que los cruzados de las guerras contra los turcos y los cristianos en general ofrecen en su conducta no la afirmación del ideal cristiano, sino su propia negación. También podría notarse que se había hecho lugar común para las vanguardias de los misioneros un juicio análogo a éste sobre la conducta de la mayoría de los conquistadores y que su tendencia a organizar pacíficamente reducciones de indios catecúmenos obedecía al deseo de aislarlos no sólo de las violencias, sino de los malos ejemplos. No radica en tal reprobación de los malos «cruzados» la fuerza del irenismo erasmiano en materia de guerra contra el turco. Y en cuanto a la condena de la guerra como medio de propagar la fe, a la incitación a apoyar la evangelización en «costumbres dignas de Cristo», las introducía el adagio *Bellum* (ls. 1006-1026, en la más notable edición de 1523)

21. Cf. M. Bataillon, *Erasmo y España*, 2.ª ed. en español aumentada, México, 1966, pp. 823-824.
22. Ya que hemos remitido al libro de G. Atkinson, *Les nouveaux horizons...*, es útil advertir que sus consideraciones de la página 252 sobre la actitud de Las Casas frente a las victorias de los turcos desfiguran el pensamiento de fray Bartolomé y que los textos citados allí como de Las Casas no son de él; son citas truncadas del prólogo puesto por J. de Miggrode a su traducción francesa de la *Brevísima relación de la destrucción de las Indias.*

con consideraciones sobre lo poco que dominicos y franciscanos
hacían por la evangelización, consideraciones que ya en 1523, y
más aún en 1543, parecerían notoriamente injustas a las que
llamo vanguardias misioneras de ambas órdenes.

Lo que vemos en la parte conservada del *De unico modo* [22]
es que Las Casas, sin necesidad de apoyarse en el irenismo erasmiano, denuncia como «secuaces de Mahoma» a los partidarios
de la guerra para someter a los infieles antes de predicarles la fe,
y para acentuar mejor el carácter de violencia pura de la conquista mahometana, invoca no sólo el *Speculum historiale*, de Vincent de Beauvais, y el *Fortalitium fidei,* de fray Alonso de Es-
pina, sino también «el autor del libro II *De orbis concordia*»
acerca de la negativa opuesta por Mahoma a la idea de convencer
por milagros. Cuando la gente le decía: Haz los milagros que han
hecho Moisés, Cristo y otros profetas, contestaba que Dios no le
había permitido hacer milagros para que no le aconteciese lo que
a Moisés y a Cristo, pues el mundo no los creyó, diciendo que
eran maleficios. «Porque, dice, no me creerían, vine con poder
de armas.» El *De concordia* invocado es el de Postel, en cuyo
libro (libro II, cap. VIII: «De miraculis Mahamedis», p. 148) se

23. Fray Bartolomé de las Casas, *Del único modo de atraer a todos los
pueblos a la verdadera religión,* edición Agustín Millares Carlo, México,
1942, pp. 460-461: «Haec omnia refert Vincentius in "Historiali Speculo",
locis quibus diximus. Latius tamen explicant praedicta de Machometo auctor libri qui appellatur "Fortalitium fidei" *et auctor alterius "De orbis
concordia"* in quibus refertur quod in Alchorano pluries Machometus reci-
tat. Quod cum homines ei dicerent: Ostende signa quae fecit Moyses et
Christus et alii Prophetae, respondebat quod Deus non permiserat ei facere
miracula, ne contigerit quod Moysi et Christo, quia mundus non credidit
eis, sed dicebant maleficia esse. Non enim, inquit, crederent mihi, sed veni
in virtute armorum». En la versión española de Antenógenes Santamaría,
las palabras que subrayamos no se traducen del todo correctamente por «el
autor de otro libro llamado *De orbis concordia*». *Liber alter* tiene aquí su
sentido usual de *Libro segundo*. Millares, en la *Advertencia* preliminar de
la edición, p. XI, confesaba honradamente no haber conseguido identificar
«el libro *De concordia orbis*». La notable coincidencia del contenido aludido por Las Casas con el del libro II de la obra de Postel de igual título
no deja lugar a duda. Una vez más me ayudó F. Secret, perfecto conocedor
de la obra posteliana, a localizar los textos aludidos.

lee el diálogo de Mahoma y sus secuaces acerca de los milagros.[24]
Sólo que en Postel el *no* del profeta obedece a dos temores opuestos: el de ver los milagros «repudiados y calumniados» y el de
«ser tomado por Dios, y adorado».[25] Se comprende que haya llamado la atención de Las Casas, hombre, él también, de temple
profético, la insistencia de Postel sobre las diversas respuestas
de Mahoma a los que se extrañan de que no haga milagros. El
tema, para fray Bartolomé, pertenece al carácter peculiar de un
heresiarca que, según dice un contradictor suyo en el *Speculum
historiale*, no obró como suelen los otros herejes, «con el arte de
la sutileza o con una locuacidad ingeniosa, sino coaccionando por
la espada, la violencia, opresión y devastación». Por eso mereció
llamarse «conquista de Mahoma» en el vocabulario lascasiano toda
violencia encaminada a imponer la creencia.

Digamos, por fin, por qué Las Casas, a diferencia de Erasmo,
no repudió la violencia, la «conquista de Mahoma», como repre-
salia contra los musulmanes. Es de notar primero que su irenismo radical contra toda guerra que pretenda ser medio de conquis-

24. El problema de la inutilidad de los milagros en apoyo de la propagación de la fe era uno de los que había puesto de relieve Postel, en
1543, en su panfleto antiprotestante *Alcorani et Evangelistarum concordia,*
encaminado a demostrar una comunidad de doctrina entre los «Cenevan-
gelistas» («Nuevos» o «vanos» evangelistas, a elegir...) y los musulmanes.
Hace hincapié en la 10.ª proposición «nullis miraculis opus esse ad con-
firmationem religionis» Lucien Febvre, en *Le problème de l'incroyance au
XVIᵉ siècle,* París, 1942, p. 121. A propósito de esta polémica, F. Secret,
«Jean Macer», art. cit., p. 52, nota que Postel tendrá después que retractarse o batirse en retirada en la *Panthenosia* confesando que había sido víctima de los prejuicios: El orientalista, que conoce el texto original del
Corán «est curieusement en retard, pour l'esprit, sur un Nicolas de Cusa,
ou un Reuchlin, dont le livre II du *De arte cabalística* comporte des pages
sur le Coran que Postel reprendra par la suite. Postel a conservé tout
l'esprit des vieilles préventions».
25. *De orbis concordia,* libro II, cap. VIII, p. 148: «[...] Si urgeba-
tur, dicebat se non esse Deum, miracula esse Dei solius, se esse praemo-
nitorem tantum et praedicatorem. Fuerunt et alii qui utrumque dicebant.
Replicabat ideo nolle Deum illum facere miracula, quod in prioribus repu-
diata et calumniata essent: aut ne crederent esse Deum, et adorarent» (Cf.
p. 188: «Quum vero rogarent videri miracula, dicebat Deus est potens ut
mittat miraculum, et ideo multi non intelligunt. [...] Paulo post quum
peterentur miracula, dicit: Deus non mittit prophetas nisi annuncian-
tes [...]»).

ta espiritual no llegaba hasta negar a los soberanos el derecho de acudir a las armas para defender sus estados («ad tuitionem suae rei publicae», según dice en el *De unico modo,* p. 490). Erasmo tampoco iba tan lejos. Pero además hay para Las Casas una diferencia fundamental entre las Indias, que nunca fueron cristianas, y países que lo fueron, «como África lo fue en tiempo de Sant Augustin y el reyno de Granada y lo es el imperio de Constantinopla y el reyno de Jerusalem».[26] Contra los musulmanes invasores de estos países admite implícitamente un derecho de reconquista. Aunque no llama a la Cruzada y en sus vaticinaciones profetiza más bien que tal vez España venga a ser destruida, «especialmente de turcos y moros y enemigos de nuestra santa fe catholica», en castigo de la «destrucción de las Indias».[27] En el *Tratado comprobatorio* se atiene[28] a su distinción fundamental entre la concesión de las Indias al rey de Castilla como dominio de evangelización pacífica y «las donaciones del reyno de Hierusalem y de los de Africa y los semejantes usurpados y detenidos tiránicamente por los infieles, quales son moros e turcos». Es curioso que su argumentación le lleve[29] a señalar como Erasmo el carácter heterogéneo de los pueblos conquistados por los turcos. Pero es para rechazar por *reductio ad absurdum* un falso título de conquista guerrera de las Indias, el famoso título aristotélico de la superioridad en prudencia y capacidad de los europeos sobre los indios. No somos, nota, los más capaces: «más sabios y de más excelentes yngenios son que nosotros muchas otras naciones, mayormente los griegos y asianos, como dize el Philosopho [*Polit.,* VI, 7] y Ptolomeo en su *Quadripartito* [libro II] y Vegecio *De re militari* [libro I, 2], e assi como ya todas aquellas provincias sean de turcos y moros, competerles yan de derecho natural

26. Bartolomé de las Casas, *Colección de Tratados,* 1552-1553, facsímil de las ediciones originales (Biblioteca Argentina de Libros Raros Argentinos, III), Buenos Aires, 1924, pp. 256, fol. *a* 2v del *Tratado... de los Yndios que se han hecho... esclavos.*
27. Ibid., pp. 410-411, fol. *f* III - *f* IVr del *Octavo remedio,* en página amenazadora que tiene su eco en la conclusión.
28. Ibid., p. 525, fol. *d* VIIIr del *Tratado comprobatorio.*
29. Ibid., pp. 595-596, fol. *i* IIr-v del *Tratado comprobatorio.*

por ser más prudentes e ingeniosos, y, por consiguiente, contra justicia nosotros las yndias como agenas, y proprias de los que honrran y siruen a Mahoma, posseeríamos». Conclusión absurda para Las Casas. No se para en pensar que los griegos y muchos de los asiáticos dominados por los servidores de Mahoma son cristianos, y menos aún en insinuar que los musulmanes, como monoteístas, son «semicristianos». Hay un abismo entre estas consideraciones erasmianas y el papel adjudicado a los turcos en el mundo mental lascasiano.

Basten nuestras observaciones esporádicas para dar a entender que la punta más hiriente del *Dulce bellum inexpertis* no abrió surco bien visible en el pensamiento político-religioso del siglo XVI. Podrán hacerse más investigaciones en autores que leyeron los *Adagios* no expurgados antes de 1575 o antes de 1559. Las traducciones francesas de escritos pacifistas de Erasmo exhumadas por Hutton se caracterizan por su cuidado en no tocar en ninguno de los puntos candentes del *Bellum*.[30] Tratándose de españoles nacidos en familias de cristianos nuevos como Laguna (probablemente Las Casas), siempre cabrá la sospecha de que acentúan el antiislamismo por identificarse mejor con la tradición que los cristianos viejos heredaron de los siglos de reconquista por diferenciarse de los marranos que buscan un refugio en Turquía. Así y todo habrá que tener en cuenta que el espíritu de cruzada, como da a entender Erasmo en 1530, estaba moribundo, que el intento de resucitarlo en 1538 no engendraba sino derrotas, vergonzosas como la batalla de la Prevesa, honrosas como la pérdida de Castelnuovo (1539), tardíamente compensadas por el triunfo momentáneo de Lepanto (1571). Y ya la alianza de los «cristianísimos» reyes de Francia con el turco era señal de que el imperio de Solimán había tomado definitivamente su peso de gran potencia —sin consideración de fe religiosa— en el equilibrio europeo. El mérito —ideal más que práctico— del irenismo religioso radical de Erasmo consiste en la raíz histórica de su evangelismo. Abarcaba su visión desde la época apostólica y patrística

30. James Hutton, *Erasmus and France: The Propaganda for Peace*, Studies in the Renaissance, VIII, Nueva York, 1961, p. 106.

hasta un incierto porvenir en que quizá se aviniese el cristianismo a no contar con otras armas que las suyas espirituales. Hoy es cuando por fin vemos a los cristianos de diferentes confesiones tratarse unos a otros no como enemigos, sino como hermanos divididos y procurar el diálogo con los no-cristianos.

5. ERASMO CUENTISTA.
FOLKLORE E INVENCIÓN NARRATIVA *

Erasmo, aunque bastante tardíamente, prodigó en numerosos pasajes de sus libros y de sus cartas anécdotas sobriamente contadas. A este arte corresponde también, conviene advertirlo, el volumen de los *Apotegmas* (1530), compilación de relatos elípticos que dicen lo indispensable para encuadrar una máxima que nos llega del fondo de los siglos. La primera parte de la *Lingua* (1525) multiplica muy curiosamente las anécdotas que, no sólo no enmarcan una «frase» inmortal, sino que muestran cómo unas palabras irreflexivas pueden perder a un hombre a quien nada obligaba a pronunciarlas. Así, ese malhechor novicio que en Londres se introduce para robar en la casa donde se alojaba Erasmo, hace ruidos que dan la alarma, escapa al principio a los vecinos que acuden fingiendo mezclarse a los perseguidores y luego, cuando cree que el peligro ha pasado, tratar de salir por la puerta principal ante la que se han quedado los vecinos discutiendo lo sucedido. Participa entonces en su discusión con la mayor naturalidad posible, maldiciendo al ladrón que ha hecho que perdiera su gorro. Grave error, ya que se había visto caer el gorro del fugitivo, y lo habían recogido. El hombre es detenido, juzgado y ahorcado. Otra anécdota referida a la misma estancia de Erasmo en Inglaterra (1511-1512), otra ilustración del peligro que puede entrañar no sujetar la lengua. El papa Julio II había enviado a

* «Érasme conteur. Folklore et invention narrative», *Mélanges de langue et de littérature médiévale offerts à Pierre Le Gentil*, SEDES, París, 1973, pp. 85-104.

Londres un embajador cuya misión era conseguir que Enrique VIII entrase lo antes posible en la alianza pontificia contra los franceses y su concilio cismático de Pisa. Cuando se hace presente al embajador la dificultad de que la corte de Inglaterra (hasta entonces neutral) se lance a la guerra contra Francia, sin preparativos, el diplomático, en lugar de asentir sin más, responde que él ya se lo había dicho al papa. Estas palabras sorprenden. ¿No será francófilo el enviado de Julio II? Se le espía. Se sorprenden unas entrevistas nocturnas que sostiene con el embajador de Francia. Se le encarcela, se confiscan sus bienes... Aunque al menos salva la vida, que no hubiese respetado Julio II de haber estado en su poder. A la misma vena de ecos de la «pequeña historia» pertenece una tercera anécdota londinense de la *Lingua* que ejemplariza la política de Enrique VII respecto a los supuestos adivinos: uno de estos charlatanes confiesa implícitamente su impostura en el curso de una conversación con el rey, y la expía en la Torre de Londres.[1]

Observemos qué refuerzo de «verdad» aportan a una tesis estos ejemplos que se dicen sacados de la experiencia inmediata para mezclarse a los antiguos que proporcionan, sobre la «linguae futilis incontinentia», el tratado de Plutarco sobre este defecto o la compilación de historias de Heródoto..., «si quid Herodoto credimus», escribe el autor de la *Lingua*.[2] Y habrá que recordarlo al estudiar los fragmentos característicos del único de sus escritos en el que Erasmo se abandonó ostensiblemente al placer de contar sin otra finalidad que la de divertir.

Se trata del *Convivium fabulosum*, que a fines del verano de 1524, junto con otros cinco diálogos, pasa a enriquecer el volumen de los *Colloquia* dedicados al joven Johannes Erasmius Froben.[3] Erasmo, confirmando su afición por el ambiente amable de

1. LB, IV, pp. 687 y 684.
2. LB, IV, p. 686.
3. Sobre esta edición, Preserved Smith, *A Key to the Colloquies of Erasmus*, Harvard University Press, 1927, pp. 27-38. El *Colloquium fabulosum* se encuentra en LB, I, pp. 759-766. Lo citamos por D. Erasmi Rot., *Colloquia familiaria*, ed. anotada, Samuel de Tournes, Ginebra, 1681, pp. 388-406.

los «banquetes» íntimos imitados de los antiguos,[4] esta vez nos dice de entrada que esta pequeña sociedad necesita una constitución. Se saca a suertes un rey, que será por una noche Eutrapelus, el bien nombrado; éste, sin más dilación, dicta leyes solemnemente adornadas de imperativos en -to o en -tor. Destaquemos dos: la que exige que todos los cuentos hagan reír (*ridiculas fabulas*) y la que da licencia para inventarlos improvisando a condición de respetar la verosimilitud y la propiedad de los detalles respecto a los personajes: «atque in legitimis fabulis etiam ex tempore conficta habentor, modo servetur τὸ πιθανὸν καὶ πρέπον».[5] A los narradores no se les exige nada más. También eso conviene tenerlo en cuenta para apreciar el arte de estas historietas, todas las cuales se refieren a la experiencia inmediata, reciente, situándose en los Países Bajos o en la Francia no muy lejana en el tiempo, las principales con algún protagonista (ilustre u oscuro) que se supone conocido de los comensales.

El anfitrión Polymythus —en el que algunos creen reconocer a Erasmo— abre el fuego con unas «historias bátavas». Para empezar, la de un aficionado a las bromas pesadas, Maccus: mirando con atención el escaparate de un zapatero de Leiden, hace que le inviten a entrar en la tienda, se deja probar unos preciosos botines y unos buenos zapatos, y luego, riendo, pregunta al zapatero qué haría si un cliente, tan bien equipado por él para correr, escapase súbitamente. El otro responde que le perseguiría. Maccus le reta, transforma la situación en una carrera pedestre y la gana gracias a su excelente calzado. La historia tiene un desenlace judicial no menos cómico. Después de las bromas bátavas (hay una segunda) que tratan de sorpresas a comerciantes, llegamos al capítulo de los ladrones ingeniosos. Quien pone el tema sobre el tapete es Gelasinus, no sin resumir a modo de transición cierta opinión tomada de Pitágoras acerca de los seres humanos: el mundo es como un mercado en el que se encuentran vendedores y compradores y por el que también se pasea, como observador desinteresado, el filósofo. Pero Gelasius no quiere que se olvide a

4. El género, como pretexto de discusiones eruditas, había estado bien representado por Plutarco en sus Συμποσιακὰ προβλήματα.

5. Ed. cit., p. 388. En estas exigencias reconocemos las famosas reglas del *Arte poética* de Horacio: «Ficta voluptatis causa sint proxima veris» (v. 338) y «reddere personae [...] convenienta cuique» (v. 316).

ese otro paseante que lleva los ojos bien abiertos: el ladrón. Cuenta una historia de Amberes «reciente». Un «impostor» aborda a un clérigo cuya bolsa está ostensiblemente repleta (acaba de cobrar una suma de dinero). Le ruega que le acompañe a una tienda de ornamentos eclesiásticos fingiendo que se le ha encargado comprar una casulla para el cura de su pueblo, que tiene exactamente la misma estatura y corpulencia del clérigo antuerpiense. Éste acepta la idea de prestarse a probar la casulla del cura ausente. Pero la prueba se interrumpe en el momento en que el clérigo, después de ponerse la casulla, para que ésta «caiga» mejor, se quita la bolsa del cinto; el ladrón se apodera entonces del dinero y huye, perseguido en vano por el clérigo y, un poco más atrás, por el comerciante, uno gritando «al ladrón» y el otro «coged al cura loco».

Eutrapelus, «rey» del banquete, inicia la tanda de las anécdotas «reales». Éstas se refieren todas al rey de Francia Luis XI. Todas ilustran el talento de este soberano para recompensar a los buenos súbditos y dejar burlados a los cortesanos ávidos. La que se cuenta de un modo más dilatado y agradable es la de un campesino llamado Conon, en cuya casa Luis, siendo todavía delfín, solía entrar al regreso de la caza, y en cuya mesa, cuando se sentaba a ella, saboreaba unas excelentes nabas. Después de que Luis hubiera subido al trono, el campesino fue a llevarle las nabas más grandes de su cosecha, o mejor dicho, habiéndoselo comido casi todo por el camino, la más grande, la única (*insigniter magna*) que le queda cuando llega a la corte. El rey se muestra conmovido por la ingenuidad del donante, al que recompensa dándole mil ducados. Entonces un cortesano cree provocar en el monarca una liberalidad al menos igual ofreciéndole un caballo muy hermoso. Pero Luis XI, después de haberle dejado alimentar esperanzas, le obsequia con... la naba... aunque la hubiese evaluado a tan alto precio. Tras de otras anécdotas en las que Astaeus, Philythius y Philogelos hacen aparecer al mismo rey, siempre con características similares, Euglottus cuenta una del difunto emperador Maximiliano, soberano generoso e indulgente para con los nobles, a diferencia de Luis XI: la historia termina con la confusión de los funcionarios que quisieran hacer rendir cuentas a los beneficiarios de los favores reales, cuando ellos nunca rinden cuentas.

Por fin Lerochares hace descender el nivel del regocijo «ab equis ad asinos».[6] Cuenta un suceso de un jocoso clérigo de Lovaina lla-

6. Ed. cit., p. 403. La expresión proverbial «ab equis ad asinos» empleada «ubi quis a studiis honestioribus ad parum honesta deflectit» (Erasmo, *Adagia*, I, VII, 29), hizo fortuna entre los humanistas.

mado Antoine, que era en su época las «delicias» del duque de Borgoña Felipe el Bueno, y del que al parecer se cuentan muchas frases
ocurrentes y chanzas divertidas, en general más bien escatológicas;
Adolesches para terminar contará otras de este mismo carácter. La historia contada por Lerochares encaja muy bien en el patrón de las
fábulas en las que se gasta una broma pesada a un personaje anti-
pático. Tal es el caso de un usurero en cuya casa Antoine, que es
vecino suyo y que espera invitados, se apropia junto con su contenido
de una marmita de cobre que está hirviendo en el hogar, aprovechan-
do la ausencia de la cocinera. Después de haber transvasado el cocido,
Antoine hace limpiar el recipiente de cobre y lo manda a depositar
en préstamo al mismo usurero; el mensajero deberá volver, no sólo
con una pequeña cantidad en concepto de préstamo, sino también con
el recibo del objeto dejado en prenda. Cuando se descubre el hurto
las sospechas recaen sobre Antoine, pero éste puede jurar y perjurar
que si ha tomado prestada una marmita, la ha devuelto, y presenta la
prueba escrita de lo que afirma. La marmita recibida en préstamo por
su propietario hizo reír mucho.

Esta decena de cuentos, que circularon mucho en las versiones
latinas elegantemente escritas por Erasmo, y una buena parte de
los cuales reaparecieron con diversas variantes en el tesoro de los
cuentos de diversas lenguas occidentales, naturalmente ha atraído
la curiosidad de los folkloristas. Como sucede cada vez que se identifica una materia tradicional en su elaboración culta por un escritor, hay que admitir que no se sabe exactamente en qué fuentes
orales (o escritas) pudo inspirarse el docto Erasmo.[7] En cambio
la difusión de su coloquio demuestra elocuentemente la amplitud
del papel que desempeñan, como relevo de la transmisión folklórica las versiones escritas o impresas de ciertos temas predilectos
de la tradición oral. Bastará que, limitándonos para empezar al

7. Se ha pensado en su madre. Pero también en sus compañeros de
estudios. Una indeterminación semejante subsiste incluso para los célebres
Cuentos en prosa elaborados por Perrault, que sin embargo recuerdan sin
ningún género de dudas el método folklórico, y de los que Perrault evocó
la transmisión por un «número infinito de Padres, de Madres, de Abuelas,
de ayas y de viejas amigas». Citado por Marc Soriano, *Les contes de Perrault, culture savante et traditions populaires,* Gallimard, París, 1968, p. 79.
Véanse también pp. 80-87. El mismo autor se ha planteado la misma cuestión acerca de «La source oubliée de deux "Fables" de La Fontaine»,
Revue d'Histoire Littéraire de la France.

dominio de la bibliografía demos una idea de la inmensa difusión
de que gozó el *Convivium fabulosum*, ya con el nombre de su
autor, ya bajo forma de plagios anónimos. Después de lo cual po-
dremos volver más particularizadamente a los cuentos que han
hecho correr más tinta (Maccus y el zapatero de Leiden, Luis XI
y el campesino, Antoine y el usurero) y, observando su transformación en recopilaciones (sobre todo francesas e italianas) [8] de los
siglos XVI y XVII en las que la utilización de Erasmo es evidente,
apreciar la calidad y el éxito muy desigual de lo que llamaremos
la invención narrativa en Erasmo.

Para la circulación del *Convivium fabulosum* en los volúmenes de
Colloquia erasmianos, remitimos a la Biblioteca Erasmiana.[9] En los dos
primeros volúmenes que esta bibliografía consagra a las ediciones
conocidas hacia 1903 de los *Colloquia* y de los *Colloquia selecta*, es
fácil enumerar, a partir del volumen publicado en Basilea en agosto-
septiembre de 1524, en el que nuestro *Convivium* figura por vez
primera, 83 ediciones de los *Coloquios,* escalonadas entre 1524 y
1560, y cuarenta de 1564 a 1664. Por otra parte, como el *Convivium
fabulosum* no trata ninguna de esas cuestiones candentes que Erasmo
había abordado en otros diálogos, con gran escándalo de la Sorbona,
pudo ser incluido en ciertas antologías de coloquios escolares por
editores que, siguiendo el ejemplo de Miguel Lotter (Magdeburgo,
1534) no temían ofrecer a los aprendices de latinistas textos divertidos: de estas antologías encontramos nueve entre 1534 y 1580. Si se
quiere también contar antiguas traducciones completas de los *Colloquia* en lenguas románicas, hay que recordar la versión italiana de
los *Colloqui famigliari,* a cargo de Pietro Lauro Modonese (Venecia,

8. Su difusión en Alemania ha sido estudiada por los folkloristas alemanes a partir de Reinhold Köhler, *Kleinere schriften,* ed. J. Bolte, III:
Schr. zur neueren Litteraturgeschichte, Volkskunde und Wortforschung,
Berlín, 1900, pp. 57 ss., sobre Michael Caspar Lundorfs, *Wissbadisch Wiesenbrünnlein.*

9. Bibliotheca Erasmiana, Bibliografía de las obras de Erasmo, *Colloquia,*
Gante, 1903, y 1.º *Colloquia selecta;* 2.º *Traducciones,* Gante, 1907. Otro
volumen contiene 1.º *Índices de los Colloquia;* 2.º *Índices de los Colloquia
selecta y de las traducciones,* Gante, 1907 (y reúne en la p. 119 las traducciones francesas de nuestro coloquio: *Banquet des bons contes,* 1662,
Repas des histoires plaisantes, trad. Gueudeville, 1720, y *Repas anecdotique,*
trad. Develay, 1872, reimpresa por este último en *Les Colloques,* París,
1875-1876, II, pp. 133-154.

1545 y 1549), donde, desde luego, figura el *Convito favoloso*. Sin duda no se exagera calculando en muchos más de cien mil el número de ejemplares de este diálogo que circularon en el siglo XVI con el nombre de Erasmo.

Añadamos ahora a las ediciones propiamente dichas algunas misceláneas de los siglos XVI y XVII, cuyos autores no tenían el menor escrúpulo en reproducir textualmente largos pasajes o la casi totalidad de ciertos coloquios de Erasmo sin nombrar al autor o nombrándolo apenas. El *Convivium fabulosum* es uno de esos textos cuya supervivencia quedó así asegurada más allá de la fecha fatídica (1559) en la que Erasmo se convirtió para los católicos en *auctor damnatus primae classis*. Ya en 1541 fue utilizado por Johann Gast, quien, bajo el seudónimo de Johannes Peregrinus Petroselanus, publica un *Convivalium sermonum liber* [10] destinado a tener un gran éxito. Da una lista de trece autores utilizados por él que encabeza con el nombre de Erasmo.[11] En el término de sucesivos enriquecimientos del volumen, encontramos en su libro I, repartidas en dos grupos, todas las historietas del *Convivium fabulosum* en una transcripción fiel (excepto por lo que se refiere a la de Maccus; ya hablaremos de ello). Pero la deuda más notoria para con los *Coloquios*, plagio literal que apenas hace otra cosa que reemplazar los diversos colocutores de Erasmo, por los —siempre los mismos— de una monumental compilación dialogada (eques, philosophus, theologus), es la que circula a partir de 1610 en la continuación anónima de los *Dies caniculares* de Simon Maiolus, el difunto obispo de Volturara.[12] El coloquio V de la II parte se titula *De*

10. Este es el título de la primera edición (Basilea, 1541) que posee la Biblioteca Nacional de París (8.º Y² 54 296). Hemos utilizado la edición más copiosa de Basilea, 1554 (8.º Y² 53 368): *Tomus primus [Secundus, Tertius] Convivalium Sermonum*. Los cuentos de nuestro *Convivium* figuran en el tomo I; pp. 169-173: las anécdotas de Luis XI; p. 178: De Caesare Maximiliano, p. 299: el clérigo y la casulla; pp. 300-301: Antonius de Lovaina; p. 302: Maccus; p. 303: el hombre de Deventer.

11. Al final de los preliminares de la edición de 1541. La epístola dedicatoria al joven patricio de Frankfurt L. Martropf (1543, p. 5 de la ed. de 1554) contiene un gran elogio de Erasmo y de la fundación instituida por su testamento en favor de jóvenes de estudio.

12. Esta enorme compilación merecería un estudio bibliográfico profundo, de la que el *Trésor* de Graesse, III, p. 345, sólo da algunos elementos. Ignora sobre todo la edición de los *Dies caniculares seu colloquia*, publicada por el propio Maiolus en Roma en 1597 (Brit. Mus. 730.K.20). En cuanto a la continuación anónima, que es la única que afecta a la difusión póstuma de los coloquios de Erasmo, ha sido sumariamente designada por los folkloristas alemanes Wesselski, Bolte y Polivka como obra

aula et caula. El redactor al que llamaremos «Maiolus II» (desconocido que en otros lugares deja entrever su adhesión al pacifismo erasmiano) incluyó, junto a páginas del coloquio de las *Posadas (Diversoria)*, toda la parte narrativa del *Convivium fabulosum,* así como la del *Exorcismus* y la de la *Alchymistica*: tres diálogos particularmente divertidos añadidos por Erasmo a los *Colloquia* en 1524. «Maiolus II» copia a diestro y siniestro; y su editor, protegido por el obispo de Frankfurt del Meno, procura que se le lea sin recelos en la Alemania católica presentándolo como publicado «juxta censuram Catholicae Inquisitionis et permissum Superiorum». Ésta es la causa de que el plagiario omita el nombre del plagiado, sospechoso de heterodoxia. Pero la persistente popularidad de Erasmo entre el público culto de esta misma Alemania está atestiguada por el hecho de que en la misma fecha, en el mismo ambiente renano, Michel Caspar Lundorf, al insertar en la segunda parte de su *Wissbadisch Wiesenbrünnlein* adaptaciones de siete de las historietas del *Convivium fabulosum* («Historias», nos 50 a 56 de su recopilación) da la referencia de Erasmo al menos al final de las «historias» n.os 50 y 51, del mismo modo que le nombra, de manera un poco más comprometedora, acerca del n.º 49, inspirado en el *Naufragium,* célebre por sus ironías sobre el culto popular de los santos.[13] Hacia la misma fecha, una versión francesa de los *Dies caniculares* publicada por François de Rosset, in-

---

de «Maiolus» (que estos últimos autores creen jesuita). Es cierto que la misma designación inexacta fue adoptada (tal vez deliberadamente) por el padre Casalicchio, S.J. (*L'utile col dolce,* Nápoles, 1671) que en su 3.ª Centuria saquea a «Monsignor Maiolo», adaptando de este modo textos de Erasmo amparados por un nombre tranquilizador. Giambattista Marchesi, *Per la storia della novella italiana nel secolo XVII,* Roma, 1897, estudiando las fuentes de las *arguzie* que Casalicchio adapta remitiéndose a Maiolus (III, 3, 3; III, 4, 5; III, 6, 4; cf. pp. 186-189), ni nombra a «Maiolus» ni identifica su fuente erasmiana. Hemos utilizado la edición in-folio de los *Dies caniculares* en seis «tomos» de Maguncia, 1614, publicada por Théobald Schoenwetter (Bibl. del Instituto, fol. M. 3ᵇ), en la que los cuatro primeros tomos forman el primer volumen y los tomos V y VI el segundo. El privilegio imperial, fechado en Praga en 1610 y mencionando sólo cuatro tomos, es el mismo que figura en la edición en cuarto del mismo editor, de la que la Biblioteca de la Sorbona posee un ejemplar incompleto, y que sin duda contenía ya la continuación que no interesa. Ésta está claramente aludida por la epístola dedicatoria del editor al obispo de Frankfurt (7 de septiembre de 1613) como un añadido a la obra del difunto obispo («felicis recordationis») «per doctorum vivorum industriam». El plagio integral del *Convivium fabulosum* ocupa las pp. 736-739 del primer volumen.

13. Cf. Köhler-Bolte, *op. cit.,* pp. 72 ss.

corpora el «Second tome de Messire Simon Maiole», mediocremente
traducido al francés por un tal A. de l'Orme (París, 1612):[14] aquí
encontramos todo el diálogo V («De la cour et de la bergerie») incluyendo los cuentos del *Convivium fabulosum*.

Los datos precedentes nos ayudarán a revalorizar en sus múltiples ecos, pero también en su originalidad propia, la aportación
de Erasmo a la renovación de la literatura de cuentos en latín
moderno y en lenguas románicas, en este siglo que ha leído hasta
la saciedad sus obras. La historia de Luis XI y del campesino
Conon ofrece el terreno más favorable a la exploración de una vía
explicativa mejor que aquélla por la que Preserved Smith se ex-
travió (en este punto concreto) en el curso de una búsqueda de las
«claves» de los *Coloquios* que era antes que nada una búsqueda
de los «modelos vivos» de sus interlocutores. El historiador norteamericano admitió debidamente que el autor de nuestro *Convivium* debía de tener a un tiempo fuentes literarias y fuentes orales
(propiamente folklóricas). Pero por este último lado no había encontrado nada convincente, ya que no recurrió a los *Anmerkungen*
de Bolte y Polivka sobre los *Cuentos* de Grimm. Después de reconocer en Lundorf (1610) una imitación alemana evidente de la
historieta erasmiana sobre Luis XI, Conon y el cortesano,[15] su-
puso que el cuento (146) de los hermanos Grimm (*Die Rübe*), en
el que otro hombre sencillo, un soldado convertido en labriego,
ofrecía a su rey una naba prodigiosa y era espléndidamente recompensado por ello, no era también más que una historia que procedía de la de Erasmo. Si la deuda del folklore para con Erasmo
aparecía como indudable y en cambio la situación recíproca dudosa,
si por otra parte los cronistas de Luis XI no decían nada acerca
de las relaciones del rey con el humilde Conon, ¿acaso Erasmo no
había podido recoger por vía oral una tradición histórico-legendaria
que él había elaborado?

«[...] Había llegado a París en 1495, apenas doce años después de
la muerte de Luis. Tal vez alguien le había contado estas anécdotas

14. En la Bibl. Nat. de París, Z.3.812 y Rés., Z.1.087.
15. P. Smith, *op. cit.*, p. 38, citando a R. Köhler.

por esta época, o tal vez más tarde uno de sus amigos de la corte. Siendo estudiante, conoció a Gaguin, historiador de los reyes de Francia, al igual que a varios servidores más humildes de la corte, como Gentil Garçon, heraldo de Carlos VIII. Es interesante hacer notar que Gaguin, en su Historia de Francia, cuenta varias anécdotas para ilustrar el ingenio de Luis XI, y le censura por haber faltado a la dignidad y al decoro de su rango. Quizá consideraba ciertas historietas como indignas del estilo de su grave Historia, pero en cambio se las contó a Erasmo.»[16]

Estas hipótesis, de las que hemos vivido nosotros y los mejores especialistas de Erasmo,[17] tienen que revisarse a la luz de los descubrimientos de los folkloristas. Éstos han demostrado hasta la evidencia que el cuento al que dieron forma los hermanos Grimm, no sólo no es una degradación popular de una tradición del reinado de Luis XI que recogió Erasmo, sino que es una versión moderna, más concisa pero fiel, de un poema narrativo de la baja Edad Media en dísticos latinos, el *Rapularius*.[18] De él se conocen dos ver-

16. P. Smith, ibid.
17. Siguen las opiniones de P. Smith Craig R. Thompson, el eminente traductor y comentarista de *The Colloquies of Erasmus,* Chicago-Londres, 1955, p. 255; E. Gutmann, *Die Colloquia familiaria des Erasmus,* Basilea-Stuttgart, 1968, p. 61, y Franz Bierlaire, «Les Colloques d'Erasme», en *Histoire et Enseignement, Bulletin de la Fédération Belge des Professeurs d'Histoire,* XX (1970), p. 20. Manifiesto aquí mi gratitud a F. Bierlaire y a su maestro Léon E. Halkin, ambos sumidos en el estudio de los *Coloquios,* por haberme ayudado a sintetizar el estado de la cuestión.
18. Johannes Bolte y Georg Polivka, *Ammerkungen zu den Kinder-u. Hausmärchen der Brüder Grimm,* III (n.ºs 121-125), Leipzig, 1918, p. 169, donde se encuentra una edición crítica del *Rapularius.* Las dos versiones son tratadas independientemente con sus variantes en la edición crítica más reciente de Karl Langosch, *Asinarius et Rapularius,* Heildelberg, 1929, n.º 10 de «Sammlung mittellateinischer Texte», editado por Alfons Hilka. Mi colega Félix Lecoy, que me ha ayudado con su erudición en materia folklórica, ha tenido la amabilidad de prestarme *Die Schwänke und Schnurren des Pfarrers Arlotto,* compilado y editado por Albert Wesselski, Berlín, 1910, donde hay (I, p. 226) una copiosa anotación sobre el cuento de la naba y su posteridad erasmiana a propósito del cuento LXVII del Piovano Arletto (historia también muy conocida por numerosas versiones, en la que el regalo bien acogido por el rey y luego dado por él a un tercero consiste en una pareja de gatos). La versión más antigua en lengua vulgar del cuento erasmiano de la naba es la traducción alemana de Christian Egenolff en su refundición (*Scherz mit der Wahrheyt,* Frankfurt, 1550) del

siones (la segunda un poco abreviada y difuminando el carácter prodigioso del dato inicial); y el número de los manuscritos descubiertos sólo en las bibliotecas alemanas permite suponer que esta obrita gozó de una difusión considerablemente grande en la Europa occidental del siglo xv. Nunca sabremos si Erasmo en su juventud leyó el *Rapularius* o si sólo le llegaron ecos. Pero Bolte y Polivka tienen pruebas suficientes para afirmar que conoció el *Rapularius* de un modo u otro y que utilizó su primera parte. Ésta coincide en su esquema con la anécdota erasmiana: un campesino pobre regala al rey una naba, aunque milagrosa y gigantesca,[19] y es magníficamente recompensado con tierras y rebaños; su hermano, rico y envidioso, ofrece a su vez al rey espléndidas joyas, y el soberano a cambio no encuentra nada más valioso que darle que la naba. En este punto se injerta una segunda parte no menos teñida de prodigios, que trata de las asechanzas que el envidioso burlado tiende a su hermano y de la manera como este último escapa a ellas. Pero la primera parte forma un todo que Erasmo explotó muy bien. ¿Resulta acaso difícil explicarse con qué intención se apropió, sustituyendo al rey y a los dos hermanos anónimos del poema latino, el rey Luis XI, Conon y un cortesano innominado, y transmutando en suma el cuento folklórico en anécdota histórica teñida de realismo novelesco?

Baste recordar algunos hechos que iluminan dos siglos y medio de literatura en los que, desde Erasmo a Diderot, se desarrollan la práctica y la teoría de las narraciones «realistas». Éstas «suenan» a verdad porque todos sus detalles, incluso los más inesperados (aquellos de los que se dice: «eso no puede in-

célebre volumen de Johannes Pauli, *Schimpf und Ernest*. Egenolff tradujo fielmente de Erasmo las dos primeras historietas sobre Luis XI y la que se refiere a Maximiliano. Llevan los números 798 (la naba). 799 (el piojo y la pulga) y 800 (Maximiliano) en la monumental edición de J. Pauli, *Schimpf und Ernst*, hrsg. von Joh. Bolte, II, Paulis Fortsetzer und Übersetzer. Erläuterungen. Berlín, 1924. pp. 61-63 (este rarísimo tomo II está en la Biblioteca del Museo de las Artes y Tradiciones Populares). Cf. Stith Thompson, *Motif-Index*, IV, 1957, n.° J 2 415, 1 y 2; A. Aarne-S. Thompson, *The Types of the Folktale*, Helsinki, 1961, n.° 1 689 A.

19. Sin que ello justifique la traducción de «Die Rübe» por «La betterave», como se lee en J. y W. Grimm. *Les Contes...*, texto francés y presentación de Armel Guerne, París, 1967, II, p. 276.

ventarse») parecen sacados de la vida misma. Diderot llamará
«históricas» a estas narraciones.[20] Parecen transmitir, sobre la
vida privada de personajes oscuros, cuyo nombre no ha pasado
a la historia, hechos tan auténticos como los que las crónicas de
la «historia grande» han registrado. Desde luego, los cuentos del
Decamerón de Boccaccio alimentan esta corriente con una fuerza
irresistible. En Boccaccio, como en el *Heptamerón* de Margarita
de Navarra, se supone que los cuentistas narran hechos bastante
recientes, nuevos para sus compañeros («novelle», «nouvelles»,
«novelas») que ellos mismos conocen de buena fuente. En esta
convención se funda también nuestro pequeño festival erasmiano
de cuentos celebrado en casa de Polymythus.

Cualquiera que aborde el estudio del auge de la narrativa realista del siglo XVI —sobre todo en España— advierte en seguida
unos cuantos procedimientos fáciles, pero de efecto seguro, que
se emplearon para dar un sello más acentuado de realismo a una
materia narrativa que tiene a menudo un origen folklórico. En
primer lugar, la forma autobiográfica, que permite presentar esta
materia como vivida por el narrador (como un tránsito en el límite de la convención de los hechos que se cuentan «de buena
fuente»). Otro procedimiento de «historización» del tema (per-
mítasenos este neologismo que connota a la vez el sentido literario que da Diderot a «histórico» y el significado común de este
adjetivo) consiste en vincular con el héroe, aunque sólo sea como
referencias cronológicas, personajes o hechos de la «historia grande». Los dos procedimientos pueden utilizarse a la vez, como
muy bien supo ver el genial autor del *Lazarillo*.[21]

Erasmo se contentó con el segundo. Y que esta afirmación no
escandalice como si se tachase a Erasmo de frivolidad, de desdén
por la verdad histórica o biográfica. Un reciente trabajo de conjunto sobre la historia y la biografía en su obra ha puesto muy
bien de manifiesto el carácter aproximativo y general que esta

20. Diderot, *Les deux amis de Bourbonne*, en *Oeuvres romanesques*, ed.
H. Bénac, Classiques Garnier, París, 1959, p. 791.
21. M. Bataillon, introducción a *La vie de Lazarillo de Tormès*, ed. bi-
lingüe, Aubier, París, 1958, pp. 19 ss., p. 82; confirmado por Fernando
Lázaro Carreter, «Construcción y estilo del Lazarillo de Tormes», *Ábaco*,
Madrid, n.º 1 (1969), pp. 45-134.

verdad reviste a los ojos del autor de los *Coloquios*. Peter Bietenholz [22] analiza una discusión entre los comensales del *Convivium religiosum* sobre la autoridad filosófica de un discurso que Cicerón (*De Senectute*, 1, 1-3) pone en boca de Catón el Viejo. Cuando Eusebio objeta que esta conversación pudiera haber sido inventada (*confictum*) por Cicerón, Chrysoglotto no parece muy preocupado por esta posibilidad, y termina por decir que si Catón no pronunció exactamente estas mismas palabras, debió de pronunciar otras muy parecidas: «Nec enim tam impudens erat M. Tullius ut alium Catonem finxerit quam fuerit: et in dialogo parum meminerit *decori,* quod in primis spectandum est in hoc scripti genere, praesertim quum ejus viri memoria haereret animis ejus aetatis hominum» (LB, I, 681 CD). Apliquemos estas palabras a nuestro cuento histórico. No, Erasmo no carecía de escrúpulos hasta el punto de inventar un Luis XI que no se ajustase al verdadero. Y aquí es donde vuelven a tener utilidad los sondeos realizados por Preserved Smith en el *Compendium* de Gaguin, cuyo capítulo sobre Luis XI es una fuente evidente de una determinada idea histórica del personaje que Erasmo utiliza en sus historietas «reales». De la obra de Gaguin no se extrajeron unas notas de «color local» o temporal. La historia de Luis XI le proporciona exactamente lo que un cuento esquemático, fuera del tiempo y de las normas de la realidad, necesitaba para transformarse en una historia «realista», poniendo de relieve, más que las almas y los destinos de un honrado campesino y un cortesano codicioso, el comportamiento del soberano que recompensa a uno y ridiculiza al otro.[23] Ya la naba recibida del uno y regalada

22. Peter Bietenholz, *History and Biography in the Work of Erasmus of Rotterdam,* Droz, Ginebra, 1966, p. 59. Obsérvese la exigencia del *decorum* (cf. supra, n. 5), que supone en este caso el respeto a una cierta idea de un personaje heredada de un pasado reciente.

23. Este tema del príncipe que recompensa con justicia, Erasmo no lo concreta en la *Institutio principis christiani,* aunque aborda en términos generales el de la *beneficentia principis* (LB, IV, pp. 595-596). No es imposible que Erasmo hubiese conocido indirectamente la anécdota atribuida a Adriano en *The Exempla of the Rabbis* (ed. Moses Gaster, Londres-Leipzig, 1924, p. 58, n.º 26). En los *Apophthegmata* (LB, IV, p. 280) comenta la amabilidad de Adriano para con los humildes, aunque le hace el reproche de comprometer su majestad.

al otro había perdido un poco de su gigantismo entre la primera y la segunda versión del *Rapularius*. En lugar de uncir cuatro bueyes, sólo se necesitaban dos para arrastrar la carreta que la naba llenaba por completo.[24] Erasmo la redujo deliberadamente a las dimensiones de las verdaderas nabas que un campesino verdadero puede obtener en su huerto. Si en el poema latino el monstruoso vegetal, admirado como un signo de bendición divina por el buen hortelano, se ofrece al rey como único ser digno de semejante homenaje, las soberbias nabas que la mujer de Conon decide a su marido a llevar a Luis XI, y de las que finalmente sólo le obsequiará con la más hermosa porque se ha comido las demás por el camino, son hortalizas bien conocidas por el soberano. Como en una comedia clásica cuyos personajes se conocen antes de que se anude la acción, Luis XI había ya saboreado las nabas de Conon en su misma mesa, cuando se detenía en su granja al regreso de la caza. Y he aquí un rasgo «histórico» de la figura de Luis XI tal como Gaguin le presentaba a Erasmo: el rey no sólo se sentía atraído por las gentes de baja extracción más que por los nobles; era un rey cazador, apasionado por la caza.[25] No sé si Erasmo, como narrador realista, inventó el tópico de la caza como ocasión de que un soberano se encontrara con sus vasallos más humildes, motivo destinado a tener una gran fortuna literaria.[26] Si lo utilizó como rasgo característico (τὸ πρέπον) de Luis XI, quiso también interponer un tiempo y un espacio verosímiles (τὸ πιθανὸν) entre el primer contacto del rey con Conon y el viaje del campesino a la corte. Con este objeto, situó los encuentros posteriores a la caza en el pasado, en los años recientes en que Luis, todavía

24. Bolte y Polivka, *Anmerkungen*, III, p. 170, verso 22. Lo que puede inducir a pensar que Erasmo tenía en la memoria la versión larga, la más hiperbólica, del *Rapularius*, es el papel que desempeña en ésta la mujer del campesino (ibid., v. 44).

25. *Compendium Roberti Caguini super francorum gestis*, Rembolt pour J. Parvi, París, 1511, fol. CCLVr: «Ludovici mores», y fol. CCXCr: el epigrama añadido por Gaguin a su capítulo sobre Luis XI («Quid memorem saltus? [etc.]») donde se evoca esta pasión por la caza que impulsaba al soberano a reservarse un monopolio.

26. Algunos ejemplos del siglo XVI, entre otros la historia francesa del «carbonero que es señor en su casa», en nuestro estudio sobre «*El villano en su rincón*», *Bulletin Hispanique*, LI (1949), pp. 13 ss.

delfín, enemistado con su padre Carlos VII, había encontrado refugio junto al duque de Borgoña Felipe el Bueno; en pocas palabras, «dum peregrinaretur apud Burgundiones». Este episodio, importante para la historia dinástica de los Valois, tiene también en Gaguin todo su oportuno relieve.[27] Los historiadores tenían ciertas disculpas por preguntarse de qué tradición escrita u oral Erasmo había tomado el «hecho» que cuenta o estiliza, mientras este «hecho» no fue identificado como folklórico. Ahora al análisis literario le corresponde escrutar el cuento como creación o recreación, y apreciar los efectos «realistas» que la naba reveladora de buenos y de malos sentimientos permite obtener al escritor, ya que, a pesar de su considerable tamaño, puede caber en la mano de un hombre: así la decepción del cortesano «diu vana spe lactatus», cuando al desenvolver el objeto de la tela de seda que lo cubría, esperando encontrar un tesoro, «pro thesauro reperit non carbones, quod aiunt, sed rapam iam subaridam».[28] Nuestro objeto no es profundizar en el análisis (que nos obligaría a penetrar en el dominio aún virgen de la estilística del latín moderno de Erasmo), sino sólo de señalar la inserción de una materia popular en un arte culto, en una diversión intelectual.

Como sugerimos más arriba, el monarca que ha dado una lección al cortesano codicioso, puede considerarse que se convierte en el principal personaje de esta «historia real» en manos

---

27. *Compendium,* ed. cit., fol. CCXLIXr.
28. Este efecto está complacidamente desarrollado en una de las historietas italianas más agradables adaptadas de la de Erasmo (Casalicchio, *L'utile col dolce,* III, 3, 3, que en este caso no deriva de «Maiolo», como ocurre en otras *arguzie,* cf. supra, n. 12, sino de la versión de Domenichi, como lo prueba el uso textual de la notación cronológica citada infra, n. 30. También recurrió a Domenichi, abreviándolo en su parte inicial, que sacrifica Casalicchio (relaciones anteriores del campesino con Luis XI) el autor de los *Cento Avvenimenti Ridicolosi* (Dionigi Filadelfo da Modona, seudónimo de Ludovico Vedriani), obra de la que mi colega Bruna Cinti, de Venecia, ha tenido la amabilidad de copiar para mí el Avvenimento XXIX en la edición de Módena-Bolonia, 1675, que posee la Marciana. Las indicaciones de Marchesi, *op. cit.,* pp. 186-187, deben rectificarse. (Vedriani no conservó el nombre del campesino Conon. Domenichi le llama correctamente *Conone,* que se convierte en *Corone* en Casalicchio). En cuanto al cuento de Arlotto que recuerda Marchesi, no es el de la naba, sino el de los gatos, cf. supra, n. 18.

de Erasmo, sobre todo porque éste hace del mismo Luis XI el
héroe de otras tres historietas que le presentan todas en la misma
actitud de príncipe que acoge muy bien a los hombres sencillos y
rectos, y que se muestra implacable con los calculadores. Bástenos recordar una cuyo aire típicamente folklórico se debe a un
tiempo a una simetría de situaciones homóloga a la de la naba,
el campesino y el cortesano, y a la tradición proverbial curiosamente divergente sobre el piojo y la pulga, como compañeros del
hombre y de los animales.[29] Un servidor de Luis XI, con un respeto y una discreción que conmueven, la pide permiso para pres-
tarle un servicio: le quita un piojo de las ropas reales y sólo en
voz baja confiesa de qué se trataba. Pero el rey se declara muy
satisfecho por este incidente, que proclama su naturaleza humana, «porque esta miseria ataca particularmente al hombre, sobre
todo en la adolescencia». Da cuarenta ducados a su servidor. Otro,
tentado por esta generosidad, decide fingir el mismo juego, diciendo al rey, no sin hacerse de rogar, que le ha desembarazado
de una pulga. Pero entonces Luis XI se indigna de que le haya
asimilado a un perro, y le hace dar cuarenta latigazos. ¿Histo-
riales reales? ¿Chanzas de «historia natural»? El hecho es que
los cuatro cuentos se remiten el uno al otro, como en una galería
de espejos, con la misma silueta de un mismo rey que hace ade-
manes parecidos. Erasmo consiguió su propósito de historización
del folklore. Enriqueció con cuatro anécdotas la leyenda de un
Luis XI aficionado a jugar con la avidez de sus cortesanos («cui
pro delectamento erat corvos hiantes fallere»). Y si las dos
primeras pudieron atraer de un modo especial a los coleccionistas
de facecias y de otros materiales conviviales o coloquiales debido
a los divertidos contrastes entre la majestad del protagonista y la
ruindad de los accesorios (naba, piojo, pulga), el nombre de

29. Véase, como inicios de una posible investigación, los testimonios
de la paremiología española recogidos por L. Martínez Kleiser, *Refranero
general ideológico español*, Madrid, 1953, n.º 45 550 y 45 551 (piojos),
53 498, 53 500 ss. (pulgas, donde la mujer y el perro aparecen juntos sin
consideraciones) y Eleanor S. O'Kane, *Refranes y frases proverbiales de la
edad media*, Madrid, 1959, pp. 192 (piojos) y 189 (perros-pulgas).

Luis XI ha quedado fuertemente impreso en ellas,[30] justificando
este comentario sobre el arte del retrato: «el pintor inscribe naturalmente el nombre del modelo, noble, real, en el retrato que
realiza según su parecido, porque su modelo es ante todo un
nombre, el signo de su provincia o de su pueblo».[31]

Consideraciones análogas a las precedentes son aplicables a
la historieta «imperial» de Maximiliano el magnífico y de su noble protegido. Y en este caso tal vez sea menos necesario evocar
una fuente libresca para imaginarse cómo Erasmo se formó una
cierta idea de este soberano, padre de Felipe el Hermoso y abuelo de Carlos V, de quien el escritor es consejero y cuya corte ha
frecuentado por algún tiempo. Digamos que en este caso la anécdota tiene una verdad probablemente más típica que literal. Y de
paso preguntémonos si ciertas anécdotas de la *Lingua*, atribuidas
a los reinados de Enrique VII y Enrique VIII de Inglaterra [32] no
pueden ser también *verdaderas* en este sentido, más que al pie
de la letra.[33]

30. La fidelidad a esta personalización «histórica» es notable no sólo
en Gast (ed. cit., pp. 169-173: «De Ludovico Galliarum Rege» y p. 178:
«De Caesare Maximiliano») cuyos *Convivales Sermones* hacen un amoroso
acopio de anécdotas localizadas y datadas, sino también en Ludovico Domenichi, quien recoge las cuatro «historias reales» y la de Maximiliano en
sus *Detti et fatti* (ed. de Florencia, 1562, pp. 27, 67, 124, 129, 273). Domenichi conoce suficientemente el reinado de Luis XI como para precisar
a su modo la época en que el rey traba conocimiento con el campesino
Conon (p. 124: «trovandosi in Borgogna al tempo de la guerra del ben publico»). La adaptación de las *Lettere di Messer Horatio Brunetto* [Vene-
cia], 1548 atribuye, hay que reconocerlo, la anécdota a un rey contemporáneo anónimo (fol. 15r: «Dicese[...] che fu a nostri di un Re[...]»). Y
G. B. Giraldi Cinthio (*Seconda parte de gli Hecatommithi*, VI, 9, ed. Mon-
dovi, 1565, pp. 293-302) explotando a fondo, no sin caer en insulseces, todos
los datos imaginados por Erasmo, los adapta a Francisco I, otro rey cazador. También Francisco I pasa a ser en *Il fuggiolozio di Tomaso Costo* (Venecia, 1600, p. 331) el héroe de una historieta aparentemente derivada de
la Gaster (cf. supra, n. 23) publicó siguiendo los *Exempla of the Rabbis* y
donde el regalo del campesino a Adriano es una cesta de higos.
31. Michel Butor, *Les mots dans la peinture*, Skira, Ginebra, 1969,
p. 39. Citado por Louis Marin, «Textes en représentation», *Critique* n.° 282,
(noviembre, 1970), p. 924.
32. Cf. supra, p. 81.
33. Confesemos haber buscado ingenuamente alguna confirmación en
las colecciones documentales inglesas como la de Brewer y el Calendar of
State Papers (serie veneciana). Pero sin éxito. Si la triste aventura del legado

Pasando, como dice Erasmo, «de los caballos a los asnos», es decir, de las historias de reyes a las del clérigo bufo Antonio, seguiremos aún en la esfera de la «historización» de los cuentos folklóricos. Pues, una vez admitida la noción de este proceso, nadie se extrañará de que los eruditos belgas no consigan identificar de modo convincente un modelo vivo de este «Antonius, sacrificus lovaniensis qui Philippo cognomento Bono fuit in deliciis».[34] La buena referencia «historizante» es una vez más un soberano: es la persona de Felipe el Bueno, ese otro magnífico de los Países Bajos, cuyo reinado impresionó a sus contemporáneos por su lujo y la libertad de sus costumbres; referencia a la vez cronológica (creando una moderada perspectiva temporal) y sicológica (ilustrando la indulgencia de la que gozan los que divierten a este príncipe). En la mente de los «borgoñones» del siglo xvi, el recuerdo del duque jovial, padre de numerosos bastardos, apreciando no sólo la literatura grave, sino también las picardías de las *Cent nouvelles nouvelles*, debía de seguir siendo más intenso que el de sus relaciones con Luis XI o de sus disputas con su

pontificio, condenado a encarcelamiento y a confiscación de bienes hubiera sido literalmente verdadera, hubiese dejado alguna huella en las correspondencias diplomáticas. Tal vez fue «cierta idea» de Enrique VIII... y de Julio II lo que guió la pluma de Erasmo en la dramatización de un incidente anodino. La verdad es que Erasmo vivió en Londres durante el concilio cismático de Pisa-Milán, la situación diplomática en la que sitúa su historieta. Semejantemente, su historia del ladrón londinense, literalmente cierta o no, encaja en una situación en la que la audacia de los ladrones («latrocinia quorum nunc apud anglos messis est») perturba la vida de los ingleses, como registra la correspondencia de Erasmo (*Opus epistolarum Erasmi*, Allen, I, pp. 541 y 547).

34. El profesor Rombauts, de la Universidad de Lovaina, ha tenido la suma amabilidad de preguntar para mí a sus colegas M. A. Nauwelaerts y J. Ysenwijn sobre la identidad que podía asignarse a Antonius. De sus respuestas (la del canónigo Nauwelaerts es una inestimable nota, pródiga en referencias sobre los personajes citados en nuestro *Convivium*) resulta que las miradas de los eruditos se han dirigido hacia un tal Antoine Haneron, clérigo prehumanista, fundador del Collège Saint-Donatien de Lovaina, bastante conocido por sus servicios a los duques de Borgoña Felipe el Bueno y Carlos el Temerario (cf. *Biographie Nationale de Belgique*, XXXV, 1969, cols. 338-343). Si él es el «sacrificus» en cuestión, Erasmo fue el único que le describió como amigo de las bromas pesadas y de las chanzas escatológicas.

hijo el Temerario.[35] Es muy significativo que, pocos años después de la publicación del *Convivium fabulosum*, Vives recurrie-
ra al mismo procedimiento histórico para transformar en historia
verdadera el celebérrimo cuento folklórico del durmiente des-
pierto.[36] Invoca, sin nombrarlo, un testigo (un viejo de Brujas)
que conoció el reinado de Felipe el Bueno y que se supone que
aún se acuerda de la época en que este duque «Brugis lubenter
habitabat genio deditus, et iis rebus quibus ociosi animi teneri
consueverunt, ludis, fabulis, dictis, iocis ac faceciis» (digno protector, en suma, del Antonius erasmiano). En Brujas, durante un
paseo después de la cena en compañía de otros noctámbulos, dice
que el duque recogió a un borracho profundamente dormido
para llevarle al palacio donde cuando despierte será objeto de una
burla, rodeándole de los honores que se deben a un príncipe: hermosa historia para hacer meditar sobre el «sueño de la vida», que
es una de las fuentes de *La vida es sueño* de Calderón.

La mala pasada que Antonio juega a su vecino el usurero no
tuvo, ni muchísimo menos, la misma fortuna que las historias
«reales», ni siquiera la de otras diabólicas trapacerías como aquella de que fue víctima el clérigo de Amberes al prestarse a la
prueba de una casulla.[37] También ha estimulado menos la curio-

35. Véase el excelente retrato de Paul Bonenfant, *Philippe le Bon*, La
Renaissance du Livre, Bruselas, 1955, pp. 21-24 y 137 (popularidad).

36. Este cuento moral adopta la forma de un divertimento epistolar
dirigido por Vives al duque de Béjar, sin duda en la época en que éste se
encontraba en los Países Bajos (hacia 1533). Esta «carta» fue publicada
en el volumen póstumo de J. L. Vives, *Epistolarum... farrago*, Amberes,
1556. Se incluyó en el tomo II de la gran recopilación londinense *Epistolarum D. Erasmi* de 1641, que comprendía cartas de Melanchton, Tomás
Moro y Vives, y finalmente en J. L. Vives, *Opera*, VII, Valencia, 1788,
p. 144 (en castellano: *Obras completas*, trad. de Lorenzo Riber, Aguilar,
Madrid, 1948, II, p. 1677). Félix Olmedo (*Las fuentes de «La vida es
sueño»*, Voluntad, Madrid, 1928, p. 104), al estudiar la elaboración que
hizo Vives de este cuento siguiendo sus versiones medievales, reconoció
sin vacilar que «Vives no hizo más que trasladarlo del orden ideal al
real, sustituyendo el nombre genérico del rey por el propio del duque
de Flandes». Excelente fórmula que se adapta perfectamente a las «historias reales» de Erasmo.

37. No nos detendremos en este cuento, que Erasmo sin duda perfec-
cionó a partir de una versión un poco más sencilla, como la que Timoneda
recogió en su *Sobremesa* (cuento XXXIV), Biblioteca de Autores Españoles, III, p. 172*b*. Marchesi (*op. cit.*, p. 188) ha establecido esta relación

sidad de los folkloristas. Aquí se combina un hurto que toma la apariencia de un préstamo (subrepticio) de un objeto que el «prestatario» podrá jurar y perjurar que ha restituido («fassus est sumsisse commodato ollam quandam, sed quod remisisset illi unde sumserat»),[38] y el cinismo consistente en utilizar el objeto devuelto, pero no reconocible, como prenda de un préstamo arrancado al mismo usurero al que pertenece el objeto.

Es instructivo comprobar cómo el engaño de Antonius enriqueció la literatura francesa de cuentos por mediación de Henri Estienne, quien, muy sensible a la astucia picaresca de ciertos hurtos, señalaba el parentesco de éste con el cuento «del ladrón que representó tan bien la comedia que se hizo ayudar a cargar sobre los hombros el colchón de una cama por su propio dueño».[39] Estienne, en la *Apologie pour Hérodote*, no disimula sino que más bien presume de la deuda contraída con Erasmo (para con «el libro *De Lingua*» y «otras obras») en el capítulo XV «Des larrecins de nostre temps». Un saqueo más encubierto fue el del continuador anónimo de la recopilación póstuma de los cuentos de Bonaventure du Périers, *Les nouvelles récréations et joyeux devis* (edición de París, 1568 y siguientes), quien utilizó casi literalmente tres cuentos imitados de Erasmo, el de Maccus (cuento XCVIII), el del ladrón londinense de la *Lingua* (cuento XVII) y el de Antonius (cuento CXVIII): «De celuy qui presta argent sur un gaige qui estoit à luy, et comment il en fut mocqué».[40] Pero el plagiario protegido por el anonimato hace que este cuento, al igual que los otros dos, recaiga en la indeterminación de

---

con un relato de Casalicchio (III, IV, 5), sin indicar que el jesuita italiano borda agradablemente a partir del seudo-Maiolus (que trasladó la anécdota de Amberes a Mantua), es decir, a partir de Erasmo.

38. Este tema recuerda otra historia de «préstamo» que pone a prueba la sagacidad de Sancho Panza (*Quijote*, II, 45, «el viejo del báculo»).

39. Henri Estienne, *Apologie pour Hérodote*, ed. P. Ristelhuber, París, 1879, I, p. 224.

40. Sobre esta deuda, cf. el apéndice de Lionello Sozzi, *Les contes de Bonaventure des Périers*, Turín, 1965, p. 426. La tesis de que H. Estienne pudo ser el plagiario y no el plagiado sólo ha tenido una apariencia de apoyo en una edición imaginaria «de los ciento veintinueve cuentos, publicada antes de 1566».

los lugares y de las personas habitual en los bosquejos folklóricos que los «cuentistas dotados» tienen que vitalizar y enriquecer oralmente. Maccus de Leiden se convierte en «un buen compadre que se pasea por una buena ciudad de Holanda», el ladrón de Londres en «un ladrón novicio» y Antonius de Lovaina en «un buen bribón».

Pero también Henri Estienne, antes de que las versiones francesas de cuentos erasmianos sufrieran este proceso de degradación de su historicidad, había empezado a desnaturalizar las narraciones de Erasmo. Señalemos, antes de examinar un caso de grave mutilación, un primer ejemplo de alteración del sentido y de la gracia de las invenciones narrativas del *Convivium fabulosum*. Con toda deliberación, Erasmo definió la posición social del vecino al que decide engañar el «sacrificus Lovaniensis». Es un prestamista, o, por decirlo de otra manera, un usurero: «ingressus culinam *foeneratoris,* quicum illi erat familiaritas». Estienne traduce: «en la casa de uno con el que tenía cierta familiaridad». El olvido del «foenerator» es deliberado, como lo prueba la manera como Estienne concluye el cuento: «Así, a manera de pago el acreedor recibió burlas de todos los lugares de la ciudad de Lovaina, ya que corrió inmediatamente la voz de que alguien había prestado dinero con la garantía de una prenda que era suya». Omite y traiciona la «moraleja» indulgente de Erasmo: «Hujusmodi dolis libentius favent homines si commissi sint in personas odiosas, praesertim eos qui solent aliis imponere».[41] ¿Consideraremos la actitud de Estienne, ginebrino de adopción, como una ilustración de la célebre tesis de Max Weber sobre la ética protestante y el espíritu del capitalismo? ¿O habría que decir, tomando la cuestión por el otro extremo, que Erasmo permanece fiel a la vieja hostilidad de los teólogos para con el prés-

---

41. La misma antipatía por el robado se encuentra en una de las historietas del padre Casalicchio (*L'utile col dolce,* I, IX, 8), donde la víctima de los ladrones que fingen querer comprarle una casulla es un riquísimo mercader judío que les «ofrece» todos los tesoros de su tienda. La historia que Casalicchio dice tomar del padre Bonciaro (¿el predicador capuchino fray Angelo Boncaro da Frescarolo?) podría ser una invención que combinase elementos de las tres historias erasmianas del clérigo de Amberes, de Antonius y de Maccus.

tamo a interés? Recordemos sobre todo que el capítulo «De los hurtos de nuestro tiempo», así como otras páginas de la *Apologie pour Hérodote*, respiran un furioso moralismo obsesionado por los progresos de la delincuencia, y que a pesar de eso, tras haberse visto acusado y encarcelado por los severos guardianes de la ortodoxia y de la moralidad ginebrinas, creyó tener que añadir a su libro un «Aviso» en el que se justificaba de haber «escrito cuentos» e historias de robos tan singulares que las creían falsas. ¡Pues bien, no! Lo verdadero, como en Heródoto, puede ser inverosímil. Lo que ocurre, dice en una fórmula recíproca de un refrán bien conocido, es que «piensa el que no es ladrón que todos son de su condición».[42] Empeñado en coleccionar muestras singulares de la maldad humana, agrega a su capítulo de los hurtos una historia de traición (que no es otra que la anécdota de la *Lingua* sobre el embajador pontificio ante Enrique VIII) con el pretexto de que los traidores «son [...] el género más horrible v detestable de ladrones».[43] «He aquí —dice— la historia tal como la cuenta Erasmo, hablando (tal como oímos) de algo sucedido en el país de Inglaterra durante su estancia en él, y de lo cual por consiguiente podía estar bien informado; ya que sabemos que su crédito era muy grande, especialmente en la corte de este rey.» ¡Qué confianza en la veracidad literal de Erasmo, considerado como cronista de la pequeña historia de su tiempo! Pero, ¿es que Estienne cuenta lo «sucedido» literalmente como este testigo privilegiado? ¿Acaso no da unas leves pinceladas que deforman el delicado perfil del análisis erasmiano? Pues si Erasmo[44] alude a la opinión común que condena la traición («inter omnia facinorum nullum *habetur* aceleratius aut invisius»), en seguida subraya sin hacerse ilusiones la frecuencia con la que procura la riqueza ya que no la buena fama. Y en cuanto al pobre embajador expoliado por Enrique VIII como traidor, ¿lo era en realidad? Las palabras que le perdieron, según el autor de la *Lingua*, habían sido pronunciadas «magis incaute quam scelerate»; apreciación que Estienne se guarda mucho de traducir. En el

42. *Apologie*, ed. cit., I, pp. XI-XIII.
43. Ibid., p. 288.
44. *Lingua* (LB, IV, p. 684).

fondo Erasmo lamentaba que este diplomático no hubiese disimulado mejor su supuesta francofilia (que tal vez fuese simple
pacifismo) y que su encarcelamiento hubiera dejado el campo libre a los agentes del belicista Julio II.

Ahora ya podemos comprender mejor (y éste será el último
objeto de este estudio) cómo y por qué Estienne y otros provee-
dores del folklore mutilaron la historia de Maccus, y también
rehabilitar la levedad de esta invención completamente lúdica pero
no poco rica de significado. Al decir «invención», ¿es que una
vez más queremos desdeñar la historicidad del personaje, descuidadamente insinuada por los colocutores del *Convivium*? («*Polymythus* [...] Opinor aliquot vestrum auditum Macci nomen. —
Gelasinus: Non ita diu est quod periit»). Pero los eruditos belgas
y neerlandeses han intentado tan en vano descubrir el «modelo
vivo» de Maccus como el de Antonius. No se ha conservado el
recuerdo de ningún Buffalmacco, de ningún Gonella bátavo célebre
en aquellos tiempos, y los investigadores avisados no han tardado
en perdonar a Erasmo el haberles «engañado» con una transparente mixtificación humanística. Maccus (de μαχχῶ) era el clown
de las atelanas: el falso ingenuo. Pensemos en Eulenspiegel, que
se burla de todos tomando al pie de la letra lo que no es más que
«una manera de hablar». Con el zapatero, para empezar se limita
a dejar hacer al buen comerciante que le «ofrece» su mercancía
y se la prueba. Le basta con asentir con la cabeza: *annuit*. Luego
elogia a su vez los hermosos botines, un calzado excelente. El zapatero prevé *in petto* que va a conseguir un buen precio. Se establece una familiaridad. Y es entonces cuando el «cliente» lanza
como por juego la hipótesis de un cliente, que, tan bien equipado
por el zapatero para correr, huyese sin pagar. Ya hemos dicho más
arriba cómo la hipótesis se convierte en realidad. Es una apuesta
que se hace, un desafío: *Experiar*, exclama Maccus. «Yo corro
delante por los zapatos. Tú me sigues corriendo.» El autor de la
burla ahora espera que lo que dice sea tomado *al pie de la letra*
en este desafío a correr del que los botines van a ser el premio.
Lo cual no impide que para tranquilizar a los vecinos que empiezan
a agolparse al oír que el tendero grita «al ladrón», les dé una
explicación sensiblemente más trivial: No me hagáis perder la

ventaja; *certamen est de cupa cervisiae.* Los espectadores se dejan
persuadir de que el zapatero se estaba valiendo de una trampa para
que su rival perdiese terreno. «Por fin el zapatero fue vencido en
la carrera, y sudando y sin aliento volvió a su tienda. Maccus se
llevó el premio (*tulit brabeum*).» Y esta expresión tan ambigua
bastará para que los comensales del *Convivium fabulosum* acosen
ai narrador: «¡Pero si era un caso de persecución por robo! (*sed
erat actio furti*)». Polymythus les contará el segundo acto ante
los jueces, gracias al cual todo acaba bien. Ya volveremos a hablar
de ello.

Vale la pena subrayar ahora que esta segunda parte no atrajo a
los imitadores extranjeros de Erasmo. Estienne, coleccionando los
«hurtos», la trunca porque quiere hacer de Maccus, cuya historia
traduce después de la del «ladrón» de la casulla, «otro que se parece a éste en cuanto a la habilidad de los pies, pero que por lo
demás no muestra gran ingenio». Para H. Estienne es, pues, un
vulgar ladrón, y, decidido a situarle en esta categoría, eliminó todo
lo que caracteriza a la historia como un *jocus.*[45] Su seco moralismo
no tolera que se *juegue* con los bienes del prójimo. Tanto peor
para Maccus si ante el soberano Juez ha de responder de un robo.
Probablemente fuera también su propósito moralizador lo que
movió al padre Casalicchio[46] a truncar a su vez el texto erasmiano
del que disponía de una copia íntegra en «Maiolus II». Sin dejar
de experimentar un vivo placer por la mímica de Maccus (*fece
segno colla testa di sì*), en el pasaje donde se habla de *experiar*
(término que amplía) y en toda la escena de la apuesta (*scommessa*),
hace de ésta un medio de que se vale Maccus «di fuggirsene via
restando intanto burlato il calzolaro». *Burlato*, pero robado:
«Vedi lettor mio», concluye el buen jesuita, «quante astutie

45. Erasmo había presentado a Maccus diciendo: «Is, cum venisset in
civitatem quae dicitur Leydis, ac vellet novus hospes innotescere joco quo-
piam[...]».
46. Casalicchio, *L'utile col dolce,* Nápoles, 1687, p. 47 (III, vi, 4), presenta al héroe diciendo: «Uno[...] che del discorso non si seruiua se non
per machinare come potesse fare per levare la robba a gli altri, chiamato
Macco, come riferisce Monsignor Maiolo, ritrouandosi in una tale città[...]»
(pero el seudo-Maiolus, copiando escrupulosamente a Erasmo, había escrito
«Leidis»).

s'usano, e quante machine per andare a casa del diauolo? Vedi quanti raggiri usa l'humana malitia per pigliarsi quello che non è suo?».

Es muy posible también que la pequeña comedia que se desarrolla en la tienda y la farsa judicial en la que el zapatero ve desestimada su demanda, aunque acaba siendo resarcido, desorientaran —dejando aparte todo moralismo— a los coleccionistas de historietas de las llamadas folklóricas. El continuador de Eulenspiegel que en la edición de Erfurt de 1532 agrega a las hazañas de su héroe el episodio del Maccus erasmiano, lo despacha en una decena de renglones (historia XCII: «Wie Ulenspiegel ein par schu kaufft on gelt»)[47] en los que la astucia de la apuesta sólo aparece en el momento en que Eulenspiegel, perseguido al grito de «haltet den dieb!», responde «hey, lat mich gen, wir lauffen die wet umb ein par schuh». El «comprador sin dinero» escapa, y da los zapatos a su amo el escudero. El propio Gast, copiando la historia de Maccus en sus *Convivales sermones*,[48] suprime la segunda parte. En el mismo sentido, adviértase que Ludovico Domenichi, utilizando a fondo el pequeño repertorio de historietas del *Convivium fabulosum* (tal vez siguiendo a Gast), no creyó necesario conservar ésta, aunque da otra muy parecida, inventando quizás a partir de Erasmo otro hecho que le parecía más verosímil que el de una importante compra involuntaria en una zapatería: en este caso es un soldado sin dinero que paga la comida con sus piernas, y la *scommessa dello scotto* se injerta en una discusión con el hostelero quien tiene la desventurada idea de decir «che non conosceva che egli ne altri fussero atti a *farlo mover di passo*». El soldado gana la apuesta haciendo correr a aquel hombre que decía ser flemático. Y como el *fantacino* no tenía ni un céntimo, su acreedor acabó haciendo «de la necesidad virtud».[49]

47. Adición reproducida en Thomas Murners, *Ulenspiegel,* ed. J. M. Lappenberg, Leipzig, 1854, p. 141.

48. Joh Gast, *op. cit.,* p. 302: «De Batavo quodam». Se interrumpe en «Maccus tulit brabeum». Es el único de los cuentos del *Convivium fabulosum* que Gast abrevia.

49. Lud. Domenichi, ed. cit., p. 180. Pietro Toldo, *Contributo allo studio della novella francesa del XV e XVI secolo,* Roma, 1895, cita este cuento en la p. 148 a propósito del «D'un bon Compaignon hollandois qui

Pero es preciso volver a lo que llamamos nuestra comedia de la tienda o de la compra sin dinero. Pues aquí reside sin duda la originalidad menos valorada de Erasmo como narrador. Y él debió de ser consciente de su valor, a pesar de la falsa modestia burlona (que Estienne se tomó en serio) con la que hace que Polymythus disculpe su historia «bátava»: «Si parum erit lepida, scitote Batavam esse». Ya es sabido cómo él mismo asumió el honor de este epíteto.[50] Y, para colmo, no es *una* historia bátava lo que cuenta Polymythus, sino *dos*, la segunda, muy parecida a la primera, situada por él en Deventer en la época de su niñez. También aquí aparece una vendedora que provoca una broma pesada al «ofrecer» su mercancía a un transeúnte: «Vis, ait, ficos? Sunt perquam elegantes. Cum ille annuisset, rogat quot libras vellet: Vis, inquit, quinque libras?». En esta historia, más sencilla que la de Maccus, el cliente, muy bien servido, se aleja «non cursu sed placide». La comicidad del asunto queda reducida a lo esencial. Cuando la gorda vendedora se decide a perseguir al hombre «gritando más que corriendo», ante la gente que se agolpa el «comprador» puede «defender su causa en la plaza pública» diciendo que «él no ha comprado nada, sino que se ha limitado a aceptar lo que le han ofrecido de un modo espontáneo», y que estaba dispuesto a comparecer ante un juez. Maccus sí que fue llevado ante el juez, y en un juicio al estilo del de Pathelin entreverado de erudición, que el propio Erasmo compara al pleito *de asini umbra*,[51] presentó a su acusador una demanda de reconvención por calumnia, fundándose en la ley Rhemnia, ya que se le trataba de ladrón cuando «no había tocado los bienes ajenos contra la voluntad del propietario, sino aceptando su ofrecimiento expreso, y que no se había hablado para nada de precio». Uno de los jueces, «después de mucho reír, invitó

---

fit courir après luy un cordouanier[...]» (del continuador de los *Joyeux devis* plagiando a Henri Estienne adaptador de Erasmo), sorprendido por su estrecho parentesco. Domenichi (*Detti et fatti*, ed. cit., pp. 50-51) toma de Erasmo el cuento del «comprador» de higos, trasladándolo de Deventer a Amberes. Subraya su significado, *furbería*, y añade una frase mostrando al *furbo* que vuelve a su casa en medio de risas.

50. Sobre todo en el adagio (IV, VI, 35) *Auris batava*.
51. Cf. *Adagia*, I, III, 52.

a Maccus a su mesa y pagó al zapatero».[52] ¿Cómo vamos a dudar de
que estas bromas «bátavas» no sean un género de ironía que ejerce
sobre la esencia del comercio un pueblo feliz, de «ingenium simplex,
et ab insidiis omnique fuco alienum»?[53] ¿No sería un absurdo
identificarlas con una crónica de atracos?

Para caer en este absurdo después de leer íntegramente el
Convivium fabulosum, sería preciso además trastornar el orden
de este Banquete literario, olvidar que Erasmo, por boca de Gelasinus, ha utilizado ingeniosamente a modo de transición entre sus
cuentos bátavos y una historia de robo, una síntesis de la parábola
de Pitágoras que compara la vida humana a un mercado, síntesis
en la que se divierte añadiendo a los personajes fundamentales
que son el vendedor, el comprador y el filósofo, otro habitual de
nuestros mercados: el ladrón, que será el héroe de la historia
ambientada en Amberes. Ello equivale a subrayar que Maccus
y el que «acepta» los higos por persuasión no son «ladrones».

52. Seguimos la traducción de Victor Develay en Erasmo, Les Colloques..., II, París, 1876, p. 139. No hay ninguna razón para suponer que el
sujeto de «vocavit Maccum ad coenam» no sea el mismo de «numeravit
calceario pretium». Este desenlace implica una jovial connivencia del juez
con el mixtificador Maccus. Más arriba, ante la irónica observación de Gelasinus de que Maccus, al escapar del zapatero no escapaba del ladrón «quia
furem ferebat secum», el narrador, Polymythus, había respondido con humor: «forte tum non erat ad manum pecunia, quam postea resolvit». Estos
juegos ambiguos al margen del honrado comercio no podían ser asimilados
por el folklore, que tiende a situaciones fundamentales de la sensibilidad
humana. Mi colega Félix Lecoy, al consultar con más atención que yo el monumental Motif Index de Stith Thompson (tomo IV, 1957), me ha llamado
la atención sobre el motivo (J 1161.11) de un cuento que se resume de la
manera siguiente: «Thief makes it fall out that he has but taken what has
been given him (he has followed literal instructions)». En The Oral Tales
of India de Stith Thompson y Jonas Balys, Indiana University Press, Bloom-
ington, 1958, p. 261, obra a la que remite el Motif-Index, el resumen es
idéntico. El cuento fue recogido en el valle de Assam. Un mixtificador análogo al «comprador» de higos sin dinero, es, pues, calificado de ladrón,
pero no se dice que la víctima sea un mercader. Exceptuando este cuento
de la India, para este motivo no se da ninguna otra fuente. ¿Acaso es
Erasmo su único equivalente europeo?

53. Según los términos de Erasmo en Auris batava (Adagia, IV, VI, 35)
donde se insiste también en el amor de los placeres —en particular de la
mesa— que caracteriza a este pueblo, al mismo tiempo que la abundancia
que debe a su suelo y a las importaciones que favorece su situación geográfica (cf. Margaret Mann-Phillips, The «Adages» of Erasmus, Cambridge,
1964, p. 211).

Captemos también la ironía de lo que he llamado la síntesis de las palabras de Pitágoras.[54] Erasmo había leído en Cicerón (*Tusculanas*, V, III) esta comparación pitagórica que sirve para definir al filósofo como espectador desinteresado, observador de la naturaleza de las cosas, filósofo, en suma, en el sentido etimológico de «amigo del saber». Esta definición le había llamado la atención ya en su juventud; [55] más tarde (1531), debía condensar la parábola en el libro V de sus *Apophthegmata*: «Dicebat Pythagoras vitam humanam esse similem panegyri, hoc est, solemni hominum conuentui: ad quem alii conueniunt certaturi, alii negotiaturi, nonnulli spectatores modo futuri. Ac caeteros quidem omnes esse sollicitos, solum spectatorem tranquillum frui celebritate: hunc spectatorem aiebat esse philosophum qui non ob aliud in hoc mundi theatrum prodiuisser, quam ut naturas rerum ac mores hominum contemplaretur».[56]

Superponiendo así la metáfora del *gran teatro del mundo* a la del mercado, Erasmo comprende en *panegyris* lo que Cicerón llamaba «mercatum eum qui haberetur maximo ludorum apparatu»; y si *alii negotiaturi* abarca todas las operaciones comerciales de los que «emendi aut vendendi quaestu et lucro ducerentur», cuida de no omitir los juegos deportivos que dan pretexto a esta gran reunión de personas. Tras de *certaturi* hay en efecto los que Cicerón dice que acuden «ut corporibus exercitati gloriam et nobilitatem coronae peterent». Ahora bien, en el *Banquete* de las anécdotas jocosas simplifica este cuadro (antes de enriquecerlo con ladrones) silenciando la categoría de los hombres a los que mueve el honor y que atrae la gloria. Pitágoras, dice, «totum mercatum dividebat in tria hominum genera»: los vendedores y los compradores, todos movidos por el interés, y los puros espectadores, los únicos desinteresados, que adoptan ante el mercado la actitud del filósofo ante el mundo.

54. Bajo esta forma sedujo, como una «bella e sauia comparatione», a Lud. Domenichi, en quien la encontramos (*op. cit.*, libro IV, p. 165) literalmente traducida de Erasmo. Casalicchio, *op. cit.*, III, IV, 5, la reproduce como «Maiolo» (como Erasmo) encabezando la historia del robo de la casulla.

55. *Antibarbari*, LB, X, p. 1717; *Opera omnia*, Amsterdam, 1969, I, p. 91, l. 15.

56. LB, IV, p. 345.

Esta versión simplificada concuerda con su contexto literario. Por lo menos, y con ello terminamos, incita a plantear el problema de las motivaciones a las que Erasmo obedece al elegir sus historietas. El aspecto deportivo del desafío de Maccus evidentemente no es serio. Insistamos una vez más en la intención puramente lúdica de nuestro *Convivium*. Hemos citado las dos únicas leyes a las que se pliegan sus *fabulae* para ser aceptables en este divertimento de personas de ingenio. Y equivaldría a estropearlas querer adobarlas con una salsa moral, cualquiera que fuese, ya calvinista, ya jesuítica. Puede decirse que la materia de las historias jocosas es más a menudo el interés que el sentimiento (éste brilla por su ausencia en el género picaresco), y que, según la intención pedagógica que invocan más o menos sus *Coloquios familiares*, Erasmo debía jugar a fabulista poniendo en guardia de un modo divertido contra los engaños, la torpeza, las palabras imprudentes, los falsos cálculos de la codicia. En definitiva, no deja de sorprender que los comensales de este *Banquete* relaten únicamente casos que pongan en juego bienes materiales —poseídos, ofrecidos o arrebatados, codiciados, regalados o rechazados—. Esto ocurre incluso en la cuarta historia de Luis XI, en la que un sabio se resigna sin dificultad a no conseguir un cargo vacante al que aspiraba, y que a pesar de todo le es concedido por el rey al ver éste que había renunciado a su deseo ante la primera negativa. Lo que sucede, explica al sorprendido monarca, es que tenía en su casa algo en que ocuparse («quoniam est domi quod agam»): entendamos que disfrutaba de independencia económica. Para quien se contente con una sicología no «profunda», la singular atención que el autor presta a las historias de favores reales podrá parecerle que manifiesta una preocupación habitual del exclaustrado Erasmo: la de obtener de los soberanos, de los prelados, de los grandes, ciertas pensiones o favores rentables, como premio de trabajos útiles a la cristiandad como los suyos.

Si, como en un libro reciente sobre los cuentos de Perrault (otro caso en el que se cruzan «cultura sabia y tradiciones populares»)[57] se ha escrutado las turbias zonas del inconsciente y de

57. Cf. supra, n. 7.

las experiencias infantiles de un autor, para comprender mejor sus fantasías de hombre maduro que manipula a su antojo el tesoro de los cuentos, no habrá que olvidar la alusión de Polymythus a su niñez bátava. «Daventriae, me puero», dice acerca del caso que nos ha parecido expresar del modo más escueto un aspecto original de los cuentos de Erasmo. El hijo ilegítimo aún no se ha convertido en huérfano de padre y madre [58] cuando asiste a la escuela de Deventer. ¿Era acaso consciente, de un modo claro u oscuro, de la precaria vida del hogar materno, y de la vigilancia que el padre, prisionero de la clerecía, ejercía discretamente sobre su educación? ¿Abrió como un pequeño intelectual precoz unos ojos de filósofo —o de hurón— ante esa comedia de las tiendas en las que se «ofrece» la mercancía, sobreentendiéndose su precio? ¿Pensó en ella un día de cuaresma, él a quien repugnaba el pescado («erat tempus illud quo regnant piscatores»), después de haberse embobado ante un puesto de higos secos, golosina exótica, y soñado en un abrir y cerrar de ojos con conquistarlos valiéndose de la ironía más que de la punta de la espada como los estudiantes del *Buscón* de Quevedo (I, 6)?

Otro recuerdo de la niñez ilumina quizás el veto que pesaba sobre otros temas. «Olim quum admodum puer ageret Daventriae», dice Erasmo en una obra contemporánea de nuestro *Convivium* y de la *Lingua*.[59] Se trata una vez más de la lengua que no se sabe dominar y de los males que causa. Un cura habla neciamente en un sermón de las faltas a la castidad cometidas por ciertos «pastores» y reconocidas por ellos en confesión: ello provoca el regocijo entre las «mulierculas parum integrae pudicitiae» que abundaban en Deventer. Erasmo denuncia el mal causado por este cura «qui nulla coactus necessitate, imo ne utilitate quidem ulla invitatus, hoc effutiret apud populum, unde scortatores et adulteri suis vitiis blandirentur». Cuarenta años después del despertar de la pubertad, ¿estamos ante una reaparición de este espectro insidioso del «vicio» que Erasmo no solamente ha excluido de sus cuentos para la juventud estudiantil, sino que incluso raras veces trata en el conjunto de sus escritos?

58. *Compendium vitae*, Allen, I, p. 48.
59. *Exomologesis*, LB, V, p. 153.

6. ESPIGANDO EN ERASMO

I

El 27 de octubre de 1969, fecha que según los trabajos del difunto R. R. Post se considera la más probable del quinto centenario del nacimiento de Erasmo (p. xv) será memorable en la historia de nuestros estudios: este día se entregó solemnemente a la reina de los Países Bajos, en la iglesia de San Lorenzo de Rotterdam, el presente volumen, tomo I de la primera edición crítica de las obras completas de Erasmo.* No se podía conmemorar de manera más digna y más duradera el medio milenario del gran humanista que publicando una edición erudita de sus escritos. Esta empresa internacional, iniciada en 1960 por un comité de especialistas bajo los auspicios de la Academia Real Neerlandesa de Ciencias y Letras, patrocinada por la Unión Académica Internacional, exigirá aún muchos años de trabajo, aunque todos los años deba aparecer como término medio un volumen de quinientas u ochocientas páginas, pues debemos prever una cuarentena.

La introducción general del comité de publicación (J. H. Waszink, Léon-E. Halkin, C. Reedijk y C. M. Bruehl) explica sus intenciones y sus normas. Resume rápidamente la génesis de las ediciones precedentes de las *Opera omnia* (Basilea, 1540 [BAS]

---

* *Opera omnia Desiderii Erasmi Roterodami,* recognita et adnotatione critica instructa notisque illustrata, *Ordinis primi Tomus primus,* North-Holland Publishing Company, Amsterdam, MCMLXIX, xxii, 682 pp., in-4.° El presente trabajo es la reseña publicada en *Bibliothèque d'Humanisme et Renaissance,* XXXIII (1971), pp. 429-436.

y Leiden, 1702-1707 [LB]), no sin remontarse a los propósitos y
deseos que el mismo Erasmo, aunque con una convicción variable,
había manifestado acerca de semejante recopilación. Los nuevos
editores tributan un merecido homenaje a Jean Leclerc, el «Clericus» responsable de LB; sitúan históricamente su devoción por
Erasmo, señalando que este descendiente de hugonotes franceses
en 1684 había dejado Ginebra por Amsterdam, donde le atraía el
cristianismo muy abierto de los *remonstrants* (p. x). Nos recuerdan también el sentido irénico de la curiosa incorporación a
su tomo X del *Index Expurgatorius Hispanicus et Romanus* de
las obras de Erasmo tal como habían sido recogidas en BAS: los
católicos timoratos podían saltarse lo que reprobaba su ortodoxia;
los otros, que a menudo se lamentaban de no disponer de la edición
de Basilea más que de un ejemplar mutilado por los expurgadores,
podrían restablecer en él más fácilmente los pasajes suprimidos.
La nueva edición (¿la llamarán los eruditos AMST?) será la de la
nueva era (p. xiv) que abrió, de 1906 a 1947 (1958, tomo XII de
Indices) el *Opus epistolarum* de Allen, monumental obra de ciencia histórica y crítica sin la que hubiese sido imposible situar cada
obra de Erasmo en su vida y en su tiempo. Por lo demás, como
todos los trabajos modernos citan por LB, de la que seremos
tributarios durante mucho tiempo, era inevitable que la nueva
edición se remitiese también a su antecesora: indica al margen
la concordancia de los textos que vuelve a publicar con la paginación del tomo de LB donde figuran.

Este tomo I reúne principalmente textos de autores griegos
traducidos al latín por Erasmo para uso de los aprendices de humanistas bilingües. Sin embargo, aquellos a quienes atrae sobre
todo el pensamiento renovador de Erasmo también encontrarán
aquí motivos de interés. Ya que contiene en primer lugar (pp. 1-
138) la edición crítica y anotada del *Antibarbarorum liber*, muy
bien establecida por Kazimierz Kumaniecki, de Varsovia, con una
sólida introducción de veintiséis páginas. Pocos libros erasmianos
reclamaban tan imperiosamente como este diálogo una presentación que aclarase su génesis. El autor lo había esbozado en el
convento, antes de cumplir los veinte años, y le dio forma en
el curso de los años parisienses. Afortunadamente el libro I

había sido copiado en Halsteren, cerca de Lovaina (1494-1495). Pero el manuscrito había sufrido muchas vicisitudes. Erasmo, desesperando de recuperarlo, lo había reelaborado en 1519 y publicado en 1520, cuando se encontraba en la cúspide de su prestigio y de su combatividad. Los historiadores modernos del pensamiento de Erasmo han tenido la suerte de que un manuscrito de Gouda que perteneció a los Hermanos de la Vida Común fuese descubierto por Allen, quien proporcionó una esmerada copia de la versión de Halsteren, colacionada al margen o entre líneas con el texto definitivo. Tras la publicación de esta copia por Hyma (1930), tras el análisis realizado por R. Pfeiffer (1934, reimpresión de 1960) de las *Wandlungen der «Antibarbari»*, faltaba presentar juntas la doble tradición manuscrita e impresa. Por vez primera, gracias a Kumaniecki, se puede comparar paso a paso dos desarrollos de una misma defensa del saber, e incluso, por primera vez (pp. 38-60), abarcarlos sinópticamente, ya que la primera redacción, más escueta, se reproduce íntegramente aparte, encima de la segunda. Así resaltan más ciertos acerados ataques de 1520 contra los monjes o contra los gramáticos medievales; de este modo también nos damos más cuenta de la precocidad de las ideas fundamentales (que el análisis del editor hace resaltar muy bien, pp. 15-20) que Erasmo pone en boca de J. Batt. Se trata de la alianza proclamada entre la verdadera piedad y el verdadero saber, el cual, a despecho del lugar común «scientia inflat», conduce a la humildad (mientras que la ignorancia es a menudo orgullosa y agresiva), de la armonización de la cultura profana con la cultura cristiana, de la que Jerónimo, Cipriano y Agustín dieron ejemplo, de la importancia primordial de la educación en la ciudad. Estas ideas son algo más que simples esbozos de grandes temas del *Enchiridion*. El redescubrimiento de los *Antibarbari* en nuestra época ha desempeñado un importante papel en la demostración de lo que R. Pfeiffer llamaba «la unidad de la obra espiritual» de Erasmo. No tiene nada de extraño que E. W. Kohls, continuador de este trabajo de profundización, en su gran libro sobre *Die Theologie des Erasmus*,[1] dedique al *Antibar-*

1. Basilea, 1966, II, pp. 35-68.

barorum liber uno de sus capítulos más sustanciales, entre los que consagra a la *Epistola de contemptu mundi* y al *Enchiridion*. El autor de una obra reciente [2] ha insistido en lo que «el *Antibarbarorum liber* debe a Agustín», deuda que llama la atención «por su novedad, por su amplitud», observando que «todo procede de una fuente única: el *De doctrina christiana*». La anotación explicativa del texto a cargo de Kumaniecki remite de forma sobria y segura a los textos profanos y patrísticos o bíblicos en los que se inspira Erasmo, aclara sus alusiones a la historia política y cultural, indicando a menudo los mejores trabajos modernos sobre las cuestiones evocadas. Abunda asimismo en instructivos paralelismos de la obra editada con el *Enchiridion*, la *Paraclesis* y los inagotables *Adagios*. El estilo y el vocabulario de Erasmo también se comentan cuando es necesario en notas que señalan las fuentes (p. 81, Sardanapalicum, Gnathonicum; p. 86, religiosulos) o la originalidad (p. 77, voluptatula). Por lo que se refiere a la influencia del *Antibarbarorum liber*, está aún mal estudiada; es tan inseparable de la de las obras capitales de Erasmo que todavía no era el momento ni el lugar de dedicarle un estudio, aunque fuese provisional. Confiemos en que los historiadores del humanismo, disponiendo a partir de ahora de esta sugestiva edición, descubrirán ya con mayor facilidad los ecos de este libro en tal o cual autor. Sabemos que Paola Zambelli (sin necesitar semejante ayuda) ha identificado importantes ecos en el anónimo *Dialogus de vanitate scientiarum et ruina christianae religionis*, donde señala de manera convincente un alegato *pro domo* del mismo Cornelius Agrippa. Éste confía su apología a un «cisterciense» innominado, lleno del espíritu de Erasmo, y muy hábil en utilizar los *Antibari*.[3] Ahora corresponde a los agradecidos usuarios de la presente edición enriquecer su comentario con referencias nuevas a las fuentes y a las imitaciones de los *Antibarbari*, o a los demás

2. Charles Béné, *Erasme et saint Augustin*, Droz, Ginebra, 1969, p. 78; cf. *Bibliothèque d'Humanisme et Renaissance*, XXXII (1970), pp. 710-714.
3. *Cornelio Agrippa. Scritti inediti e dispersi*, publicados e ilustrados por Paola Zambelli, Rinascimento, Sansoni, 1965, XVI, pp. 195-312; cf. la recensión del P. Pollet en *Bibliothèque d'Humanisme et Renaissance*, XXX (1965), pp. 414-416.

escritos de Erasmo donde se tratan ciertos temas de este libro.
Por ejemplo, el importante pasaje añadido en 1519 (p. 53) sobre
la inconsciencia con la que se admite al primero que llega como
educador de los niños, cuando no se le confiaría el cuidado de una
cuadra de caballos o de una jauría de perros, merecería confron-
tarse con textos erasmianos paralelos. Américo Castro[4] comentó
hace ya tiempo una cita muy libre de este pasaje en la pluma de
Juan López de Hoyos, el maestro de humanidades de Cervantes.
Citando de memoria y recordando tal vez la alusión inicial a los
príncipes de quienes se prueban los platos servidos a su mesa,
pero no sus alimentos espirituales (p. 53, ls. 4-5: «Adhibentur
multi qui praegustent cibum [...]») el humanista madrileño hablaba de la severidad con la que Erasmo, en los *Antibarbari*,
censura a los magistrados que permiten que se vendan vinos adulte-
rados, funestos a la salud pública. Ahora bien, como observaba
Castro, este tema pertenece a otra obra (ésta prohibida en España)
la *Exomologesis*.[5] López de Hoyos lo injerta en el tema de las
carencias de la educación distinguiendo «dos cosas» que Erasmo
reprocha principalmente a los magistrados que gobiernan mal
«la república»: tolerar los «malos vinos» y tolerar los «malos
perceptores». Pero la idea encaja bien con lo que dice el *Antibarbarorum liber* sobre los estragos que causan los malos educadores
(p. 53, ls. 23-25: «Tria sunt unde potissimum rerum publi-
carum salus aut etiam pestis mihi pendere videtur: a principe
recte aut secus instituto, a concionatoribus publicis, et ludi magis-
tris», siendo el último punto el más vital). Pero, ¿es que Erasmo no
se limita a copiar este tema tripartito de su propia *Paraclesis*?
(«Siquidem in his tribus hominum ordinibus praecipue situm
est Christianae religionis vel instaurandae vel augendae negotium,
in principibus et qui horum gerum vices magistratibus, in epis-
copis et horum vicariis sacerdotibus et in iis qui primam illam
aetatem ad omnia sequacem instituunt»).[6] Que estos paralelismos

4. «Erasmo en tiempo de Cervantes», *Revista de Filología Española*
(1931), reed. en *Hacia Cervantes*, Madrid, 1967³, p. 225.
5. *Opera omnia*, Basilea, 1540 [citado en adelante: BAS y el volumen
correspondiente], V, p. 137; LB, V, p. 164 CD.
6. LB, V, p. 141 c.

que preceden inciten a la investigación, al tiempo que sean un homenaje al magistral trabajo de Kumaniecki. Gracias a él cada vez más podrá situarse en su verdadero lugar la obra doctrinal que ocupa un puesto de honor en el tomo I de las *Opera omnia*, y que lo merecía tanto por su alcance como por la precocidad de su primera redacción.

El resto del volumen es de naturaleza más estrictamente literaria, o incluso escolar, pero de un interés muy variado para la historia del humanismo. Confieso que aquí he leído por vez primera el *Commentarius in nucem Ovidii,* y los mismos versos de este poema seudovidiano (la lamentación del nogal al borde del camino, que todo el mundo lapida para robarle sus frutos). Buen regalo para el pequeño John More este comentario tan pronto literal como literario que inculca nociones de historia natural y de retórica. Como nos dice su editor R. A. B. Mynors (de Oxford), además de su edición príncipe (Basilea, 1524) y de otras tres del mismo año (de Amberes, Colonia y París), debía de haber más de quince ediciones ulteriores escalonadas en un período de treinta años, y la obra terminó por incorporarse a más de una recopilación de *Opera* de Ovidio. Quién sabe qué secretas resonancias despertó la *querela nucis* en el autor de la *Querela pacis,* en una época en la que se veía mezclado, en un grado superior a sus deseos, en la batalla en torno a Lutero, y en que, lapidado por ambas partes, se asombraba (como más tarde Victor Hugo) «de ser un objeto de odio después de haber sufrido y trabajado mucho» («Crudele erat», dice parafraseando al nogal: p. 161, l. 14), «ob foecunditatem sic laedi; sed intolerabilius malum, si calamitati addatur odium, praesertim vicinarum[...]». Mynors ha precisado sobriamente en sus notas las referencias a los autores antiguos y a los humanistas que Erasmo trae a colación. Incluso nos remite (p. 154, l. 1) al cronista que recogió la fábula de aquella condesa holandesa que se supone dio a luz a 365 gemelos: fábula absurda, pero menos peligrosa, dice Erasmo, que tantas otras, «quae Christum nobis propemodum extinxerunt». Los cronistas de Basilea (p. 155, l. 18) no mentían cuando hablaban del gigantesco roble de su ciudad sobre cuyas ramas había cenado Maximiliano.

El mismo Mynors es quien se encarga de la edición de las

tres *Declamationes* del sofista Libanio traducidas al latín por
Erasmo (Lovaina, 1503, 1.ª ed. bilingüe 15 ss.), su primer intento
de traducción del griego. Afortunadamente, el ejemplar autógra-
fo de presentación al obispo Nicolas Le Ruistre aún se conserva
en Cambridge, en la biblioteca de Trinity College. El año pasado
pudimos verlo en la inolvidable exposición de Rotterdam *Erasmus
en zijn tijd*;[7] es utilizado en el aparato crítico de Mynors. Éste recuerda, sin exagerar su amplitud, la influencia que la edición bilingüe de Erasmo ejerció sobre las crestomatías de textos griegos para
principiantes (por ejemplo, sobre la de Francisco de Vergara: Alcalá, 1524. Luciano tuvo también en este delgado libro escolar
y en sus similares el lugar que Erasmo y sus maestros le habían
juiciosamente reservado).

Pero la gloria de Erasmo como traductor de griego en el curso de los siglos XVI y XVII se debe, de un modo mucho más duradero que a las *Declamatiunculae*, a sus traducciones de Eurípides y de Luciano, que se han convertido en clásicos del humanismo. Felicitémonos de que las versiones erasmianas de *Hécuba*
y de *Ifigenia en Áulide* hayan sido estudiadas profundamente
para la presente edición por un filólogo riguroso, que es también
especialista de la poesía latina, como el profesor Jan Hendrik
Waszink (de Leiden). Porque estas traducciones no son únicamente testimonios esenciales de lo que Pertusi llama «el descubrimiento de Eurípides» por los humanistas y el «retorno a las
fuentes del teatro griego clásico». Erasmo las llevó a cabo como
obras de arte, imitando los originales hasta en su métrica (aunque,
después de haberse empeñado en hacer encajar, en la medida de
lo posible, los variados metros griegos de los coros de *Hécuba*
en los metros latinos correspondientes, adoptó, para traducir los
coros de *Ifigenia,* una solución más fácil que consistía en imitar
la métrica de las tragedias de Séneca). Quedó lo suficientemente
satisfecho de esta hazaña como para invocarla mucho más tarde
(1535) —junto con sus traducciones de Luciano— como prueba de su saber de humanista anterior a su viaje a Italia, y para

---

7. Museum Boymans, Beuningen, *Catalogues,* n.º 99.

discutir largamente el calumnioso rumor según el cual sus «tragedias» eran un trabajo de Rodolfo Agrícola que él se había apropiado.[8] La introducción de Waszink dice todo lo esencial sobre la génesis, las bases textuales y las ediciones de estas versiones erasmianas; las sitúa en el marco de la resurrección de Eurípides en los siglos XV y XVI (Erasmo no sólo conoció, sino que a veces incluso imitó la traducción de Filelfo) y hasta aborda la cuestión de la influencia de las traducciones latinas de Erasmo en las de diversas lenguas vulgares: Waszink, gracias a desinteresadas colaboraciones, nos informa de que Sibilet y Gelli reconocieron su deuda para con Erasmo. Constata también que Melanchthon le imita al efectuar su propia versión en prosa latina de las tragedias de Eurípides.

Queriendo llegar hasta el fondo en su tarea de anotar estas dos traducciones erasmianas, Waszink las confronta con las de diversos intérpretes. Nos da así el fruto de una lectura muy atenta de estas traducciones en relación con la edición aldina con la que Erasmo trabajaba. Lectura crítica en el pleno sentido de la expresión: señala los puntos débiles del traductor que consisten frecuentemente (casi inevitablemente) en traicionar la concisión del original; pero con bastante frecuencia subraya hallazgos, y en algunos pasajes oscuros en los que el texto de Aldo estaba corrompido, observa muchas veces que la solución encontrada por Erasmo implica que éste lo corregía, y que sus conjeturas se anticipan a las de tal o cual filólogo moderno. Estamos ante una contribución tan nueva como precisa a la apreciación del dominio del griego que había conseguido Erasmo, casi como autodidacta. Al propio tiempo, la calidad de su latín poético es ponderada por un experto que nos señala las reminiscencias virgilianas u horacianas, que identifica en algunas palabras raras la influencia de la lengua de los poetas cristianos o subraya ciertos neologismos calcados por Erasmo sobre el griego.

Waszink, encargado de reeditar también en este tomo I (pp. 629-669) las traducciones que hizo Erasmo de tres tratados de Galeno que no comportaban las mismas dificultades estilísticas,

8. Allen, XI, p. 184.

ha aprovechado la ocasión para juzgar también aquí la calidad
del trabajo realizado por el humanista con la prosa del médico
veinte años después de sus magníficas traducciones de tragedias.
Aquí Erasmo hace de pionero, puesto que traduce al latín estos
escritos de interés general (*Exhortatio ad bonas arteis*; *De optimo
docendi genere*; *Quod optimus medicus idem sit et philosophus*)
cuando Aldo acababa de publicar la edición príncipe de las obras
completas de Galeno (1525). Una vez más la edición aldina era
muy defectuosa. Como muestra Waszink, la sagacidad del traductor encontró nuevos motivos de ejercerse, anticipándose a la
crítica verbal de estos textos.

Ningún examen crítico parecido nos ofrece Christopher Robinson (de Lancaster) que se ha encargado de reeditar (pp. 361-
627) los diálogos de Luciano traducidos por Erasmo. ¿Hubiese
sido algo verdaderamente carente de interés? ¿Bastaba darnos
las variantes de las primeras ediciones y remitir globalmente
(p. 370, n. 18) al trabajo de C. R. Thompson (*The Translations of
Lucian by Erasmus and Sir Thomas More*) sin entrar en el detalle de las dificultades que los traductores superaron con más o
menos elegancia o fidelidad? Es cierto que los diálogos traducidos por Erasmo (y también los traducidos por Moro) pasaron a
ser muy pronto textos de estudio utilizables, con la ayuda de
algunas glosas marginales, los jóvenes latinistas y los helenistas
principiantes, y formaron parte de la vulgata latina de Luciano
que estuvo en uso hasta fines del siglo XVIII. Es cosa sabida que
Erasmo y Moro tradujeron el *Tyrannicida* y que cada uno de
ellos compuso una «declamatio» refutando la argumentación de
ese alegato *pro domo* de un tiranicida. La versión erasmiana
siempre fue preferida a la de Moro, y su declamación contraria
(aquí pp. 516-551) ha merecido los honores de más de una edición bilingüe de las *Opera omnia* de Luciano. Nos hubiera gustado que los esfuerzos que los dos amigos dedicaron a Luciano
se comparasen al menos sumariamente junto a estos textos paralelos (por ser los de Moro menos conocidos). Una novedad de la
edición de Robinson respecto a las de BAS y LB consiste en la incorporación de los *Longaevi* (o *Macrobii*) (pp. 623-627) en la
versión que Gervasius Amoenus, de Dreux, antiguo secretario

de Erasmo, publicó en la imprenta de Josse Bade (1513-1514) en
sus *Lucubratiunculae* sin atribuirla categóricamente a su antiguo
patrón.[9] La *Historia longaevorum* que se incluye aquí, hasta
ahora no había sido reimpresa más que en un artículo de C. R.
Thompson.[10] Erasmo protestó secamente contra lo que juzgó
un hurto [11] del secretario al que había dictado este trabajo. Pero,
¿se lo había realmente dictado? Thompson [12] se inclinaba a creerlo, y que Amoenus, que no había olvidado esta circunstancia,
prefirió no aludirla. Robinson destaca que Erasmo evidentemente
sólo conoció de oídas el pequeño volumen de Amoenus. Éste dedica la traducción de los *Longaevi* a lord Mountjoy, entre cuyos
legajos la había encontrado, emitiendo la hipótesis de que Erasmo, o algún otro, podía ser su autor. Esta idea pudo haberle
sido sugerida por el hecho de que, en el manuscrito Mountjoy,
los *Longaevi* iban precedidos de una carta de Erasmo (Erasmus
Christiani),[13] detalle que comenta Thompson, pero que omite Robinson. Éste se pregunta si los *Longaevi* no podrían ser un ensayo primerizo de Erasmo para traducir el griego lucianesco, y si
esta prueba no podría remontarse al invierno de 1503 que el
humanista hubiera podido pasar en compañía de Mountjoy en el
castillo de Hammes. Dictada o no, precoz o no, esta traducción,
según parecer de Robinson, no es de la misma calidad que las
demás versiones erasmianas de Luciano, «either as a rendering
of Greek, or as a piece of Latin prose». Si nuestro editor hubiera sometido como Thompson a una crítica metódica las ine-
xactitudes y las torpezas de esta versión quizá hubiera podido
dar más fuerza a su hipótesis cronológica, que funda en el recuerdo que Erasmo guardaba de sus inicios de helenista autodidacta
(«coactus ipse mihi praeceptor esse»),[14] cuando regalaba esos ejercicios como obsequios de cumpleaños («Hujusmodi ceu strenu-
lis diversis temporibus salutatamus amicos, qui mos est apud

9. Sobre la adquisición del único ejemplar conocido de este pequeño
volumen por la Bodleiana, véase el prefacio de Allen, VIII, p. xxi.
10. *Classical Philology*, XXV (1940), pp. 397-415.
11. Allen, I, p. 8, l. 8.
12. Art. cit., p. 405.
13. Cf. Allen, I, p. 171.
14. Allen, I, p. 7, l. 24.

Anglos»).[15] Ni Thompson ni Robinson advierten que el mismo original griego se presenta como un regalo por un nacimiento; esta particularidad podría explicar que el aprendiz de helenista se hubiese fijado en él, y que, al no haberse hecho aún un método de traductor, tratara los *Longaevi* con cierto descuido. Se trata de un texto del que los especialistas modernos de Luciano[16] no creen que sea de este autor. En una edición (bilingüe) de las *Opera omnia* de Luciano que hace autoridad (la de Bourdelot: París, 1615), y en la que se utilizan las traducciones consagradas de Erasmo, de Moro y de J. Mycillus, la traducción adoptada para los *Macrobii* y más de una veintena de otros diálogos es la de Vincent Opsopoeus (de quien el Museo Británico posee dos libros que contienen traducciones de Luciano, publicadas en Haguenau en 1527 y 1529).[17] Tal vez valdría la pena confrontar su traducción con la que a partir de ahora pasa a enriquecer la serie de las obras de Luciano traducidas por Erasmo.

El lector sabrá apreciar debidamente el valor documental de los grabados que adornan este hermoso volumen, tanto si se trata de facsímiles del manuscrito de Gouda de los *Antibarbari*, como de frontispicios de ejemplares impresos curiosos; véase sobre todo en la página 194, el de la versión erasmiana de *Hécuba* en la que el nombre del traductor, «Erasmo Roterodamo», fue torpemente disfrazado en «Francisco Robortellio» (cf. p. 210); y en la página 630 el de su versión de los opúsculos de Galeno en el que su nombre fue tachado, tratamiento más ordinario.

La presentación tipográfica es notablemente clara y correcta. Tal vez los títulos particulares de los diálogos de Luciano hubieran podido figurar de manera más útil en la parte superior de las páginas como títulos corridos, o ser objeto de una lista con envío a las páginas, ya fuese dentro del índice general del volumen (p. v), ya en la página 379 antes del «Conspectus siglorum» de esta sección. Y puesto que la «List of abbreviations most frequently used» deberá sin duda reproducirse o completarse en los

15. Allen, I, p. 8, l. 7.
16. Tompson, art. cit., p. 408.
17. Sobre este humanista, del que Pirckheimer no tenía buena opinión como helenista, cf. la noticia de Allen, VII, p. 401.

volúmenes siguientes, señalemos un pequeño error y algunas omisiones que convendría reparar (p. 674): *BHR* corresponde a *Bibliothèque* (y no *Bulletin*) *d'Humanisme et Renaissance*; habría que añadir *CSEL* (*Corpus Scriptorum Ecclesiasticorum Latinorum*); Migne, *PL* (*Patrologiae... series Latina*) y Hain (*Repertorium bibliographicum,* opera L. Hain, Stuttgart-París, 1826-1838). Abreviaturas que son familiares, como muchas otras de la lista, a la mayor parte de los lectores, que a partir de ahora considerarán la nueva edición de las *Opera omnia* como uno de sus mejores instrumentos de trabajo.

II

Este es el segundo volumen de las *Opera omnia* * de Erasmo en la edición crítica internacional [1] y probablemente el que ofrece el panorama más amplio de la contribución de Erasmo a la doctrina de la pedagogía de los humanistas, aunque el *De copia,* considerado por el siglo XVI y por el propio Erasmo como su aportación más sustancial a la aplicación literaria de esta pedagogía, se haya reservado para un volumen ulterior. En efecto, éste comienza (pp. 1-78) con el *De pueris statim ac liberaliter instituendis,* pequeño tratado concebido (p. 4) como «un ejemplo retórico destinado a ilustrar» la *Copia,* pero que toma como tema el problema vital de la enseñanza en los primeros años, cuando el niño aborda lo antes posible, bajo la dirección de sus padres y de un preceptor, el lento trabajo que hará de él un hombre. Luego viene (pp. 79-151) el *De ratione studii et instituendi pueros,* tratado corto y denso que ofrece un plan de estudios para la enseñanza elemental de las humanidades grecolatinas, y una concepción exigente de la formación de un buen maestro. Como la redacción epistolar era

* *Opera omnia Desiderii Erasmi Roterodami,* recognita et adnotatione critica instructa notisque illustrata, *Ordinis primi Tomus secundus,* North-Holland Publishing Company, Amsterdam, MCMLXXI, VIII + 726 pp., in-4.º El presente trabajo es la reseña publicada en *Bibliothèque d'Humanisme et Renaissance,* XXXV (1972), pp. 382-392.
1. Cf. *Bibliothèque d'Humanisme et Renaissance,* XXXIII (1971), p. 243.

un ejercicio básico de esta fase de los estudios, es natural que a continuación vaya (pp. 153-579) el *De conscribendis epistolis*, que fue, en su forma completa o en resumen, el manual pedagógico más frecuente para proporcionar modelos de esta forma. Finalmente, aunque el *Ciceronianus*, que completa el volumen (pp. 581-710), debe su principal celebridad a su intención polémica contra el estilo anacrónico y paganizante de ciertos humanistas italianos, este diálogo es, entre todos los escritos de Erasmo, el que formuló con más fuerza la doctrina *del mejor estilo* («de optimo genere dicendi») al que puede aspirar una época y que puede forjarse un individuo sin traicionar sus intereses vitales y su naturaleza. Y con este motivo se hace evidente ese límite de la modernidad de Erasmo y de otros «refinados del Renacimiento» sobre el que llamaba la atención Mgr. Gambaro en su excelente edición bilingüe:[2] el hombre más preocupado en aquel entonces por reclamar «un estilo nuevo para ideas nuevas, cristiano para ideas cristianas»,[3] parecía ciego al hecho de que «siendo el latín una lengua muerta no podía adquirir expresiones nuevas sin alterarse» de modo irremediable; y que la verdadera solución del problema de la modernidad de la expresión tenía que reservarse para la cultura de las lenguas y literaturas vernáculas.

La edición de los tres primeros tratados es obra de J.-C. Margolin, a quien se debía ya una verdadera suma del *De pueris*, de sus orígenes, de su influencia, de su significación histórica y filosófica, de sus ediciones y traducciones.[4] Nuestra gratitud para con él por haber condensado en dieciséis páginas lo necesario para la presentación del *De pueris* como elemento de las obras completas de Erasmo pedagogo. En el examen de las nueve ediciones anteriores a 1540 llamamos la atención (pp. 10 y 12) sobre la de Cervicornus (Colonia, 1535), que Margolin ignoraba en 1966, y que describió por vez primera en el *Gutenberg-Jahrbuch* de 1969 según el ejemplar de la Biblioteca de la Universi-

---

2. *Il Ciceroniano,* La Scuola Editrice, Brescia, 1965, p. LXXXIV.
3. Ibid., p. LXXXII.
4. Erasmo, *Declamatio de pueris...,* estudio crítico, traducción y comentario de J.-C. Margolin (Travaux d'Humanisme et Renaissance, LXXVII), Droz, Ginebra, 1966, 666 pp., gr., in-8.º cuadrado.

dad de Cambridge: curiosa edición cuyo subtítulo anuncia una «interpretatio teutonica» y que completa «un formulario alfabético latino-alemán (un alemán que se parece mucho al neerlandés del siglo XVI)». Apreciamos también el esfuerzo de nuestro editor para dar un sobrio «análisis del texto» (pp. 17-18), después de que en su exhaustivo estudio de 1966 lo había comentado en un análisis más minucioso que abarcaba seis páginas de gran formato. En cuanto a las notas añadidas al texto, numerosas y sobrias, son un modelo de clarificación del pensamiento y de su expresión remitiendo a fuentes o a paralelos. Gracias a ellas, uno de los grandes textos del siglo XVI sobre las relaciones de los niños con sus padres y sus primeros maestros queda excelentemente situado como fruto de la cultura humanística y reflejo del tiempo. Raros son los casos en que el lector puede desear una referencia complementaria a la obra del mismo Erasmo, como ocurre con algunas citas de filósofos que incluyó en sus *Apophthegmata* (p. 41, l. 24; p. 42, l. 1, p. 47, l. 14).[5] Más raras aún las notas que no responden debidamente a la pregunta que se hace el lector, como en la página 55, línea 1, donde la hostilidad de Erasmo ante la idea de utilizar una *ebriosa muliercula* para enseñar a los niños a leer y a escribir, incita a preguntarse qué papel podían desempeñar en la enseñanza elemental mujeres asalariadas para ello por las familias o los municipios (pensamos en la pobre Katharina Laiderin, evocada en el tomo VI de *Die Amerbachkorrespondenz*, p. 185, cuando después de más de cincuenta años de servicios a la ciudad de Basilea, se ve acusada de brujería por una opinión gregaria y prácticamente expulsada de la ciudad). Sólo en una fecha tardía (1577, p. 200) he encontrado la representación de una maestra de escuela en la rica iconografía de Robert Alt, *Bilderatlas zur Schul- und Erziehungs Geschichte,* Berlín, 1960, aparte de la célebre muestra pintada en 1516 por Holbein (ibid., p. 198) en la que se ve al magister Myconius ayudado por su mujer.[6]

5. Cf. *Apophthegmata*, libro VII: Crates, 5; libro III: Aristóteles, 22; libro VII: Platón, 5.
6. Excelentes reproducciones en la introducción de Heinr. Alfred Schmid a Erasmi Rot., *Encomium Moriae...*, Basler Aufgabe von 1515 mit

La introducción redactada por Margolin para el *De ratione studii* es muy minuciosa en lo referente a la génesis histórica y sicológica de este breve tratado, en el que Erasmo aparece «como un teórico de la pedagogía práctica y no como un pedagogo profesional» (p. 84); en lo que contrasta con diversos otros grandes humanistas (pero no, quizá, con el español Vives, de quien es muy exagerado decir que «también se había hecho maestro de escuela», dado el carácter limitado y efímero de su docencia en Lovaina y su negativa a ocupar la cátedra de retórica de Alcalá). Por lo demás es muy inseguro que se pueda ver en toda la obra de Erasmo en este dominio «el fruto de sus actividades pedagógicas y alimenticias de los años parisienses (fines de 1496, 1497)» (p. 85). Margolin ordena muy bien, siguiendo a Allen, la enrevesada historia editorial del *De ratione*, cuya primera edición revisada y corregida por Erasmo y destinada a Pierre Vitré o Viterius (cf. p. 88, n. 42) se publicó en Estrasburgo en 1514 (p. 95), pero había sido precedida de varias otras ediciones no autorizadas, y en particular de una edición abreviada dirigida a un inglés llamado Guilelmus Thaleius (p. 90), cuyo texto, con excelente criterio, se nos ofrece en apéndice a la versión completa. Toda esta historia de la publicación de un opúsculo destinado a la celebridad es muy ilustrativa respecto a la historia de los usos editoriales y de las casas de edición. Se leerán con vivo interés los argumentos con los cuales Margolin (pp. 91-94) toma parte en una controversia que concierne al profesor de Gante Robert de Keysere, sus relaciones con Erasmo, la producción del «Caesarianum praelum» que había instalado en París, para llevarnos a la conclusión de que la edición del *De ratione* contenida en un volumen sin lugar ni fecha salió de esta prensa de París en 1511 o 1512: su «viñeta que representa la Doncella de Gante y la ciudad gantesa», se supone que en el frontispicio de este volumen no era el equivalente de un lugar de impresión, sino una especie de firma recordando la personalidad y el origen del edi-

---

den Randzeichnungen von Hans Holbein d. J. in Faksimile, Basilea, 1931, p. 41; y en el catálogo de la exposición basiliense de 1960, *Die Malerfamilie Holbein in Basel*, n.° 133, Abb. 42.

tor. Aunque la anotación del *De ratione studdi* sea muy abundante, y, en conjunto, muy pertinente, con todo hubiera sido de
desear que este texto hubiese sido objeto de un análisis más detallado que un resumen de doce líneas (pp. 88-89), orientado
más a afirmar su tendencia «clásica» que a explicar sus articulaciones significativas. Pues la intención propiamente erasmiana
de éstas queda atestiguado por ciertas coincidencias del texto
completo con su versión abreviada.

La transición de la página 116 (ls. 10-17), ¿alude al *De pueris*
o remite por preterición a una obra que Erasmo proyectaba hacia 1510 y que nunca llegó a publicar, sobre el orden en el cual
se debe ser iniciado en las diversas disciplinas («quo ordine disciplinae discendae sint»)? Todo lo que precede (y lo que sigue
hasta la página 119, l. 14 «sed video te cupere ut de *docendi*
quoque nonnihil attingamus»), ¿es un primer esbozo de la materia
que hay que «enseñar», o bien de la materia en la que el futuro
enseñante debe «instruirse» (*discere*) (puesto que la «preparación
de los maestros», de cuya organización tanto se habla hoy en día,
en realidad no fue institucionalizada hasta dos siglos y medio después de Erasmo)? Nos inclinamos por la segunda explicación, y
creemos que ante la doble tarea que subrayamos de *discere* y *do-
cere,* Erasmo empezó describiendo la primera operación, aunque
en la segunda parte titulada «De ratione instituendi discipulos»
vuelva más de una vez a tratar de la extensión de los conocimientos que debe poseer el maestro para poder enseñar. El humanista ha empezado exponiendo la división de la «duplex cog-
nitio [...] rerum ac verborum» que Margolin relaciona justificadamente con el título de la *Copia* («de duplici copia rerum ac
verborum») y afirma: «verborum prior, rerum potior». Retorna,
en la transición que hemos subrayado (p. 116, l. 10) a la *rerum
intelligentia*, que debe ser la preocupación principal de la segunda fase, *parata sermonis facultate.* ¿Y acaso no está pensando
en la cultura de este adulto que es un futuro profesor, cuando,
del principio inspirado en Quintiliano «utroque in genere statim
optima et quidem ab optimis sunt *discenda*» (p. 113, l. 11), saca
audazmente la consecuencia de que «omnis fere rerum scientia a
graecis auctoribus petenda est»? Los griegos son la fuente. Los

«praeceptores» preferibles (1. 16) parecen ser en este estadio, no
preceptores de carne y hueso, como aquellos de los que se ocupa
el *De pueris*, sino esos maestros mudos que son los libros de los
auctores más sabios. Lorenzo Valla, Donato, Diomedes (pp. 116-
117) son «preceptores» de esta clase para los aprendices de
maestro que tendrán que guiar el aprendizaje gramatical de los
«primae aetatis studia». Y es también la lectura de los autores
por un futuro profesor, lectura en la cual, con la pluma en la
mano, él perfecciona su propio estilo (p. 118, l. 6: «optimum dicendi magistrum esse stilum») lo que parecen describir las páginas 117, l. 9 a 119, l. 12. Y el comentario final de la primera
parte no sólo no contradice esta interpretación, sino que la
confirma categóricamente. El que trabaja así en *instruirse*, en
reunir su tesoro de conocimientos, conseguirá mucho mejor lo
que se propone, dice Erasmo, si se dedica a la tarea de *enseñar*
(«si frequenter alios quoque doceas»). Erasmo añade esta máxima que ilumina todo el arte de *discere docendo*: «nusquam
enim melius depraehenderis quid intelligas, quid non». Correlativamente, en la segunda parte dedicada a la *docendi ratio*,
nuestro humanista no pierde ocasión de insistir en que la calidad
óptima de la enseñanza exigida por Quintiliano («ut statim optima tradat») supone en el maestro un saber universal («qui rec-
tissime *tradat optima* is *omnia sciat* necesse est», p. 119, l. 18).
Esta aspiración enciclopédica observada por Margolin (p. 120, ls.
2-3 n.) es inherente a la filología de los humanistas y a su pedagogía; Erasmo la justifica (con una repetición insistente de
tenenda) enumerando todas las disciplinas que *hay que dominar*
para dedicarse a la *poetarum enarratio* (pp. 121-124). Si un
Pierre Vitré protesta por esta carga que se impone a un simple
profesor de humanidades elementales (*etiam literatori*), Erasmo
responde que uno solo —*el maestro*— debe llevar esta carga de
lecturas para que la mayoría (*quam plurimos*) —*los alumnos*—
estén dispensados de ella (p. 125, ls. 1-3). Este es como un leit-
motiv que se repite con variaciones al tratar de los ejercicios
escolares variados («praeceptoris ingenium et studium bonam ne-
gocii partem pueris adimet», p. 132, l. 13), o bien al tratar
de las explicaciones más sutiles que el maestro da sobre las in-

tenciones literarias de un escritor «consilii ratio» (p. 145, l. 4). ¿No es demasiado para unos niños?, se dirá. «Equidem praeceptorem eruditum longoque usu excercitatum volo esse. Is si continget, haec etiam facile percipiunt pueri.» Este tema del saber del maestro tiene como correctivo el de la discreción con la que hay que transmitirlo para no abrumar a los alumnos: sólo los malos profesores cometen hoy en día el error de querer decirlo todo acerca de todo (p. 137, l. 1). Y de nuevo, al llegar a la conclusión (p. 146, l. 2) «quanquam haec non ubique omnia sunt inculcanda, ne taedio grauentur ingenia discentium[...]» advirtiendo también del peligro de dejar que los alumnos tomen demasiadas notas («ut omnia dictata scribant adolescentes»).

Una vez dicho esto para acentuar algunas ideas directrices que hubiera sido interesante poner de relieve en un análisis conjunto, hay que elogiar la abundancia y la precisión de las notas en las que se comentan, no sólo los nombres de los autores citados y las nociones de base que Erasmo toma de Quintiliano, fuente de todos los tratados modernos de retórica. También nos hubiera gustado que se aclararan algunos términos que parecen pertenecer más bien a la jerga pedagógica que estaba en uso durante el Renacimiento, o que vienen a enriquecerla, como *thema* o *thematium*. Si *thematum formae* (p. 130, l. 11) se comprende fácilmente como designando materias que hay que desarrollar en tal o cual género convenido, carta, apólogo, relato breve, etc., más sorprendente es la expresión «*thematis* exerceri» (p. 126, l. 10) con un neologismo calcado sin duda del diminutivo griego θεματίον y particularizado en la acepción pedagógica de «ejercicio corto» que sirve para hacer aplicar paradigmas y expresar ideas sencillas (Margolin evoca aquí con razón el «modus locupletandi exempla» del *De copia* (p. 126, l. 9). En pocas páginas, el *De ratione studii* utiliza una serie de nociones técnicas y de lugares comunes de la pedagogía que, en general, están bien explicados por el anotador. Pero, ¿es un simple lugar común lo que enuncia Erasmo, cuando, queriendo dar un ejemplo de esos saberes que hay que ir a buscar directamente a las fuentes, es decir, en los antiguos griegos, proclama (p. 120, l. 12): «Philosophiam optime docebit Plato et Aristoteles atque hujus discipulus Theophrastus, tum utrinque mixtus Plotinus»? Este curioso aforismo había llamado la atención de Renaudet [7] quien veía una «concesión a Colet» en la importancia concedida a Plotino. Y en Jean Pépin [8] pueden verse indicaciones sobre el aristotelismo del neoplatónico Plotino, así como sobre su divergencia con respecto a Aristóteles.[9] ¿No será acaso el hecho de considerar a Teofrasto como discípulo por excelencia de Aristóteles lo que constituía el lugar común? También en este punto Renaudet [10] nos aporta luz cuando cita una curiosa carta dirigida a Symphorien Champier en 1514 y en la que Ch. de Bouelles es aludido al lado de su maestro Lefèvre d'Etaples «quasi[...] alterum Alchybiadum Socratis, Platonis Dionem aut *Aristotelis Theophrastum*». En 1514 el *De ratione studii* acababa de aparecer, y su trío de maestros de la filosofía era una noción lo suficientemente cara a Erasmo como para que la insertase en términos casi idénticos en la versión desarrollada y en la versión corta de su tratado. Si añade en esta última (p. 149, l. 12) «verum his de rebus alias latius» parece que se refiere a la misma obra en gestación que nos intrigaba cuando precisaba un poco más su tema en la versión larga (p. 116, l. 15) «sed quo ordine disciplinae discendae sint, et ex quibus potissimum praeceptoribus id alias fortasse rectius ostendemus». ¿Pensaba entonces Erasmo escribir, como lo hizo más tarde Vives, un *De disciplinis*? No parece que lo escribiera. Evidentemente, la empresa desbordaba el marco de un modesto tratado de enseñanza elemental de las humanidades, que se centra en los ejercicios prácticos con los cuales el regente debe hacer alternar sus propias explicaciones de textos para proporcionar a los alumnos expresiones imitables (p. 132, ls. 14-15, donde la expresión *praelectiones auctorum* corresponde evidentemente al arte «legendi interpretandique auctores» medio muy importante de nuestro método o *ratio* para ser mencionado en su título, versión larga, p. 95, corta, p. 148). Por lo

7. Renaudet, *Préréforme et humanisme,* p. 614.
8. J. Pépin, *Théologie cosmique et théologie chrétienne,* Presses Universitaires de France, París, 1964, pp. 332, 503.
9. Ibid., p. 440.
10. Renaudet, *op. cit.,* p. 260, n. 6.

demás es muy curiosa la elección del texto sobre cuyo ejemplo
Erasmo se esfuerza por explicar cómo de las ficciones de los poetas de la *praelectio* debe desprenderse en resumidas cuentas una
«filosofía», una aplicación a la moral (p. 138, ls. 6-7). En efecto,
no vacila en hacer que se desprenda un sentido (*verbosius*, como
reconoce en la p. 142, l. 16) de la II égloga de Virgilio, pero
reteniendo tan solo de la imposible amistad de Coridón por Ale-
xis el aspecto negativo de las desemejanzas del hombre maduro
y del joven (p. 142, l. 11), y silenciando la escabrosa realidad
del «amor griego». ¿No es éste un caso en el que la antigüedad
pagana presenta una grave dificultad de aplicación «moral» para
una sociedad cristiana moderna? Y Erasmo, ¿se muestra muy lú-
cido cuando insinúa al final que sólo pensará en la pederastia el
oyente que ya se haya entregado a ella («nam iste venenum non
hinc hauserit, sed huc secum attulerit», p. 142, ls. 15-16)? Margolin hubiera debido documentar lo que dice (p. 139, ls. 5-6) a
propósito de la elección de la II égloga «considerada» en aquel
entonces «como la más importante de todas por sus implicaciones morales e incluso religiosas».

Más clásica es sin duda la doble enseñanza que la versión
corta de nuestro tratado resume en la fórmula «observatio decori et consilium» (p. 150, l. 24). El primer punto, el del *decorum* («quod decet») pertenecía al abecé de la explicación de las
comedias, aunque, sin limitarse a hacer observar la acomodación
de los caracteres a unos tipos (el viejo, el joven, el soldado, el
esclavo, etc.), se entrase en el análisis de variantes individualizadas y contrastadas de estos tipos, que el poeta inventa a su antojo (p. 143, ls. 6-9). Pero la *consilii ratio* (p. 145, l. 4), que recuerda por preterición la *Ratio* abreviada (p. 150, l. 34), va más
lejos en el estudio de la creación literaria, ya que entra, como
hemos observado al tratar de la preparación que se exige al
maestro, en las intenciones o la estrategia del autor. Margolin
establece una relación (p. 145, l. 2) muy justa con la *Ratio verae
theologiae,* donde Erasmo compara los análisis de Donato sobre
Terencio («dum Poetae consilium aperit») con los análisis de
Orígenes sobre la Escritura. El comportamiento de Abraham en
el sacrificio de Isaac ofrece significaciones tan fecundas como

deleitables sin que Orígenes necesite penetrar en el bosque de
símbolos de los sentidos figurados («cum tantum interim in
historico sensu versetur». Este espécimen del humanismo cristiano de Erasmo se encuentra en las *Ausgewählte Werke* de
Erasmo).[11]

El *De conscribendis epistolis* ha requerido toda la atención
del especialista de la pedagogía erasmiana, que nos ofrece aquí la
primera edición comentada de este célebre volumen de ejercicios
de estilo. No sólo sigue perfectamente su génesis desde los años
parisienses de Erasmo en los que éste responde a la invitación de
su alumno Robert Fisher (p. 118) hasta la edición pirata de Cambridge de 1521 (pp. 166-170) y la primera edición autorizada de
Basilea de 1522, junto con las *Parabolae sive similia*; sino que
Margolin se ha interesado visiblemente por la difusión europea
del manual erasmiano de estilo epistolar «de Amberes a Cracovia,
de Venecia a Colonia, de Basilea a París, de Estrasburgo a Alcalá de Henares, de Lyon a Verona» (p. 175). Tampoco deja de
informarnos de la suerte corrida por dos *morceaux de bravoure*
que tuvieron el honor de ser traducidos, el primero en francés, en
alemán y en inglés (*Encomium matrimonii,* pp. 178 y 400 ss.),
el segundo en inglés, en español o en neerlandés (*Declamatio de
morte,* p. 170 y pp. 441 ss.), de hacernos un resumen de las ediciones del *De conscribendis epistolis* posteriores a 1545, de recordar las otras obras similares, que a partir de 1545 se añadieron a veces a la de Erasmo: los tratados de estilo epistolar, *De
conscribendis epistolis* de Juan Luis Vives, Conrad Celtis, Christophe Hegendorf (pp. 181-182). Entrando en el estudio de las
fuentes de esta impresionante recopilación de ejemplos, en la que
naturalmente aparecen Cicerón y Plinio el Joven, Margolin se
interesa, como era de esperar, por los elementos personales, autobiográficos, que llevan la huella de Erasmo (pp. 185-186) y por
el arte cultivado por ese infatigable epistológrafo de establecer
«un constante vaivén, un verdadero contrapunto, entre el arte
y la vida, el artificio y lo natural», y destaca la «lógica de la ar-

---

11. Publicadas por A. Holborn, Munich, 1933, p. 188, l. 8, a p. 189,
l. 17.

gumentación y no de la demostración» que «subyace» en este tratado erasmiano (p. 188). No olvida (p. 190) el lugar y «la significación de la correspondencia humanista a fines del siglo xv y en el curso de todo el siglo xvi». Como tampoco olvida la actualidad de la *epístola suasoria* sobre el matrimonio (la que se ha visto difundirse en el siglo xvi en traducciones a lenguas vernáculas) en relación a lo que Émile V. Telle llamó el «evangelismo matrimonial» (p. 192), ni la dramática historia de los incidentes a los que este texto dio lugar antes y después de su traducción por Louis de Berquin. Dado que esta edición de las *Opera omnia* no lleva un índice un poco detallado de las obras que figuran en cada volumen, es lástima que una página de la introducción no nos ofrezca la oportunidad de abarcar en su conjunto (por su orden, que no es fortuito) los encabezamientos de capítulos de este largo manual. Sobre todo teniendo en cuenta que hubiese sido una buena ocasión para remitir, al mismo tiempo que a las páginas de la nueva edición, a los números de las secciones que Clericus en la edición LB había distinguido en la obra (división a la que alguna vez se refiere Margolin, pp. 178 y 192, el «famoso capítulo 47»).

Es muy posible que Margolin tenga razón al observar (p. 462, n. 3) que «las subdivisiones de Erasmo responden más a una preocupación por la sicología que a consideraciones de orden lógico». Sin embargo, ¿acaso no vemos al humanista, al llegar a los *extraordinaria genera* atendiendo a la variedad de las situaciones fortuitas de la vida privada, cotidiana, esbozar retrospectivamente la gran división de los tres géneros (suasorium, demonstrativum, judiciale, p. 541, l. 11) que corresponden a ramas de un arte de persuadir? Ésta es la división que él siguió y que subdividió, y cuyo esquema hubiese sido útil considerar, aunque es posible que lo más interesante estribe en contrastes como el que Erasmo nos sugiere por su modo tan diferente de presentar ciertos *géneros* que en realidad son de órdenes muy distintos. Piénsese en la *complexio* (pp. 270 ss.), forma de sujeción lógica, de la que da la sensación, por una acumulación de ejemplos, que tiene numerosísimas aplicaciones; mientras que al abordar brevemente (p. 513) el género *demostrativo* o arte de representar lo real (personas, cosas o lugares), se cree obligado a empezar observando que raramente se emplea por sí mismo, pero que entra como ingrediente en los demás géneros. Apresurémonos a decir finalmente, que sobre toda la terminología técnica de los retóricos, en especial lo que son citas textuales (o alusiones) que remiten a autores antiguos o a sus obras, la abundante anotación de Margolin apenas omite nada de interés, que sobre ciertos tópicos fundamentales como *ut pictura poesis* atrae la atención cada vez que los ve presentes en la trama, hasta el punto de que un *index rerum* establecido según las notas de Margolin a los tratados pedagógicos de Erasmo sería un interesante repertorio de nociones de la retórica tradicional, tal como volvió a reverdecer con el humanismo, estrictamente fiel a Quintiliano. En relación a la obra de Erasmo profesor de *copia* o recopilador de *adagios* y de *parabolae,* abundan los envíos que aportan luz, y así se pone en evidencia en sus modelos epistolares el vivísimo gusto de Erasmo por esos fáciles ornamentos del estilo humanístico. Sobre los contemporáneos de Erasmo a los que éste menciona, lo indispensable se dice y de una forma bien dicha. Las raras notas que no me convencen son las del *Exemplum* de las páginas 562, l. 13 a 563, l. 11. «Carta ficticia» (también yo la creo tal), pero escrita pensando en la vida de un personaje real que Margolin identifica con Adriano de Utrecht en la época en que fue nombrado obispo de Tortosa (1516) y luego cardenal (1518). Pero ¿cómo conciliar esta identificación con la línea 5 de la página 563 que da a entender que el destinatario ha recibido el mejor obispado posible «in universa Etruria», es decir, en Toscana? ¿No sería mejor pensar en Antonio Pucci, deán de Florencia que en 1519 sucedió a su tío Lorenzo como obispo de Pistoia? [12]

La brevedad de la introducción al *Ciceronianus*, «el último escrito de Pierre Mesnard» hace pensar con tristeza en la brusca desaparición de nuestro eminente colega a quien incumbía la edición de este diálogo. ¿Habían empezado a abandonarle sus fuerzas? Ante estas catorce páginas, de las que más de la mitad

---

12. Cf. Eubel, *Hierarchia Eccl.,* III, y sobre sus relaciones con Erasmo, Allen, III, p. 379. Renaudet, *Erasme et l'Italie,* Droz, Ginebra, 1954, p. 131.

corresponden a un argumento del *Ciceronianus*, resulta difícil juzgar. Existe, desde luego, una intención de brevedad, y sin duda una firme voluntad de no rehacer lo que ya habían hecho bien antecesores como Schönberg y Gambaro, a los cuales (sobre todo al segundo) Mesnard rinde homenaje proclamando su deuda para con ellos (p. 585). Se esboza la génesis del *Ciceronianus* (p. 583) y se evoca la serie de las ediciones conocidas (p. 584) siguiendo a Gambaro, quien no había intentado completar el repertorio de la *Bibliotheca Erasmiana*. Mesnard recuerda que «sólo en Alcalá» ya «se ha hecho notar la existencia de dos ediciones diferentes», y el autor de *Erasme et l'Espagne* se ve obligado a acusarse de no haber precisado que se trataba de dos variantes de la misma edición, como ya lo había señalado a comienzos de este siglo Menéndez y Pelayo.[13] Sin duda para no repetir el trabajo de Gambaro, el nuevo editor se abstiene de dedicar en su introducción un capítulo histórico a lo que llama en su análisis «el caso Longueil» (p. 589) y otro a las polémicas provocadas por el *Ciceronianus*, principalmente con los humanistas italianos (lo que podría llamarse «el caso Josse Bade-Guillaume Budé» se ha reservado para las notas de la página 672, donde uno está tentado de sustituir, al final de la nota 5, «teniendo que tapar un agujero» por «habiendo renunciado a la impertinente comparación de Budé con Bade»).

La contribución más personal de Mesnard a este volumen de las *Opera omnia* consiste en el detallado análisis del *Ciceronianus* (pp. 585-593) y en sus apreciaciones bastante vivas sobre los méritos y deméritos de la composición y del estilo de la obra. El argumento detallado ayuda satisfactoriamente a seguir el curso del pensamiento de Erasmo. Tal vez hubiera habido en la página 591 (a propósito de la p. 694) recordar expresamente acerca de «la mórbida nostalgia de la Roma antigua» la energía del «Roma Roma non est» (l. 4) como oposición a la Roma moderna, y la severa evocación de las gentes que gravitan en torno a la corte pontificia y que «vivunt ex hisce nundinis» (l. 8). En

13. M. Menéndez y Pelayo, *Bibliografía hispano-latina clásica* (Edición Nacional de las Obras Completas de Menéndez y Pelayo, XLVI), Madrid, 1950, III, p. 230.

la p. 592 (H, sobre las pp. 702, l. 21-703, l. 27), ¿basta con decir «el gusto por la diversidad es siempre una ley del espíritu
humano»? Para Erasmo cada cual tiene derecho a seguir siendo
él mismo y a elegir sus modelos, pero tiene el deber de forjarse
su estilo si es cierto que se esfuerza por escribir bien para *hacerse leer* (p. 703, l. 3: «ut scripta nostra terantur manibus hominum»). Incluso aquél que fuese espontáneamente ciceroniano
debería trabajar para adquirir una diversidad «quae lectoris nau-
seanti stomacho mederetur». El privilegio de los grandes, de los
clásicos, como Homero u Horacio, consiste en que con su maravillosa *varietas* «non sinunt oboriri taedium lectionis». Esta
opinión sobre el problema del estilo merecía una o dos líneas. En
la p. 594, sobre la vida que comunica a las palabras de Erasmo-
Bulephorus el recuerdo «más penoso» (o el más hilarante, el narrador dice «ridere libebat», p. 638, l. 10) de su antigua estancia
romana, Mesnard, afecto a la caracteriología, recurre a la noción
de «défoulement» (cf. p. 637, nota *in fine,* el recuerdo que «es
el núcleo sicoanalítico de su oposición al ciceronismo paganizante»). Este «famoso sermón» del 6 de abril de 1509, ¿no merece
algo más que una alusión disimulada? Por nuestra parte, el punto
que suscitaría una discusión sobre el fondo es la interpretación
de las últimas palabras del diálogo, que Mesnard expone cinco
veces (pp. 593, 596, 656, 685, 710) no sin reprochar un contra-
sentido a Gambaro (p. 656, ls. 27-28). Cuando Bulephorus se
alegra (p. 656, l. 20) de haber sido curado de la enfermedad
ciceroniana por un médico elocuente y eficaz, y por un remedio
que lleva su mismo nombre, λόγος, cuando Hypologus confirma
sus palabras con una cita de Esquilo Ψυχῆς νοσούσης ἐστιν ἰατρὸς
λόγος, ¿se equivoca Gambaro al traducir esta última palabra por
ragione, que en su pluma designa claramente el lenguaje racional,
puesto que acaba de traducir «ὁ λόγος ιῶ λόγω mihi medicatus
est» por «mi ha guarito la ragione con il ragionamento»? ¿Tiene
razón Mesnard al ver en este pasaje una alusión al Verbo divino?
¿No dice él mismo que «de lo que se trata es del poder terapéutico
del lenguaje»? Sin duda sería preferible escribir aquí *discurso* en
vez de *lenguaje*. En cualquier caso, nada parece justificar el salto
(p. 710 n.) de una «filosofía del lenguaje» (que sería «toda la doc-

trina de Erasmo») a una intención «joánica» que identificase el λόγος del *Ciceronianus* con el Verbo encarnado. Para aclarar a Erasmo por el mismo Erasmo, sobre un punto que afecta al «eje fundamental» (p. 685 n.) de su diálogo, hubiese sido oportuno consultar su comentario del adagio (III, 1, 100) *Animo aegrotanti medicus est oratio*, que arranca del texto de Esquilo utilizado por Plutarco. Y aunque aquí no se va a encontrar el pasaje de las Tusculanas (III, 31) que Gambaro traía a colación, todo el conjunto de los textos citados por Erasmo y sus comentarios nos habla no de una acción *del Verbo* sino de la *de las palabras* o advertencias saludables: «pharmacis verborum id est monitis salubribus». Y de una cita tomada de Isócrates destaquemos unas líneas en la traducción latina que da Erasmo: «animis vero aegrotantibus, ac pravis cupiditatibus oppletis, non est aliud remedium quam oratio quae non vereatur errantes increpare». En el fondo, es el elogio del arte de persuadir, elogiado en varias ocasiones en el *Ciceronianus* (p. 607, l. 18, p. 642, l. 21, y p. 705, l. 77) bajo la personificación de la diosa πειθώ.

Más convincente es la nota de la página 647, l. 39, sobre θεομαχία, metáfora interesante para un caracterólogo como Mesnard. Valía la pena remitir a la página 704, l. 19 «cum gigantibus θεομαχεῖν» y también al adagio (II, v. 44) *Cum diis pugnare,* expresión equivalente para Erasmo a «naturae repugnare». Y como dice el pasaje del *Ciceronianus* anotado por Mesnard (p. 647, l. 37): «Habent singula mortalium ingenia suum quiddam se genuinum»: esbozo del tema de las páginas 702-703 (la individualización de los estilos) que más arriba lamentábamos no haber visto que se destacara en el análisis.

Mesnard no consideró útil servirse de todos los envíos a los *Adagios* que Gambaro, por una especie de arrepentimiento, había introducido a modo de *addendum* a su edición (pp. 311-312). Nos parece que, para apreciar a un tiempo la ideología de Erasmo y su estilo, los *Adagia* son una fuente inestimable, y por este motivo añadiremos por cuenta nuestra siguiendo a Gambaro y a Mesnard, algunas referencias más: p. 608, l. 2: δύσκολα τὰ καλά (*Ad.*, II, 1, 12: «Difficilia quae pulchra»); p. 636, l. 13: απροσδιόνυσα (*Ad.*, II, IV, 57: «Nihil ad Bacchum»); p. 646,

l. 30: «Aspendium agere citharoedum» (*Ad.*, II, 1, 30: «Intus canere»).

Las notas históricas están lejos de informar sobre todos los personajes mencionados en el texto como había querido hacerlo (muy sumariamente) Gambaro en su cómodo «Indice dei nomi». Tal vez no fuese necesario. Pero vista la importancia, en la obra, de «la búsqueda del verdadero ciceroniano en el tiempo y en el espacio» (p. 190 G) hubiésemos preferido un poco más de igualdad en la manera de presentar a los escritores con los que se tropieza en el curso de este viaje a través de Europa (p. 191) y cuyo catálogo establecido por Erasmo ha hecho correr tanta tinta. Trabajando para la *sodalitas erasmiana*, el anotador hubiese prestado un servicio remitiendo a Allen para todos los personajes que figuran en el *Opus epistolarum Erasmi*, cuyas noticias abundan en precisiones y referencias eruditas. Mesnard prodiga los envíos a los trabajos modernos sobre los autores citados; por ello las excepciones son aún más llamativas (p. 672: Badius; p. 673: Faber; p. 677: Moro; p. 678: Pole, la noticia más larga junto con la de Capnion; p. 682: Dorpius; p. 692: Brabantus). Contentémonos con algunas indicaciones complementarias acerca de los nombres menos conocidos o los menos aclarados por las notas. Página 675, l. 7: Codrus Urceus (1446-1500), «homo non dissentiens ab Epicuro» (¿se le tachaba de materialista?), se apresuró a ir al Nuevo Mundo apenas descubierto, donde murió; [14] p. 669, l. 10: Alciatus quedaría mejor identificado mencionando las *Emblemata*; su edición de Tácito (Milán, 1517) a la que Erasmo alude aquí, fue objeto de una nota de Gambaro (p. 312); pp. 674-675 (ap. crít.): sobre Cantiuncula y Scepperus, ambos notables a los ojos de Erasmo por sus viajes («fabulam agit motoriam»); [15] véanse sus embajadas en las noticias de Allen, III, p. 349 y VI, p. 409; p 675 (ap. crít.): Mosellanus, olvidado en la anotación; [16] estudiado por Allen, II, p. 517; p. 679, l. 7, «rex ipse»: sobre Enri-

14. Antonello Gerbi, «Oviedo e l'Italia», *Rivista Storica Italiana*, LXXVI (1964), pp. 102-104.
15. Véanse sus embajadas en las noticias de Allen, III, p. 349, y VI, p. 409.
16. Estudiado por Allen, II, p. 517.

que VIII y sus obras religiosas, nota oportuna de Gambaro en
página 240; p. 683, l. 11: Hermannus Buscius, otro personaje sin
nota, es un corresponsal de Erasmo y no desdeñable; [17] cf. Allen,
III, pp. 296, 683, l. 14. Goclenius merecía una nota menos
negativa.[18] El humor caricaturesco de su mención en el *Ciceronianus*, que ha sorprendido a Mesnard, es una eutrapelia de su
viejo camarada Hypologus acerca de su físico; pero el propio
Nosoponus sabe cuál es la importancia intelectual de Goclen;
p. 687 (ap. crít.): Ulrichus Zasius, sin nota, importante corresponsal de Erasmo y gran jurista; [19] p. 692, l. 1: Hermicus (*Ad.*,
IV, VIII, 2: «Vinaria angina»).[20]

El establecimiento del texto de las cuatro obras incluidas en
este volumen se ha ajustado a la regla general que se expone en
la «General Introduction» del tomo 1, p. XVIII: «In principle
the first edition authorized by Erasmus will be the basis for the
establishment of the text. Variants from the other authoritative
editions are recorded in the *apparatus criticus*». Pero, con buen
criterio, ya en este tomo 1 se había infringido la regla en el caso
de los *Antibarbari* que planteaban un problema distinto. El
De pueris no planteaba ningún problema. En cuanto al *De ratione
studii*, la presentación de la versión corta a continuación de la
larga se imponía. Para el *De conscribendis epistolis*, podía discu-
tirse la cuestión de si convenía relegar interesantes adiciones de
Erasmo (pp. 403 y 406-407) al aparato crítico. Esto es lo que
ha hecho Margolin, aunque permitiéndose justificadamente corregir en el texto los errores manifiestos de su edición de base.
Pero lo que se ha impreso a pie de página en caracteres menudos,
¿no queda demasiado alejado del campo visual del lector, dema-

17. Allen, III, pp. 296, 683, l. 14.
18. Allen, IV, p. 504, y Henry de Vocht, *History of the Foundation
and Rise of the Collegium trilingue Lovariense* (1517, 1560), parte II,
Lovaina, 1953.
19. Allen, II, p. 9, y las conferencias del profesor Hans Thieme en el
volumen *Pédagogues et juristes* (Congrès du Centre d'Études Supérieures
de la Renaissance de Tours, verano de 1960), Vrin, París, 1963, pp. 31-47.
20. Cf. M. Bataillon, «La mort d'Henrique Caiado», *Études sur le Portugal au temps de l'humanisme*, Coimbra, 1952, pp. 1-8; Tomas da Rosa,
«Às éclogas de Henrique Caiado», *Humanitas*, Coimbra, n.ºˢ 5 y 6 (1953
y 1954).

siado propenso a que se prescinda de las aclaraciones del comentario? Esto es lo que ocurre en parte con las modificaciones y adiciones del *Ciceronianus* que Mesnard ha relegado al aparato crítico a pesar de su importancia histórica. Y es de lamentar que, en cuanto a los errores manifiestos de la edición de base, tan pronto los haya rectificado siguiendo las ediciones posteriores (p. 608, l. 26; p. 621, l. 14; p. 652, l. 24), como respetado relegando las buenas lecturas a las variantes. Los casos más graves son en la página 689, l. 20 la omisión de una réplica de Nosoponus que faltaba en A, y en la página 681, l. 16, el mantenimiento en el texto de la lectura errónea de A *Gandauus*, que había sido bien enmendada en BCD por *Gaudanus* (el personaje en cuestión era de Gouda, no de Gante).

Las erratas de impresión o lapsus que hemos descubierto son: p. 108, l. 23: *ornemantation* por *ornementation*; p. 139, última línea de la nota: *dicitur* por *discitur*; p. 583, seis líneas antes del final: *Francesco* por *Francisco*; p. 591, l. 23: *Nebrisse* por *Nebrija*; p. 612, n. 14-17: *Aen.* por *Aen.*, IV; p. 620 (ap. crít.), l. 26: *suppellectilem: false Gambaro (G) legit suppellectibus*, nota sin justificación; Gambaro señala solamente que A da *suppellectilem*; p. 639, l. 9: *Romanae* por *Romane*; p. 644, l. 25: *fine* por *sine*; p. 648, l. 15: *ab horrentem* por *abborentem*; p. 665, l. 4: *Morum* por *morum*; p. 667, n. 2-3: *Maela* por *Mela*; p. 671, n. 6: *Calcagninum* cuando la l. 6 da ABCD *Calcaginum*. Pero *Calcagninum* es una buena corrección de Gambaro; p. 675 (ap. crít.), l. 5: *lagationibus* por *legationibus*; p. 697, l. 1: *differens* por *disserens*; p. 698, n. 4, 1.ª col. abajo: 1566 por 1506; p. 699, nota, 2.ª col., 9 líneas antes del final: *Francis* por *Francisco*; p. 702, l. 8: *operae* por *opere*; p. 702, l. 24: *alio qui* por *alioqui*. Muy pocos lunares, en conjunto, tratándose de un volumen uno de cuyos responsables desapareció poco después de haber enviado su contribución al comité de redacción de las *Opera omnia*.

II

EL ERASMISMO

7. HACIA UNA DEFINICIÓN DEL ERASMISMO *

Mi propósito no es establecer, por análisis y síntesis, una fórmula más o menos rigurosa del erasmismo (entendido como el movimiento suscitado por Erasmo en su tiempo), sino más bien pasar revista a algunos de los caracteres más destacados de este fenómeno, con la esperanza de coincidir con un cierto número de conferencias inscritas en el programa de este congreso. La primera evidencia que llama la atención es que este término de *erasmismo*, al igual que el sustantivo *erasmista* que se usa para designar a un adepto de este movimiento, es muy reciente en Francia, incluso entre los especialistas del Renacimiento y de la Reforma, y que la palabra no aparece registrada ni por Littré ni por Larousse. En nuestros días la veo empleada esporádicamente por especialistas como Renaudet y, más cerca de nosotros, el P. Pollet y M. Margolin. Si yo mismo la he empleado abundantemente al tratar de España, hay que recordar que los términos *erasmismo* y *erasmista* estaban ya sólidamente implantados en el vocabulario español de la historia de las ideas y de la literatura, al menos desde la *Historia de los heterodoxos españoles* de Menéndez y Pelayo. Ya volveré a hablar de la razón de esta diferencia léxica que nos sorprende entre el español y el francés. En francés, hasta el adjetivo *érasmien* no aparece en el Littré más que en la expresión técnica «prononciation érasmienne du grec»; y aunque Larousse atribuye al adjetivo otra aplicación

* «Vers une définition de l'érasmisme», *Colloquia Erasmiana Turonensia* (Douzième Stage International d'Études Humanistes, Tours, 1969), Vrin, París, 1972, I, pp. 21-34.

más general («[...] qui est propre à Érasme [...]: la causticité
érasmienne—; on dit aussi *érasmique*»), es curioso que este dic-
cionario sólo conozca *érasmien* sustantivado en el sentido de
«partissan du système de prononciation adopté par Érasme»,
y añade «on dit aussi *érasmite*». Desde luego, una investigación
metódica acerca de los términos y de las nociones que se han
derivado del nombre de Erasmo debería arrancar del uso latino
de los humanistas del siglo xvi. Para no eternizarnos con este
aspecto del tema, me limitaré a recordar algunos ejemplos típicos
de *erasmianus* y de *erasmicus*. En 1518 Johann Eck afirma el
éxito internacional de la obra de Erasmo, «ut omnes ferme docti
prorsus sint *Erasmiani* cucullatis paucis demptis et theologastris»,[1]
y unos renglones más lejos, asegurando el interesado que sus
partidarios se encargarán de defenderle contra los *theologastres,*
dice «*Erasmici tui*». Se trata de la designación de un *bando* más
que de una escuela, de los admiradores y defensores de un hombre
discutido. En 1527, en plena oposición de los frailes y monjes
españoles al *Enchiridion* y en una carta que evoca en contrapartida a los españoles de la corte que le ponen por las nubes,
mientras Castiglione, Navagero y otros diplomáticos italianos
denigran su estilo, Pedro Juan Olivar escribe del secretario Valdés:
«Ausim ego dicere Valdesum *erasmiciorem Erasmo*».[2] Y siempre
en la misma gama afectiva más que doctrinal, aunque se trate
de un caso extremo, el de un italiano que dice haber sido iniciado
en el verdadero cristianismo por Erasmo, Giovanni Angelo Odoni
escribe que, a fuerza de verle siempre leer y llevar consigo libros
de Erasmo, «nonnulli me vocari coeperint Ἐρασμιανόν», y
añade en seguida, recurriendo nuevamente a la forma griega
(«quum Χριστιανόν potius debuissent»).[3] La observación de
Odoni nos conduce a una cuestión capital referente a estas cuali-
ficaciones de sus partidarios. ¿Qué opinaba de ellas el propio
Erasmo? Evidentemente, él aspiraba a ser *cristiano*, sin otra
etiqueta, y deseaba que sus admiradores se declarasen, como
Odoni, simplemente cristianos. Erasmo citaba a menudo el repro-

1. Allen, III, p. 209.
2. Allen, VI, p. 473.
3. Allen, XI, p. 83.

che de Pablo a los corintios: «Cada uno de vosotros se expresa así: *yo soy de Pablo, yo de Apolo, yo de Cefas* [*yo de Cristo*] (¿Es que Cristo está dividido? ¿Es que Pablo fue crucificado por vosotros? ¿Acaso habéis sido bautizados en nombre de Pablo?». En la *Lingua*[4] Erasmo comenta: «¿Qué diría Él si oyera en nuestro siglo la confusión de las lenguas de los hombres: "Yo soy teólogo transalpino... yo cisalpino... yo escotista... yo tomista... yo occamista... yo realista... yo nominalista... yo de París... yo de Colonia... yo luterano... yo karlstadtiano... yo evangélico... yo papista..."»». Erasmo no necesita añadir que sería otra manera absurda de hablar el que alguien dijera: «yo erasmista». Había dicho enérgicamente en el prólogo de las *Colloquiorum formulae* de 1519, acerca de lo que pretendían hacer de él un *reuchlinista*:[5] «Ego nec Reuchlinista sum *nec ullius humanae factionis*... Ista dissidii nomina detestor. *Christianus sum, et Christianos agnosco. Erasmistas non feram. Reuchlinistas non novi*».[6] No obstante, tanto si Erasmo lo admitía como si no, vemos que poco antes de su muerte su nombre —o un adjetivo derivado— designa una posición religiosa más o menos catalogada. Johannes Sturm escribe a Bucero, el 10 de marzo de 1535, sobre la represión de las heterodoxias, sin distinción, «Nihil interest inter Anabaptistam, *Erasmianum* et Lutheranum: omnes sine discrimine coercentur».[7] Volvemos a encontrar *Erasmianus* una treintena de años más tarde en la pluma del obispo español don Martín de Ayala, en

---

4. *Opera omnia*, LB, IV, cols. 749-750. Pasaje citado en *Colloquium Erasmianum* (Actes du Colloque International réuni à Mons, du 26 au 29 octobre 1967), Mons, 1968, p. 11. [Cf. supra, p. 41.]

5. Allen, IV, p. 121.

6. Es igualmente muy interesante tomar nota del uso del término *Erasmici* en una carta de Pellican a Bonifacio Amerbach (*Die Amerbachkorrespondenz*, ed. A. Hartmann, V, 1958, p. 378, Zurich, 8 de agosto de 1542) en la que el reformado de Zurich proclama la deuda contraída por todos los representantes de una nueva teología para con Reuchlin, «clarissime libereque veritatis theologice antesignanus, quem nunc omnes post verbun dei tutissime, felicissime sequimur, *sive Erasmici simus sive Lutherani*». No dice *omnes Reuchlinistae sumus*. Pero los otros dos adjetivos que emplea para designar dos tendencias divergentes entre los innovadores sin duda se habían convertido en bastante usuales.

7. Herminjard, *Correspondance des Réformateurs*, IV. Texto citado por A. Rébelliau, *Bossuet historien du protestantisme*, París, 1909, p. 203, n. 2.

su *De divinis traditionibus*. Habla de la difusión de las Escrituras en lengua vulgar y dice: «Oigo a un *erasmiano* que me dice... Sed *audio Erasmianum* quempiam...».[8] Ya volveremos a tratar de este aspecto del «erasmismo».

Erasmo se negó, pues, a ser el abanderado o incluso el denominador de una secta o de una facción de *erasmistas*, lo cual no significa que no se convirtiera en eso, a pesar suyo, en tal o cual lugar, en tal o cual momento, en esta Europa de mediados de siglo que llenó con su gloria. Pero, sin analizar a fondo su concepción de la verdad religiosa (permítaseme remitir al penetrante análisis de Margolin, expuesto en Mons),[9] sí debemos recordar un rasgo de Erasmo que fue determinante para el desarrollo de este «erasmismo» que tratamos de definir o de delimitar históricamente: quería ser ortodoxo; se negó enérgicamente a dejarse tratar de hereje. Hizo lo posible para no serlo, y no se le consideró tal si se exceptúan esas instancias de definición dogmática que eran —en ausencia de los concilios— las facultades de teología como la de Lovaina y la Sorbona, o teólogos que se erigían en adalides espontáneos de la ortodoxia, como en los casos de Dorp (durante un tiempo), de Lee, de Zúñiga o de Beda. Ahora bien, un gran número de herejías en las que ellos sospechaban que incurría o de las que le intimaban a justificarse, en lo esencial hubieran podido resumirse en una sola: el antidogmatismo, su negativa a reconocer la autoridad de estos definidores o inquisidores. Reacio al espíritu inquisitorial, explicó posteriormente (en 1533) una de las mayores decisiones de su vida, la de trasladarse de Lovaina a Basilea en 1521, por su decidida voluntad de no dejarse incorporar a una empresa de definición y de represión de la herejía luterana.[10] En nuestros días los historiadores vinculados a las ortodoxias confesionales se han cansado de preguntarse si Erasmo luterizaba o si Lutero había erasmizado en sus inicios. Los católicos renuncian por fin a indignarse o a afligirse por la

8. Citado en M. Bataillon, *Érasme et l'Espagne,* Droz, París, 1937, página 594.
9. «Érasme et la vérité», en *Colloquium Erasmianum,* sobre todo pp. 146-147 sobre la tolerancia.
10. Allen, X, p. 199.

ceguera que habían demostrado diversos papas —León X, Adriano VI, Clemente VII, Paulo III— al no condenar las obras nefastas de este mal monje, protestante *avant la lettre* (al que los mismos protestantes vituperaban como un mal reformador). A decir verdad, estas irritantes disputas no son puramente anacrónicas. Se remontan a las polémicas que Erasmo tuvo que afrontar durante su vida. Si han llegado a durar hasta el primer tercio del siglo XX, ello es un efecto revelador del clima de estos cuatro siglos en los que el cristianismo ha vivido dominado por la controversia entre catolicismo y protestantismo. Para quien trata de comprender los fenómenos de «erasmismo» en la época en que se desarrollaron, es esencial partir de una situación de hecho inicial muy favorable a Erasmo y a sus libros, quiero decir favorable a su presunta ortodoxia. El autor había sabido obtener las más altas garantías de las autoridades eclesiásticas y políticas. Pensemos en el *Enchiridion* que Adriano de Utrecht había aprobado quince años antes de convertirse en papa; en el *Nuevo Testamento* grecolatino acompañado de la *Paraclesis* y de la *Ratio*, gran obra muy discutida antes de ver la luz, y sin embargo dedicada a León X, quien la acoge favorablemente y la apoya; pensemos en las cuatro *Paráfrasis* de los Evangelios dirigidas cada una a uno de los principales soberanos de Europa... sin olvidar muchas otras obras dedicadas a obispos de diversos países. El señor Bacvis [11] nos ha hablado, al tratar de la difusión de Erasmo en Polonia, del papel desempeñado por algunos hombres poderosos y vanidosos, que se mostraban ávidos de recibir del gran hombre una carta aduladora, y con mayor motivo la dedicatoria de un libro. ¿Cómo los encargados de la autoridad política o eclesiástica no iban a facilitar la propagación de las obras de Erasmo en vez de contrariarla? Es probable, en efecto, que esta propagación se beneficiase de un entusiasmo viciado algunas veces por el «esnobismo». ¡Pero que este aspecto irritante de las cosas no nos oculte lo esencial! El gran responsable del erasmismo fue el propio Erasmo, su arte de persuadir, su estilo de pensamiento y de expresión, difícil de caracterizar en sus matices por su mezcla de fervor y de ironía, pero

11. *Colloquium Erasmianum,* pp. 176-177.

sin duda alguna profundamente inteligente. «Above all, he could not be dull», decía Allen en su bello estudio de 1922. Erasmo se dirigió inteligentemente a intelectos a los que convenció. Allen dice también que, más que por tal o cual contribución a tal o cual disciplina, este hombre sigue siendo grande e interesa aún a nuestra época debido al recuerdo de *lo que fue* («the remembrance of what he was»).[12] El editor de la correspondencia de Erasmo piensa inevitablemente en esta *vera effigies* móvil del hombre que se dibuja en sus cartas, y en las de sus amigos y contradictores. Pero unos y otros se corresponden con el autor de una obra múltiple y una que les apasiona. Ajeno a toda sospecha de esnobismo, ¿por qué no citar como testigo del ascendiente intelectual ejercido por esta obra, al hombre extraordinariamente inteligente que será mártir del catolicismo sin renegar de su adhesión a Erasmo, Tomás Moro? ¿Qué hace cuando ve a un teólogo como Martin Dorp ceder a la irritación que sienten sus colegas ante el *Elogio de la Locura*, reprochar a Erasmo su sátira de las sutilezas escolásticas y apartarle de su ambición de exegeta del Nuevo Testamento? Moro vuela en defensa de la *Moria*, y en esta escaramuza por el libro de Erasmo más propicio para provocar la delectación y el furor, su carta a Dorp [13] constituye un hermoso testimonio en favor de Erasmo, un gran ejemplo de «erasmismo». Moro reivindica para el escritor el derecho a ser lo que es, de hacer lo que hace y de burlarse de los ejercicios supuestamente más doctos en los que los teólogos universitarios ponen todo su orgullo. Un caso más típico, por ser más tardío, y porque se trata no de un amigo, sino de un defensor espontáneo que, a distancia, Erasmo pudo durante tiempo considerar como un censor malintencionado, es el del benedictino español fray Alonso de Virués, que tradujo al castellano un conjunto de ocho *Coloquios* —desde luego, prudentemente elegidos—, y que publica como prólogo al volumen una carta que había escrito al guardián de los franciscanos de Alcalá para hacerle desistir de su campaña contra el *Enchiridion*

---

12. P. S. Allen, *Erasmus*, Lectures and Wayfaring Sketches, Oxford, 1934, p. 27.
13. *The Correspondence of sir Thomas More*, ed. Elisabeth Frances Rogers, Princeton, 1947, sobre todo pp. 29-36 y 66-68.

y contra el antimonaquismo erasmiano. El benedictino glorifica a Erasmo como un hombre providencial que ha trabajado más que nadie para alimentar a la Iglesia hambrienta de enseñanzas evangélicas.[14] Ahora bien, fijémonos bien que Virués no es un admirador incondicional del enemigo de los monjes. Le hace objeciones que irritan a Erasmo. Pero reconoce la eficacia con que sigue su vocación de vulgarizador del Evangelio. Erasmo suscitó adhesiones activas y espontáneas, pero al mismo tiempo razonadas, de hombres perfectamente preparados para comprender su obra, y es muy natural que los erasmistas más convencidos se apoyaran ocasionalmente, para defender lo que era a sus ojos una buena causa, en esas gentes importantes, «oficiales» pero superficiales, que Erasmo y sus confidentes habían sabido asociar a sus propósitos.

Pero, ¿cuáles eran estos propósitos? ¿Y qué contenido un poco preciso podemos dar a la palabra *erasmismo* para designar la *influencia religiosa* que Erasmo ejerció en su época? Porque aquí sólo podemos tratar de la influencia sobre la vida religiosa. Nos extraviaríamos lamentablemente si nos empeñáramos en abarcar asimismo las influencias, sin embargo no poco considerables, que nuestro hombre ejerció por ejemplo sobre el arte de escribir o sobre la pedagogía; pues en estas esferas aún es más delicado discernir lo que le pertenece propiamente que en materia religiosa. Incluso en este terreno su originalidad puede ser objeto de dudas. Si recordamos como una primera aproximación que Erasmo fue sobre todo glorificado (y combatido) por su ferviente *espiritualismo* cuyo corolario crítico era la desvalorización de las ceremonias y de las prácticas rutinarias, por su *evangelismo* que preconizaba el retorno a las fuentes escriturales de la fe, con el corolario de la desvalorización de la escolástica, en seguida nos es forzoso admitir que este espiritualismo y este evangelismo no eran en modo alguno monopolio de Erasmo, ni en su impulso positivo ni en su acompañamiento crítico, ni siquiera en su articulación mutua. Es de toda evidencia que el éxito del espiritualismo eras-

14. *Érasme et l'Espagne*, p. 321. A falta de otra referencia se encontrará fácilmente en esta obra ciertos hechos de erasmismo español que aquí se traen a colación.

miano, del evangelismo erasmiano, se debe a que estaban ya en el aire en el momento en que Erasmo los formuló a su manera, pero se debe sobre todo a que, en la atmósfera religiosa europea que el *Enchiridion*, la *Paraclesis*, la *Ratio*, etc... contribuyeron a saturar de fervor, estallan a partir de la revuelta de Lutero unas tormentas que se renuevan sin cesar, y que desde entonces las actitudes erasmianas fundamentales, durante unos quince años en los que Erasmo vive todavía para poder tomar su defensa, y luego durante el cuarto de siglo que sigue a su muerte, adoptan un giro histórico original que va unido a su propagación llena de riesgos a través de ese espacio europeo que va desde la Península Ibérica a Polonia, y en el curso del período que va desde la rebelión de Lutero al final del concilio de Trento.

Sin duda conviene hablar de *erasmismos* nacionales en plural, hasta tal punto la amplitud del fenómeno fue diferente según los países, y dependió en cada lugar del clima espiritual preexistente en el momento de estallar la crisis. Aquí no nos es posible ni siquiera esbozar una geografía del erasmismo. Falta aún trabajar mucho para adquirir de ella un conocimiento preciso y matizado, es decir, que tenga en cuenta la acogida y la resistencia que encontró el erasmismo en ciudades, en universidades, en órdenes monásticas, donde no encontraba una tierra virgen, sino más o menos intensamente ocupada por influencias concurrentes o antagónicas. Permítaseme limitarme a referirme a dos países cuyo contraste es lo suficientemente acentuado para ser instructivo. En primer lugar Francia. Todos tenemos presente la tesis de Mrs. Margaret Mann-Phillips sobre *Érasme et les débuts de la réforme française*, y aunque sería deseable que la influencia de Erasmo en Francia después de su muerte fuese objeto de otros estudios profundos, ya distinguimos bastante bien con qué otras corrientes de reforma religiosa entró en concurrencia la influencia erasmiana (evoquemos los nombres de Clichtove, Lefèvre d'Étaples, Briçonnet). Y cuando al leer el estudio de Stegmann sobre «Érasme et la France»,[15] que confronta a nuestro gran hombre con el conjunto de la actividad intelectual francesa, concentramos nuestra atención en las

---

15. *Colloquium Erasmianum.*

corrientes religiosas que aquí nos interesan de un modo especial, llegamos a dudar de que la expresión «erasmismo francés» se imponga para designar algo fuerte e importante. Tal vez por esto nuestra lengua ha podido prescindir durante tanto tiempo del vocablo cuyo sentido nos ocupa.

Pero consideremos por otra parte el erasmismo español, de cuya idea no fui yo el inventor, pero que en un voluminoso libro traté de explicar históricamente más a fondo de lo que lo había hecho Menéndez y Pelayo. Aquí no abundan las corrientes reformistas vigorosas, salvo en el interior de algunas órdenes religiosas (franciscanos, dominicos). No hay infiltraciones apreciables del «luteranismo» [16] o del «calvinismo» que hagan hablar de estas nuevas posturas, excepto ya muy al final del período que cierra el Concilio de Trento. He podido sugerir, y alguna vez he dicho sumariamente que en España el erasmismo había hecho las veces del protestantismo, sustitución paradójica para quien recuerde que se propagó como un movimiento *garantizado como ortodoxo* por el inquisidor general y el emperador Carlos. Pero pude comprobar que el *espiritualismo* erasmiano encontró en España espíritus predispuestos a recibirlo por diversas escuelas de espiritualidad calificadas de *iluministas*. Ahora bien, al preocuparme demasiado exclusivamente de esta relación, dejé en la sombra lo que preparó estas corrientes de espiritualidad en el siglo xv, así como la vitalidad de otras corrientes que permanecieron indiferentes o refractarias a la introducción del erasmismo. Mi amigo Eugenio Asensio prestó a nuestros estudios un señalado servicio —entre tantos otros que le deben— al publicar, con motivo de la traducción española de mi libro aparecida en 1950, el magistral artículo titulado «El erasmismo y las corrientes espirituales afines» [17] que demuestra que era más complejo, más frondoso, el paisaje espiritual en el que se insertan lo que yo llamaba hace poco el espiritualismo y el evangelismo erasmianos, al lado de

16. Aunque estas infiltraciones se han revelado más importantes de lo que se había creído gracias al estudio de Augustin Redondo, «Luther et l'Espagne de 1520 à 1536», *Mélanges de la Casa de Velázquez*, I, De Boccard, París, 1965, pp. 109-165.
17. *Revista de Filología Española*, XXXVI (1952), pp. 31-99.

corrientes de piedad interior y de biblismo que, a pesar de sus afinidades con la espiritualidad de Erasmo, no participan ni de su anticeremonialismo ni de su antiescolasticismo.

Pero si un estudio suficientemente atento del erasmismo en sus modalidades nacionales debe ayudarnos a identificar mejor el fenómeno, incluso en lugares donde, como en España, tuvo un desarrollo tan espectacular como para obligar a darle un nombre y a reconocerle un lugar no desdeñable en la vida espiritual del país, el desarrollo de esta influencia en el tiempo obliga a matizar además cronológicamente la noción de erasmismo y quizás incluso a ver desdibujarse alguna de las líneas que daban su relieve original al pensamiento religioso de Erasmo en sus manifiestos más famosos. En pocas palabras, estas atenuaciones se deben a la situación incómoda en que el propio Erasmo y sus discípulos se vieron situados después de la rebelión de Lutero, debido a que: 1) el pensamiento religioso de Erasmo, denunciado, desde el *Elogio de la Locura*, como destructor de las tradiciones y de las disciplinas más respetables de la Iglesia católica, se vio inmediatamente confundido de un modo sistemático con las herejías de Lutero, y considerado por un ejército de teólogos y de religiosos más católicos que el papa, como un luteranismo en estado puro o como un superluteranismo; 2) a pesar de ello, Erasmo, enfrentándose a todos, mantuvo más que nunca su pretensión de ser tratado como hijo ortodoxo de la Iglesia, y buscó más que nunca la protección de las más altas autoridades; y 3) sin dejar de minimizar el alcance de las audacias que se le reprochaba, y negándose a pasar al cisma luterano, no resistió a la tentación de volver sobre ciertos temas irritantes para sus adversarios (como el de las ceremonias y el de los ayunos y abstinencias) ya fuese en obras graves como el *De interdicto esu carnium* dedicado a Cristóbal de Utenheim, obispo de Basilea, ya en tono irónico, como en el coloquio *Ichtyophagia*. De esta situación difícilmente sostenible para Erasmo resultó para el erasmismo una especie de decantación de lo que podría llamarse sus elementos pesados y sus elementos ligeros. Asensio sugiere no sin razón que «el propio Erasmo, a medida que pasaban los años y que asistía a los excesos de los reformados, aflojó en su erasmismo». Hubo un erasmismo no más *erasmicior Erasmo* sino *menos erasmiano* que el Erasmo de la ἀκμή de los años 1514-1518. Es fácil advertir en Tomás Moro la misma suavización del tono irónico, la misma acentuación de la gravedad entre la época de la carta a Dorp y de la *Utopía* y la época en que, entre mil cariñosas precauciones, insiste a Erasmo para que dé la segunda parte de su *Hyperaspistes* como respuesta al *De servo arbitrio* de Lutero.[18]

Ahora que la revolución religiosa ha llegado a las muchedumbres, Erasmo está constantemente en vilo, se inquieta por los peligros que hacen correr a su tranquilidad los discípulos que traducen para uso de un «gran público» sus obras más irritantes para los conservadores. Cuando se entera de que en España se traducen los *Coloquios,* sin pararse a averiguar cómo se ha hecho la selección, exclama: ¡Mejor que se traduzca el *Sermón sobre la infinita misericordia de Dios...* o la *Explicación del Padrenuestro!*

Vale la pena distinguir dos tendencias entre los que se dedicaron a utilizar los escritos de Erasmo para la reforma de la piedad. Unos, siguiendo su consejo, fijan su atención en los escritos devotos sin resonancia crítica como el *Sermón sobre la misericordia...* o el *Padrenuestro comentado.* Un hecho notable, el *Tratado del Niño Jesús y en loor del estado de la niñez,* el primer escrito de Erasmo traducido al castellano en 1516,[19] aparecerá curiosamente unido a otro clásico de la *devotio moderna*: la *Imitación de Cristo.* El nombre de Erasmo se abre paso asociado al del «Gerson», supuesto autor de la *Imitación.* En otros círculos más auténticamente erasmistas de España, no se vacila en traducir

18. Allen, VI, pp. 441-442.
19. También a Eugenio Asensio se le debe la publicación de este monumento capital de la bibliografía erasmiana, con una bella introducción: Desiderio Erasmo, *Tratado del Niño Jesús y en loor del estado de la niñez* (Sevilla, 1516). Ahora fielmente reimpreso en facsímil con un estudio preliminar de Eugenio Asensio. Publícalo con motivo del V Centenario de Erasmo el Señor Marqués de Morbecq. Editorial Castalia, Madrid, 1969. Esta edición sevillana de 1516 parece ser el primer libro de Erasmo publicado no ya sólo en español sino incluso en cualquier lengua vernácula. Para el fenómeno de que se asociara a la *Imitación,* véase mi *Erasme et l'Espagne,* pp. 222-223.

el *Enchiridion* y la *Paraclesis* [20] con algunos retoques. Pero estas traducciones se publican con el escudo del gran inquisidor Manrique, que ha aceptado la dedicatoria. Otras obras de títulos que se juzgan más o menos peligrosos —sobre todo ciertos *Coloquios*— usan como pasaporte de sus versiones castellanas las cartas intercambiadas por Erasmo y el emperador después de la ofensiva de los monjes españoles y el examen del cuaderno de «proposiciones» erasmianas que ellos acusaron de herejía en el seno de una comisión de teólogos reunida por el gran inquisidor en Valladolid: el soberano garantiza al filósofo cristiano que su ortodoxia no se pone en duda.

Y he aquí un aspecto típico de la propagación del erasmismo y de la guerra que le hacen los defensores del catolicismo tradicional. Los *Coloquios* fueron objeto, por parte de la Sorbona, de una censura que concluía la prohibición. Pero si los teólogos de París o de España denuncian las obras de Erasmo como un hervidero de herejías antiguas o modernas, no se asiste a ninguna persecución contra una herejía llamada «erasmismo». El «edicto de la fe» de la Inquisición española no la incluye en la lista de herejías cuyos fautores se invita a los fieles a denunciar. Pero los inquisidores combaten a erasmistas más o menos notorios acusándoles de luteranismo o de iluminismo, los dos errores condenados más actuales y más inquietantes.

Este aspecto de las cosas hace veinte años llamaba la atención de los jóvenes historiadores norteamericanos que en su país sufrían la opresión de la pesadilla maccarthista. Pero si la táctica represiva que mezcla opiniones sospechosas y opiniones proscritas es eterna, a los historiadores del siglo XVI se les plantea la cuestión de saber si el erasmismo, que en vida de Erasmo se beneficiaba de un grado mayor o menor de tolerancia, pudo servir realmente de máscara al luteranismo o al iluminismo de creyentes libres que carecían de vocación de martirio. Este tema se ha suscitado a propósito de dos hombres de destinos muy dife-

---

20. Para la más antigua edición conocida en lengua castellana del *Enchiridion* acompañado de la *Paraclesis* (1529), cf. la 2.ª edición de *Erasmo y España* en español (México, 1966), p. 192, y grabados VI y VII según el ejemplar descubierto en Zurich por E. Asensio.

rentes, el francés Louis de Berquin y el español Juan de Valdés, ambos, y la coincidencia es significativa, atraídos por el coloquio erasmiano *Inquisitio de fide* cuya intención irenista es patente. Barbatus, interrogado sobre los artículos de la fe, es un hombre amenazado de excomunión; ahora bien, sus respuestas, excepto en algún punto de detalle («credo sanctam ecclesiam» o «credo in sanctam ecclesiam») se ajustan al credo más ortodoxo. Éste es uno de los textos erasmianos traducidos por Berquin, y de este mismo diálogo Valdés toma la exposición del credo para su *Diálogo de doctrina cristiana*. Pero Berquin, erasmiano pacifista al tiempo que irenista, que vierte al francés la *Querela pacis* (libro traducido muy pronto en castellano), que tradujo también el *Enchiridion* (o que lo hizo traducir, recuérdense las dudas muy justificadas de Mrs. Mann-Phillips sobre la paternidad de esta traducción), fue asimismo lo bastante imprudente o audaz como para traducir escritos de Lutero. De manera que si este noble terminó en la hoguera como luterano, después de haber sido una primera vez sustraído al brazo secular por la protección del rey, su erasmismo podría considerarse como un disfraz tranquilizador de un luteranismo muy real.

El erasmismo de Valdés no es menos ostensible en su *Diálogo* de juventud. No sólo toma de Erasmo (aunque, eso sí, sin decirlo) una parte esencial del catecismo (el Credo), sino que entre los libros piadosos en lengua vulgar de los que recomienda la lectura su portavoz Eusebio, menciona el *Enchiridion*, el *Tratado del Niño Jesús*, «algunos *Coloquios* breves». No obstante, el pensamiento religioso de Valdés está marcado, ya en la época del *Diálogo* de Alcalá, y seguirá estándolo en sus escritos de la época napolitana, por la influencia del iluminado laico Alcaraz, a quien en su primera juventud en Escalona había escuchado comentar la Escritura. Ahora bien, el pensamiento de Alcaraz sobre el abandono a Dios o «dejamiento» es considerado por la Inquisición como tan pernicioso, que le persigue, le encarcela y extrae «proposiciones» que permiten acusarle de hereje según el Edicto (1525) contra los «alumbrados o dejados». Juan de Valdés sabe que aquel hombre cuyas palabras le han despertado a la experiencia religiosa está en prisión. ¿No será, pues, para desviar de su *Diálogo* (publicado anónimamente) la sospecha de iluminismo que Valdés manifiesta una admiración por Erasmo, autor en boga en Alcalá, pero del que no encontraremos ningún rastro en su obra de madurez? Ésta es la opinión que recientemente ha sostenido el teólogo protestante José C. Nieto-Sanjuán en una importante obra sobre el pensamiento religioso de Valdés.[21] Según él, éste mencionaba a Erasmo para atribuirse una garantía ortodoxa, del mismo modo que su maestro Alcaraz, perseguido como heresiarca (y que según Nieto coincide con Lutero o se anticipa a él de manera casi increíble), invocaba al Seudo Dionisio para su defensa, aunque su iluminismo de laico y de autodidacta no debe nada a la tradición dionisiana cultivada en las órdenes religiosas. La idea de semejante ardid táctico encuentra confirmación en un detalle del proceso de Alcaraz que llamó la atención de Augustin Redondo [22] y que había pasado inadvertido a Nieto. Alcaraz, en una carta a los Inquisidores, alude al *Enchiridion* de Erasmo, visiblemente de segunda mano, alterando el título; y Redondo supone con gran verosimilitud que lo hizo siguiendo el consejo de su abogado, porque este libro, todavía desconocido en Castilla al producirse su encarcelamiento, tiene importantes valedores, entre ellos el gran inquisidor.

Tanto si Juan de Valdés tiñó o no su *Diálogo* de erasmismo para disimular una deuda contraída con un maestro menos confesable, sigue en pie el hecho de que perteneció como su hermano Alonso al mundo de los propagadores de la gloria de las ideas de Erasmo en España. Pero a quien quiera seguir el proceso de estas ideas en una zona ambigua entre la heterodoxia y la ortodoxia tradicional, no puede desdeñar esta posibilidad de que el erasmismo pudiera ser ocasionalmente asumido o llevado como una máscara tranquilizadora de un pensamiento heterodoxo. Conviene recordar

21. José C. Nieto-Sanjuán, *Juan de Valdés, 1509(?)-1541: Background, Origins and Development of his Rheological Thought with Special Reference to Knowledge and Experience.* Tesis para el doctorado en Teología de la Universidad de Princeton (1967). Fue publicado con el título: *Juan de Valdés and the Origins of the Spanish and Italian Reformation,* por ediciones Droz, Ginebra, 1970. [Véase el comentario de esta obra, infra, pp. 254-267.]

22. A. Redondo, art. cit., p. 142, n. 5.

además que la ortodoxia es en sí misma un frente movedizo, y que la influencia de Erasmo se desarrolla en una época de singular indecisión de los criterios de ortodoxia, época a la que el Concilio de Trento hará suceder cuatro siglos de maciza inmovilidad.

Pero, aunque sea este desarrollo contingente del «erasmismo» lo que interese al historiador, más que la formulación abstracta de un pensamiento religioso erasmiano y la fijación rígida de sus coordenadas en relación a la ortodoxia y a los movimientos protestantes de reforma, conviene detenerse un poco en los temas principales de reforma de la piedad a los que el nombre de Erasmo, sin convertirse en el de un jefe de secta, ha estado particularmente unido, y que fundaron su reputación de teólogo de punta a punta de Europa, sin distinción de católicos y de protestantes. Ya he aludido a varios de estos temas y sería superfluo insistir en el más característico de todos: el elogio del culto en espíritu, con la desvalorización correlativa de las ceremonias, de las devociones rutinarias y sin alma, y del ritualismo de las observancias monásticas. Se trata, por así decirlo, de un tema central del *Elogio de la Locura*. Es el principal de los que movilizaron en Erasmo y en sus lectores las fuerzas aliadas del fervor y de la ironía. Este mensaje, para los historiadores del siglo xx, es el del *Enchiridion militis christiani*, libro demasiado olvidado en el xviii y en el xix, pero que en vida de Erasmo y durante los veinte años que siguieron a su muerte fue el libro erasmiano por excelencia.

Hay que detenerse un poco más en otro tema apenas menos importante, el que he llamado evangelismo, y que tiene como contrapartida la desvalorización de la teología escolástica. Pues si ninguna de las manifestaciones positivas del retorno a la fuente genuina del mensaje evangélico es exclusivamente erasmiana, Erasmo desplegó en su fecundidad de «polígrafo» una variedad tal de estas manifestaciones que su nombre y el adjetivo *erasmianus* han quedado vinculados con toda justicia a este gran movimiento (recordemos los textos que acabamos de citar del obispo don Martín Pérez de Ayala y del benedictino Virués).

Un fenómeno muy erasmiano es el del auge de la enseñanza del griego, unido a la fundación de los colegios trilingües en Lovaina o en París. Pero, ¡cuidado!, si Erasmo está en la vanguardia de este movimiento, si lo representa de forma eminente, es porque su edición grecolatina del Nuevo Testamento va acompañada de un *Método* de teología que se funda en la misma Escritura, y de audaces *Annotationes* en las que no vacila en discutir las afirmaciones de los grandes escolásticos y hasta de los mismos Padres de la Iglesia. Un debate como el del *Comma johanneum* es un buen ejemplo de su voluntad de redescubrir el texto puro y su espíritu, disociando de él las glosas debidas a la intrusión abusiva de la dogmática.

Pero, después de evocar esta tendencia docta a reivindicar los derechos de la crítica textual (por muy insegura que aún pudiese ser la exégesis neotestamentaria de un Erasmo), hay que señalar también una exigencia no menos erasmiana de popularización del Evangelio en todas las lenguas vernáculas. La *Paraclesis* o *Exhortación* al estudio de las Sagradas Escrituras, añadida asimismo al *Novum Instrumentum,* formula en términos muy enérgicos el deseo de que la palabra divina proporcione la materia de canciones que canten el tejedor en su telar o el viajero por el camino. Estas canciones cristianas se advierte en seguida que son algo más familiar, más popular que los Salmos que el protestantismo convertirá en uno de los vehículos de su fe. No parece que Erasmo compartiera la opinión que apegó tan fuertemente a la Reforma a la lectura íntegra de la Biblia en lengua vulgar, incluyendo el Antiguo Testamento, que para él no fue un gran motivo de inspiración, y que no comentó, haciendo la salvedad de unos cuantos salmos.

En cambio, una manifestación típica del evangelismo erasmiano es el conjunto constituido por las *Paráfrasis* de las Epístolas, de los Evangelios, de los Hechos de los Apóstoles, es decir, de todo el Nuevo Testamento con la excepción del Apocalipsis. Erasmo aclara cuidadosamente el sentido literal de estos libros sin permitirse ningún *excursus*, ni crítico ni alegórico, y sin ningún afán de elegancia estilística. Esta elaboración del «pan evangélico» que respeta su sabor, pareció valiosísimo a los hombres de su tiempo. Y más aún que la nueva traducción latina intentada por Erasmo en su *Novum Instrumentum*, ayudó a los predicadores a rejuvenecer, a actualizar el contenido de los textos sagrados, en los que la costumbre de las palabras inmutables de la Vulgata hacía correr el riesgo de embotar la atención de los cristianos. Es significativo que las *Paráfrasis* erasmianas fuesen recomendadas, por el lado católico por el beato Juan de Ávila en la primera fase de su apostolado de Andalucía,[23] y adoptadas entre los protestantes por un Pellican, quien se tomó la molestia de dar una traducción alemana y de completar el volumen con una paráfrasis del Apocalipsis.[24]

Otro libro de Erasmo que al parecer influyó mucho en los predicadores y que contribuyó a difundir una nueva opinión del cristianismo, fue su gran tratado de la predicación: el *Ecclesiastes sive concionator evangelicus* (1535). Cuando el canónigo de Valencia Jerónimo Conqués en 1563 es procesado por la Inquisición, se descubre que tenía ocultos numerosos fragmentos manuscritos del *Ecclesiastes*, que había sido prohibido en fecha muy temprana (en 1551). Evidentemente en esta obra encontraba un espíritu que le estimulaba en sus escaramuzas contra los predicadores rutinarios, necios o presuntuosos. Esta obra, terminada por Erasmo poco antes de su muerte, debió de integrar en su influencia póstuma una concepción esencialmente pastoral del clero, que le distingue de otros reformadores católicos, sobre todo de Clichtove, quien insistía en cambio en las «funciones sacrificiales» del sacerdocio.[25] Un rasgo más por el que el erasmismo está en la línea divisoria entre el catolicismo y las confesiones que se separan de éste. El «buen pastor» o *concionator evangelicus* según Erasmo, como el «buen predicador evangélico» según Rabelais, se parece a un pastor protestante, al mismo tiempo que señala el camino a los esfuerzos de la reforma católica para sustituir por buenos pastores a los clérigos mercenarios e ignorantes. Hay que recordar también que el ideal pastoral del eramismo es un ideal misionero.

23. *Erasmo y España*, 2.ª ed. esp., p. 724, n. 32; y sobre todo Juan de Ávila, *Obras completas,* ed. L. Sala Balust, I, 1952, pp. 103-104, 143 y 291 (donde la mención de Erasmo, suprimida por los primeros editores del *Epistolario espiritual*, se ha restablecido de acuerdo con los manuscritos).

24. Henri Meylan, «Érasme et Pellican», en *Colloquium Erasmianum,* pp. 253-254.

25. Jean-Pierre Massaut, *Josse Clichtove, l'humanisme et la réforme du clergé,* II, Les Belles Lettres, París, 1968, pp. 115 ss.

No se excluye que haya influido de un modo tácito en la naciente Compañía de Jesús, gran admiradora del apostolado de Juan de Ávila, y gran organizadora de misiones interiores en el corazón de los viejos países nominalmente cristianos que aún tenían tanto que aprender del cristianismo. Hecho aún poco destacado, el *Ecclesiastes* de Erasmo formuló también la exigencia misionera con respecto a pueblos lejanos recientemente descubiertos. Ahora bien, entre los franciscanos que organizaron las misiones de Nueva España, fray Juan de Zumárraga, primer obispo de México, en sus *Doctrinas* —que figuran entre los «incunables americanos» más antiguos (1543-1544)— se hace eco de la llamada de la *Paraclesis* en favor de la difusión de la Escritura en todas las lenguas; y aunque lo hace sin nombrar la obra que utiliza, poseía las *Opera omnia* de Erasmo: su ejemplar fue sin duda el primero que cruzó el Atlántico.[26]

Antes de cerrar estos comentarios liminares sobre las resonancias despertadas por la obra de Erasmo en su siglo, hay que plantear un problema cuya elucidación apenas se ha iniciado. La influencia religiosa de Erasmo, ¿se vio reducida a la nada a partir de 1560 por el endurecimiento de las nuevas confesiones protestantes, y, más aún, por la nueva definición de la ortodoxia católica llevada a cabo en Trento, que tuvo por corolario la inclusión en el Índice de las obras completas de Erasmo, *auctor damnatus primae classis*? La pregunta, una vez más, no admite una respuesta sencilla; difiere según los lugares y las épocas. Una rápida ojeada a las bibliografías de las ediciones de las obras principales de Erasmo revela claramente que su supervivencia fue muy distinta en la Europa protestante y en la Europa católica, pero que, incluso entre los protestantes, incluso en Holanda, se reimprime poco el texto íntegro en los cuatro últimos decenios del siglo XVI, mientras que en el XVII, después de este descenso, se manifiesta un renuevo de su difusión. Tiempo atrás ya hice notar que la Inquisición española, considerada a menudo como la institución católica más rígida en la defensa de la ortodoxia católica,

---

26. *Erasmo y España*, 2.ª ed. esp., pp. 821-825, donde se utiliza una documentación nueva generosamente proporcionada a M. Bataillon por el historiador americanista Enrique Otte.

fue menos rigurosa con las obras de Erasmo en su Índice de 1559 de lo que lo había sido el de Paulo IV (señalaba el camino a las prohibiciones atenuadas del Índice del Concilio de Trento, promulgado por Pío IV). Pero las obras religiosas más típicas de Erasmo no dejaron de estar prohibidas en España, al igual que en otros países, y como consecuencia, todo «erasmismo» perdió entonces, tanto en España como en los demás países, su principal soporte, el de la lectura asidua. Sin embargo sería un error creer que la influencia erasmiana se redujo a partir de entonces a una transmisión oral, indirecta, por medio de hombres formados antes de la rigurosa prohibición, y que desde estas fechas quedó condenada a un rápido y progresivo agotamiento. Para matizar esta visión simplista, conviene reaccionar contra una ilusión análoga a la que puede hacer creer que allí donde la *Moria* no llegó a un público muy amplio, debido a no traducirse ni leerse en lengua vulgar, este famoso libro casi no tuvo eco:[27] sería en efecto un error suponer que los rigores de la prohibición, en España y en los demás países católicos, hicieron desaparecer casi instantáneamente de la circulación las obras afectadas, condenándolas a la destrucción material. Yo mismo he tenido que rectificar cada vez más por lo que respecta a esta suposición. Recientemente he podido comprobar que una gran biblioteca de un diplomático español, la del conde de Gondomar, poseía en 1623 numerosos libros prohibidos, en concreto las *Opera omnia* de Erasmo y sus *Colloquia*, recién impresos en Amsterdam en 1621.[28] Sin duda un caso privilegiado o extremo. Pero incita a pensar que aficionados o humanistas menos notorios conservaban algunas obras prohibidas en un rincón de su pequeña «librería». De otro modo resulta difícil explicar que ejemplares de ediciones y traducciones de Erasmo anteriores a 1560 hayan sobrevivido en número considerable, expurgados o no, hasta la época en que Erasmo dejó

27. Después de que en *Erasmo y España* hubiera buscado con excesiva timidez ecos españoles de la *Moria*, he dedicado a este tema una conferencia en el Congreso sobre Erasmo celebrado en Rotterdam (octubre de 1969). [Véase cap. 13 de este volumen.]

28. Véase mi contribución a la miscelánea preparada en Berlín en honor de Werner Krauss: «Livres prohibés dans la bibliothèque du Comte de Gondomar».

de obsesionar a la ortodoxia católica como un luterano más peligroso que Lutero, y empezó a ser apreciado más serenamente en su papel histórico. Hace tiempo tuve la suerte de comprar un buen ejemplar, quiero decir sin ningún expurgo, de los *Adagia* en la edición de Lyon de 1541, volúmenes cuyos dorados de la cubierta y del lomo mezclan las flores de lis con las iniciales PS, que significan «Plessis-Sorbonne». Vemos en efecto por un certificado que hay en una de las guardas que era un libro de premio entregado en 1695 a un retórico del Colegio du Plessis que había conquistado el segundo premio de poesía latina. Éste es uno de los numerosos representantes del texto íntegro de los *Adagios* que la edición expurgada bajo la dirección de Paulo Manuzio arrinconó sin condenarlos a la destrucción. Y demuestra que la Sorbona a la que Richelieu había adscrito este Colegio du Plessis ya no era la de Beda. Hay que admitir que, en espera de la nueva edición de las *Opera omnia* publicada por Le Clerc en Leiden, Erasmo conservó un público reducido de lectores incluso en la Europa católica, y desde luego en una Francia galicana poco sensible a las prohibiciones de Roma. Un Bossuet, en su *Histoire des variations des églises protestantes*,[29] utiliza a Erasmo, sobre todo su correspondencia, como un testigo digno de fe y en cierto modo ortodoxo de los orígenes del cisma. El señor Stegmann nos hablará de la rehabilitación de la ortodoxia de Erasmo en 1688 (el mismo año de las *Variations*) por Jean Richard. Al tropezar hace una treintena de años con la traducción francesa anónima del *Enchiridion* publicada en 1711 en París, me sorprendí de leer en ella una apología de Erasmo «considerado como uno de los teólogos más sabios y más hábiles de su siglo, y como uno de los hombres más grandes que Dios haya dado a su Iglesia, capaz de impedir el progreso de la herejía y de llamar al seno de esta Esposa de Jesucristo a los que un desventurado cisma había alejado de ella».[30]

29. Véase A. Rébelliau, *op. cit.*
30. Cf. Pierre Mesnard, «La dernière traduction française de l'*Enchiridion*», en *Scrinium Erasmianum* (Mélanges historiques publiés sous le patronage de l'Université de Louvain à l'occasion du V⁰ Centenaire de la naissance d'Érasme), I, Brill, Leiden, 1969, pp. 328 ss.

Todo esto es poco más que unos cuantos jalones que señalan un territorio todavía casi inexplorado: el de la influencia dos veces póstuma de Erasmo, si se puede llamar así la supervivencia oculta de su obra después de su condenación a la muerte espiritual decretada por el Índice de 1559. Es previsible que la exploración apenas emprendida revelará modalidades de erasmismo muy diversas, también para este período, según las situaciones de estos filones de influencia que la bibliografía ayuda a descubrir. Advirtamos acerca de este punto que la distinción entre dos Europas, católica y protestante, es poco significativa en el caso de Francia, que pertenece a ambas. Y que las dos se comunican por lugares de paso privilegiados como Basilea, metrópoli de la imprenta, cuyo comercio con Francia es el campo de las fructuosas investigaciones de Peter Bietenholz.

Termino sin sacar ninguna conclusión, a no ser la de que la noción de erasmismo, desde el momento en que se renuncia a hacer de él una herejía formulable por definidores, es un tema de fecundas investigaciones que está lejos de haber agotado la influencia de Erasmo sobre la vida espiritual de los siglos llamados modernos.

8. HUMANISMO, ERASMISMO Y REPRESIÓN CULTURAL EN LA ESPAÑA DEL SIGLO XVI *

Desde el ocaso presente de la cultura humanística en el Occidente europeo, resulta difícil imaginar cómo el humanismo, en su fase renacentista (que arranca del siglo XIV y culmina en el XVI), pudo entrañar peligro para la ortodoxia cristiana heredada de la Edad Media, y ser perseguido por la Inquisición española. Pero lo fue en otros países por las instituciones que velaban por la integridad de la fe y el prestigio de la cultura eclesiástica tradicional: en París por la Sorbona, en Alemania y en los Países Bajos por las Facultades de Teología de Colonia y Lovaina.

Comprendamos que los humanistas, entusiasmados con su aprendizaje del latín clásico como medio de expresión más rico que los idiomas vulgares, y luego con sus flamantes estudios de hebreo y griego, lenguas de la Sagrada Escritura, no tardaron en sentirse partícipes de una cultura nueva, y cultivar un sentimiento de superioridad frente a la rancia rutina escolástica encastillada en las cátedras universitarias de filosofía y teología. Mientras las disciplinas escolásticas se divorciaban cada vez más de la realidad viva al exigir requintados tecnicismos de lógica formal, pretendían los humanistas, dados al estudio de los poetas y los historiadores de la antigüedad greco-latina, asomarse a problemas humanos permanentes de moral y de política. En las cortes y repúblicas de Italia ganaba importancia la clase social de los secretarios,

* Este artículo apareció con el título «La represión cultural», en *Historia 16*, extra n.º 1 (diciembre 1976), pp. 59-72; se prescinde aquí de los epígrafes intercalados por la redacción de la revista.

necesitada de un repertorio mental más universal y laico que el reservado a los problemas teológicos y eclesiásticos.

Ya con Petrarca, padre del humanismo renacentista, la nueva cultura sintió, como notó E. Garin, la nostalgia de una sapiencia antigua con la espera de tiempos nuevos. Se lanzaron los humanistas a la exploración del hombre interior, y la visión de la historia que intentaron formular era la toma de conciencia polémica de una antropología opuesta al seco tecnicismo y cientificismo de los lógicos de Oxford y los físicos de la escolástica parisiense. Llegó una ocasión en que los discípulos florentinos de Petrarca lanzaron una ofensiva contra los *barbari Britanni*. Y no había de cesar en dos siglos la acusación de *barbarie* proferida por los humanistas contra la escolástica tradicional y su lenguaje. Es más: no tardarían en afirmar su capacidad de gramáticos y filólogos para enseñar una nueva teología positiva fundada en lectura personal de la Biblia, acudiendo a los originales griegos, a las fuentes hebraicas. Lo cual implicaba el incluir la creencia en el nuevo horizonte de la visión histórica, y el criticar la tradición eclesiástica.

Maestro de estas tendencias fue, en el siglo xv, el gran filósofo y filólogo Lorenzo Valla: sucesivamente profesor en Pavía, secretario del rey don Alfonso de Aragón y del sumo pontífice, no contento con formular *Anotaciones* críticas al texto del Nuevo Testamento, deshizo con las armas de la erudición la patraña de la llamada Donación de Constantino, endeble fundamento seudohistórico del poder temporal de los papas.

Ya, después del Concilio de Constanza, venían corriendo por Europa ecos de la propaganda de Juan Huss en pro de la libre predicación de la Escritura, con los riesgos que implicaba para la reforma radical de la teología y del mismo sistema de los sacramentos: a lo largo del siglo xv cunde la crítica de la confesión auricular considerada como institución puramente humana, por carecer de respaldo en el Nuevo Testamento. Típica grieta del viejo edificio eclesiástico que el humanismo se complace en ahondar.

Con tales antecedentes no sorprende que en los primeros años del siglo xvi Antonio de Nebrija, príncipe de los humanistas españoles, tropiece con la hostilidad del inquisidor general fray Diego de Deza, aunque la Inquisición, durante los dos decenios que llevaba funcionando, apenas se había ocupado de otra cosa que de perseguir conversos judaizantes.

El humanista ya glorioso por su obra de gramático y filólogo en el campo de la lengua latina y de la materna, había anunciado su propósito de dedicarse de lleno a «la gramática de las Letras sagradas», es decir la exégesis literal y crítica textual de la Biblia, apoyándose en el cotejo de la Vulgata con los originales griegos y hebraicos, sin hacer caso del prejuicio tradicional de los teólogos y canonistas según el cual los griegos y los judíos habían alterado sus propios textos de la Escritura para desvirtuar pasajes utilizados por los católicos romanos en su apologética. Bastaba este propósito para alertar a los enemigos del humanismo.

Sólo conocemos este episodio de la vida de Nebrija por la protesta del interesado en una *Apología* que dirigió al nuevo inquisidor general Cisneros contra su antecesor fray Diego de Deza. Éste, dice el humanista, por no tener medio de censurar la obra emprendida, solicitó una orden del poder real para apoderarse de los papeles del sospechoso «no tanto para aprobar o reprobar el trabajo como para disuadir al autor de querer escribir».

Claro que esta amarga queja la podía formular impunemente ante Cisneros vencedor en su competición con Deza y bastante abierto a la corrección de los textos bíblicos —salvando la autoridad de la Vulgata— para llevar adelante la edición de la Biblia Políglota de Alcalá. Pero sería seguramente un error el reducir el conflicto y su feliz desenlace a una divergencia de criterios entre dos inquisidores generales.

Todo lo que sabemos de la Inquisición nos induce a imaginar la máquina perseguidora funcionando ya conforme a su procedimiento constante. Esta defensa de nuestro método exegético, dice Nebrija «la hemos escrito cuando *éramos acusado* de impiedad ante el Inquisidor general porque sin conocimiento de la literatura sagrada nos metíamos en una labor que no conocíamos fiándonos de la sola gramática».

Pero «acusado» ¿por quién? Las denuncias salieron seguramente del ambiente universitario de Salamanca, cuyos métodos, lejos de saludar la obra de Nebrija como base y promesa de una nueva cultura cristiana, la recibieron con aspavientos como una intrusión en el santuario de las disciplinas consagradas.

Se jactaba Nebrija de haber emprendido desde la Universidad de Salamanca, como desde una fortaleza conquistada por él, la lucha contra la barbarie medieval; pero sobreentendía que quedaban los enemigos intramuros. Se permitía ironizar contra ellos. Incluso en la ocasión de dedicar al Consejo universitario una edición revisada de los *Himnos,* el único de *libros menores* utilizados por los latinistas principiantes que no metía a los pobres en un abismo de rutina, se disculpa de no haber brindado todavía frutos de su labor profesional a sus colegas: «en parte» dice, «porque entendía que mis estudios resultarían poco gratos a los más de vosotros, y hasta sospechosos y odiosos a algunos». Deseoso sin embargo de imprimir algunos textos de literatura sagrada y eclesiástica depurándolos conforme a su frustrada vocación exegética, se decide a ofrecer al magnífico Consejo de la Universidad («splendidissimo nomini vestro») su revisión de los *Himnos.*

No dudemos de que la fuerza adversa que llevó a Nebrija a verse reo ante la Inquisición había sido la repulsa del dogmatismo misoneísta contra la libertad intelectual de una nueva cultura más ágil, de la que nuestro filólogo era exponente egregio pero aislado, expuesto a las más burdas sospechas. Salió adelante gracias al apoyo de Cisneros. Con algunos años de retraso pudo publicar su *Tertia quinquagena* de notas críticas al texto de la Biblia, que mejoraban la interpretación literal sin rozarse con ninguna controversia dogmática.

Mucha mayor dimensión iba a alcanzar el conflicto entre el humanismo español y sus adversarios tradicionalistas dos decenios más tarde, cuando su corriente más vigorosa, inspirada en Erasmo de Rotterdam, pudo ser denunciada como precursora y cómplice de Lutero, contra cuya herejía se movilizaban todas las fuerzas católicas adversas a cualquier revisión de las creencias y prácticas tradicionales, o de la cultura universitaria en que se apoyaban. Ya antes de que sonara el nombre de Lutero, la crítica alada lanzada por Erasmo contra las viejas disciplinas en su paradójico *Elogio de la Locura* puesto en boca de la locura misma, había alarmado a un teólogo lovaniense de espíritu moderado como Martin Dorp, incitando a salir en defensa de la nueva cultura cristiana al propio Tomás Moro (futuro mártir del catolicismo en Inglaterra).

Pero en 1516 había acogido el propio papa León X el homenaje de Erasmo que le dedicaba su edición bilingüe del Nuevo Testamento, texto griego anotado y nueva versión latina distinta de la Vulgata, acompañándola con unos manifiestos entusiastas que propugnaban la teología humanística, renovada por el estudio directo de la Sagrada Escritura a ejemplo de los Padres de la Iglesia, cuya tradición se trataba de reanudar relegando al olvido los siglos de la cultura escolástica medieval. Cobraba una actualidad candente el *Enchiridion o manual del caballero cristiano* publicado por Erasmo a principios del siglo para incitar a todos los cristianos a centrar su vida religiosa sobre el conocimiento de la palabra divina, la fe en Cristo, dedicándole un culto de espíritu y desvalorizando todo lo que fuera en la piedad formalismo y devoción exterior. Para Erasmo, fraile exclaustrado, la fe supersticiosa en la observancia de una regla monástica se convertía en ejemplo privilegiado de lo que no tenía derecho de pasar por auténtico cristianismo.

¿Cómo podía la Inquisición, responsable de la defensa de la tradición ortodoxa en España, no alarmarse ante la pujanza conquistadora de la flamante *philosophia Christi,* cuando, entregada ya Alemania a la revolución religiosa, declarada la guerra a las indulgencias de Roma como negadoras de la relación primordial del creyente con su Redentor, se secularizaban y casaban muchos religiosos alemanes, mientras que las universidades de Lovaina, Colonia y París condenaban solemnemente el luteranismo no sin manifestar hostilidad al erasmismo por lo que tenía de afín a la nueva herejía? Replicaban entonces a la censura de los Colonienses contra los estudios hebraicos del humanista Reuchlin las carcajadas de los humanistas proluteranos en sus *Epístolas de los hombres obscuros* ridiculizando la nueva encarnación de la barbarie medieval.

La actuación de la Inquisición española contra el erasmismo es solidaria, inseparable, de la defensa general del catolicismo contra el peligro protestante, o como se decía entonces, los errores de Lutero y sus secuaces. No puede considerarse como puro ardid táctico de la represión inquisitorial contra los discípulos de Erasmo el tratarlos como reos o sospechosos de luteranismo. Nótese que seguía siendo privilegio del erasmismo el que no se fulminara entonces ninguna condena formal contra él, que no sólo León X sino los pontífices siguientes y varios cardenales, amén de muchos prelados cultos en toda la cristiandad, fuesen partidarios de una reforma de la cultura católica y hasta de la devoción cristiana por un espíritu afín al propagado por Erasmo. Por eso no es tan contradictoria como podría parecer a primera vista la actuación —al fin y al cabo indulgente— de la Inquisición frente al erasmismo.

Cuando el *Enchiridion*, en 1527, se difunde en España con creciente éxito, traducido al castellano por un canónigo ilustrado de Palencia, es inquisidor general el arzobispo de Sevilla don Alonso Manrique, bastante amigo del erasmismo para aceptar la dedicatoria de dicha traducción, cuyo contenido prácticamente abona. Téngase en cuenta también la tensión existente entre la Santa Sede y el emperador, cuyas tropas acaban de saquear la Ciudad Eterna en la primavera del mismo año: gracias al apoyo del canciller Gattinama y de Alfonso de Valdés, secretario de la Cancillería, va a firmar Carlos V una carta condenando los ataques contra la persona de Erasmo, documento que, reproducido en latín y castellano al final de varias traducciones de obras erasmianas, parece concederles respaldo oficial. Muchos, entonces, cuentan (como el secretario imperial A. de Valdés) con la posible convocatoria de un Concilio impuesta a la Curia romana por el emperador para reformar la Iglesia. Y en este compás de espera preconciliar, pueden cultivarse al margen del protestantismo actitudes ambigüas como las que Delio Cantimori y su escuela han calificado de nicodemíticas, pensando en el improperio de nicodemitas lanzado más tarde por Calvino contra simpatizantes de la Reforma protestante que se avenían a guardar para sus adentros su creencia reformada y practicar exteriormente el catolicismo, incluso el asistir a la misa anatematizada por los protestantes por rito sacrílego (como Nicodemo —en Jn., 2, 3— visitaba al Señor de noche por no escandalizar a sus hermanos fariseos). Era importante, además, para los erasmistas, el que Erasmo se hubiese distanciado doctrinalmente del luteranismo afirmando el libre albedrío en vez de dar el salto mortal del «siervo albedrío», proclamado por Lutero como fórmula del poder incontrastable de la gracia divina, sin posible admisión de méritos del creyente para su salvación.

Pero, por fuerte que fuese la situación del erasmismo frente a sus impugnadores españoles, era imposible que no se viese denunciado a la Inquisición como luteranismo larvado, sobre todo después del Edicto de 1525 contra los *alumbrados* o *dejados* del reino de Toledo, es decir los secuaces de Isabel de la Cruz y Pedro Ruiz de Alcaraz ya encarcelados y procesados por delaciones que remontaban a 1519 y manifestaban por cierto afinidad más patente que la del erasmismo con el luteranismo en su rechazo del libre albedrío y de las devociones externas.

Sin que la piedad del *Enchiridion* erasmiano enseñara el *dejarse* o abandonarse a la moción divina, cargaba lo bastante el acento sobre la interiorización de la religión y el culto en espíritu para que fuese tentador el denunciarla como variedad de *iluminismo,* herejía ya condenada en España, y no sólo como proluteranismo. Y no es de extrañar que la tropa de choque del antierasmismo se reclutara entre los religiosos mendicantes, franciscanos y dominicos. Ya años antes de lanzar el *Enchiridion* y su lapidaria fórmula (que suavizó el traductor español) *monachatus non est pietas* (ser monje no supone forzosamente piedad auténtica), Erasmo, recién salido del convento de Steyn, había escrito su primer manifiesto en pro de la incorporación de las letras grecolatinas a la cultura cristiana, conforme al programa realizado por algunos Padres de la Iglesia, de san Jerónimo en adelante.

El *Antibarbarorum liber* —así se titulaba con clara intención polémica— rebosaba ironía y hostilidad contra los enemigos del humanismo cristiano, y los identificaba de modo bastante claro con el vulgo de los religiosos ignorantes y retrógrados (cuando el libro, después de permanecer inédito, se imprimió en 1520 en un ambiente ya caldeado por la naciente efervescencia luterana, bastó añadir algunos epítetos como *ptochotyranni* para designar más explícitamente a los frailes mendicantes escogidos por Erasmo como prototipos de «barbarie»). Cuando los religiosos atacaron a Erasmo, en 1526, contraatacaban en realidad; acudían a la defensa de la piedad tradicionalista amenazada por un peligro de mucha mayor amplitud que el representado por la diminuta secta de los *alumbrados* del reino de Toledo, sobre todo al difundirse por la imprenta la traducción castellana del *Enchiridion* dedicada al inquisidor general.

No fue proyecto utópico para los antierasmistas el conseguir un edicto condenando los errores de Erasmo como ya empezó a censurarlos la Sorbona en los *Coloquios*. Los frailes, muchos de ellos predicadores escuchados por el pueblo con simpatía, se desatan, en perfecta consonancia con la piedad popular, contra los aspectos para ellos más escandalosos del humanismo cristiano, especialmente la crítica de las devociones que cultivaban y propagaban ellos en sus sermones: culto de las imágenes de los santos, fe en los milagros obrados por sus reliquias.

Y puestos los frailes conservadores a expurgar las obras de Erasmo y en particular sus *Anotaciones* al Nuevo Testamento, que a veces invocaban autoridades de los primeros Padres de la Iglesia para discutir la antigüedad de los dogmas e instituciones eclesiásticas, les era fácil ordenar un extenso catálogo de los errores erasmianos, y no sólo en materia de culto a la Virgen María, autoridad de los sumos pontífices, ceremonias eclesiásticas, observancias alimenticias y ayunos, celibato eclesiástico, cultura escolástica, indulgencias, veneración de los santos, sus imágenes y reliquias, peregrinaciones a sus santuarios, (es decir todos los temas comunes al erasmismo y al luteranismo), sino que, abusando de observaciones esporádicas, pero convergentes, de Erasmo, acerca de la evolución del cristianismo en su formulación dogmática, le tachaban de las más graves herejías; contra la Trinidad, la divinidad de Cristo y la del Espíritu Santo, contra la inquisición de los herejes, contra los sacramentos del bautismo, de la confesión, de la eucaristía, de la orden, etc...

¿Qué podía hacer el inquisidor general Manrique frente a esta acumulación de supuestos «errores» erasmianos, tan desiguales en gravedad y entidad, sino someter el cuaderno de los frailes al examen de una junta de teólogos escogidos entre los de más autoridad, muchos de ellos profesores de las universidades de Salamanca, Alcalá y Valladolid?

Se conservan las actas de esta junta, que se reunió el 27 de junio de 1527. Al leer los votos de los teólogos que opinaron en sentidos muy diversos sobre los primeros capítulos del cuaderno de «proposiciones» censuradas por los frailes en las obras de Erasmo, se echa de ver que Manrique, al convocar aquella asamblea, había tenido buen cuidado de equilibrar la representación de los antierasmianos con un número por lo menos igual de teólogos simpatizantes o indulgentes a las ideas erasmianas. De modo que cuando al cabo de seis semanas una epidemia ocasionó la disolución de la junta, que sólo había examinado los cargos de mayor gravedad aparente (pues los frailes habían jerarquizado los «errores» empezando por las supuestas ofensas a la dogmática de la Trinidad y al mismo principio de la inquisición de la herejía) parecía inverosímil que la labor de los teólogos desembocara en una condena de Erasmo como heresiarca.

No se lanzó segunda convocatoria para llevar a su término el examen del cuaderno de los frailes. Venció en Manrique y sus consejeros proerasmianos el deseo de no afrentar al gran Roterodamense, que reiteradamente afirmaba su fidelidad a la Iglesia romana. Y cabe suponer que, de haberse acabado dicho examen, el peor resultado que podía derivarse de él para la autoridad del teólogo de Erasmo sería la publicación de una especie de índice expurgatorio, o lista de pasajes que se rogaba al autor suprimiese o retocase para no herir la devoción tradicional; y a lo sumo una prohibición de vender ediciones de sus obras no expurgadas conforme a dicha lista (sabemos que Erasmo había retocado algunos pasajes de sus *Coloquios* censurados por la Sorbona). Pero distaba aún mucho la Inquisición española de intentar técnicas tan sofisticadas de represión, que se adoptarán en la época de Felipe II. Nadie, por lo menos en 1527, pensó seriamente en añadir en el edicto de la fe el nombre de Erasmo a los de los heresiarcas luteranos, cuyas obras nadie podía leer o poseer sin sospecha de herejía.

Sólo algunos años más tarde, al crecer el peligro de infiltraciones luteranas en España empezó la Suprema a mencionar a Erasmo junto a Lutero, de modo accidental; y cita A. Redondo [1] un documento de 9 de enero de 1536 en que se manda a los inquisidores de Valencia, con motivo del prendimiento de un luterano, se haga «diligencia para saber si tiene libros de Luthero o de sus secuaces *o de Erasmo*». Ya había sido publicada en París la *Determinatio* de los teólogos de la Sorbona contra las obras de Erasmo. Ya hacía tres años que estaba procesado y preso en la Inquisición de Toledo, Juan de Vergara, uno de los más significados erasmistas de España, bajo una inculpación de herejía fluctuante entre iluminismo y luteranismo. El proceso de Vergara, ligado al de su hermano Bernardino Tovar, causó honda emoción entre los humanistas españoles de tendencia erasmiana precisamente porque materializaba el peligro que los amenazaba a todos por la mera fama de herejía difundida en torno al nombre de Erasmo.

He aquí, en efecto, que, bajo la autoridad de un inquisidor general erasmizante, un antiguo colaborador de Cisneros en la empresa de la Biblia Políglota de Alcalá, secretario del entonces arzobispo de Toledo, Alfonso de Fonseca (otro protector del erasmismo), llegaba a ser víctima de delaciones de muy desigual calidad intelectual, las más emanadas de personas obsesionadas por el peligro luterano y que, como el imaginativo sacerdote Diego Hernández, denunciaban a varias docenas de sospechosos, supuestos militantes de una *Cohors sive factio lutheranorum* cuyo caudillo era Tovar: los delitos de Vergara eran conversaciones imprudentes en que el humanista defendía la ortodoxia intachable de Erasmo.

¡Cuánta razón tenía el filósofo irenista Luis Vives de gemir, desde su islote de paz de Brujas, sobre estos «tiempos difíciles, en que no se puede ni hablar ni callar sin peligro»! Lo decía Vives ante la desoladora coincidencia de los procesos españoles contra Vergara y Tovar con los montados en Inglaterra por la tira-

1. A. Redondo, «Luther et l'Espagne de 1520 à 1536», *Mélanges de la Casa de Velázquez*, I, De Boccard, París, 1965.

nía de Enrique VIII contra los católicos que, como Tomás Moro
y Juan Fischer, se negaban a legitimar el divorcio del soberano.
A éstos aludía lo de «callar», a aquellos lo de «hablar».

Es indudable que la tiranía de la Inquisición española estriba
—sin que valieran contra ella las más altas protecciones— en la
terrible dinámica del *edicto de la fe* que intimaba a todos los
fieles la obligación de delatar cualquier indicio de adhesión a cualquiera de las herejías mencionadas en el mismo edicto, y de la
máquina procesal que permitía al fiscal fundar una inculpación en
unas cuantas delaciones.

Así lo daba a entender otro testigo a distancia, el estudiante
Rodrigo Manrique (hijo del inquisidor general), en carta dirigida a su maestro Vives desde París, donde reinaban otras modalidades represivas, al enterarse de la persecución contra Vergara:
«Cuando considero la distinción de su espíritu, su erudición superior y (lo que cuenta más) su conducta irreprochable [...] me
cuesta mucho trabajo creer que se puede hacer algún mal a este
hombre excelente. Pero, reconociendo en esto la intervención de
calumniadores desvergonzadísimos, tiemblo, sobre todo si ha caído en manos de individuos indignos e incultos que odian a los
hombres de valor, que creen llevar a cabo una buena obra, una
obra piadosa, haciendo desaparecer a los sabios por una sola
palabra o por un chiste. Dices muy bien», sigue escribiendo R.
Manrique a Vives, «nuestra patria es una tierra de envidia y soberbia, y puedes agregar, de barbarie».

Ha llegado, pues, la hora en que los «bárbaros», satirizados
por los humanistas desde hace poco menos de dos siglos, disponen en España de una máquina judicial eficaz para hacer siempre
desaparecer, o por lo menos reducir al silencio a los hombres de
valor cuya independencia y superioridad intelectual los molesta.
Es evidente, además, que la coyuntura europea de movilización
antiluterana permite que el celo farisaico de la medianía semi-
culta halle aliados en algunos ortodoxos nada bárbaros que since-
ramente lamentan las imprudencias del gran Erasmo y sus secuaces.

En la apreciación de los calificadores del tribunal toledano de la Inquisición hubo de pesar menos en daño de Vergara la manía delatora del adocenado clérigo Diego Hernández que la dolida denuncia del doctor Pedro Ortiz, teólogo de formación sorbónica, escandalizado por la terquedad con que Vergara sostenía que no se habían hallado errores en Erasmo, ni siquiera en el *De esu carnium* (crítica de las observancias alimenticias del catolicismo), ni siquiera en la *Exomologesis* (crítica del valor trascendente de la confesión auricular).

Llegó a intervenir entre los delatores del acérrimo erasmista otro teólogo de la misma tendencia: el propio benedictino fray Alonso de Virués, traductor de los *Coloquios* de Erasmo al español, que también llegó a ser denunciado y procesado. Además había cometido Vergara el imperdonable delito de burlarse de las normas procesales del Santo Oficio, del secreto de sus cárceles, atreviéndose a corresponder clandestinamente con su hermano Tovar cuando le servía de abogado. ¿Cómo podía no ser condenado hombre bastante independiente para atreverse a ser «impedidor» del Santo Oficio o «fautor» de herejes? Lo fue, en efecto, con moderada severidad, a abjurar *de Vehementi* (de una «vehemente sospecha» de herejía) y a unos años de reclusión que cumplió primero en un monasterio, luego en el recinto de la catedral a cuyo cabildo pertenecía. Sufrió casi cuatro años de privación de libertad entre prisión preventiva y cumplimiento de la pena.

Otras muestras de la represión moderada que ejerció la Inquisición española, siendo don Alonso Manrique inquisidor general, contra los erasmistas más destacados, fueron los procesos de fray Alonso de Virués (ya mencionado como testigo de cargo en el de Vergara) y del anciano Pedro de Lerma, ex-canciller de la Universidad Complutense. Hasta es de notar que los canónigos de Sevilla que desviaron su fundamental erasmismo hasta simpatizar con la doctrina protestante de la justificación por la fe sola, siendo tan influyentes predicadores como Juan Gil y Constantino Ponce de la Fuente, también fueron tratados con relativa longanimidad y clemencia que contrasta con la saña de la represión llevada a cabo contra los supuestos judaizantes. El mismo Índice de libros prohibidos, promulgado en 1559 por el inquisidor general Valdés se contentaba con vedar los libros de Erasmo más discutidos sin prohibir la totalidad de su obra como el Índice romano de Paulo IV.

Sin embargo sería error grave pensar que el humanismo crítico y el erasmismo, después del primer tercio del siglo XVI, gozaron, al amparo de la Inquisición, de un clima favorable en España. Baste recordar los engorrosos procesos que tuvieron que aguantar después de 1572 los ilustres hebraístas de la Universidad de Salamanca, fray Luis de León, Martín Martínez de Cantalapiedra, Grajal, denunciados por colegas suyos teólogos como detractores de la Vulgata eclesiástica de la Biblia y aficionados a las interpretaciones literales rabínicas del Antiguo Testamento con una preferencia que olía a judaísmo. Le costaron al gran fray Luis de León cuatro años de proceso y reiteradas probanzas para que reconocieran los jueces su inocencia y buena fe de filólogo y le dejaran por fin salir absuelto de la cárcel. No se olviden tampoco las persecuciones que padeció en su vejez, a últimos del siglo XVI, el mayor gramático-lingüista que enseñó en la España renacentista, Francisco Sánchez de las Brozas. Así le hicieron pagar al Brocense la independencia de su doctrina filológica frente a la escolástica trasnochada y las irreverencias de tono erasmiano con que se burlaba de frailes incultos.

Aunque ninguno de los grandes humanistas perseguidos fue condenado al fuego, nadie puede encogerse de hombros diciendo que no llegó la sangre al río, o pensar que estas persecuciones apenas hicieron mella en la vida social e intelectual de España. Sigamos escuchando las reflexiones que resumía el estudiante Manrique para su maestro Vives, el gran desterrado, acerca del proceso de Juan de Vergara, contentándose con aludir al peso del sistema inquisitorial sin mencionarlo por su nombre. «En efecto, cada vez resulta más evidente que ya nadie podrá cultivar medianamente las buenas letras en España sin que al punto se descubra en él un cúmulo de herejías, de errores, de taras judaicas. De tal manera es esto que se ha impuesto silencio a los doctos, y a aquellos que corrían al llamado de la erudición, se les ha inspirado, como tú dices, un terror enorme. Pues ¿para qué te hago toda esta relación? El pariente de quien antes te hablaba me ha contado que en Alcalá —donde él ha pasado varios años—, se hacen esfuerzos por extirpar completamente el estudio del griego, cosa que muchos, por otra parte, se han propuesto hacer aquí en París. Quienes sean los que emprenden esa tarea en España, tomando el partido de la ignorancia, es cosa fácil de adivinar.»

Es muy cierto que los «colegios trilingües», dondequiera que se fundaron —Alcalá o Salamanca, Lovaina o París— tropezaron con la hostilidad de los teólogos conservadores, que no sin razón veían en el humanismo crítico del estudio de las lenguas y de la nueva filología bíblica un peligro para el dogmatismo tradicional.

En París, en 1534, corrían peligro las cátedras de lenguas de los lectores regios, núcleo del futuro Colegio Real, hoy Colegio de Francia. Pero poco después amparaba el rey otra vez a sus lectores. Y a través de peripecias, con altibajos, en Francia y otros países occidentales, se dio un aprendizaje progresivo de los métodos críticos y de la tolerancia. Lo fatal, en España, fue la inexorable eficacia del sistema inquisitorial, organizado para suscitar delaciones en las que los más cerrados solían ser delatores de los más doctos y abiertos a la novedad, y, a base de palabras imprudentes, promover procesos de los que surgían otras delaciones, base de otros procesos.

De ahí nació lo que H. Kamen llamó «la ley del silencio», el miedo paralizante, que enrareció el ambiente intelectual favorable a la crítica humanista, cuna de toda investigación moderna libre en todos los ramos del saber. Tampoco se debe perder de vista que el miedo a la Inquisición no fue sólo miedo a la hoguera o a la cárcel, aunque éstas formaban el horizonte siniestro del cual huyeron muchos —especialmente cristianos nuevos como Vives— desterrándose voluntariamente.

Las persecuciones inquisitoriales afectaban a la honra de los perseguidos. Ser procesado por el Santo Oficio era «ser infamado en la Inquisición». Ser condenado por hereje equivalía a una mancha hereditaria en la limpieza de sangre de la familia del reo. Pero otra no menor degradación de la dignidad personal y de la sociabilidad, otra no menor disuasión de la investigación libre fueron las resultantes de la obligación permanente de denunciarse unos a otros por delitos de fe.

Desde Nebrija hasta el Brocense, pasando por los hebraístas de Salamanca, se dio siempre el mismo fenómeno desolador de denuncias proferidas contra los maestros más eminentes por colegas rutinarios o estudiantes chismosos. Da grima pensar que el mismo fray Luis de León, víctima de este fenómeno, se dejó ir después a denunciar como heréticas las opiniones sobre la gracia de su colega Báñez, el gran teólogo dominico. Era fácil olfatear en tesis extremadas sobre la gracia posibles derivaciones «luteranas». Y fray Luis se había dejado seducir por opiniones de jesuitas precursores del molinismo que los dominicos, por su parte, denunciaban como afines a la herejía pelagiana.

Esta tendencia tal vez fuera la más tentadora para humanistas propensos a afirmar como Erasmo la libertad humana (Renan, al resumir las famosas controversias *De auxiliis* en torno a los problemas de la gracia divina, se confesaba pelagiano). Lo tremendo era que sobre toda cuestión teológica opinable hubiera no sólo peligro de ser denunciado por hereje, sino también obligación de denunciar al que se consideraba tal.

Un incidente significativo, ocurrido en Salamanca en 1568, poco antes de los procesos de los hebraístas, ilustra la presión de la Inquisición permanente, sin formarse siquiera procesos, contra toda sospecha posible de simpatía por los herejes. Bastó que un ex-rector del Colegio trilingüe que había estudiado en París relatara lo que sabía del éxito de Pedro Ramus, lector regio renovador de la dialéctica antiaristotélico declarado, tachado de «amigo de novedades» y correligionario de los hugonotes, y aludiera a posibles ecos de sus ideas entre españoles, para que el teólogo Francisco Sancho, comisario de la Inquisición en la Universidad de Salamanca, abriera una información acerca de esta terrible influencia de un monstruo de heterodoxia —filosófica y religiosa— como el profesor parisiense que, en plena época de guerra de religión (iba a ser una de las víctimas de la noche de San Bartolomé de 1572), seguía vertiendo su veneno desde su real cátedra.

No faltó entre los testigos quien notara de «aficionado a las obras y doctrina de Pedro Ramus» al «licenciado Francisco Sánchez, regente de latín en el Colegio trilingüe». Hubo de comparecer el Brocense, uno de los pocos maestros salmantinos capaces de dialogar con Ramus y no tuvo inconveniente en declarar que, habiendo publicado una gramática latina que contradecía en algo el arte de gramática del maestro francés, había mandado su libro a éste con la sobria dedicatoria: *Francisco Sanctius Brocensis Petro Ramo dono mittit.* Y por poco chismoso que fuese el Brocense, se vio obligado a indicar que el maestro Grajal, el hebraísta, siendo estudiante en París hacía bastantes años, se había sentado entre los oyentes de Ramus. El propio Grajal se vio llamado a explicarse y procuró recordar los nombres de dos o tres aragoneses y valencianos que también habían «sido aficionados a oírle su doctrina y latinidad» en París cuando nadie, además, cuestionaba la ortodoxia religiosa del debelador de Aristóteles. Tal era, frente a la arriesgada libertad francesa, la exigencia de impermeable ortodoxia del país protegido, hasta la asfixia, por el sistema inquisitorial.

No sirven de nada suposiciones «acrónicas» acerca de cómo podría haber evolucionado, cultural y religiosamente España, en caso de no haberse institucionalizado en ella el mutuo denunciarse obligatoriamente por herejes. Son interesantes las observaciones de Menéndez Pelayo acerca de un pequeño «concilio» de teólogos españoles ocasionado por los «errores» de Pedro de Osma (maestro admirado de Nebrija) acerca de la confesión, dos años antes de crearse la Inquisición española. Aunque el reo puede ser considerado retrospectivamente como «el primer protestante español» y el procedimiento seguido contra él tiene analogías con algunos de la Inquisición (en particular con la junta que examinó en 1527 las opiniones de Erasmo sospechosas de protestantismo) se vio una libre discusión de las ideas de Osma, dando pareceres benignos algunos de sus «colegas» de Salamanca, y no mostrando «la menor animosidad personal» los más decididos impugnadores. Claro que era muy distinta de la coyuntura de movilización antiluterana la de 1478, en la que resultó condenada la heterodoxia de Osma como «un hecho aislado», «voz perdida de los wiclefitas y hussitas en España...; le elogiaba años después Antonio de Nebrija». Añado yo que no recayó sobre él nota infamante.

Una vez montado el sistema de la obligatoria delación mutua y del procedimiento judicial infamante, simbolizado por los *sambenitos* de los autos de fe, era fatal que se degradara y empobreciera en gran medida el ambiente intelectual. Hizo falta valor y temple espiritual poco común para afirmar los perseguidos, con su apego a la novedad perseguida, la conciencia de la propia valía, y para salir fortalecidos en su fuero interno por la persecución. Esta fortaleza es la que expresó el gran fray Luis de León al adoptar su emblema del árbol podado con el lema horaciano varias veces parafraseado por él, *ab ipso ferro*.[2] Puso en la portada de varios libros suyos entre otros *Los nombres de Cristo* (1583), este emblema de la encina «desmochada con hacha poderosa, que de ese mesmo hierro que es cortada cobra vigor y fuerza renovada».

A fines del siglo pasado (1895) se acordó Unamuno de tan expresiva imagen al enjuiciar la Inquisición, en sus ensayos *En tono al casticismo* (V) como «instrumento de aislamiento de proteccionismo casticista, de excluyente individualización de la casta... Impidió que brotara aquí la riquísima floración de los países reformados donde brotaban sectas y más sectas, diferenciándose en opulentísima multiformidad. Así es que levanta hoy aquí su cabeza calva y seca la vieja encina podada». Algunas páginas antes decía Unamuno del Santo Oficio, «más que institución religiosa, aduana de unitarismo casticista. Fue la razón raciocinante nacional ejerciendo de Pedro Recio de Tirteafuera del pobre Sancho. Podó ramas enfermas, dicen, pero estropeando el árbol... Barrió el fango... y dejó sin mantilla el campo».

2. *Od.*, IV, 4, vv. 57-60.

9. J. L. VIVES, REFORMADOR DE LA BENEFICENCIA*

Hoy en día ya no es posible cometer el error de considerar el *De subventione pauperum* de Vives como la fuente del reglamento de caridad de Ypres y el origen de todo un movimiento reformador. Está demostrado[1] que la reforma de Ypres (1525), que se anticipa aproximadamente en seis meses al libro de Vives, tiene por precedentes inmediatos las de las ciudades del oeste germánico, Nuremberg (1522) y sobre todo Estrasburgo (1523). Por poco que se reflexione sobre ello, se advertirá que no es natural que ciudades acostumbradas a gobernarse por sí mismas permanezcan ciegas a un problema de interés vital hasta que aparezca un filósofo dispuesto a servir de Licurgo. Las ciudades mercantiles, en esta época en la que el estado monárquico moderno tiene aún muy poco poder sobre la sociedad, asumen múltiples funciones. Abren nuevos caminos. Sobre su iniciativa en materia de reforma de la beneficencia, contamos con un testimonio contemporáneo de primer orden, pero al que se ha prestado muy poca atención, el de Erasmo. Ya es sabido que el volumen de sus *Coloquios* fue creciendo al ritmo de los hechos y de las discusiones del momento. Los años 1523 y 1524 fueron

* «J. L. Vivès, réformateur de la bienfaisance», *Bibliothèque d'Humanisme et Renaissance*, XIV (1952) [Mélanges Augustin Renaudet], pp. 141-158.
1. Cf. P. Bonenfant, «Les origines et le caractère de la réforme de la bienfaisance publique aux Pays-Bas sous le règne de Charles-Quint», *Revue Belge de Philosophie et d'Histoire*, V, n.º 2 (1926), pp. 887-904, y VI, n.º 1 (1927), pp. 207-230.

en este sentido particularmente fecundos. Ahora bien, entre los seis coloquios nuevos añadidos en agosto de 1524, la πτωχολογία (*Diálogo de los mendigos*), divertido a la manera de una novela picaresca, se refiere a la gran ofensiva que está en curso contra la mendicidad.[2]

El mendigo Irides (cuyo nombre evoca el antepasado homérico y los títulos de nobleza de la corporación) casi no acierta a reconocer a su antiguo compañero Misoponus (el Enemigo del trabajo), hasta tal punto ha cambiado de indumentaria y de aspecto.

I.   Cuando eras de los nuestros estabas cubierto de pústulas.
M.   He acudido a un médico que es un buen amigo mío.
I.   ¿Cuál?
M.   Yo mismo. ¿Qué mejor amigo quieres que tenga?
I.   Ignoraba tus conocimientos médicos.
M.   Yo mismo me había pegado estos adornos, con gran cantidad de colores, incienso, azufre, resina, liga, paños y sangre. Cuando me ha parecido oportuno me he quitado lo que me había puesto.

Misoponus justifica su metamorfosis. Después de haber reunido mendigando un pequeño capital de cuatro ducados de oro, gracias a las lecciones de un compadre se ha convertido en alquimista fraudulento. ¡Gran cosa la de enseñar a las gentes, mediante dinero, a fabricar oro! Pero Irides no queda deslumbrado. Para él el oficio de mendigo profesional es aún mejor.

I.   [...] Tanto en paz como en guerra vivimos seguros. No nos alistan para el servicio militar; no nos llaman para cargos públicos; no estamos empadronados: cuando despellejan al pueblo a fuerza de impuestos, nadie se acuerda de nosotros. Si cometemos una fechoría, ¿quién va a llevar a un mendigo ante el juez? Incluso si golpeamos a alguien, se avergüenzan de reñir con un mendigo. Los reyes no viven tranquilos ni en la paz ni en la guerra: cuanto más grandes son, más enemigos tienen a quienes temer. Pero como por una consagración divina, el pueblo siente escrúpulos antes de ofendernos.

2. Preserved Smith, *A Key to the Colloquies of Erasmus* (Harvard Theological Studies, XIII), Cambridge, 1927, p. 36.

M. Pero eso no os libra de pudriros en vuestros andrajos y vuestras chozas.

I. ¿Qué importa eso para la verdadera felicidad? Estas cosas de las que hablas son exteriores al hombre. Debemos nuestra felicidad a estos andrajos.

M. Pues me temo que no tardéis mucho en verla amenazada.

I. ¿Y por qué?

M. Ya las ciudades preparan en la sombra un régimen en el que los mendigos no tendrán libertad de vagabundear por donde les plazca, sino que cada ciudad alimentará a sus propios mendigos, y los que estén sanos se verán obligados a trabajar.

I. ¿Y por qué traman tales cosas?

M. Porque saben que se cometen grandes fechorías detrás de la pantalla de la mendicidad. Y además porque pueden imputarse graves perjuicios a vuestra corporación.

I. He oído hablar muchas veces de ese género de historias. Veremos eso por las calendas griegas.

M. Tal vez antes de lo que quisieras.

Esta frase final tiene un sentido muy claro. Erasmo, por boca de Misoponus, se hace eco de la gran amenaza de las *civitates* contra los vagabundos. No, decididamente no fueron las reflexiones de un filósofo las que dieron el primer impulso a las reformas de los ediles. Pero, una vez admitido esto, hay que volver a Vives, intérprete excepcional del espíritu de las ciudades que por aquel entonces empiezan a moverse para organizar la beneficencia pública y perseguir a los mendigos sospechosos. En él se encuentran los tres componentes que el magistral análisis de Pirenne veía en la génesis de este movimiento en los Países Bajos.[3] Vives, el gran español trasplantado a Brujas, dedica el *De subventione pauperum* al municipio de su patria de elección. Homenaje lleno de significado. Él encarna mejor que nadie, con su maestro Erasmo y su amigo Tomás Moro, las aspiraciones del humanismo cristiano, tan vivas en este ambiente, los deseos de una reforma intelectual, moral y religiosa. Por otra parte, su mentalidad puritana y laboriosa es la de la burguesía mercantil en cuyo seno se ha casado en la misma Brujas; sus ideas concuerdan con las del capitalismo na-

3. H. Pirenne, *Histoire de Belgique,* III.

ciente, que no puede desarrollar sus empresas sin mano de obra
y que sueña con la prosperidad por medio del trabajo. Finalmente,
aunque sin ser un legista al servicio de la «república», tiene un
sentido lo suficientemente vivo del estado municipal como para
simpatizar con los ediles que aspiran a controlar ciertos intereses
particulares para el bien común.

No hay que perder de vista esta posición de Vives si se quiere
abordar convenientemente su libro. Es más innovador en el fondo
que revolucionario de tono. El lector moderno encuentra sus páginas inofensivas y puede extrañarse de que hubiese olido a herejía.
Pero así fue. El *De subventione pauperum* había sido tan bien
acogido en 1526 que se reimprimió al cabo de pocos meses junto
con una carta y unas anotaciones del cartujo Jean Moyard. Pero
en 1527 es atacado. Vives escribe el 16 de agosto a su amigo
Cranevelt: «El obispo de Sarepta, vicario del obispo de Tournai,
hombre docto en letras latinas y muy versado en la antigua literatura de nuestra religión, ha atacado con fortísimas críticas mi
librito sobre los pobres. Lo declara herético y fautor de la facción
luterana; parece ser que amenaza con denunciarlo».[4] El acusador
se llama fray Nicolás de Bureau. Este hombre docto, adversario no
poco temible, viste el hábito franciscano. ¿Acaso por ser un fraile
mendicante se ha alarmado ante la reforma de la limosna, aunque
se tranquilizó posteriormente? No se sabe muy bien. En cualquier
caso, abandona la cuestión y Vives respira aliviado. ¡Gracias a
Dios, su libro es prudente! «Salvo error, no veo ni un solo pasaje
de este libro que pueda dar pie a acusaciones, ni siquiera por el
calumniador más desvergonzado y ante los jueces peor predispuestos. *Había tomado todas las precauciones* para evitar lo que pudiese contrariar el beneficio que de él esperaba para numerosos
millares de hombres»[5] ... *Id cavi sedulo*. Para quien conoce sus
cartas íntimas a Cranevelt, resulta evidente que Vives había tomado una precaución radical. Él, que no mira con buenos ojos a
«los sempiternos frailes mendicantes» (οἱ εἰωθότες ἀδελφοί

---

4. H. de Vocht, *Literae virorum eruditorum ad Franciscum Crane-*
veldium (1522-1528), Lovaina, 1928, p. 633.
5. Ibid., p. 636 (1.º de octubre de 1527).

πτωχοί),[6] se abstuvo cuidadosamente de relacionar el problema de la mendicidad en general con el de la mendicidad de las órdenes religiosas. Semejante circunspección contrasta con la falta de miramientos de un Cornelius Agrippa en su tratado *Sobre la incertidumbre y vanidad de las ciencias y de las artes,* publicado sin embargo en un país católico (Amberes, 1530). Este aventurero del espíritu denuncia a los mendigos vagabundos, sus imposturas, sus fraudes; luego ajusta las cuentas a los gitanos; pero no termina su capítulo de los mendigos sin ocuparse de los frailes. ¡Y qué implacable requisitoria contra los frailes pedigüeños, vendedores ambulantes de reliquias y de indulgencias, contra los frailes intrigantes que conquistan la confianza de las familias, que reinan en el púlpito, imponiéndose incluso a los papas y a los reyes! Agrippa, al nombrar a Richard d'Armagh, evoca la gran campaña del siglo XIV contra las órdenes mendicantes.[7] Pero escribe con los ojos puestos en la realidad, no inspirándose en una tradición libresca. Era difícil tratar con una jovialidad más feroz «esta bellaquería religiosa y devota».[8]

El mutismo del prudente Vives sobre esta materia, ¿basta para que su libro tranquilice a sus lectores? El hecho mismo de que no diga ni una palabra de los frailes para excluirles, ¿no es muy sospechoso? Fue en la herética Alemania, como sabemos, donde nació el movimiento del que se hace el adalid. Una vez más las *Literae ad Craneveldium* nos ayudan a reconstruir el ambiente en el que escribe Vives. El neerlandés Gerardo Geldenhouwer cuenta al pensionario de Brujas lo que le ha admirado durante su visita a Estrasburgo apenas unos meses después de la publicación del *De subventione pauperum.* La gran ciudad alsaciana, a la que Ypres al parecer tomar parcialmente como modelo, es entonces el núcleo más brillante de la reforma luterana. Allí florece el humanismo trilingüe. Cotidianamente enseñan el Evangelio en toda su sen-

6. Ibid., p. 616.
7. Cf. G. Meersseman, O.P., «La défense des ordres mendiants contre Richard Fitz Ralph, par Barthélemy de Bolsenheim, O.P. (1357)», *Archivum Fratrum Praedicatorum,* V (1935), pp. 124 ss.
8. Como dice el traductor francés de Cornelius Agrippa, L. de Mayerne Turquet (ed. s.l., 1608; véase todo el largo pasaje sobre los frailes mendicantes, fols. 217v ss. La primera ed. de esta traducción es de 1582).

cillez, Capiton, Gaspar Hedion, Mathieu Zell, Othon Brunfels, Martin Butzer. François Lambert d'Avignon acaba de pasar por allí, y también Lefèvre d'Etaples. Ahora bien, Estrasburgo ofrece a Geldenhouwer otras novedades: «Allí nadie pide limosna; los pobres itinerantes son alojados un día y una noche a costa del municipio; luego, a menos que una enfermedad se lo impida, son obligados a irse con un vaso de vino blanco como viático. En cuanto a los pobres de la ciudad reciben justo con que vivir decentemente según la situación de cada cual; y todo ello está administrado de buena fe a cargo de los fondos públicos. Las blasfemias, los juramentos, los alborotos, la embriaguez y el juego de dados están prohibidos por edicto».[9]

Supresión de la mendicidad, organización de la beneficencia, reforma de las costumbres, predicación del Evangelio... todo obedece a un plan coherente en esta experiencia concreta. ¿No es algo como para atraer a un Vives tanto como a un Geldenhouwer? Atrevámonos a plantear la cuestión y a reconocer que tantas novedades juntas constituían una profunda revolución. Es posible que ni los burgueses de Ypres y de Brujas ni su portavoz Vives no concibieran la supresión del mendigo como algo que acarrease también la desaparición del fraile mendicante. Es posible que no concibieran la reforma de las costumbres como exigiendo el fin del celibato obligatorio de los sacerdotes. Es posible también que estos corolarios, tranquilamente aceptados por Erasmo,[10] tampoco les asustasen. Fuera cual fuese su interés por distinguirse de la herejía, todos se encaminaban hacia lo que puede llamarse un estado de cosas protestante.

En el *De subventione pauperum* las proposiciones fundamentales disimulan tan bien sus aristas, se envuelven tan hábilmente en

9. H. de Vocht, *op. cit.,* p. 515.
10. Sobre la libertad de los clérigos para casarse, admitida por Erasmo en su *Epistola apologetica de interdicto esu carnium* (1522), cf. A. Renaudet, *Études érasmiennes (1521-1529),* París, 1939, p. 41. Véanse no obstante las ácidas ironías de Erasmo a propósito de la propensión al matrimonio de los buenos predicadores evangélicos de Estrasburgo (Carta a Gaspar Hedion, 1524) en *Opus epistolarum Erasmi,* Ep. 1459, ls. 86-101, Allen, V, pp. 482-483. Erasmo también discute aquí el caso de los monjes exclaustrados (ls. 109-110): «Certe multos alebat cuculla, qui nunc veniunt in periculum ne magistra egestate discant tollere unde non oportet».

consideraciones generales y en disposiciones de detalle, que es muy fácil que no resalten con la necesaria claridad.[11] La experiencia de Estrasburgo las aclara, así como también las recriminaciones, de los ortodoxos. No cabe la menor duda de que hay unas proposiciones concretas que son la razón de ser de este libro. El tema que abordaba —la extinción del pauperismo, como dirá el siglo XIX— desde luego tenía el alcance suficiente como para poner en tela de juicio la estructura económica de la sociedad al mismo tiempo que su moral. Vives dedica toda su primera parte al deber de ayuda mutua y de beneficencia de los cristianos, y veremos hasta dónde llega en este aspecto, con su voluntad de tratarlo según la filosofía de la Escritura, no según la casuística de la limosna. Antes de exponer su plan de reforma municipal, hace consideraciones sobre los necesitados, la división del trabajo, el reparto de los bienes, la moneda, las diferentes maneras de caer en la pobreza. Pero en todos estos puntos se limita a comentarios sumarios. Vives, que al tratar de las obligaciones del cristiano, critica los estragos que causa la distinción de lo *mío* y de lo *tuyo*, y habla de la comunidad de los bienes naturales, en modo alguno funda sobre estas bases una concepción socialista o comunista. Más tarde, en el *De communione rerum apud Germanos inferiores*, incluso hará un alegato sistemático contra el comunismo con ocasión de la revolución anabaptista de Münster. Aquí, donde establece con imparcialidad las responsabilidades de los ricos y de los pobres, se contenta con señalar el peligro de guerra civil que constituye el rencor de los pobres sin medios para alimentar a sus hijos hambrientos mientras los ricos insolentes rebosan de todo y lo reparten entre sus bufones, sus concubinas, sus perros, sus mulas y sus caballos.[12] Pero si evoca de este modo, a manera de telón de fondo, todo el problema de la justicia social, en seguida advertimos que los principales personajes en los que piensa son los mendigos callejeros y, accesoriamente, los que reciben albergue en los asilos; es mucho más breve al tratar de los pobres vergonzantes.

11. Quedan ahogadas en el análisis de A. Bonilla, *Luis Vives y la filosofía del Renacimiento,* Madrid, 1903, pp. 493-509.

12. Remitimos a la edición Mayans de Vives, *Opera,* IV, pp. 420-494. Véase p. 465.

Nullus ibi mendicat, escribía Geldenhouwer, reconfortado por el espectáculo de la reformada Estrasburgo. Uno de los rasgos que más sobresalen del *De subventione pauperum* es el horror moral y físico que experimenta Vives ante la mendicidad profesional. Los mendigos son, a sus ojos, los peores enemigos de la beneficencia. ¿Cómo es posible que sus vicios no hagan que el pueblo cristiano se aparte de la práctica de la limosna? Gentes ingratas cuyos hijos, aun después de haber sido acogidos en la niñez por almas buenas, huyen robando a su bienhechor, si no pagan los beneficios recibidos con la insolencia. Mendigos importunos, desvergonzados, que mendigan durante la misa, turbando hasta el recogimiento de la elevación. Mendigos repugnantes que introducen en la apretada muchedumbre de los fieles el horror y el hedor de sus pústulas. Mendigos engañosos que conservan con todo cuidado llagas repelentes, y arrastran tras ellos a niños prestados o robados para inspirar compasión. Mendigos ricos gracias a su oficio, que piden limosna a gentes mucho más pobres que ellos, y que, como el Irides de Erasmo, no cambiarían de actividad por nada del mundo. Mendigos avaros que acumulan dinero y en cuya casa se encuentran por casualidad después de su muerte fortunas bien escondidas. Mendigos pródigos y libertinos cuyas mujeres se prostituyen; frecuentadores de tabernas, glotones que para disponer de capones, pescados exquisitos y buenos vinos, gastan más fácilmente un doblón que los ricos un real. Mendigos groseros cuyas comidas son más ruidosas que riñas de rufianes y mujerzuelas. Mendigos ladrones y asesinos. Mendigos impíos a quienes no se les cae de la boca los nombres de Dios y de los santos, que se jactan de ser los «pobres de Jesucristo», pero a quienes no se ve nunca ir a misa ni escuchar un sermón.[13]

Cuando Vives atrae la atención de los magistrados sobre este absceso purulento que es el mundo de los pobres profesionales, en lo que dice hay que ver algo más que una metáfora. Desde luego es el puritanismo burgués el que expresa por sus labios su indignación ante la inmoralidad de una chusma cien veces más ávida de goces que los posedentes, cínicamente derrochadora de

13. *Ibid.*, pp. 434-436.

un dinero que no ha ganado con su trabajo. Vives manifiesta también su angustia ante un grave peligro para la salud pública, su desagrado ante un espectáculo que produce náuseas. «¿Es preciso que los días de fiesta sólo se pueda entrar en la iglesia entre dos hileras o dos escuadrones apretados de enfermedades, de tumores pútridos, de llagas y de otros males en los que hasta los nombres son insoportables, y que éste sea el único camino por donde deben pasar niños, doncellas, ancianos y mujeres encinta?» Se necesitaría una resistencia de hierro, gime el sensible Vives, para soportar esta visión sin desfallecer, sobre todo cuando se está en ayunas para recibir la comunión. Sobre todo teniendo en cuenta que las úlceras no sólo se exhiben ante vuestros ojos, sino que se acercan a vuestra nariz y a vuestra boca, que casi llegan a tocar.[14]

Vives ha sentido esta basca con todos sus nervios de hombre delicado. El doctor Marañón diagnostica retrospectivamente en él un temperamento de artrítico dividido entre la atracción de las cosas apetecibles y la necesidad de abstenerse de ellas. Parece ser que esta oscilación entre «querer y no poder» es propicia al humor.[15] Pero el humor de Vives —que aparece en otros textos que no son nuestro libro— se insinúa sobre un fondo de melancolía casi dolorosa que se transparenta bien en su mejor retrato.[16] Los delicados son desdichados. Se sufre cuando se está dotado de una sensibilidad muy exigente en materia de limpieza, fácilmente ofendida por los ruidos, los olores, las sutiles influencias del aire y de la luz. Asqueado por la «roña» universitaria, tanto daba que fuese la de Lovaina como la de Alcalá, incapaz de acostumbrarse a los climas tristes de Oxford y de Londres, Vives sólo había encontrado su equilibrio en Brujas, la ciudad «amiga del hombre», la ciudad mercante ya herida de muerte por la competencia de Amberes y bañada de silencio por sus canales, bajo un

---

14. Ibid., p. 466.
15. G. Marañón, *Españoles fuera de España,* Col. Austral, n.º 710, Madrid, 1947, pp. 99-110.
16. El retrato grabado por Ph. Galle (cf. M. Bataillon, «Philippe Galle et Arias Montano. Matériaux pour l'iconographie des savants de la Renaissance», *Bibliothèque d'Humanisme et Renaissance,* II (1942), p. 141.

cielo en el que las brumas viven en paz con el sol.[17] Parece no haberse sentido en su elemento más que en el mundo acomodado y austero del comercio cosmopolita al que pertenecía por su matrimonio. El español de Brujas habló en el *De subventione pauperum* en nombre de esos seres mucho más escrupulosos que regalones, divididos entre los negocios y la devoción, observando en sus viviendas relucientes esa minuciosa pulcritud de ropa y de alma que evocan los retratos que de ellos pintaron Van Eyck y Quentin Metsys.

¿Cómo se resume la operación de limpieza que va a purificar la ciudad? Mientras los indigentes que tienen una residencia confesable deben inscribirse en un registro en la parroquia de su domicilio, con todos los datos deseables acerca de sus necesidades y sus antecedentes, los mendigos callejeros, los de la corte de los milagros, tendrán que comparecer ante un gran consejo de revisión que Vives sólo concibe al aire libre, ya que no debe admitirse que semejante turba inficione el ayuntamiento con su presencia. Se registrarán por un lado los mendigos sanos, por otro los enfermos, que, para terminar con los fraudes, tendrán que comparecer ante una comisión asesorada por un médico.[18] Por lo demás, para todos la solución del problema social que plantean será la misma: ponerlos a trabajar.

«Adigantur ad laborem», decía Erasmo. Exigencia más severa respecto a los pobres que habían caído en la miseria por la pendiente del vicio: a éstos se les reservarán los trabajos más duros y peor pagados, a fin de someter sus pasiones a una cura de ascetismo. Pero exigencia sin excepción, ya que no se excluye ni a los lisiados ni a los incurables ni a los viejos. Vives enumera con visible complacencia los múltiples trabajos que pueden realizar los ciegos. No sólo ciertos estudios y la música están a su alcance, sino que los hombres pueden manejar tornos o prensas, accionar fuelles de forja, confeccionar cajas, jaulas, cestos; las mujeres pueden hilar y devanar.[19]

17. Cf. M. Bataillon, «Du nouveau sur J. L. Vivès», *Bulletin Hispanique*, XXXII (1930), pp. 99-102.
18. Vives, *Opera*, IV, p. 470.
19. *Ibid.*, p. 474.

En Vives hay como una especie de utopía del trabajo, pero muy distinta de la de Tomás Moro. Éste imagina un orden socialista que, desde luego, eliminaría al ocioso, pero reduciría el esfuerzo de cada ciudadano a seis horas de trabajo diarias para la comunidad, dejando un amplio margen al trabajo libre o a la actividad desinteresada del cuerpo y del espíritu. El orden concebido por Vives, de inspiración más pesimista, nunca pierde de vista la ley del trabajo, que está de acuerdo con la maldición del Génesis, con el precepto de san Pablo y con lo que conviene a la naturaleza humana caída. La ociosidad del pobre es para él el mayor peligro, y, si se puede hablar de utopía en este caso, las ilusiones que alimenta consisten en confiar en que el absceso de la ociosidad mendicante se reabsorberá por el trabajo forzado, en postular un equilibrio fácil entre la mano de obra utilizable y las necesidades de la libre empresa: «que a los artífices no les falten oficiales, ni a los pobres les falten oficinas».[20]

En todo eso, el adalid de la moral parece ser también el portavoz del artesanado, y más particularmente de la industria textil de los Países Bajos. Ésta no conocerá la amenaza del paro gracias al trabajo de los inútiles. «Los que trabajan en lana, en la población o lugar de Armenter, o por mejor decir, los más de todos los artífices, se quejan de la escasez que hay de oficiales; los que tejen las ropas de seda, en Brujas conducirían y admitirían a cualesquiera muchachos solamente para hacer girar y rodar ciertos tornillos o ruedecillas, y darían a cada uno diariamente hasta la moneda llamada estúfero, más o menos, fuera de la comida.» Estas líneas suenan como una oferta de trabajo. En cualquier caso, éste es el resumen de una situación a la que Vives no veía salida si no se procedía a abolir la mendicidad: «Y no pueden hallar quien lo haga, a causa de decir sus padres que de andar mendigando llevan a su casa más ganancia».

Las autoridades deberían ocupar en el taller de cada artesano a un cierto número de pobres que no tuviesen medios para poseer

20. Ibid., pp. 472-473. Esta fórmula, que subraya la intención de las medidas preconizadas por Vives, fue añadida por el traductor español del siglo XVIII (traducción reimpresa en la Biblioteca de Autores Españoles de Rivadeneyra, LXV, *Obras escogidas de filósofos*, p. 282b).

un taller propio. Los buenos trabajadores se convertirían con el tiempo en artesanos. Para proporcionar trabajo a los talleres nuevos y a los que empleasen mano de obra impuesta por la ciudad, habría que encomendarles muchos encargos municipales: éstos son muy variados, y van desde los sastres y los imagineros, hasta los contratistas de obras públicas que construyen «cloacas o lugares comunes, fosos o edificios». Todos los trabajos necesarios a los asilos deberían también incluirse en este sector, de modo que el dinero de los pobres ayude a vivir a los pobres que trabajan.

Este esbozo de organización supone, entre los talleres y los asilos, una institución acerca de la cual Vives no se extiende mucho, pero que recuerda a los «centros de mendicidad» fundados por Napoleón, y que Stendhal[21] nos describió bajo la Restauración como explotados por los puntales del régimen: «Los que no hubieren sido aún destinados a alguna casa o amo, sean alimentados por un poco de tiempo en alguna parte de las limosnas que se recogen; pero entre tanto no omitan el trabajar, no sea que por el ocio aprendan la desidia; en la misma casa se dará comida o cena a los verdaderos pobres sanos que van de camino, y algún poco de viático o pequeño socorro cuando bastare hasta la ciudad más cercana por donde hacen su viaje». En esta segunda función del centro de mendicidad se reconoce un rasgo que había llamado la atención de Geldenhouwer en la organización estrasburguesa. La gran selección de mendigos debe, no sólo permitir a la ciudad separar a los pobres legítimos de los pobres abusivos, sino también distinguir a sus hijos de los intrusos. Los mendigos sanos que no son indígenas del lugar, deben ser devueltos a su ciudad o a su pueblo de origen. Esta expulsión, observa Vives, está de acuerdo con el derecho civil. Entregar a los forasteros un modesto viático es un deber de humanidad, además de una medida de prudencia, ya que no hay que empujar a esas gentes a que roben por los caminos. Pero la ciudad tiene el derecho y el deber de desembarazarse de ellos. Vives sólo señala una excepción a este

21. En *El rojo y el negro*.

egoísmo sagrado: el deber de acoger a los refugiados que procedan de lugares asolados por la guerra.[22]

Esta organización es muy parecida a la que el Misoponus de Erasmo anunciaba en sobrias fórmulas: «ne mendicis liberum sit quolibet evagari, sed unaquaeque civitas suos alat mendicos, et in his qui valent adigantur ad laborem». Todo el sistema expuesto por Vives tiende, sin que él lo diga en ninguna parte de un modo rotundo y agresivo,[23] a la supresión radical de la mendicidad. Implica, junto con la severa ley del trabajo para todos, una reforma no menos severa de los hospitales, es decir, de los asilos. Dentro del gran debate secular, especialmente vivo en el siglo XVI, que opone a adversarios y a defensores de la mendicidad, Vives se sitúa resueltamente entre los primeros, los que querían encerrar a los tullidos e incurables sin recursos entre las paredes de un hospital, o al menos prohibirles la libertad mendicante en la que Irides encontraba tantos atractivos. Los historiadores españoles se inclinan a ver en el autor del *De subventione* al precursor de los Miguel Giginta y los Cristóbal Pérez de Herrera, fundadores de asilos originales para mendigos. Pero (se olvida o se ignora) que estos asilos no prohibirán la mendicidad a sus asilados: dando albergue a verdaderos pobres, organizan su mendicidad, ya sea permitiendo que cada cual se quede con las limosnas recibidas, ya sea haciendo pordiosear con un cepillo para la comunidad. Nada semejante podía ser imaginado por Vives, que aspiraba a la supresión de la mendicidad, no a su depuración. Aunque los asilos que él concebía no eran cárceles, sí eran lugares de los que sólo se salía para ir al taller. No vemos que se esforzase demasiado para multiplicarlos. Como máximo prevé la fundación de algunos hospitales nuevos para los enfermos pobres, sobre todo para los contagiosos. Una ciudad al obrar así imita a la naturaleza o a los constructores de naves, que disponen una cloaca o sentina

22. Vives, *Opera*, IV, p. 471. En este punto, como sin duda en otros, Vives parece inspirarse en el reglamento de Ypres, del que fray Domingo de Soto discutirá la disposición general que veda la entrada en la ciudad a los pobres forasteros (cf. Bonilla, *op. cit.*, p. 508).
23. Salvo quizás en una corta frase de su conclusión (Vives, *Opera*, IV, p. 492: «Decus civitatis ingens, in qua nemo visetur mendicus»).

para aislar los residuos. El enfermo que sane saldrá de la sentina social para volver a su lugar de trabajo, a menos que no prefiera quedarse con sus hermanos de infortunio para servirles.[24]

La tesis general de Vives es que los asilos existentes deben bastar para las necesidades de los pobres auténticos. En este sentido, el *De subventione pauperum* contrasta con las ordenanzas y los proyectos de su época para la reforma de la beneficencia. Mientras en todas partes existe la preocupación de recoger la mayor cantidad de dinero posible por medio de una especie de suscripción permanente destinada a sustituir la limosna tradicional, Vives sólo admite, como un expediente provisional, cepillos dispuestos ciertas semanas en las principales iglesias. Parece que esta discreta llamada pueda ser mejor oída por el hecho mismo de ser inhabitual. Los hombres caritativos depositarán allí lo que quieran. Vives está convencido de que los habitantes de Brujas darán más gustosos diez «estúferos» a una asistencia bien organizada que dos ochavos a los mendigos. Ya veremos a qué concepto responde esta voluntad de no esperar nunca mucho de la colecta.[25] El aparente optimismo de Vives, que pudiera achacarse a ingenuidad, oculta en el fondo varias ideas no poco audaces, y en primer lugar ésta: que los recursos de las fundaciones caritativas existentes son considerables, y que ello se advertirá si pasan a ser administradas por una organización municipal independiente para sacar el mayor rendimiento posible. Geldenhouwer, resumiendo el sistema asistencial de Estrasburgo, añadía: «et omnia haec bona fide e publico administrantur». No nos extrañemos si con el tiempo, el control de los hospitales por el municipio aparece como el rasgo revolucionario por excelencia de las concepciones de Vives.

Precisamente fue en Brujas donde, veinte años después de la muerte de Vives, rebrotará la querella de la beneficencia. Un

---

24. Ibid., p. 475.
25. Ibid., p. 481. Hay que advertir que Vives piensa también en donaciones o en préstamos hechos a la organización de beneficencia ya sea por los ricos, ya por la ciudad (se supone que ésta debería procurarse los medios reduciendo los gastos suntuarios, tales como las recepciones a los soberanos). La idea de los préstamos, como la de los cepillos ocasionales, es muy significativa.

edicto de Felipe II devolvió a los menesterosos el derecho a
mendigar, asestando así un golpe fatal a los esfuerzos de las ciudades contra la mendicidad y el vagabundeo; Brujas ideó entonces
un nuevo plan de reforma, y el pensionario Gilles Wyts lo justifica en un libro cuyo título es ya suficientemente explícito: *De
continendis et alendis domi pauperibus et in ordinem redigendis
validis mendicantibus* (Amberes, 1562). Para defender la concepción tradicional de la limosna, surge ahora un monje español de
la orden de San Agustín, agente secreto de Felipe II en Flandes,
predicador a sueldo de la ciudad de Brujas y buen espécimen de
aquel omnipotente monaquismo mendicante que indignaba a Cornelius Agrippa.[26] Ahora bien, en su tratado *De oeconomia sacra
circa pauperum curam* (Amberes, 1564) fray Lorenzo de Villavicencio inicia la crítica del libro de Wyts[27] denunciando el de
Vives como el origen remoto de la herejía municipalista en materia de beneficencia. Porque para él es una verdadera herejía decir
a los consejeros de Brujas que toda institución que afecte a la
existencia de su ciudad está sometida a su Consejo.[28] Efectuar,
como pide Vives, un doble inventario municipal de los recursos
y de los gastos del conjunto de los hospitales para equilibrarlos
mejor, es una inadmisible intrusión del elemento profano en el
dominio eclesiástico. Pues se trata de fundaciones particulares,
de fundaciones piadosas administradas por clérigos. El que éstas
pasaran a depender de la Ciudad sería una victoria fácil para los
seglares. Pero, ¿adónde conduciría este primer paso? A hombres
de Iglesia apartados de las fundaciones caritativas como administradores infieles, a consejeros que ocuparían el lugar de los
eclesiásticos, al municipio arrogándose prerrogativas que son
esencialmente de la Iglesia. En este nuevo sistema, los sacerdotes
y los frailes apenas servirían de algo más que para apelar, desde
el púlpito, a la caridad cristiana, en beneficio de la bolsa de esos

26. Cf. A. Journez, *Notice sur Fray Lorenço de Villavicencio, agent secret de Philippe II* (en P. Fredericq, Universidad de Lieja, Travaux du
cours practique d'histoire nationale, 2.º fascículo, pp. 43-77, Gante-La
Haya, 1884).
27. Villavicencio, *De oeconomia,* ed. cit., pp. 139-175.
28. Ibid., p. 160.

señores.[29] Pero, ¿en qué situación se encontrarán los bienes de la Iglesia en general?

Vives había bosquejado una breve historia de la beneficencia cristiana que fray Lorenzo critica severamente: «En otro tiempo, cuando aún hervía, digámoslo así, la sangre de Cristo, todos arrojaban sus riquezas a los pies de los apóstoles, para que éstos las distribuyesen según las necesidades de cada uno; repudiaron después los apóstoles este cuidado, como indigno de su ministerio, porque era conveniente que se ocuparan en predicar y enseñar el Evangelio más que en recoger o distribuir los dineros, y así se encomendó este encargo a los diáconos; ni aun éstos le tuvieron por mucho tiempo, tan grande era el deseo de enseñar, de aumentar la piedad y religión, y de darse priesa a llegar a los bienes eternos por medio de una gloriosa muerte. Por esto los seglares mismos del cristianismo suministraban a los necesitados, del dinero que se recogía, lo que era necesario a cada uno; pero creciendo el pueblo cristiano, y habiéndose admitido a él muchos no muy buenos, empezaron algunos a administrar este negocio nada fielmente, y los obispos y los sacerdotes, movidos de la caridad para con los pobres, tomaron otra vez a su cuidado aquellas riquezas que se habían recogido para el socorro de los necesitados; nada dejaba de fiarse en aquel tiempo a los obispos, varones todos de una rectitud y fidelidad bien conocida y experimentada: así lo refiere en cierto lugar san Juan Crisóstomo... Resfrióse después más y más aquel santo fervor de la caridad, y se comunicó a menos el Espíritu del Señor, y ved aquí que empezaron algunos en la Iglesia a emular al mundo y a disputarle el fausto, lujo y pompa [...] Para tan grandes gastos era preciso mucho dinero; de esta suerte ciertos obispos y presbíteros convirtieron en hacienda y rentas suyas lo que antes había sido de los pobres».[30]

¿Acaso Vives va a concluir que esta vasta usurpación justifica una gran secularización? No. Los eclesiásticos, dice, deben velar por los cuerpos al mismo tiempo que por las almas. Soco-

---

29. Ibid., pp. 145-146. Fray Lorenzo denuncia esta tendencia como conducente al luteranismo o al paganismo («qui Lutheranismo vel Ethnicismo favent»).

30. Vives, *Opera*, IV, p. 479.

rerían a los menesterosos con lo que ellos tienen si tuvieran esa confianza en Dios que predican a los pobres. Los medios de que dispone la Iglesia son tan grandes que los sacerdotes, abades y otros prelados podrían, si quisieran, aliviar la mayor parte de las miserias. Tanto peor para ellos si no lo hacen así. Cristo será su juez. Pero ningún acaparamiento del bien de los pobres, por grave que sea, puede llegar a justificar una revolución.[31] Que los pobres se contenten con su suerte, estar muertos al mundo, y, parece decir Vives, ser pobres en espíritu como lo son de hecho, como deberían serlo los clérigos que no hacen lo que predican. En el mismo pasaje en que Vives propone que los hospitales reserven sus trabajos para la mano de obra recuperada, a fin de que el dinero de los pobres no salga de manos de los pobres, sugiere que los obispos, los capítulos y los abades observen la misma regla.[32] A esto se limita toda la amenaza que Vives hace pesar sobre la masa de los bienes de la Iglesia. Conjurar deliberadamente el espectro de la revolución secularizadora era sin ningún género de dudas una de las precauciones de las que Vives se felicitaba.

Pero no por ello ha dejado de evocarla un instante, y sus consideraciones sobre los bienes de los pobres transformados abusivamente en bienes de la Iglesia sirven de introducción a su exigencia del control municipal sobre los bienes de los hospitales: «Hágase, pues, un cómputo de las rentas anuales de los hospitales u hospicios y se hallará sin duda que, añadiendo lo que ganen con su trabajo los pobres que tengan fuerzas, no sólamente serán suficientes los réditos para los que hay dentro de esas casas, sino que de ellos se podrá repartir también a los de fuera; porque se dice que en cada lugar son tan grandes las riquezas de los hospitales, que *si se administran y dispensan bien,* bastan con abundancia para socorrer todas las necesidades de los ciudadanos, así ordinarias como repentinas y extraordinarias».[33]

31. Ibid., p. 480.
32. Ibid., p. 473. Vives anuncia en este punto una especie de carta abierta dirigida a los dignatarios eclesiásticos sobre esta cuestión («sed alias ad hos scribemus»). Si se escribió, tal carta no ha llegado hasta nosotros.
33. Ibid., p. 480.

Si recte dispensentur... Pero empezamos a ver claro en el
«optimismo» de Vives. Él mismo anunció que su reforma tendría
dos clases de enemigos: de una parte, los pobres que prefieren su
ociosidad viciosa a una vida de sobriedad y de trabajo; de otra,
los administradores parásitos de las instituciones piadosas. Estos
últimos se indignarán mucho por una vigilancia que, según dicen,
se opone a las últimas voluntades de los fundadores. Pero el Consejo de la Ciudad no debe parar mientes en su alboroto. Bástele
respetar la intención general de las fundaciones: el socorro de los
pobres.[34] Vives hace lisa y llanamente esa llamada al orden que
escandalizará mucho a fray Lorenzo de Villavicencio: «Los sacerdotes en ningún tiempo hagan suyo el dinero de los pobres con
pretexto de piedad y de celebrar misas; bastante tienen con qué
pasar, no necesitan de más».[35] Tal vez nuestro reformador quiso
denunciar deducciones completamente arbitrarias efectuadas por
los capellanes en los fondos de un hospital. Esto es lo que insinúa
fray Lorenzo, que ve en esta frase una calumnia gratuita.[36] Pero
quizá Vives apunta incluso a las capellanías previstas por el
fundador y que prefería ver restituidas a la masa del bien de los
pobres. No muestra demasiado respeto por los testamentos de
los ricos que esperan su última hora para hacer el bien a los
miserables, y que incluso entonces se preocupan más de su
linaje y de su gloria que de los pobres. Quiere que se exhorte
a los ricos a no dedicar tanto dinero al lujo de sus ceremonias fú-
nebres y de sus capillas, para engrosar la parte de los menesterosos, a pensar en los «templos vivos de Dios» más que en los templos de piedra.[37] Si un difunto, por vanagloria, previó que se
distribuyeran víveres a los que presentasen una cédula o señal, que
se respete esta disposición en el entierro, y como máximo cuando
se celebre la misa del aniversario. Pero que después las distri-
buciones sean libremente decididas por los administradores municipales de la caridad.[38]

34. Ibid., pp. 488-490.
35. Ibid., p. 482.
36. Villavicencio, *De oeconomia,* p. 170.
37. Vives, *Opera,* IV, pp. 441 y 449.
38. Ibid., p. 481.

Sólo se comprenderá que Vives concibiera los hospitales como siendo lo bastante ricos como para no hacer una colecta regular a domicilio y no tener cepillos permanentes como los que ponían por todas partes los reformadores de la beneficencia, si se piensa en una implacable reforma de la administración de las fundaciones piadosas, en la supresión de los que Vives llama los zánganos de los hospitales: hombres que de servidores y funcionarios se han convertido en amos y señores, servidoras de los pobres convertidas en bellas damas comodonas y coquetas.[39] Pero hay que pensar también en una administración curiosamente impregnada de espíritu de pobreza y de despreocupación evangélica, siempre en guardia contra el atesoramiento de bienes. Vives parece haber previsto la sorpresa que podría causar su idea de no poner cepillos en las iglesias más que de modo temporal, y para hacer frente a necesidades momentáneas. Insiste en la cuestión de que la beneficencia no debe tener mucho dinero, y que, si lo tiene, debe desprenderse de él enviando sus excedentes allí donde hay grandes necesidades. Cuanto más importantes son las reservas, más mueve la avaricia a aumentarlas; se reparten entonces socorros más parsimoniosos que si fuesen modestas. Sin querer emitir un juicio sobre lo que ocurre en Flandes, el prudente Vives refiere lo que ha oído en España de boca de los ancianos. Allí, muchos administradores, con la excusa de aumentar los fondos de los hospitales, de hecho han incrementado desmesuradamente sus propias fortunas. Mientras sus casas prosperaban, sus hospitales se vaciaban de pobres. Contra esta tendencia fatal, Vives preconiza la precaución más draconiana: prohibir a la administración de los hospitales la adquisición de bienes raíces y las inversiones de capitales. De este modo se evitarán las prevaricaciones de los administradores y de acumulación de riqueza que hace perecer de hambre a los pobres de hoy con el pretexto de asegurar el porvenir.[40] Es poco probable que el yerno de los Valldaura fuese, en la esfera familiar, enemigo de toda previsión y de todo ahorro. Pero en el terreno de la caridad pública su ideal era la confianza en el ma-

39. Ibid., p. 473.
40. Ibid., p. 481.

ñana recomendada por el Evangelio. El Padre Celestial alimenta y
viste a seres que no siembran ni siegan, que no hilan ni tejen.
Al igual que esos seres, los pobres que no trabajan deben aprender
«a no tener muchas cosas prevenidas para largo tiempo»; mejor
es que confíen sólo en Cristo. Vives propone a los habitantes de
Brujas el ejemplo de la escuela de los pobres. Ésta empezó pobre-
mente con dieciocho alumnos a los que no sabía muy bien cómo
iba a alimentar. Diez años después se da de comer a un centenar
de niños y se puede atender a todos los ingresos imprevistos.
Las obras cristianas deben crecer así por la fe más que por el
cálculo.[41]

Finalmente, este ideal de una beneficencia pobre, bordeando
sin cesar el déficit, corresponde a una concepción puritana de la
existencia. Al parecer sin ninguna hipocresía, Vives proclamaba
que los pobres vivían según la verdad cristiana, y ni por un momento se le ocurrió hacerles participar del peligroso bienestar de
los ricos. La regla del trabajo para todos tiene como complemento
la regla de la austeridad. Los expósitos en el hospicio, aprenden
desde muy pequeños a llevar una vida sobria y pura. Los hospitales en general pueden vivir con poco dinero porque las personas
que albergan, sin llegar a pasar hambre, se contentan con poco.[42]
Y del mismo modo que Vives[43] demostró su simpatía por el
sexo débil, concediendo a su debilidad una protección más bien
severa, quiso proteger a los humildes protegiéndoles de sí mismos.
Este moralista puritano confía la vigilancia de las costumbres de
los pobres a dos censores elegidos cada año en el Consejo de la
Ciudad. Su tutela se extenderá a todas las edades. Será particularmente activa en los casos de las viejas alcahuetas, maestras en
las artes de brujería y de prostitución. Se reprenderá a los que
frecuenten los garitos y las tabernas, y si ello no basta se les
castigará según un sistema penal apropiado a los tiempos y a los
lugares. La ociosidad y la pereza serán perseguidas. En forma un
poco menos categórica, Vives propone que la competencia de los

41. Ibid., p. 483.
42. Ibid., pp. 476 y 474 («sed deliciae, unde possent facile male assue-
fieri»).
43. En la *Institutio foeminae christianae* y en el *De officio mariti*.

censores se extienda no sólo a las costumbres de los pobres, sino también a las de los jóvenes ricos.[44] Esta reforma de las costumbres por iniciativa municipal, ¿no es un rasgo más que recuerda la reforma de Estrasburgo admirada por Geldenhouwer? ¿No hace pensar en las descripciones que esboza el mismo viajero, de oídas, de la ciudad de Zurich transformada bajo Zwinglio? «Los ciudadanos y las damas renuncian a todo lo superfluo en su manera de vestir y se limitan a una vida tan frugal que esta gran ciudad tiene el aire de un gran convento, si es que alguna vez ha existido en algún lugar un convento semejante.»[45] Claro está que el protestantismo no tenía el monopolio de la austeridad de las costumbres. El cardenal Enrique de Portugal perseguirá la inmoralidad en la católica Évora con la ayuda de los jesuitas, anticipándose a la obra de un san Carlos Borromeo en Milán. No obstante, fue sobre todo en los países del norte, conquistados o tentados por el protestantismo, donde se impuso la austeridad de estilo ginebrino. ¿Y cómo no advertir la relación existente, tanto en Brujas como en Estrasburgo, entre la reforma de la moralidad y la reforma de la beneficencia que consagraba todo su esfuerzo a terminar con los mendigos?

No subestimemos el radicalismo reformista de Vives, o, si se prefiere, de la burguesía cosmopolita de la que es el intérprete. Comprendamos más bien que suavizó deliberadamente sus aristas. Por lo demás, si la cuestión inquietante para algunos fue saber si la beneficencia sería o no secularizada por las ciudades, la voluntad de suprimir los mendigos tenía otro alcance muy distinto de carácter social, moral y religioso: era iniciar una revolución tan difícil que cuatro siglos no han bastado para llevarla a término en los países católicos. Pronto el gran teólogo español fray Domingo de Soto,[46] ante tentativas de algunas ciudades de España para extirpar la mendicidad, va a tomar resueltamente

---

44. Vives, *Opera*, IV, p. 477.

45. De Vocht, *op. cit.*, p. 520. Cf. supra, n. 25, la vivacidad con que Vives sugiere a las ciudades que hagan ahorros a costa de los gastos de fiestas y recepciones dispendiosas.

46. *Deliberación en la causa de los pobres*, Salamanca, 1545. Existe una reimpresión, por desgracia muy incorrecta, efectuada en Vergara en 1926.

la defensa del mendigo, de su libertad, de su papel en la economía de la santificación y la salvación. Vives, examinando las críticas suscitadas por la reforma de la beneficencia, contesta al reproche de «suprimir a los pobres». Los ingenuos interpretan esta supresión como una expulsión inhumana. Los que quieren parecer teólogos invocan las palabras de Cristo: «Siempre habrá pobres entre vosotros». Vives responde: «No es ésta nuestra intención, sino que salgan de la miseria, del llanto y de aquella su perpetua calamidad, a fin de que sean reputados como hombres y se hagan dignos de las limosnas [...]. Éstos nuestros consejos no quitan a los pobres, sino que los alivian [...]. Fuera de que no solamente son pobres los que carecen de dinero, sino cualesquiera que están privados de fuerzas en el cuerpo, o de la sanidad, ingenio y juicio, como explicamos al principio de la obra; a lo que se añade que no con menos razón debe llamarse pobre, aún de dinero, el que recibe, o en el hospital y hospicio, o en su pobre choza, un corto sustento no adquirido con su trabajo o industria».[47] Vives, sin destacar vigorosamente el contraste entre los pobres profesionales y los pobres vergonzantes u ocultos, se ocupa más de la suerte de estos últimos, y con tanto más interés cuanto que a menudo han caído en la indigencia sin culpa. La miseria que no mendiga ha de ser descubierta y socorrida discretamente a domicilio. Ésta será la tarea más delicada de los delegados parroquiales.[48] Porque este dominio confidencial de la beneficencia Vives lo concibe como dependiendo también de la organización municipal y alimentado por sus fondos. Y piensa en los pobres vergonzantes cuando dice que las riquezas de las fundaciones piadosas bastarían, de estar bien administradas, para los pobres de los asilos *y para los otros*.

Finalmente, no hay que olvidar que la beneficencia pública es para Vives una función de salubridad social que no termina, ni mucho menos, con el deber de ayuda mutua de los cristianos. La primera parte del *De subventione pauperum* acaba mostrando que el deber de hacer el bien, formulado no sin precisión por los

47. Vives, *Opera*, IV, pp. 486-487.
48. Ibid., pp. 484-485.

filósofos, se amplía hasta el infinito en la doctrina de Cristo, que se contiene en el doble precepto del amor de Dios y del prójimo. Hay que dar sin tasa según los medios, y no calcular los medios partiendo del principio de que el rico tiene derecho al lujo; aún es más reprobable calcular ruinmente la parte del pobre cuando se trata de una fortuna mal adquirida. Hay que hacer el bien a todos, estimando las necesidades respectivas de nuestros seme jantes y el uso que sabrán hacer de nuestro don; hay que tener en cuenta su valor moral o intelectual más que los vínculos de parentesco, de vecindad o de servicio que les unen a nosotros. Hay que dar alegremente. Hay que dar con prontitud. Hay que dar sin vanidad, sin más testigo que Dios, y de tal modo que la mano izquierda ignore lo que ha dado la derecha.

Admirable programa, digno del Sermón de la montaña, y muy próximo a una perfección cristiana completamente desinteresada. Hay un abismo entre este ideal de pura caridad y la tradición de la limosna practicada como una obra que tiene el mismo valor expiatorio que el ayuno, de la limosna que se dirige normalmente al mendigo, como un destinatario indigno quizá, pero cómodo. Vives no hace medir debidamente este abismo. ¿De nuevo a causa de la prudencia? ¿O es que no es consciente de todo lo que implica la supresión del mendigo? Sin duda es una debilidad del *De subventione pauperum* proponer el ideal de caridad más exigente sin confrontarlo demasiado con la práctica rutinaria que, de un modo irrisorio, ocupa el lugar de la caridad. El *Enchiridion* de Erasmo influyó, tuvo una considerable resonancia, porque formuló su ideal de cristianismo interior oponiéndolo sin descanso a las devociones formalistas que este ideal debía sustituir o transformar. El *De subventione pauperum* no es un libro que tenga el mismo tono. Pero la reforma de la beneficencia no suscitó ningún libro comparable a lo que fue el *Enchiridion* para la reforma de la piedad. Y, tal como es, el *De subventione* sigue siendo el mejor alegato de su época en favor de las voluntades reformadoras de las ciudades. En 1531 Ypres gana una primera batalla al conseguir que la Sorbona apruebe su reglamento que suprime la mendicidad (toda secularización de los bienes de la Iglesia queda excluida, y desde luego el caso de los frailes mendicantes no se discutía para nada);[49] sus regidores y su burgo-maestre se ocupan muy pronto de hacer traducir el libro de Vives al flamenco.[50] Su intención es, pues, proporcionar a su reforma un gran auditorio en un público que aún no estaba bien preparado para ella. La deliberada moderación del *De subventione pauperum* tal vez fuese favorable a este uso. En el mismo año de 1533 en que se publica, al parecer, la edición flamenca, se prepara una edición alemana: el traductor no es otro que Gaspar Hedion, el profesor de Sagradas Escrituras de Estrasburgo.[51]

49. Cf. Nolf, *La réforme de la bienfaisance publique à Ypres au XVIe siècle* (Recueil de trav. publ. par la Fac. de Phil. et Lettres, fasc. 45), Gante, 1915, p. 121.

50. Bonilla, *op. cit.*, p. 772, mencionaba apoyándose en Vanden-Bussche, una traducción «holandesa» hecha por orden de los magistrados de Brujas y verosímilmente impresa en Brujas hacia 1526. La edición flamenca que dio lugar a esta indicación hipotética por fortuna ha sido descubierta por el señor Aznar Casanova. El único ejemplar conocido, que lleva el ex-libris de Van der Haeghen, pertenece a la Biblioteca de la Universidad de Gante. El libro está impreso en Amberes por Willem Vorsterman, sin fecha. Pero contiene al comienzo la autorización concedida al burgomaestre y a los regidores de Ypres para su impresión, el 21 de marzo de 1532 (antes de Pascua - 1533), lo cual permite datarlo en 1533 con verosimilitud. Ha sido reproducido en facsímil por las ediciones Valero & Fils, de Bruselas (Reproductie der origineele uitgave *Secours van den Aermen* Gedrukt te Antwerpen 1533 Brussel [1943]). — La Biblioteca Real de Bruselas posee otra traducción flamenca de la misma obra, debida a Henri Geldorp e impresa en Amberes en 1566 (cf. Bibliografía general de la obra *De subventione pauperum*, en apéndice a Vives, *De l'assistance aux pauvres* traducida del latín por R. Aznar Casanova y L. Caby, Valero, Bruselas, 1943).

51. El British Museum posee: *Vom Almüsen geben: zwey büchlin Ludovici Vivès. Auff diss new XXXIII Jahr durch D. Caspar Hedion verteütscht*, s.l.n.d. Bonilla (*op. cit.*, p. 780) supone con verosimilitud que la edición es de Estrasburgo, 1533.

10. DE ERASMO A LA COMPAÑÍA DE JESÚS *

Protesta e integración en la Reforma católica del siglo XVI

El profesor Marcel Bataillon, antiguo administrador del Colegio de Francia, autor de *Erasmo y España,*** ha accedido a participar en nuestro seminario sobre la sociología de la protesta.*** Una parte de su contribución, eco de su primer curso en el Colegio, en 1945, se publica después de estas líneas.

Las páginas que siguen pertenecen a un conjunto **** que trata acerca de los orígenes de la Compañía de Jesús. En el pasaje que reproducimos aquí, M. Bataillon describe el lugar de la Compañía entre el monaquismo antiguo y el humanismo erasmiano. Antimonaquismo de protesta «a lo erasmiano» por muchas de sus primeras tendencias, el grupo de los ignacianos parisienses encontrará su lugar en la Iglesia gracias a un compromiso entre las formas tradicionales de la vida religiosa y sus aspiraciones a una revolución de la vida religiosa. Esta integración lograda, que aquí se evoca por los métodos de la historia, orientará por sus mismas ambigüedades la Reforma católica del siglo XVI hacia la Contrarreforma.

LA REDACCIÓN

[de *Archives de Sociologie des Religions*]

* «D'Érasme à la Compagnie de Jésus», *Archives de Sociologie des Religions*, XII, n.º 24 (1967), pp. 57-81.
** Droz, París, 1937; 2.ª ed., en español, corregida y aumentada: Fondo de Cultura Económica, México, 1966.
*** Véase *Archives de Sociologie des Religions*, XII, n.º 23 (1967), p. 3, nota.
**** De próxima publicación en la colección «Genèses» de las Éditions Cujas.

En nuestro estudio sobre el apostolado ignaciano en Alcalá dejamos de lado un problema que plantea casi inevitablemente este período de la vida de Ignacio: el problema de las relaciones que pudo tener con el movimiento erasmiano, del conocimiento que pudo tener de los libros de Erasmo.

El movimiento erasmiano en 1526-1527 es la novedad de la que todo el mundo habla en los ambientes universitarios de Alcalá. Y de la que la mayoría habla favorablemente. Hemos encontrado, al lado del inquisidor de Toledo Mejía, para interrogar a Ignacio, al profesor de teología tomista de la Universidad, Miguel Carrasco. Ahora bien, Carrasco —lo sabemos por sus votos en la asamblea de teólogos convocada en Valladolid en 1527 para examinar la ortodoxia de las opiniones de Erasmo— era un erasmizante. Una inspección de la Universidad que se produce en el otoño de aquel mismo año nos muestra que ciertos estudiantes se quejaban de que la enseñanza de Carrasco era demasiado abierta a estas novedades, y, sobre todo, demasiado intermitente. Un monje declara a los inspectores: «Hace mucho tiempo que santo Tomás está enterrado. Desde la fiesta de San Lucas el regente ha dado cuatro o cinco lecciones y ha enseñado proposiciones de Erasmo más que de santo Tomás». Buen profesor por otra parte, aunque hay quejas por sus frecuentes ausencias motivadas por las misiones oficiales que se le confiaban.

Es imposible que Ignacio no hubiese oído hablar de Erasmo. Además, aunque no dispusiéramos de una documentación tan abundante sobre la importancia dominante del movimiento erasmiano en Alcalá en 1527, las *Acta* de Gonçalves despertarían nuestra curiosidad por el modo como relatan el interrogatorio sufrido por Ignacio en el convento de los dominicos de Salamanca poco tiempo después de llegar a Alcalá. Se le pregunta si su enseñanza es escolástica o inspirada, «por letras o por Espíritu Santo». Él responde honradamente que su ministerio es de este segundo orden. Le apremian para que les diga de qué naturaleza es su inspiración, «esto qué es del Espíritu Santo», y cuando, después de un instante de silencio, se niega a continuar, el dominico insiste: «Ahora que hay tantos errores, de Erasmo y de tantos otros, que engañan a las gentes, ¿tú no deseas aclarar lo que has dicho?».

Esta nota de actualidad tan sugestiva desaparece del relato de Ribadeneira, quien sin embargo utiliza a Gonçalves como fuente. Hay que ahondar en este problema, no porque Ignacio apareciese en algún momento de su vida como un erasmiano en el sentido propio del término, sino porque pudo haber entre la reforma ignaciana y la reforma erasmiana —probablemente las dos corrientes más fuertes de la reforma católica— ciertas concordancias parciales susceptibles de inquietar a un religioso muy apegado a su regla. Es todo el problema de la posición ignaciana respecto al monaquismo lo que está en juego.

Por otra parte, los primeros biógrafos de Íñigo nos plantean este problema de forma aún más acuciante. La fuente es siempre Gonçalves, no ya en las *Acta*, sino en el *Memorial*, recopilación de pensamientos de Ignacio anotados al parecer, no en el mismo instante, pero sí día a día, entre enero y octubre de 1555. Los escritos así recogidos están en español. Van acompañados de un comentario en portugués que evoca recuerdos, pero que se redactó mucho más tarde, en 1573. Los editores recientes de las *Fontes narrativi* atribuyen a estas adiciones portuguesas un valor inferior al del texto español («Defectus memoriae inveniuntur certe in commentario»).

El problema de las lecturas ignacianas de Erasmo se suscita curiosamente en dos pasajes del *Memorial*. Una vez en el texto español (pp. 271-272), acerca de una medida referente a los libros de Savonarola.[1] Por asociación de ideas sin duda, la actitud adoptada respecto a Savonarola evoca los sentimientos de Ignacio res-

---

1. Lo anotado lleva la fecha del 28 de febrero (parece que de 1555): «El Padre ordenó que se retirasen de la casa las obras de Savonarola que los novicios habían introducido en ella; no porque el autor fuera malo, sino porque había en esos libros cosas controvertidas, según lo que Polanco me contó». Es difícil decir si Gonçalves debe a Polanco la explicación tan sólo o el hecho mismo. En cualquier caso el *Chronicon* de Polanco sitúa este suceso, u otro anterior de la misma naturaleza, en 1553, fecha en la que Gonçalves aún no se encontraba en Roma: «Aquel año [1553] el P. Ignacio ordenó echar al fuego los libros de Savonarola que había encontrado en la casa, porque su espíritu, hostil a la sede apostólica, no le parecía digno de aprobación, a pesar de todo lo bueno que decía» (*Chronicon*, III, p. 24).

pecto a Erasmo.[2] Este hecho es de los que Gonçalves afirma muy categóricamente conocer por el propio Ignacio. Lo recuerda, en efecto, en otro pasaje del *Memorial*, y esta vez por una asociación de ideas por contraste. El punto de partida es la adhesión sin reservas de Ignacio al libro de la *Imitación de Cristo*, entonces atribuido a Gerson, que él llamaba «el Gersoncito», y del que había hecho su libro de cabecera desde su estancia en Manresa.[3] El inmenso valor que tenía la *Imitación* para Ignacio provoca diversas observaciones en el comentario portuglés de Gonçalves. Ignacio, dice, se había impregnado hasta tal punto de este libro, que sus palabras, sus actitudes, sus actos constituían como un vivo reflejo de Gerson. Gonçalves, testigo de lo que cuenta, notó con admiración, cuando leyó por vez primera las Constituciones de la Compañía, la admirable identidad que había entre sus disposiciones y la manera de ser del fundador. Dicho de otro modo, Ignacio, moldeado según el espíritu de la *Imitación*, moldeó las Constituciones según este mismo espíritu. Sin transición Gonçalves añade: «Él mismo me contó que cuando estudiaba en Alcalá muchas personas y hasta su mismo confesor (que era entonces el P. Meyona, portugués, natural del Algarve, que posteriormente ingresó en la Compañía, y que ya en esa época era tenido por hombre de gran virtud), le habían aconsejado leer el *Enchiridion militis christiani* de Erasmo; pero que él no había querido hacerlo, porque ya había oído a ciertos predicadores y a personas de autoridad poner en guardia contra este autor; y respondía a los que le recomendaban Erasmo que había libros de autores de los que nadie hablaba mal, y que éstos eran los que él quería leer».

2. El *Memorial* sigue diciendo: «Cuando el padre, en sus comienzos, se encontraba en Alcalá, muchos trataban de persuadirle, e incluso su confesor, de que leyese el *Enchiridion* de Erasmo; pero oyendo decir que había controversias y dudas acerca de este autor, nunca quiso leerlo, diciendo que poseía otros buenos libros sobre los cuales no pesaba ninguna duda».

3. «Fue en Manresa donde vio el Gersoncito por vez primera, y desde entonces no había querido leer otros libros de piedad; y lo recomendaba a todos aquellos a quienes trataba: y todos los días leía de corrido un capítulo tras otro; y después de la comida lo abría así, a todas horas, al azar, y siempre encontraba en él algo que concordase con lo que le preocupaba en aquellos momentos, y que respondía a sus necesidades» (*Memorial*, p. 200).

Evidentemente Gonçalves piensa aquí en la *Imitación*, de la que el fundador había hecho su libro de cabecera.

Así, pues, por dos veces, para mostrar la gran prudencia ortodoxa de Ignacio, Gonçalves recuerda su negativa a leer el *Enchiridion* de Erasmo, a pesar de que esta lectura le había sido recomendada por su propio confesor. La versión portuguesa precisa el nombre del confesor, Miona, detalle del que más adelante veremos la importancia y la indiscutible autenticidad. Por lo tanto, en este punto el texto portugués resulta ser más pormenorizado y no menos digno de fe que los fragmentos en castellano del *Memorial*.

Es muy instructivo confrontar este texto con la versión del mismo hecho tal como lo consigna Ribadeneira, quien, como sabemos de manera indudable, disponía del *Memorial* de Gonçalves, aunque lo seguía con una extremada libertad. Sitúa lo sucedido en los años de Barcelona, cuando Ignacio cursaba sus estudios gramaticales, estimando sin duda que un contacto con Erasmo es más inocente si queda justificado por el aprendizaje de la buena latinidad, y que fue con esta intención como su confesor debió de aconsejarle esta lectura.[4] Creo que aquí sorprendemos a Riba-

---

4. Hoy podemos consultar la reciente edición crítica de los dos textos, latín y castellano, de la *Vita Ignatii Loyolae* de Ribadeneira, publicada por el padre Cándido de Dalmases, S.J., en los Monumenta Historic Societatis Iesu, de los que constituye el tomo 93 (Roma, 1965). Véase p. 172: «Prosiguiendo, pues, en los ejercicios de sus letras, aconsejáronle algunos hombres letrados y píos que para aprender bien la lengua latina, y juntamente tratar de cosas devotas y espirituales, que leyese el libro *De milite christiano* (que quiere decir de un caballero cristiano), que compuso en latín Erasmo Roterodamo, el cual en aquel tiempo tenía grande fama de hombre docto y elegante en el decir. Y entre los otros que fueron deste parecer, también lo fue el confesor de Ignacio. Y así, tomando su consejo, comenzó con toda simplicidad a leer en él con mucho cuidado, y a notar sus frases y modo de hablar. Pero advirtió una cosa muy nueva y muy maravillosa, y es, que en tomando este libro (que digo) de Erasmo en las manos y comenzando a leer en él, juntamente se le comenzaba a entibiar su fervor y a enfriársele la devoción. Y cuanto más iba leyendo, iba más creciendo esta mudanza. De suerte que cuando acababa la lición, le parecía que se le había acabado y helado todo el ardor que antes tenía, y apagado su espíritu y trocado su corazón, y que no era el mismo después de la lición que antes della. Y como echase de ver esto algunas veces, a la fin echó el libro de sí, y cobró con él y con las demás obras deste autor tan grande ojeriza y aborrecimiento, que después jamás no quiso leerlas él, ni consintió que en

deneira en flagrante delito de deformación hagiográfica de los datos tomados de Gonçalves, ya que es muy probable que él mismo sea el «siervo de Dios» al que se refiere. No sólo traslada el hecho al período de Barcelona y de los estudios de humanidades, porque de este modo embellece este período con una emotiva imagen de Ignacio como buen alumno, digno de servir de modelo a los pupilos de los colegios de la Compañía. Sino que además, según Gonçalves, Ignacio rechaza esta lectura a pesar de la autoridad de su confesor, en virtud de una simple prudencia humana, alarmada por las polémicas suscitadas por Erasmo, mientras que según Ribadeneira lo lee dócilmente, sin recelos, del modo más concienzudo como corresponde a un aprendiz de latinista; y sólo por una especie de milagro del instinto ortodoxo desecha el libro, pues el enfriamiento en su devoción producido por esta lectura es lo suficientemente claro y repetido como para hacerle adoptar respecto a Erasmo la actitud hostil que será la de la Compañía.

En realidad se comprende que a partir del momento en que Ribadeneira escribió su vida de san Ignacio hubiese querido ha-

---

nuestra Compañía se leyesen sino con mucho delecto y mucha cautela. El libro espiritual que más traía en las manos, y cuya leción siempre aconsejaba, era el *Contemptus mundi,* que se intitula "De Imitatione Christi", que compuso Tomás de Kempis, cuyo espíritu se le embebió y pegó a las entrañas. De manera que la vida de Ignacio (como me decía un siervo de Dios) no era sino un perfectísimo dibujo de todo lo que aquel librico contiene».

Polanco —o su continuador— vuelve a hablar de la prohibición ignaciana de los libros de Erasmo al tratar de la de los libros de Vives, que va a continuación de una anécdota relativa a una comida en casa de Vives y a una conversación sobre el tema «de delectu ciborum» (p. 43): «Sin embargo Ignacio sentía el fervor de su devoción y de su piedad disminuir por esta lectura, y rechazó este libro, y más tarde, habiendo conocido de manera más completa el espíritu de Erasmo, prohibió la lectura de todos sus libros en la Compañía, incluso de aquellos que no contenían nada reprensible, pues temía que esos escritos no apegasen a los nuestros a este autor, concediéndole así su confianza hasta en los temas sobre los que escribió tan desafortunadamente. En cambio gustaba verdaderamente mucho del precioso librito (*libellus ille aureus*) de Juan Gerson intitulado la *Imitación de Cristo,* y se sentía muy dichoso al hacerlo leer a los demás».

Convendría consultar Dudon, *Homenaje a Bonilla,* II, pp. 153-162, y sobre todo tratar de aclarar la historia de la redacción del *Chronicon* de Polanco. Las digresiones sobre Erasmo y Vives van precedidas de fórmulas análogas: «no hay que olvidar», «no omitiré decir».

cer retirar de la circulación los escritos de Gonçalves.[5] Aunque los editores de los *Scripta de Santo Ignatio* tratan de arreglar las cosas admitiendo las dos versiones como igualmente verdaderas, una para Barcelona y la otra para Alcalá, parece claro que hay aquí una versión más antigua, que se remonta a san Ignacio y que sitúa el hecho en Alcalá, en un momento en que todo el mundo leía el *Enchiridion* en castellano, como un libro destinado a renovar la piedad cristiana, y una versión retocada que intenta hacer olvidar la primera hablando del *Enchiridion* latino, leído en Barcelona por razones meramente literarias.

Ahora bien, ¿qué crédito nos puede merecer el *Memorial* de Gonçalves? Hemos visto que Ribadeneira se alarmaba de las divergencias que era posible observar entre él y su biografía de san Ignacio. ¿Se retocó el *Memorial*? Lo ignoramos. El manuscrito más antiguo es una copia, y una copia posterior a la carta de Ribadeneira citada más arriba,[6] ya que comprende, de la misma mano que la parte española, la parte portuguesa redactada en Évora en 1573. Admitamos que el texto que se conserva reproduzca fielmente en líneas generales lo que escribió el padre Gonçalves. ¿Es seguro que se ajusta también a los detalles? Advierto una curiosa divergencia en el empleo del verbo *leer* en los pasajes que nos interesan. El texto portugués, que es el más pormenorizado, dice que su confesor Miona había aconsejado a Ignacio «que lesse pollo Enchiridion». Ahora bien, «leer por un libro» en esta época equivalía a enseñar de acuerdo con un libro, a utilizar este libro como texto de enseñanza o como texto de estudio. El texto español dice, eso sí, «leyesse el Enchiridion», «nunca lo quiso leer». Pero *leer* como transitivo puede también tener el sentido

5. Hay sobre este aspecto una curiosa carta de Ribadeneira a Nadal (29 de junio de 1567): «Que Vuestra Reverencia cumpla lo que nuestro Padre [general] ya ha ordenado y, según creo, escrito a los provinciales[...] a saber, que retiren rápidamente lo que escribió el P. Luis Gonzáles, o cualquier otro escrito referente a la vida de nuestro Padre, y que lo conserven consigo y no permitan que esté en las manos de los nuestros o de cualquier otro. Porque son éstas obras imperfectas, y no conviene que turben o disminuyan la confianza [que se debe] a los escritos más completos. En eso Vuestra Reverencia deberá usar de la diligencia y de la prudencia necesarias paar evitar el escándalo».

6. Véase nota anterior.

de enseñar. ¿Para qué discutir sobre minucias de sintaxis? La cuestión estriba en saber si Gonçalves oyó, si Ignacio dijo, que el estudiante de Salamanca se negó a abrir este libro del que todo el mundo hablaba, a pesar de la opinión de su confesor, o que, a pesar de este parecer favorable, se negó a convertirlo en su libro de cabecera, a que sustituyese a su querido *Gersoncito*. Estoy convencido de que esta segunda interpretación es la única verosímil, la única que está de acuerdo a la vez con lo que se sabe de la inspiración de los *Ejercicios* y de la Compañía, y con lo que se sabe de Miona y de sus relaciones con Ignacio.

No volveré a insistir en la cuestión de las fuentes librescas de los *Ejercicios*. En una fecha no precisamente próxima el padre Watrigant en *La méditation fondamentale avant Saint Ignace* [7] planteó el problema de la influencia erasmiana en la génesis de los *Ejercicios*. En esta obra se admitía que san Ignacio había podido poseer una de esas curiosas ediciones del Gerson *Contemptus mundi* en las que la *Imitación* va seguida del *Sermón del Niño Jesús* de Erasmo traducido al español.[8] Le llamó la atención la analogía entre el famoso principio y fundamento que abre los *Ejercicios* y un pasaje del *Enchiridion* sobre el uso de las criaturas.[9] No es imposible, en efecto, que san Ignacio recordase la cuarta regla del *Enchiridion* al redactar sus famosas fórmulas. No puede decirse que ésta sea la fuente, puesto que se impone otra relación con un texto conocido de todo estudiante de teología del siglo XVI, texto de Pedro Lombardo sobre el libro II del Maestro de las Sentencias.[10] Sin embargo, Erasmo parece anticipar las deducciones ig-

7. Enghien, 1907. El tema ha vuelto a tratarse, por lo que se refiere a las relaciones de san Ignacio con Erasmo, en los trabajos del padre Ricardo García Villoslada desde 1942.

8. Dos ediciones conocidas por ejemplares mutilados; una edición de Toledo (1526), conocida por un ejemplar completo de la biblioteca García Pimentel de México, actualmente en la Universidad de Texas (Austin).

9. En la regla IV (Jesucristo debe ser el fin de todos nuestros actos, de todos nuestros pensamientos).

10. «Y si se pregunta con qué objeto fue creada la criatura racional, se responde: para alabar a Dios, para servirle, para gozar de Él (en lo cual el beneficio es para la criatura, no para Dios) [...]. Y del mismo modo que el hombre fue creado para Dios, es decir, para servirle, el mundo fue hecho para el hombre, es decir, para estar a su servicio. El hombre fue, pues, puesto en el centro.»

nacianas sobre la indiferencia por todas las cosas creadas (salud, riqueza, honores, longevidad) cuando insiste en estas cosas indiferentes, ni buenas ni malas en sí, y de las que hay que usar en la medida en que sirvan para nuestro fin, la felicidad en Dios; y después de haber analizado el ejemplo de la riqueza, de la que define el buen uso, añade que el mismo análisis podría aplicarse a los honores, a los placeres, a la salud y a la vida misma. Pero, ¿qué es esta regla IV del *Enchiridion* sino un desarrollo de ciertos capítulos del libro III de la *Imitación?* [11]

En cuanto a las metáforas militares caras a Ignacio, tanto pueden proceder del *Enchiridion militis Christiani* como del mismo libro III de la *Imitación.* [12]

A decir verdad, no veo en los *Ejercicios* ignacianos ningún tema que sea un tema típico del *Enchiridion,* como no veo ningún texto erasmiano que sea una fuente indiscutible de los *Ejercicios.* En cambio hay en la *Imitación* toda una serie de temas que arrancan del despego de sí mismo, de la corrección de los afectos desordenados, del esfuerzo constante por enderezar la vida, y que conducen al ardiente deseo de la comunión frecuente. Hay todo un edificio de devoción propiamente cristiana que caracteriza a la *Imitación* y que san Ignacio se apropió. Como autor de los *Ejercicios,* sin duda alguna san Ignacio debe mucho al autor de la *Imitación,* muy poco al autor del *Enchiridion.*

Y no obstante, en su gran obra de fundador de la Compañía Ignacio renueva la enseñanza recibida de la *Imitación,* con un sentido de la acción, del apostolado en el siglo, que recuerda singularmente a Erasmo. La *Imitación* viene a ser un libro nacido del claustro y que conduce al claustro. O, más exactamente, que no sale de él. Libro de perfeccionamiento en la soledad, a solas con Dios, en el que la idea de servir para la salvación de los otros sólo aparece por vía de breve alusión. [13] El método ignaciano para

---

11. Véase el cap. XXXIII: De la inconstancia del corazón, y que la intención final se ha de dirigir a Dios. «Débense, pues, limpiar los ojos de la intención, para que sea sencilla y recta, y se enderece a mí sin detenerse en los medios.»

12. Cap. XXXV: En esta vida no hay seguridad de carecer de tentaciones. Capítulo donde se encuentra también la expresión «soldado de Cristo».

13. El cap. XIX del libro I trata de los ejercicios del buen religioso.

vencerse a sí mismo y ordenar su vida se dirige a los laicos tanto
como a los monjes, y la 15.ª anotación preliminar de los *Ejercicios*
advierte que «el que da los *Exercicios* no debe mover al que los
rescibe más a pobreza ni a promessa que a sus contrarios, ni a un
estado o modo de vivir que a otro». Y esta orientación, por muy
distintos que sean los acentos de Erasmo y de san Ignacio, es re-
lacionable con la famosa conclusión del *Enchiridion*: «Monachatus
non est pietas, sed vitae genus pro suo cuique corporis ingeniique
habitu vel utile vel inutile». Ignacio, después de reformar su vida,
no se hace monje y no se dedica de manera principal a reformar
a monjes, no se consagra a la fundación de una orden monástica
nueva.

¿Puede creerse, como insinúa Ribadeneira —sin que encontremos nada parecido en Gonçalves—, que concibiera desde la
época de Alcalá o de Barcelona una viva hostilidad respecto al
Enchiridion, cuando su propio confesor le aconsejaba la lectura de
este libro? El padre Watrigant no veía las cosas de una manera
tan simplista. Admitía que «si san Ignacio leyó en Manresa en una
edición del Gersoncito el discurso del Niño Jesús compuesto por
Erasmo, en un principio pudo concebir de este autor una opinión
bastante buena. En Barcelona —aquí Watrigant sigue a Ribadeneira—, siguiendo el consejo de su confesor Miona leyó el *Enchiridion*, pero pronto lo desechó; y sobre todo debió de apartarse
de Erasmo al enterarse de hasta qué punto sus libros eran peligrosos; puede pensarse que algunas de sus reglas de ortodoxia pro-
ceden de las críticas que Stúñiga, y sobre todo la Junta de Valladolid, hicieron de Erasmo». Sin embargo, Watrigant observa que
entre los adversarios de Ignacio en Alcalá figura Pedro Ciruelo,
antierasmista notorio; que Ignacio busca luego la protección de
Fonseca, gran protector de los erasmistas; que en los Países Bajos
visita a Luis Vives, discípulo y amigo de Erasmo. Como conclusión Watrigant se pregunta: «¿Sintió san Ignacio algunas vacila-
ciones en sus juicios sobre Erasmo? Es posible, pero terminó por

---

En él se dice: «Si por piedad y por provecho del prójimo se deja alguna
vez el ejercicio acostumbrado, después se puede reparar con facilidad». El
cap. XXV, que se titula «De la fervorosa enmienda de toda nuestra vida»,
se ocupa exclusivamente de la reforma de la vida monástica.

serle resueltamente hostil puesto que prohibió servirse de sus libros en los colegios de la Compañía».

Añadamos a los hechos citados por Watrigant que el manuscrito más antiguo que se conoce de los *Ejercicios* está copiado de la mano de John Helyar, discípulo inglés de Vives, amigo de Reginald Pole en Venecia; que Ignacio, en Venecia y en Roma, en los años que precedieron al reconocimiento de la Compañía por el Papa, fue el protegido de los cardenales erasmianos Reginald Pole y Contarini. Ningún testimonio, ningún documento contemporáneo nos permite sorprender a Ignacio en una actitud de hostilidad a Erasmo durante todo este período heroico que precede a la consagración romana. Y, si se tiene en cuenta el iluminismo erasmiano tal como se desarrolló en España, su mensaje de incorporación a Cristo y de interiorización de la piedad más que sus burlas sobre las devociones exteriores, vemos que la reforma erasmiana y la reforma ignaciana seguían caminos distintos, pero paralelos, y que no corrían gran peligro de topar entre sí.

Si se nos dice que Ignacio no quiso hacer del *Enchiridion* su libro de cabecera, que para este uso le bastaba el Gersoncito, podemos creerlo. Si se nos dice incluso que había entre la piedad erasmiana y la piedad iñiguista una profunda diferencia, capaz de convertirse más tarde en antagonismo, podemos admitirlo. Ignacio, hombre de acción, es hombre de pocos libros. Por iniciativa suya no escribe más que uno en toda su vida, y es una guía práctica. Su empeño de convertir, de reformar interiormente a sus semejantes le empuja a ir a encontrarlos a domicilio, a hablarles cara a cara. Erasmo, por el contrario, vive a solas con su escritorio, como en el cuadro de Holbein. Deslumbrado por la lectura del Nuevo Testamento y de los Padres de la Iglesia, se esfuerza por comunicar sus descubrimientos a innumerables lectores. Vuelve una y otra vez, incansablemente, a su trabajo de divulgación espiritual. Son siempre las mismas verdades fundamentales, pero formuladas e ilustradas de un modo nuevo. El cristianismo, para Erasmo, es esencialmente una palabra, un mensaje, un mensaje que por lo que a él concierne él propagó con la pluma en la mano. Sin duda no se cansa de decir que esta doctrina tiene que vivirse, traducirse en actos. Sin duda hubiera sentido una cierta admiración por el apostolado de los iñiguistas, de haberlo conocido. Pero diríase que tiene fe sobre todo en la palabra desencarnada, transmitida por el libro. En su vejez, el espectáculo de la reforma protestante y de la reforma católica en plena actividad, le hará comprender mejor la necesidad de la palabra oral y vibrante, y la importancia de los sacramentos. Escribirá su gran tratado de la predicación, el *Ecclesiastes*. En *La preparación para la muerte* se ocupará de la comunión frecuente e introducirá ciertas meditaciones metódicas sobre la muerte de Cristo. Publicará un volumen de *Nuevas oraciones* el mismo año (1535) en que su discípulo Vives dará a conocer su librito de ejercicios espirituales *Ad animi excitationem in Deum commentiatiunculae*. Erasmo, pues, y sus discípulos son los que evolucionarán hacia formas más ascéticas de piedad. Pero en pleno entusiasmo de su descubrimiento de san Pablo, bajo la dirección de John Colet, el Erasmo de 1501, el Erasmo del *Enchiridion* manifiesta una fe sin límites en la palabra divina para cambiar las almas. La incorporación a Cristo de la que habla constantemente no es más que una impregnación y un moldeamiento del alma por esta palabra, acción en virtud de la cual el alma obedece a esta ley con la misma prontitud que los miembros obedecen al cerebro. De ahí la importancia que concede a la divulgación de la doctrina de los Evangelios y de las Epístolas, que él resume en la expresión *philosophia Christi*; la insistencia con la que en el *Enchiridion* describe la lucha contra el mal como una lucha contra el error. Podríamos decir que para él la palabra divina es el vehículo principal de la gracia en la resistencia al mal y a la tentación. El *Enchiridion* curiosamente no dice absolutamente nada de la ayuda que el *miles christianus* puede recibir de la Eucaristía. En cambio, si leemos las últimas reglas y los remedios concretos contra los vicios que sirven de conclusión práctica a este libro, nos llamará la atención ver (regla X) la importancia atribuida por Erasmo a las palabras de la Sagrada Escritura por las cuales es posible hacer frente al tentador: la regla XVII nos dice que el remedio más eficaz contra todas las tentaciones es la cruz y la pasión de Nuestro Señor Jesucristo; criticando las formas vulgares y supersticiones de devoción a la cruz (abusos de santiguamiento, reliquias de *lignum crucis*, vía crucis recitados maquinalmente, o incluso compadeciéndose de los sufrimientos humanos de Cristo), muestra en la pasión de Cristo el modelo de la mortificación de las pasiones, y aconseja considerar de ellos los diversos aspectos apropiados a cada pasión que nos tienta. Contra la ambición, pensemos en la grandeza de Cristo, que se humilló voluntariamente, contra la envidia pensemos en la bondad infinita de su sacrificio, contra la gula pensemos en la hiel y en el vinagre que le dieron a beber en la cruz, y así para los demás pecados.

Por diferentes que sean los caminos de Ignacio y de Erasmo, de Ignacio apóstol itinerante y de Erasmo evangelista sedentario, actuando a distancia por medio de la pluma y la imprenta, no creo que el *Enchiridion,* a pesar de las polémicas que suscitaba, pudiera ni muchísimo menos inspirarle desconfianza, cuando el *Enchiridion* se presentaba en su traducción española dedicado al gran inquisidor Manrique y le era recomendado por su confesor Miona.

Si en el debate que enfrentaba el *Enchiridion* con los frailes y monjes españoles Ignacio se hubiese puesto deliberadamente del lado de los monjes, no se comprende que hubiera elegido como confesor al Maeso Miona. Este personaje no es un desconocido en Alcalá. Aunque no tuviésemos otra razón para decidirnos a elegir entre el relato de Gonçalves —que sitúa en Alcalá el encuentro de Ignacio con el *Enchiridion*— y el de Ribadeneira, que lo relaciona con los estudios de humanidades de la época barcelonesa, el nombre de Miona citado por Gonçalves sería un indicio revelador de la mayor autenticidad de su información. Miona aconseja la lectura del *Enchiridion* no para formar a Ignacio en las elegancias latinas, sino porque él mismo es un iluminado erasmizante, muy vinculado al grupo de Bernardino Tovar, el hermanastro de Juan de Vergara. Miona aparece varias veces en la deposición de un testigo del proceso de Vergara, el sacerdote Diego Hernández. Este clérigo extravagante, de conducta un poco escandalosa, conocía bien el ambiente de Alcalá en el que se movían los iñiguistas, puesto que habla de Beatriz Ramírez diciendo que por esta mujer —«buena muger e honesta mi hija de confesión»— se ha enterado de la partida del Maeso Miona a

París. Este viaje fue independiente del de Ignacio, y debió de tener lugar hacia fines de 1530. Si damos crédito al testigo, debió de poner pies en polvorosa a consecuencia de la detención de Tovar y del castigo de un tal Garçon condenado a la hoguera. Seguramente se fue al mismo tiempo que otro estudiante, Torres, vicerrector del Colegio Trilingüe recientemente fundado en Alcalá. Diego Hernández nos dice de este Torres, al que volveremos a encontrar como uno de los adeptos más importantes de la Compañía en el mundo de los humanistas: «Era amigo y compañero del Maeso Miona y de Tovar»; y añade: «de Tovar más que de Miona, porque era ya gran latinista y helenista». Miona no era, pues, considerado como tan docto como Tovar. Se le alude como discípulo suyo. El testigo le nombra en compañía de un bachiller, Francisco Gutiérrez, y dice que ha oído a este bachiller y a Miona hablar en buenos términos el uno del otro. «Evidentemente —dice—, porque uno y otro eran *paniaguados* y discípulos de Tovar.» Y el mismo testigo, al intentar establecer filiaciones de influencia dentro de este grupo de clérigos erasmistas sospechosos para la Inquisición, declara que según él «Tovar enseñó a Miona y el Maeso Miona al Garçon». Es lo que expresa en su lenguaje jocoso diciendo que Tovar era «abuelo (espiritual) de Garzon». Miona no es más que un intermediario. Y según Diego Hernández es un buen hombre, aunque víctima de los excesos de la bebida. Pero, para resumir, la insistencia con la que le presenta como discípulo de Tovar es llamativa. Establece una lista de los que él llama los «partidarios del bachiller Bernaldino de Tovar»; es una lista de veintidós personas en la que aparecen los Valdés y los Vergara. Miona figura en cuarto lugar de la lista, entre Mosén Pascual, el antiguo rector de la Universidad que inauguró el Colegio Trilingüe, y Torres, que fue vicerrector de este mismo colegio. Volveremos a encontrar a Torres y a Pascual a propósito de la entrada de Torres en la Compañía. Pero no parece que hubieran estado en relación con Ignacio en Alcalá. En cambio Miona, que también ingresó, aunque mucho más tarde, en la Compañía, en 1545, donde fue acogido con manifestaciones de júbilo triunfal, es con Cáceres la única persona que perteneció a la Compañía aprobada por Roma, después de haber sostenido relaciones espirituales con Ignacio desde la época de Alcalá. El valor particularísimo que se concedía a su conquista se debe al hecho de que, antes de someterse a la disciplina de los *Ejercicios* y de aceptar la autoridad de Ignacio, había sido para éste un confesor y un maestro. Entre las cartas más antiguas que se conservan de Ignacio hay una dirigida desde Venecia a Miona el 16 de noviembre de 1536, y en la cual Ignacio insiste en que Miona haga los Ejercicios tal como se lo prometió. Pero se lo pide con la deferencia afectuosa de un hijo espiritual: «como tanto os deba en las cosas espirituales, como hijo a padre espiritual». E insiste visiblemente con la esperanza de que Miona, al hacer los Ejercicios, se adhiera al voto de Montmartre y a la empresa de apostolado iñiguista. Pues admite que Miona no tienen ninguna necesidad de hacer los Ejercicios para su provecho interior y personal, aunque cree que obtendrá de ellos un provecho inestimable en cuanto a la aptitud de ayudar a la salvación de los otros.[14] Esta llamada, a la que Miona no va a responder hasta nueve años más tarde, fija sin ambigüedad la historia de las relaciones de Ignacio con su antiguo confesor de Alcalá. Esta historia es tal que —al informarnos Gonçalves de la presión ejercida por Miona sobre Ignacio para hacerle leer en Alcalá el *Enchiridion* de Erasmo, y confirmándonos el proceso de Vergara las estrechas relaciones de Miona con el movimiento erasmista de Alcalá—, nos vemos obligados a rechazar como una invención sumamente sospechosa lo que cuenta Ribadeneira, quien nos muestra a Ignacio descubriendo en Barcelona la oculta nocividad del famoso libro de Erasmo y concibiendo contra el autor una hostilidad decidida.

No, sin duda fue en Alcalá donde Miona aconsejó a Ignacio que se impregnara del *Enchiridion*. Admitamos que no quedó convencido. Admitamos que el *Enchiridion* nunca destronara a la *Imitación* en la predilección de Ignacio. Admitamos que el *Enchiridion* tuvo en la redacción de los *Ejercicios* una influencia muy

14. «Siendo todo lo mejor que yo en esta vida puedo pensar, sentir y entender, así para el hombre poderse aprovechar a sí mesmo como para poder fructificar, ayudar y aprovechar a otros muchos; que cuando para lo primero no sintiésedes necesidad, veréis sin proporción y estima cuánto os aprovechará para lo segundo.»

débil o nula. Queda sin embargo en pie que el fundador de la
Compañía, en los tiempos de su primera empresa de apostolado,
vivió en un ambiente muy impregnado del *Enchiridion,* y que la
influencia de este ambiente, al ejercerse por medio de un confesor
respetado, pudo y debió confirmarle en su intención de desarrollar
su acción apostólica fuera del marco del monaquismo y que es-
cuchó complacidamente la tan discutida frase: «Monachatus non
est pietas, sed vitae genus pro suo cuique corporis ingeniique habitu vel utile vel inutile». Dicho de otro modo, si la influencia
erasmiana llegó demasiado tarde para moldear la piedad de Ignacio, si llegó demasiado tarde para suscitar su originalísima vocación apostólica, llegó precisamente en el momento más oportuno
para confirmarle en esta vocación, al mismo tiempo que preparaba
en la Europa occidental un ambiente favorable a un apostolado
tan nuevo.

Pero, ¿se limitó esta influencia al cortísimo período correspondiente a la estancia en Alcalá? Las observaciones del padre
Watrigant que hemos citado antes no nos dan una respuesta clara
a esta pregunta. De una parte reconocía como posibles las dudas
de san Ignacio en sus juicios sobre Erasmo. Y si habla de su hostilidad final con respecto a él, invoca como prueba un hecho muy
tardío: la prohibición de los libros de Erasmo en los colegios de
la Compañía, prohibición que se sitúa en 1555, muy al final de la
vida de Ignacio y cuando la Compañía atravesaba una crisis grave.
Por otra parte, nota que algunas de las reglas ignacianas de ortodoxia parecen pensadas como réplica a Erasmo e inspirarse en las
críticas que Stúñiga y sobre todo la Junta de Valladolid hicieron
de Erasmo. ¿Equivale ello a decir que estas reglas de ortodoxia
son sensiblemente contemporáneas de la Junta de Valladolid, que
se remontan a 1527, momento en que Ignacio, recién salido de la
prisión eclesiástica de Alcalá, se traslada a Salamanca? El problema de la fecha de las reglas de ortodoxia es capital para la cuestión que nos ocupa, es decir, la cuestión de la actitud de Ignacio
ante Erasmo y ante el monaquismo. El padre Fouqueray, en su
Histoire de la Compagnie de Jésus en France atribuyó al período
parisiense de Ignacio la redacción de los textos de método y de
doctrina que encuadran el cuerpo de los *Ejercicios*: anotaciones

iniciales, adiciones y reglas finales. Creía ver un cierto paralelismo entre las trece primeras reglas de ortodoxia y cierto formulario de ortodoxia que la Sorbona había enviado en 1535 a Francisco I, cuando éste la había consultado sobre las proposiciones enviadas por los protestantes de Alemania. Fouqueray reconocía que san Ignacio ya no estaba en París en 1535. Pero pensaba que sus compañeros, al reunirse con él en Venecia en 1537 habían podido llevarle este formulario. Por otra parte no pretendía que esta consulta fuese la verdadera fuente de las reglas de ortodoxia. Simplemente creía que éstas habían sido inspiradas por lo que Ignacio vivió y aprendió en París en esta época. No pudo ser antes, en España, añade, cuando pudo conocer tendencias protestantes. El padre Dudon dedica a esta misma cuestión un apéndice de su libro sobre san Ignacio. Y según él el texto capital que constituyó el modelo de Ignacio en materia de reglas ortodoxas para oponerse a la herejía fue el texto de los cánones del concilio de Sens, reunido en 1528, cánones redactados por Josse Clichtove, quien les añadió un «Resumen de las verdades correspondientes a la fe católica, en respuesta a las aserciones erróneas de los luteranos». Las obras de polémica antiluterana de Clichtove debieron de ser conocidas por Ignacio, quien, observa el padre Dudon, durante sus siete años parisienses tuvo tiempo sobrado para familiarizarse con toda esta literatura. Y añade: he ahí ciertamente la fuente de las reglas «ad sentiendum cum Ecclesia». Así, pues, para el padre Dudon como para el padre Fouqueray, sería posible retrasar hasta el final del período parisiense, quizás incluso hasta Venecia, la fecha de redacción de las reglas de ortodoxia. Ello dejaría un amplio margen a la toma de posición de Ignacio contra Erasmo o al menos contra sus audacias con las que se enfrentan las reglas de ortodoxia.

Por mi parte opino que se puede y debe pensar en una fecha aún más tardía. El manuscrito más antiguo que se conoce de los *Ejercicios*, la copia de John Helyar conservada en la Vaticana, que puede datarse en 1537 o a fines de 1536, no contiene las *Regulae*. Ahora bien, según el padre Tacchi-Venturi, fue en Venecia donde Helyar, protegido de Reginald Pole, debió de hacer los Ejercicios y sacar una copia del librillo... por la misma época en que

Ignacio escribía a su antiguo confesor para insistirle con objeto de que hiciera a su vez los Ejercicios. Luego probablemente a fines de 1536 las *Regulae* aún no se habían incorporado al volumen.

No parece que puedan fundarse cualquier tipo de conclusiones en el manuscrito de Colonia, que, según tradiciones sólidas, es la copia de un ejemplar de los *Ejercicios* escrito de mano de Fabro y dejado por él a los cartujos de Colonia en 1543 o 1544. Aquí sí figuran las reglas de ortodoxia, pero la copia antigua se interrumpe en medio de una frase de la regla XI, y una mano más reciente completó el texto según la Vulgata de los *Ejercicios* impresa en Roma en 1548.

En cambio, disponemos de manuscritos completos de la misma redacción latina primitiva de los *Ejercicios*, de la que derivan tanto el manuscrito de Helyar como el de Colonia. Uno de estos manuscritos de la *Versio prima* trae escrito de la mano de Ignacio este título: «Todos exercicios breviter en latin», y de otra mano: «1541. Exercitia spiritualia». Al final se lee: «Laus Deo. Scripta fuerunt ista Exercitia anno domini 1541 die nono julii Romae».

Es muy verosímil que las reglas de ortodoxia, que figuran aquí completas, fueran efectivamente redactadas entre 1537 y 1541, digamos hacia 1540, en el momento de la aprobación romana concedida a la Compañía. Las dificultades surgidas inopinadamente cuando se redactó la bula son inteligibles en su detalle desde que Tacchi-Venturi, en el tomo I de su *Storia della Compagnia di Gesù in Italia* se tomó la molestia de publicar en dos columnas enfrentadas el primer proyecto de aprobación y la bula definitiva, y en su tomo II de precisar el papel desempeñado en este asunto por los cardenales Ghinucci y Guidiccioni. Pero es sorprendente que no haya llamado la atención el carácter de estas dificultades, que estriban en la cuestión crucial de la que nos ocupamos: la de las relaciones de la naciente Compañía con el monaquismo, problema sobre la que proyectan una luz novísima. Este grave incidente, que retrasa el nacimiento oficial de la Compañía, es de naturaleza tal que explica la redacción de los criterios de ortodoxia y determinadas particularidades de estos criterios por lo que concierne a los votos monásticos.

Conviene replantearse en su gravedad decisiva esta crisis que

es para la libre asociación de los iñiguistas su metamorfosis en
Compañía de Jesús. El grupo de los discípulos parisienses de Ignacio se volvió a formar en Italia. Cuando salieron de París, Fabro era el único sacerdote (y como tal fue el oficiante en el voto
de Montmartre). El día de San Juan de 1537 —24 de junio—,
Ignacio, Francisco Javier, Laínez, Salmerón, Coduri, Bobadilla y
Simón Rodrigues fueron ordenados en Venecia, después de haber
renovado ante el legado del papa su voto de castidad y de pobreza
perpetuas. Como consecuencia de su campaña de apostolado en la
Italia del norte y en Roma, son conocidos con el nombre de sacerdotes peregrinos. Todavía en 1540, en el momento en que se les
concede la consagración pontificia, Francisco Javier escribirá desde
Lisboa una carta dirigida «alli nostri carissimi in Christo fratelli
Misser Pietro Codacio e Messer Ignatio de Loyola preti *pellegrini*».
Incluso en 1541 Simón Rodrigues empleará esta misma designación en la dirección de una carta a Ignacio y a Codacio «ne la
compagnia di preti pellegrini». Ya no son peregrinos ataviados
con amplios ropajes, van vestidos como los clérigos italianos. Su
reputación crece, no sin suscitar denuncias. De diversas partes se
reclama su actividad apostólica en 1538, a comienzos de 1539.
Son un grupo, no una orden.

En la primavera de 1539 se deciden a convertirse en una orden. En Cuaresma se reúnen en Roma. Antes de dispersarse de
nuevo para seguir su vocación, deliberan acerca de la organización
de su vida, y no cabe la menor duda de que se reunieron expro-
feso para eso, todos, incluso Cáceres, quien indudablemente rea-
lizó con este objeto el viaje de París a Roma. Disponemos del texto de sus deliberaciones, o, mejor dicho, un relato sintético que
expone el método seguido. Hay un contraste sorprendente entre
este método y el que presidirá ocho años después la elaboración
de las constituciones detalladas y definitivas. El padre Dudon escribe acerca de éstas: «Algunos se han complacido en decir que
el Santo, cuando se dedicaba a esta tarea, sobre su mesa no tenía
más que el misal, y que lo ignoraba todo de las reglas de las demás órdenes. Piadosa ilusión desmentida por los hechos y poco
conforme con el carácter del hombre. Como a todos los grandes
jefes, a Ignacio no le gustaba tomar decisiones que no se apoya-

ran en informaciones exactas, y tenía demasiado desarrollado el sentido de la tradición para desdeñar diez siglos de experiencia monástica. Polanco le servía para esas indispensables averiguaciones en la legislación de las órdenes religiosas anteriores, [etc.]».

Si nada más cierto que los papeles de Polanco revelan un trabajo de este tipo de consulta y confrontación en el período final de las decisiones de 1547-1548, las deliberaciones de 1539 prueban por el contrario una singular voluntad de decidir haciendo abstracción de toda la tradición monástica anterior; más aún, desconfiando del monaquismo como de un escollo. Los diez, o, mejor, los once fundadores, construyen sobre una tabla rasa. Antes de preguntarse qué tipo de asociación van a formar, se plantean la cuestión de saber si deben asociarse en un solo cuerpo moralmente unido a pesar de la dispersión en la que actúan.[15] Se deciden por una solución afirmativa, pensando en la gracia que Dios les ha concedido de reunirles, a ellos, tan débiles y de orígenes tan diversos, y en la ventaja que supondría para el provecho de las almas la coordinación de sus esfuerzos.

Pero en seguida tropiezan con una cuestión más espinosa. Habiendo ya hecho en Venecia voto de castidad y de pobreza, ¿conviene hacer un tercero, el voto de obedecer a uno de ellos para cumplir mejor su vocación? La respuesta les parece tan insegura, a pesar de sus oraciones para que Dios les ilumine, que piensan en retirarse a un lugar solitario durante treinta o cuarenta días a fin de prepararse con meditaciones y penitencias a recibir las luces de lo alto. Piensan en delegar por lo menos a varios de ellos para hacer semejante retiro. Pero luego decidieron quedarse todos en Roma por miedo a llamar la atención y a provocar comentarios malignos sobre lo que podría parecer una huida, una conspiración o una inconsecuencia respecto a sus ideas. Siguieron, pues, su apostolado habitual —¡qué distinto es todo eso a un capítulo monástico!— y maduraron su decisión por un triple procedimiento que debía permitirles, al parecer, conocer la voluntad de Dios. En primer lugar, en sus oraciones, sus misas, sus meditaciones, se

---

15. «An magis expediret nos ita esse inter nos devinctos et colligatos in uno corpore ut nulla quantumcumque magna, corporum divisio nos separaret; an forte non ita expediret.»

esfuerzan por encontrar «la alegría y la paz en la Espíritu Santo respecto a la obediencia», por cultivar en ellos una disposición favorable a la obediencia. Segunda precaución destinada a salvaguardar el carácter interior e inspirado de esta búsqueda: evitar discutir entre sí sobre este tema, en el curso de esta fase preparatoria. Tercera precaución: esforzarse por examinar estas cuestiones como si no se tratara de ellos, como si fuesen ajenos a la Compañía y buscasen con toda objetividad la solución más conveniente al servicio de Dios y a la duración de su asociación. Después de prepararse de este modo, abordan la deliberación, que consiste en confrontar metódicamente todos los argumentos en pro y en contra de la obediencia. Una sesión completa, para proceder con orden, se consagra al *pro* y al *contra*. No carece de interés observar los ejemplos de argumentos «contra» que nos dan, porque apuntan contra las órdenes monásticas: 1) la obediencia monástica está desacreditada;[16] 2) la adopción de la obediencia puede imponernos desde fuera una regla perjudicial al cumplimiento de nuestra vocación.[17]

Todas estas deliberaciones preliminares no duran mucho menos de un mes, puesto que empiezan hacia media Cuaresma (15 de marzo) y la decisión favorable al voto de obediencia lleva la fecha del 15 de abril de 1539. Decisión que —al menos en el manuscrito que parece una copia con torpes facsímiles de las firmas— aparece firmada por los once fundadores encabezados por Cáceres.

Siempre siguiendo el mismo método, las deliberaciones continúan hasta el mes de junio y conducen a plantear principios de importancia desigual, pero entre los cuales distinguiremos ya algunos de los rasgos definitivos de la Compañía.

16. «Porque este término de instituto religioso (*religionis*) o de obediencia (*obedientia*) no tiene entre el pueblo cristiano la buena reputación que debería tener, a causa de nuestras faltas y de nuestros pecados» (*Const.*, I, p. 6).

17. «Si queremos vivir en una obediencia (*sub obedientia*), tal vez nos veamos obligados por el soberano pontífice a vivir por alguna regla antigua ya aprobada; por lo cual no tendríamos la misma facilidad ni la ocasión de ocuparnos de la salvación de las almas, que es nuestro único propósito, después de la nuestra propia, y no podríamos realizar nuestros deseos, que aprueba, según nos parece, el Señor nuestro Dios» (ibid., pp. 6-7).

En primer lugar, el voto especial de obediencia al papa, a las órdenes del cual se pone la Compañía, y se precisa que este voto deberán hacerlo incluso los que serán «minus sufficientes», incluso aquellos que sean incapaces de otro apostolado que el de gritar a los infieles «Christus est salvator», o de enseñar a los cristianos los mandamientos y el padrenuestro. Parece que haya que ver ahí un apunte de esa categoría que las Constituciones definitivas distinguen al lado de los profesos, de los *escolares,* al lado de los coadjutores espirituales o temporales, con el nombre de «indifferentes».[18] Visiblemente, la Compañía naciente tenía ya experiencia de esas vocaciones emotivas, que aportaban, a falta de un rendimiento eficaz en el apostolado, su aura espiritual.

Otro rasgo que consagra la continuidad de la Compañía naciente y el apostolado de Alcalá: todo miembro de la Compañía deberá dedicar una cuarentena de días al año a enseñar el catecismo a los niños y a las gentes del pueblo. Una deliberación del 23 de mayo precisa que esta obligación será materia de un voto.

Por otra parte, para ser admitido en la Compañía se exige, de acuerdo con la experiencia de Ignacio y de sus compañeros, un período de prueba no inferior a un año, del cual tres meses se repartirán aproximadamente de un modo igual entre ejercicios espirituales, peregrinaciones y el servicio de los pobres en los hospitales. Se prevé una excepción que muestra que ya entonces la Compañía sabe qué prestigio puede tener en las altas esferas sociales. Si los ejercicios espirituales son una exigencia absoluta, las peregrinaciones y el servicio de los pobres en los hospitales pueden ser materia de dispensa en casos de personas de alto rango, cuyas familias o amigos pudieran escandalizarse por tales exigencias.[19]

Finalmente, el 11 de junio se fijan en principio una serie de puntos importantes. En primer lugar, el superior, al que los demás harán voto de obediencia, será elegido de por vida. Y por

18. Cf. *Const.,* II, p. 118: «Porque vienen a nosotros algunos que desean ardientemente unirse a nosotros y ser admitidos en esta Compañía, sin que pueda juzgarse plenamente a qué fin o manera de vida se encontrarían mejor en su lugar».

19. «Si esset aliquis tanti momenti, puta nobilis, ac potentium perentum vel amicorum, de quo esset periculum si peregrinaretur vel esset in servicio hospitalitatis.»

otra parte, sin que se vea aún aparecer el régimen mixto entre las órdenes posedentes y las órdenes mendicantes, ni la autorización de poseer reservada a los colegios, se prevé que la Compañía podrá aceptar residencias de las que sólo tendrá la disposición precaria sin derecho de propiedad.

Éstos son los puntos esenciales de estas deliberaciones de la primavera de 1539. Advertimos hasta qué punto los iñiguistas se adentran prudentemente en un camino que les acerca al monaquismo, hasta qué punto parecen preocupados por conservar la originalidad de su vocación de *sacerdotes peregrinos*. Hemos visto apuntar en sus deliberaciones el temor a que se les imponga una regla ya establecida. Para evitar semejante peligro tratarán de obtener una aprobación pontificia que reconozca su originalidad. Ellos mismos redactarán en cinco capítulos los estatutos de su sociedad, y estos capítulos se incluirán en un proyecto de bula presentado al papa el 3 de septiembre por el cardenal Contarini. Aprobado verbalmente por el papa, este proyecto, para ser adoptado oficialmente por la curia, deberá esperar un año y sufrir profundas modificaciones. El examen de estas modificaciones corrobora la idea de que el obstáculo principal era la posición de la Compañía respecto al monaquismo.

Esta posición no había inquietado a un Contarini. ¿Es casual que los sacerdotes peregrinos, apóstoles de un género novísimo, hubieran buscado y encontrado apoyo en Contarini, cardenal de un género no menos nuevo, en quien se encarnaban todas las esperanzas de reformas suscitadas por el pontificado de Paulo III? Era un laico, perteneciente al patriciado mercantil de Venecia, a quien el papa había elevado al cardenalato, no por consideraciones de alta política, sino únicamente a causa de su piedad, de su cultura teológica y de su virtud. Su nombre había causado sensación en la promoción cardenalicia del 21 de mayo de 1535, promoción en la que estuvo a punto de ser incluido Erasmo. Con él entraban en el consistorio las tendencias pacificadoras que Erasmo había representado frente al cisma, y las tendencias reformistas con las que se contaba para reconciliar a los países atraídos por el luteranismo. Antes de su elevación al cardenalato había compuesto una *Confutatio articulorum seu quaestionum Lutheri,* en la que Hans Rückert (*Die theologis-che Entwicklung G. Contarinis*) observa, al mismo tiempo que la utilización sistemática de santo Tomás, una voluntad de entendimiento con los protestantes cuyos errores refuta. Una vez cardenal, fue elegido presidente de la comisión de reforma preparatoria para el concilio, como redactor del *Consilium delectorum cardinalium,* documento que demuestra una sincera voluntad de reforma, publicado en 1538 debido a una indiscreción, y del que Sturm, el reformador de Estrasburgo, había acogido triunfalmente como una confesión del desorden y de la corrupción reinantes en la Iglesia católica. Por otra parte, en el consistorio el partido reformista había sido reforzado por otros humanistas cristianos cuando hubo la promoción del 22 de diciembre de 1536, que comprendía a Sadolet y a Reginald Pole, partidarios de una política conciliadora para poner fin al cisma. Tanto en el círculo de Pole como en el de Contarini, el apostolado iñiguista había encontrado buena acogida. Pensemos en el manuscrito de los *Ejercicios* copiado de mano de John Helyar, protegido de Pole. Ya en su primera estancia en Roma, en 1537, Ignacio parece haber conocido al cardenal Contarini, y, según la tradición de la Compañía, le había hecho hacer los Ejercicios. También los había hecho Lattanzio Tolomei, humanista sienés, representante de la república de Siena ante el papa, quien también debía destacarse por sus tendencias irenistas y reformistas. Era, pues, natural que el fundador de la Compañía, consciente de la novedad de su empresa, buscase para ella la protección de un Contarini.

¿Por qué la aprobación concedida verbalmente a éste por Paulo III queda muy pronto en suspenso debido a graves dificultades? Ignacio no tarda en saberlo. El 3 de septiembre de 1539, en Tívoli, Contarini lee el proyecto al papa, quien le escucha favorablemente; el 28, Lattanzio Tolomei, sobrino del cardenal Ghinucci, a quien se ha confiado el examen del texto antes de darle la consagración de la curia, escribe a Contarini una carta que fue descubierta y publicada por Dittrich.[20] Tolomei transcri-

---

20. *Regesten und Briefe des Cardinals G. Contarini,* Braunsberg, 1881, p. 379.

bía los pasajes que el cardenal Ghinucci juzgaba lamentables, «y estas palabras», añadía, «deben suprimirse para evitar favorecer a los luteranos»; y señalaba aún otro pasaje que en principio se consideró superfluo: el del voto especial de obediencia al papa.

¿Cuáles son los pasajes que los luteranos hubieran podido utilizar en favor suyo? No hay la menor duda. No sólo la carta de Lattanzio Tolomei los cita, sino que además fueron suprimidos del proyecto primitivo leído en Tívoli ante el papa el 3 de septiembre de 1539 para llegar a la redacción definitiva de la bula *Regimini militantis ecclesiae*. Son pasajes que subrayan audazmente la diferencia entre la nueva Compañía y las órdenes monásticas.

El primero se refiere al canto de los oficios en común. Los iñiguistas desechan esta obligación para su sociedad, no porque les parezca mala en sí misma, al contrario, sino porque es contraria a su vocación, que es la de dedicar el mayor tiempo posible, noche y día, a la salvación de los hombres enfermos de cuerpo o de alma. Los sacerdotes de la Compañía, aunque carecen del derecho de tener beneficios, están obligados a leer los oficios, pero privadamente (es decir, obligados a la lectura privada del breviario), «non tamen in choro, ne ab officiis charitatis, quibus nos totos dedicavimus, abducantur». Ello implica una reforma de la liturgia que excluye el uso del órgano y de los cantores.[21] Aquí es donde se daba la precaución oratoria respecto al esplendor del culto colectivo, que rechazaban no como malo en sí mismo, sino como contrario a su vocación.[22]

Además, dirigiéndose a los que van a seguir su género de vida, los iñiguistas formulan un doble aviso contra dos peligros que quieren evitar. El primero se refiere a las prácticas exteriores

21. «Por lo tanto, que no empleen ni órgano, ni ritual musical de canto en la misa ni en ningún otro oficio.»

22. «En efecto, consideramos por experiencia que todas las cosas con las que los demás clérigos o religiosos adornan el culto, y que fueron ideadas para excitar o doblegar las almas por medio de los himnos y de los misterios, son por el contrario un notable estorbo para nosotros. Pues, según la forma propia de nuestra vocación, es preciso que, además de las otras actividades necesarias, con frecuencia ocupemos una gran parte del día e incluso de la noche consolando a los enfermos tanto del cuerpo como del alma.»

que caracterizan a las órdenes monásticas. Éstas no se nombran. Pero la alusión es clara y bien visible la preocupación de no parecer hostil a estas prácticas por sí mismas.[23] Estas prácticas serán facultativas y estarán subordinadas a la autorización del superior.[24] Finalmente, y éste es el segundo aviso, nadie debe ser admitido en la Compañía sin haber sido puesto a prueba durante un largo período de tiempo. Otra diferencia capital entre la Compañía y las órdenes, en las cuales se pasa casi automáticamente del noviciado a los votos irrevocables.[25]

Éstos son los pasajes cuya supresión pedía el cardenal Ghinucci, dado que su contenido iba a alegrar a los luteranos, enemigos encarnizados del monaquismo. ¿Es inverosímil pensar que las famosas reglas de ortodoxia, varias de las cuales se refieren al elogio del monaquismo, se añadieron a los *Ejercicios* como consecuencia de este conflicto?[26] Es muy notable que, después de que la cuarta haya recomendado la alabanza de las órdenes monásticas, la quinta insista en la cuestión de los votos, y para recordar que sólo pueden ser materia de votos válidos las perfeccio-

---

23. «Que no se imponga, bajo pena de pecado mortal, ayunos, disciplinas, ni ir con la cabeza o los pies desnudos, llevar tal color de hábito o seguir un régimen alimenticio particular, ni penitencias, cilicios y otras maceraciones corporales. No obstante, no prohibimos estas prácticas porque las condenemos. Por el contrario, las alabamos y respetamos en grado sumo en aquéllos que deben observarlas. Pero no queremos ligar a los nuestros con tantas cadenas juntas, ni ofrecerles así una excusa para suspender, si la ocasión se presenta, las actividades que nos proponemos realizar.»

24. «Sin embargo, cada cual podrá, si no se opone su superior, entregarse con devoción a las penitencias que juzgue necesarias o útiles a su caso.»

25. «Además, que no se admita a nadie en la Compañía sin antes haberle puesto a prueba larga y muy concienzudamente. Cuando el candidato haya demostrado ser recto en Cristo y notable por su doctrina o la santidad de su vida, sólo entonces puede admitírsele al servicio de Jesucristo.»

26. Releamos algunas de estas reglas: «La tercera: alabar el oír misa a menudo, así mismo cantos, psalmos y largas oraciones en la iglesia y fuera della [...]. La quarta: alabar mucho religiones, virginidad y continencia, y no tanto el matrimonio como ninguna de destas[...]. La quinta: alabar votos de religión, de obediencia, de pobreza, de castidad y de otras perfecciones de supererrogación; y es de advertir que como el voto sea cerca las cosas que se allegan a la perfección evangélica, en las cosas que se alejan della no se debe hacer voto, así como de ser mercader o ser casado, [etc...]».

nes que tienen que ver con la perfección evangélica —obediencia, pobreza, castidad—, es decir, las que exige la Compañía, excluyendo particularidades de indumentaria o de alimentación.

Admitiremos, pues, que las reglas de ortodoxia —de las que las copias más antiguas fechadas son de 1541— se redactaron para proteger a la Compañía naciente, hacia 1540, en la crisis producida con motivo de su aprobación por el papa. Esta crisis —como sabemos bien gracias a Dittrich y Tacchi-Venturi— tuvo dos fases. La primera fase es la de las observaciones de Ghinucci. Si se exceptúa una frase de Ignacio [27] recogida en el *Memorial* de Gonçalves, los historiadores de la Compañía, hasta Tacchi-Venturi, han guardado silencio respecto a ellas, y sin duda las han ignorado. La segunda fase, mencionada por todos los autores, es la de las resistencias del cardenal Guidiccioni, resistencias célebres por las tres mil misas que prometieron los primeros jesuitas para obtener la ayuda del cielo contra su obstinación.[28] Para Guidiccioni, la diversidad de las órdenes monásticas era una gran fuente de desorden, de discordia, de querellas de precedencias, de escándalos. Era del parecer que debían reducirse sus divergencias. Aconsejaba conservar cuatro grandes órdenes reformadas: benedictinos, cistercienses, dominicos y franciscanos, suprimir todas las demás, y no admitir otras nuevas. Se comprende, pues, que cuando el papa, para terciar entre Contarini y Ghinucci, puso el asunto de la Compañía en manos de Guidiccioni, recientemente elevado a la dignidad cardenalicia, éste rechazara los argumentos de ambos, poco dispuesto a escandalizarse como Ghinucci de las tendencias antimonásticas de los iñiguistas, pero

27. *Scripta de S. Ignatio*, I, pp. 295-296: «[...] quando la Compañía andaua por confirmarse, y el cardenal Ginuchi contradizia aun después de la concessión del papa».

28. Sobre estas resistencias también Tacchi-Venturi ha proyectado nueva luz publicando en los apéndices de su tomo I (pp. 579 ss.) fragmentos de Guidiccioni sobre el problema de las órdenes religiosas. No parece que el cardenal dedicase una obra especial a esta cuestión, como pudiera creerse leyendo a los antiguos cronistas de la Compañía. Pero expuso sus opiniones sobre el monaquismo en su tratado *De Concilio Universal*, escrito en 1536 con motivo de la primera indicción del concilio convocado en Mantua, y en otro tratado titulado *De Ecclesia*, compuesto sin duda entre 1536 y 1539.

aún menos propenso a admitir que fundasen una orden nueva. Y, en resumidas cuentas, la fórmula de transacción, que modifica profundamente el proyecto inicial, consistió no sólo en suprimir los pasajes que insistían en las divergencias entre la Compañía y el monaquismo, sino además a reducir el número de miembros de la Compañía a un máximo de sesenta personas. Ello equivalía a consagrar el carácter excepcional de esta empresa de apostolado y la altura de sus objetivos. Equivalía también a impedir la constitución de una gran orden nueva que sería rival de las antiguas. Pero la restricción de la bula de 1540 debía levantarse en 1545. De hecho, la Compañía en expansión chocará muchas veces con el monaquismo: sin manifestar respecto a ellas la menor hostilidad, respetándolas y contribuyendo incluso de modo más o menos deliberado a engrosar sus filas, topará con las órdenes ya existentes por su mismo éxito y por la novedad de sus métodos. Por otra parte, no todos los jesuitas serán partidarios de esta novedad. A veces se sentirán seducidos por el monaquismo, y ello provocará crisis latentes o agudas en la Compañía.

Antes de entrar en esta evolución, conviene interrogar las *Acta* y el *Memorial* de Gonçalves para captar, en la medida de lo posible, el espíritu con el que Ignacio imprimió a su Compañía un movimiento divergente del monaquismo anterior. Alrededor de medio siglo después de la fundación oficial de la Compañía, un gran jesuita español, el padre Mariana, redactaba su famoso discurso sobre los yerros y faltas de la Compañía de Jesús.[29] Había ingresado en el colegio de los jesuitas de Alcalá en 1554, cuando el fundador aún vivía, y considera a la Compañía como muy joven y sus dificultades como enfermedades infantiles. Los errores de partida eran tanto más naturales cuanto que los jesuitas quisieron seguir un camino nuevo, haciendo sistemáticamente abstracción de los ejemplos que podían proporcionarles las órdenes monásticas.[30] Esta manera de ver las cosas con medio siglo

29. J. de Mariana, *Obras,* II (Biblioteca de Autores Españoles, XXXI), pp. 595 ss.
30. «Mas los nuestros siguieron un camino, aunque bueno y aprobado de la Iglesia y muy agradable a Dios, como lo muestran los maravillosos frutos que de esta planta se han cogido, pero muy nuevo y extraordinario;

de perspectiva, ¿es tal vez deformado? ¿Acusa Mariana, a pesar suyo, la influencia de las críticas dirigidas por las demás órdenes a la Compañía? ¿Exagera, por lo que respecta a los jesuitas, en cuanto a su voluntad de no parecerse a los frailes?

Frente a este juicio del jesuita Mariana, que pertenece ya muy a finales del siglo XVI, podemos poner el del cisterciense Luis de Strada, emitido con ocasión de la muerte de san Ignacio el 22 de febrero de 1557. Este monje del monasterio de Huerta hace, en calidad de monje, el más encendido elogio de la orden de Ignacio y de los servicios que presta al monaquismo en general. Sus colegios, dice, no son los de una orden particular, sino los de toda la cristiandad. Sus noviciados, como la «casa de probación» de Simancas, albergan a futuros jesuitas, pero también a hombres que no serán profesos, que podrán pasar a otras órdenes. En cambio, sus Constituciones le vedan aceptar en la Compañía a cualquiera que hubiese sido novicio de otra orden o que hubiera llevado un hábito de ermitaño. Y a despecho de absurdas calumnias, que adoptan la apariencia de verdades porque se da el nombre de jesuitas a todos aquellos a quienes tratan los jesuitas para tratar de reformar su conducta o su fe, la Compañía es fiel a esta regla: no es el refugio de los apóstatas, de los descarriados. Los hijos de confesión de los jesuitas pueden causar escándalos. Los miembros de la Compañía llevan una vida ejemplar, cosa aún más digna de notarse dado que han vivido mucho tiempo bajo la única obediencia de sus superiores, y sin regla.[31]

---

traza muy sujeta a tropiezos, a la manera que los que caminan por arenales y por desiertos, donde no se ven pisadas ni camino, corren gran peligro de perderse y de no llegar al fin y paradero de su jornada. Esto sospecho yo fue la causa por que casi todas las demás religiones en sus principios se arrimaron a alguna de las reglas antiguas de san Agustín, san Benito, etc.; tiene esta dificultad mayor fuerza en nuestra congregación, por cuanto de propósito *muchos de los nuestros, por no parecer frailes, se han apartado del todo de las costumbres, reglas, ceremonias y hasta de los vocablos que usan todas las demás religiones,* de que por ventura, salvo su instituto, se pudieran aprovechar con humildad y ayudar» (p. 596). [El subrayado es nuestro. — M. B.]

31. «Finalmente, el santo varón, en el año [15]33 envió a España al reverendísimo P. Nadal, con las constituciones que había meditado profundamente durante diez años, después de haber consultado las reglas de los

Una vez más tropezamos con la antinomia entre las Constituciones definitivas, que, efectivamente, tienen en cuenta la experiencia del monaquismo anterior, o que al menos lo toman como punto de referencia, y la iniciativa fundadora de 1539, que hace abstracción de esta experiencia o que se sitúa frente a ella únicamente como ante un modelo que no debe seguirse. Toda la historia de la Compañía demuestra que Ignacio hizo algo muy distinto a una orden monástica tradicional. Su vida y sus palabras recogidas por Gonçalves tal vez nos permitan comprender su evolución a este respecto y adivinar algo de sus intenciones. De los comienzos de su vida religiosa, las *Acta quaedam* nos ofrecen una visión ya sistematizada e idealizada. Pero lo que se nos dice de la atracción que sentía por la vida monástica en los comienzos de su conversión es sumamente digno de fe. Antes de partir para Montserrat está obsesionado por el deseo de imitar a san Francisco y a santo Domingo. Se propone ir a Jerusalén descalzo y dedicarse enteramente a la penitencia. Piensa entrar en la Cartuja de Sevilla de regreso de la peregrinación, e incluso hace que un criado vaya a informarse a Burgos sobre la regla de los cartujos. Pero las *Acta* dejan entrever con claridad que esta atracción por la Cartuja es intermitente, menos fuerte que su deseo inmediato de penitencia que se completaba con una vida de peregrino pobre. La vida de los cartujos, desde la época de la conversión de Ignacio —cuando Erasmo escribía su coloquio del cartujo y del soldado— hasta la época de la reforma del Carmelo —cuando el futuro san Juan de la Cruz, incómodo entre los carmelitas no reformados, acariciaba la idea de hacerse cartujo—, aparecía a los hombres del siglo XVI como el refugio del monaquismo auténtico, fiel a su espíritu original de apartamiento del mundo. Esta vida pudo atraer a Ignacio en el primer entusiasmo muy interior de su conversión. Pero después de que en Manresa y en el curso de su peregrinación a Tierra Santa ha probado el apostolado itinerante, la caballería andante a lo divino, no puede renunciar

---

Padres sus antecesores, y de haberse informado antes de la experiencia de todas las órdenes (por las cuales sintió siempre una veneración y un afecto muy grandes)[...]» (*Scripta de S. Ignatio*, II, p. 60).

a la acción, a ejercer su don de conquistar almas. Las *Acta quaedam* nos hablan de cierto monje, quizá cisterciense («creo que de San Bernardo») al que Ignacio, cuando volvía de Jerusalén, había pensado convertir en su maestro. Este monje era de Manresa. Ignacio se dedica a buscarle y se entera entonces de que ha muerto. Ello le decide a seguir estudios con el maestro Ardévol en Barcelona. Según Polanco, aún dudaba mucho acerca del camino a seguir, desde que por mandato de los franciscanos de Jerusalén, tuvo que dejar Tierra Santa. En su ardor por el servicio de las almas, se pregunta a su regreso si debe entrar en una orden religiosa o dedicarse libremente al servicio de Dios reuniendo a compañeros que abracen la misma vida que él. Como sabemos, fue el segundo camino el que eligió una vez volvió a encontrarse en Manresa y Barcelona. Pero Polanco nos dice una cosa curiosa acerca de las veleidades de vida monástica que le asaltan en esta época por última vez. Ya no piensa en encerrarse en una cartuja como en los primeros tiempos de su conversión. Si ha de hacerse monje, quiere serlo en una orden no reformada, donde haya una gran obra de perfeccionamiento que realizar, afrontando si es preciso persecuciones.[32] Su vocación es, pues, más que la búsqueda de la perfección, la conquista de las almas que hay que ganar al ideal de perfección. Y en definitiva, elige llevar a cabo esta acción en el siglo, con compañeros que tengan su misma vocación.

¿Quiere ello decir que a partir de entonces los iñiguistas se desinteresan de la vida monástica y de su mejoramiento? Evidentemente, no. Después de las experiencias demasiado cortas de Barcelona, de Alcalá y de Salamanca, la experiencia parisiense, decisiva para la formación de la Compañía, dispone de tiempo para desarrollarse y sus resultados son significativos. No sólo Ignacio descubre allí, ganándolos para su empresa, a los nueve compañeros nuevos que fundarán la Compañía con él, sino que influye además en otras almas, algunas de las cuales dejan el

---

32. «Si debía entrar en una orden [antigua], era en una orden no reformada, de vida desordenada *(dissoluta)*, en lo que él pensaba. De este modo podría sufrir y merecer mucho, ayudando a su perfeccionamiento» (Polanco, *Chronicon*, I, p. 31).

mundo por la vida monacal. Recordemos a María de la Flor y su deseo de imitar en el desierto a santa María Egipciaca. En París un trío de discípulos causa escándalo por una conversión clamorosa. Estos estudiantes dan a los pobres todo lo que tienen, hasta sus libros, comienzan a mendigar y van a vivir al hospital de Saint-Jacques. Uno de los tres, Amador, es un vizcaíno cuya suerte posterior se ignora; sólo se sabe que estaba en el colegio de Santa Bárbara antes de su conversión. Ésta ocasionó una violenta cólera al principal de este colegio, Gouveia, quien acusó a Ignacio de haber vuelto loco al pobre Amador, amenazándole con hacerle apalear para que sirviera de escarmiento. Los otros dos son estudiantes ya bastante conocidos y a los que se auguraba un brillante porvenir. Pedro de Peralta será doctor por la Sorbona y canónigo de Toledo: en los ambientes de los cristianos nuevos de Toledo va a ser uno de los primeros apoyos de la Compañía. Juan de Castro será también doctor, y después de volver a Burgos, su tierra natal, donde se dedica durante un tiempo a la predicación, se hace cartujo a comienzos de 1536, en la cartuja de Val de Cristo, cerca de Segorbe. Así, pues, de estas vocaciones religiosas suscitadas por el apostolado iñiguista, el monaquismo recoge su parte. Gana excelentes monjes que, por haber elegido este camino, no dejan de ser menos queridos por Ignacio. Cuando efectúa su viaje a España en 1536, Ignacio visitará en Val de Cristo a su queridísimo amigo el doctor Juan de Castro. Esta criba de las vocaciones es necesaria. Fabro, gran amigo de los cartujos de Colonia, después de haberlo sido de los cartujos de París, sueña para la Compañía con un éxito triunfal que sería al mismo tiempo el del monaquismo restaurado. Diciendo su misa el día de san Bruno de 1543 en honor del fundador de los cartujos, siente grandes y vivos deseos de ver la restauración de esta orden y de todas las órdenes monásticas y eremíticas. Con este estado de ánimo, dice su misa por la Compañía, aspirando a verla trabajar eficazmente en la reforma de las órdenes.[33]

No, los jesuitas no se desinteresaron de la reforma del monaquismo. Pero concibieron su propia misión como desbordando

33. *Fabri Monumenta,* p. 622.

ampliamente esta reforma, como de un alcance mucho mayor. La obra que había que realizar era la instauración del cristianismo en todos los hombres. En esta obra, de la que la reforma monástica no era más que una parte, tienen el íntimo convencimiento de que su Compañía había sido providencialmente llamada a desempeñar un papel propulsor y director, a llevar a cabo una gran tarea de reclutamiento y de selección para el apostolado que debía efectuarse poco a poco. Ya veremos cómo se dedicaron a esta empresa en España y Portugal, cómo se dedicaron desde el comienzo a conseguir la colaboración de los poderes temporales y a conquistar reclutas de valor excepcional por su arte innato de despertar la simpatía («don de gentes») y por su prestigio.

Pero dada la tendencia persistente a considerar a los jesuitas como una nueva orden monástica, no más nueva en relación a las órdenes mendicantes del siglo XIII de lo que éstas lo fueron respecto al monaquismo benedictino, hay que insistir en la clara conciencia que tenía Ignacio, una vez seguro de su camino, de fundar algo distinto a una orden monástica.

Nada más significativo a este respecto que las palabras recogidas por Gonçalves, discípulo piadoso e ingenuo, en el curso de este año de 1555-1556 que él pasa en Roma al lado del fundador, en el momento en que la Compañía sabe adónde va, un año poco más o menos antes de la muerte de Ignacio...

¿Por qué, pregunta Gonçalves, los jesuitas no llevan un hábito que les distinga? Respuesta: «Al principio yo hacía una vida de penitencia y llevaba un hábito particular; los jueces me ordenaron que me vistiera como todo el mundo. Así adopté esta costumbre. Puesto que me lo ordenan, quiero obedecer. Pues el hábito importa poco».[34] Ello nos recuerda el refrán tan a menudo citado por Erasmo y los erasmianos: el hábito no hace al monje. Pero, sin ningún género de dudas, para Ignacio la ausencia de hábito favorece la actividad de su Compañía, que quiere diferente a una orden monástica. La amplia vestidura de peregrino, demasiado vistosa, demasiado llamativa, es un error admitido, un

34. *Memorial*, pp. 219-220.

estadio superado desde la etapa parisiense. En 1546, un buen
día, mientras Fabro y Araoz están tratando de conquistar la
corte de España, un predicador causa sensación en Madrid por
su apariencia exterior de apóstol, que recuerda a los iñiguistas
de veinte años atrás. Y los iñiguistas están consternados que se
le tome por uno de los suyos.[35] No sólo el hábito importa poco,
sino que hay que evitar la singularidad indumentaria.

Pero hay más. Los novicios durante su noviciado deben conservar la ropa con la cual vinieron del siglo, o, si el noviciado
se prolonga, una ropa parecida reemplazará a la ya gastada.
Gonçalves cuenta acerca de esta cuestión anécdotas edificantes.
Los buenos novicios hacían durar las prendas de ropa que habían
usado en el mundo. Y el buen don Gonçalo da Silveira, portugués
que fue mártir en Monomotapa, llevó hasta el desgaste completo
un jubón de raso negro ante el cual hacía a menudo esta reflexión:
«El mundo cree que ya soy un hombre distinto, y hasta tal punto
sigo siendo el mismo que ni siquiera he cambiado de ropa». Gonçalves cuenta esta anécdota (p. 172) a propósito de unos soldados
españoles que habían ingresado en la Compañía en Roma con
jubones muy delgados y capas que no podían llevar en su trabajo
cotidiano. El que servía de secretario a Gonçalves tuvo que ser
especialmente autorizado por Ignacio para recibir ropas de abrigo
para no pasar tanto frío. El fundador era muy estricto acerca de
esta continuidad de la indumentaria. Sólo hacía excepciones cuando la salud estaba en peligro. Vemos en qué sentido el hábito
importa poco. Es importante que el cambio de vida no se resuma

---

35. Araoz escribe a Fabro el 21 de mayo: «El buen Muñoz, el clérigo,
ha predicado en Santa María en medio de ruido habitual de los oyentes;
creo que doña María de Mendoza (sin duda la esposa del comendador Co-
bos) ha salido; uno de los del consejo me ha preguntado si era de los
nuestros; que Dios, que tanto nos mortifica, se apiade de él» (*Fabri Monumenta*, p. 430). Y el 20 de junio a Ignacio: «Hay aquí un clérigo con
sayal, que parece un apóstol y que tiene la razón perturbada, que ha predicado y escandalizado a cuantos le han oído de tal modo que donde ha
predicado una vez ya no se le vuelve a admitir. El vulgo, y también otros,
han creído que era de nuestra Compañía, y se han escandalizado mucho
de que le dejáramos predicar. Y al verle vestido más austeramente que
nosotros, algunos [...] le tenían por nuestro superior, y decían que era
Ignacio» (*Ep. Mixtae*, I, p. 291).

en un cambio de vestimenta. La vocación debe ponerse a prueba sin que haya un cambio de indumentaria.

Gonçalves relaciona esta particularidad con otra análoga: «El Padre opina que no debemos llamarnos padres ni hermanos; pues, de la misma manera que prefiere que no llevemos ropas diferentes, tenemos que seguir la misma regla en la manera de hablar» (p. 222). Una vez más no es posible dejar de evocar las críticas erasmianas a la majestad usurpada de las apelaciones de «Padre» adoptadas por los frailes y monjes, de «Maestro» por los teólogos. El adagio *Silenos de Alcibíades,* donde Erasmo dice que los apóstoles eran silenos por lo mismo que Sócrates, por el contraste entre su apariencia externa miserable y el espíritu divino que los animaba; mientras que hay monjes que son silenos al revés, por el contraste entre el hábito, que les hace parecer Pablos o Serapiones, y el espíritu de violencia, de codicia y de orgullo que los habita.[36] Gonçalves refiere, basándose en el testimonio de los antiguos, anécdotas que muestran hasta qué punto los iñiguistas eran estrictos en lo de este rechazo del título de padre o de hermano. Fabro, dice, llamaba al fundador «Íñigo», como puede verse en sus cartas. Efectivamente, sus cartas autógrafas así lo prueban. Araoz, todavía no admitido en la Compañía, va a visitar a su tío Íñigo. San Francisco Javier, que hace de portero, avisa al fundador en estos términos: «Íñigo, está aquí Araoz que quiere hablarte». En Valencia, en 1545, Fabro pide al portero del colegio que llame a uno de los jesuitas que pasa por la calle. El portero llama: «Hermano». Y Fabro se lo reprocha: «Llamadle por su nombre». Tratándose de hombres que no tienen ni regla ni ceremonias, he aquí una regla negativa bastante estricta.

Íñigo y los iñiguistas crean un nuevo tipo de hombre religioso, que se caracteriza exteriormente, no por un hábito, sino por una gravedad, un dominio de sí mismo, una dignidad sin fisuras. En contraste total con la jovialidad y la vulgaridad tan frecuente entre los franciscanos hermanos de Rabelais, esos fran-

---

36. «Quiero que sean dignos de reverencia, pero a causa de la integridad y severidad de su vida, no solamente por sus títulos o por una vestimenta teatral (*ornatum tragicum*) (p. 870).

ciscanos despreciados por la reina de Navarra y la sociedad refinada. Sin duda las órdenes reformadas insistían también en el decoro y en la gravedad exterior, los ojos modestamente bajos. Pero quizá sólo los jesuitas hicieron de ello una exigencia inflexible. Gonçalves nos cuenta la expulsión de un novicio por una sola inconveniencia.

Un punto acerca del cual Gonçalves no deja de comentar las intenciones de Ignacio, es la precaución adoptada por la Compañía de no aceptar a nadie que anteriormente hubiese llevado el hábito de una orden monástica —aunque fuese a título de novicio— o un hábito de ermitaño (p. 230): el fundador cree recordar que pensaba en dos razones cuando decidió este impedimento. En primer lugar, que estos novicios, estando ya acostumbrados a ritos y ceremonias diferentes, serían luego «difíciles de adaptar a nuestra manera de ser». Por otra parte, el paso de otra orden a la Compañía era un indicio de reprobable inconstancia. Aunque, como hemos visto en la carta del cisterciense Strada, a pesar de esta precaución se acusaba a la Compañía de acoger apóstatas de otras órdenes. Podemos imaginarnos cuál hubiera sido la hostilidad de las demás órdenes si hubiese acogido efectivamente a tránsfugas, como los cartujos estaban autorizados a hacer. Con esta negativa, renunciaba al prestigio de que gozaban los cartujos de ser la orden austera por excelencia. En compensación, tenía ante sus admiradores el prestigio de proporcionar a las demás órdenes hombres valiosos, pero cuya vocación religiosa no se había considerado suficiente como para que fueran jesuitas.

Del mismo modo que Gonçalves pregunta a su padre Ignacio sobre la ausencia de prendas de ropa distintivas, le pregunta sobre la ausencia de coro, es decir, de oficios cantados en común. Sobre este punto, como sobre el otro, la respuesta nos parece un poco corta y reticente: «Pensé que si no teníamos esta obligación del coro, todo el mundo sabría que estábamos ociosos cuando no nos viera hacer bien a las almas. Sería, pues, como un aguijón para querer hacerles bien. Y por la misma razón hemos querido vivir en la pobreza a fin de poder ser más útiles a las almas, sin que nos estorbe la administración de riquezas, y teniendo también este aguijón» (p. 220). Respuesta edificante, sin duda alguna, pero que podría formularse con mayor claridad diciendo que, con la ausencia del coro, la Compañía se afirmaba públicamente como una orden exclusivamente dedicada a la acción apostólica. Pero también sobre este punto no podemos por menos de pensar en las ácidas fórmulas que Erasmo, en su desdén por las ceremonias, había aplicado a los oficios cantados por los monjes: «No saben —había dicho— más que rebuznar en el coro como asnos». Ignacio, al igual que Fabro, estaba demasiado identificado con la liturgia como para que no le chocara esta irreverencia. A pesar de lo cual, la vocación de la Compañía, según Ignacio, excluía el canto de los oficios. Gonçalves nos transmite además un reflejo del fundador al menos tan significativo como sus explicaciones: «El Padre nos dio capello [nos reprendió] porque rezábamos por el huerto, amenazándonos para que no volviéramos a hacerlo, diciendo que cantábamos» (p. 325). Y Gonçalves comenta: «No nos reprendió porque nos paseáramos por el huerto, sino porque dábamos la impresión de cantar como frailes». Luego «cantar como frailes» es impropio de los jesuitas; deben evitarlo a toda costa.

La contestación de Ignacio relativa al coro alude al delicado punto de la pobreza, aunque sin agotar la cuestión. En otro lugar Gonçalves consigna una preciosa confidencia: «¿Quién inventó los colegios? Laínez fue el primero en tratar de esto. Nosotros veíamos la dificultad de la pobreza; y cada uno sugería soluciones diferentes» (p. 220). Laínez fue, pues, quien encontró la solución del problema que Quinet formulaba de modo mordaz: «Poder al mismo tiempo rechazar y aceptar, vivir según el Evangelio y vivir según el mundo». «A fines del siglo XVI —dice también—, la Compañía contaba con veintiuna casas profesas y 293 colegios, es decir, veintiún manos para rechazar y 293 para aceptar y coger. En dos palabras, éste es el secreto de su economía interior.» [37] Laínez, que descubrió este secreto, tal vez debía a su ascendencia de conversos una especial aptitud para tratar las cuestiones

37. 5.ª lección, pp. 222-223 de la edición conjunta de los cursos de Michelet y de Quinet en el Colegio de Francia, *Des Jésuites* [1843].

económicas. Debía distinguirse de 1552 a 1555 por sus predica-
ciones a los banqueros genoveses, a los que se esforzó por
convertir a la moralidad en las operaciones comerciales y finan-
cieras. Pero el distingo de los colegios se encontró desde los inicios, ya en el verano de 1539. Hemos visto que en las deliberaciones de aquella primavera se preveía la posibilidad de aceptar
residencias de las que se tendría la disposición precaria sin la
propiedad. Pero ya en los cinco capítulos del proyecto aprobado
verbalmente por el papa a comienzos de septiembre se ve aparecer,
al lado de la prohibición de poseer bienes estables, la posibilidad
de adquirir tales bienes para el mantenimiento de colegios ads-
critos a universidades. Y en el primer viaje que Araoz hace a
España, entre la aprobación verbal y la aprobación definitiva, se
ocupa de preparar el terreno para fundaciones de colegios.

He ahí la primera cuestión en la que la naciente Compañía se
ve obligada a tener en cuenta la experiencia de las órdenes monásticas: *primum vivere*. En los *Monumenta praevia* de la gran edición de las Constituciones, una instrucción de 1541 titulada
«Fundación de collegio» (pp. 61 ss.) establece una comparación
inevitable entre el estatuto de los colegios y el de las órdenes
monásticas posedentes y mendicantes, caracterizando la solución
de los jesuitas como un término medio.

Hacer constar esto no equivale a acusar a la Compañía. Y la
vengativa ironía de Quinet es demasiado fácil. Mariana, que
veía las cosas de más cerca, dijo sobre la cuestión cosas más pertinentes. Añadamos que si Laínez encontró la fórmula que legi-
timara el derecho de poseer, esta fórmula estaba de acuerdo con
la experiencia personal de Ignacio en el curso de sus estudios
en la Sorbona, y con el consejo que había recibido en París de
un monje español. Cuando se hospedaba en el hospital Saint-Jacques, lejos de Montaigu, y procurándose el sustento gracias a la
mendicidad, perdía un tiempo precioso para sus estudios con su
afán de ser fiel a su ideal de pobreza mendicante y de despreocupación evangélica. Al principio piensa en imitar a ciertos compañeros a los que ve resolver este problema viviendo como criados
de un regente de colegio. Pero no encuentra amo. Y entonces
un monje compatriota suyo le dice que lo mejor para él sería

perder dos meses al año mendigando a los mercaderes españoles de los Países Bajos y reunir lo bastante como para estudiar tranquilamente el resto del año. Así adopta la costumbre de ir todos los años a pedir a Flandes y un año llega incluso hasta Inglaterra.

Esta experiencia sin duda fue determinante en la adopción del expediente de los colegios posedentes y con rentas. Por otra parte, si la pobreza mendicante era poco favorable al esfuerzo metódico y continuado de los estudios universitarios, lo era también muy poco a un esfuerzo de apostolado amplio y organizado, sobre todo a partir del momento en que este apostolado ya no se contentaba con convertir a mujeres de condición humilde como María de la Flor, con la esperanza de que la cruzada del servicio de Dios se propagase poco a poco, sino que se aspiraba a la conquista de las clases dirigentes de la sociedad. Veremos cómo los primeros misioneros encargados de implantar la Compañía en España, Araoz o Fabro, se afligen por la vida dispendiosa que llevan: «Hasta ahora —escribe melancólicamente Fabro— aún no hemos empezado a mendigar». Más adelante los profesos deberán vivir más o menos fatalmente a cargo de los colegios, como observa Mariana.

En resumen, la regla de pobreza total tuvo que infringirse ante las exigencias del mundo en el que había que actuar, del mismo modo que Don Quijote aceptó la burlona opinión del ventero, según el cual todo buen caballero andante debía llevar consigo «dineros y camisas limpias». Pero Ignacio parece sentir nostalgia de sus primeras salidas de peregrino mendicante. Y la importancia que concede a las peregrinaciones en el período probatorio de la vida de los jesuitas es buena prueba de ello. Gonçalves le pregunta la razón de las peregrinaciones. Él responde: «Yo he sentido sus beneficios, me han sido un gran bien». Luego, como algunos no las resistían, hubo que atenuar esta obligación, dejándola a la discreción de los superiores. Prueba ascética de resistencia a la fatiga y a las privaciones, es al mismo tiempo un recuerdo de los tiempos heroicos, un vestigio simbólico de una vida más pura y más arriesgada, más conforme a la despreocupación evangélica, que se ha abandonado por un apostolado más eficaz.

Recordemos la fórmula de Ignacio recogida por Gonçalves: «Al comienzo hacía una vida de penitencia y llevaba un hábito particular» (p. 219). Cuando leemos las *Acta* y el *Memorial* a propósito de los sacrificios corporales que se imponían los iñiguistas en París, por ejemplo en la prueba decisiva de los Ejercicios, siempre se tiene la impresión de que Ignacio evoca esta fase heroica como una experiencia que no puede compararse con las normas admitidas posteriormente en la Compañía organizada. Pobreza total o propiedad a.m.D.g., maceraciones corporales o preocupación por la salud; hay ahí como contradicciones íntimas que, unidas a la novedad de la Compañía, harán que la orden de Ignacio resulte difícil de comprender, no sólo por los jueces de fuera, sino incluso por los dirigentes de la misma orden. Nada más asombroso a este respecto que una carta de Miguel de Torres, ya visitador de Portugal, a quien se habían confiado desde hacía siete años misiones importantes para la Compañía, y que confiesa a Ignacio que no acierta a comprender bien la manera y el objeto de la Compañía.[38] Estamos ante algo muy distinto de una prueba de modestia. La historia de la Compañía en Portugal y en España entre 1540 y 1560 muestra hasta qué punto estaba aún indecisa respecto a su camino. En Portugal, Torres acaba de ser nombrado provincial a consecuencia de la deposición de Simón Rodrigues, uno de los diez fundadores, de quien Ignacio prescinde acusándole de haberse apartado de la obediencia y del verdadero espíritu de la Compañía. En España, la admisión de san Francisco de Borja, atraído por el prestigio nuevo de la Compañía, pero en el fondo inclinado hacia el monaquismo contemplativo, crea un foco de incertidumbre. Henri Bremond, en su monumental *Histoire littéraire du sentiment religieux en France*, en el volumen titulado *La métaphysique des saints*, evoca el caso del grupo de Gandía en el momento de la entrada del duque en la Compañía, a los

---

38. «He manifestado al P. Nadal el deseo que sentía de irme con él para servirle y, al mismo tiempo, *aprender a su lado la manera de vivir de la Compañía, porque, a decir verdad, Padre, no la comprendo y [dudo que comprenda] como es debido el fin de la Compañía. Y como veo que a falta de otros, se me ordena que me ocupe de sus cosas, me ha parecido que me era forzoso comprenderla»* (*Ep. Nadal*, I, p. 774: Torres a Ignacio, Lisboa, agosto de 1553). [El subrayado es nuestro. — M. B.]

que llamaba «un grupo de iluminados entre los jesuitas de España». Esta crisis no se resuelve con las instrucciones de Ignacio a san Francisco de Borja. Todavía en 1556, cuando Nadal transmite al «padre Francisco» las amonestaciones del general por sus penitencias corporales excesivas, san Francisco replica amenazando con retirarse a una cartuja, y discute con Nadal acerca del tiempo, según él excesivamente limitado, que las Constituciones asignan a la oración. Bustamante, discípulo del duque de Gandía, que ingresó en la Compañía por él, es nombrado provincial de Andalucía. Ahora bien, su mandato coincide con las obligaciones impuestas por Paulo IV, en especial la obligación de los oficios cantados en el coro, y en Sevilla se produce una desviación de la Compañía en el sentido del monaquismo puro y simple, con una vida de comunidad estrictamente regulada, horarios que dificultan el apostolado, cantos en común. Después de la desaparición de Paulo IV, cuando la Compañía recobra su libertad, Nadal va a enderezar el colegio de Sevilla, y Bustamante deja de ser provincial de Andalucía.

Ante perplejidades como las de Torres, incertidumbres como las de san Francisco de Borja, quien sin embargo en 1566 fue nombrado general de la Compañía, ante desviaciones como las de Bustamante, es impresionante comprobar el entusiasmo con el que los sacerdotes seculares discípulos de Juan de Ávila, el apóstol de Andalucía, se adhieren a la Compañía juzgándola la organización más adecuada a su vocación de apostolado.[39]

Pero, ¿no es posible que las dificultades interiores y exteriores de la Compañía se deban en buena parte a la actitud compleja, y un poco ambigua, que se vio llevada a adoptar desde el comienzo, en 1539-1540, respecto al monaquismo, de una parte haciendo tabla rasa de las formas monásticas para llevar a cabo una empresa nueva, cuyos fundadores comienzan a adivinar la

39. Uno de ellos, Gaspar López, escribiendo desde Jerez a Ignacio para expresarle su impaciencia por ser admitido en la Compañía, define ésta: «Orden tan alta y tan perfecta que, en lugar de maitines y de primas, y en lugar del canto de las demás horas canónicas, se hace oración mental para encontrar la fuerza de ir luego a lavar los pies de los pobres de Cristo[...]» (*Ep. Mixtae*, I, p. 509).

amplitud; de otra parte, manifestando su profundo respeto y su simpatía por las órdenes religiosas? Mezcla de modernismo y de tradicionalismo que se imponía inevitablemente en la reforma católica.

11. EN TORNO A JUAN DE VALDÉS

Acerca de la influencia de Erasmo[*]

Las reflexiones que siguen a continuación tratan de una de las dificultades más graves de la tarea a la que me consagré hace cuarenta y siete años sin pararme a examinar suficientemente la naturaleza de su objeto. Están dedicadas, como muestra de gratitud, a Marie Delcourt, que fue la primera en valorar en una revista mi *Erasmo y España*[1] cuando esta tesis acababa apenas de ser defendida.

Lo que se ha dicho, y bien dicho,[2] sobre la necesidad de delimitar intelectual y estéticamente la noción de «influencia» literaria, debería mover a interrogarse de manera no menos estricta sobre las famosas «corrientes» —otra metáfora tomada de los fluidos— de las que se ocupa la historia de las ideas. Las imágenes tergiversan el pensamiento. Hablamos de corrientes que mezclan sus aguas. Pero en el punto en que parecen confluir y confundirse, ¿es posible discernir lo que aportan cada una de ellas? Y en esa seudohidráulica, ¿qué pasa con el comportamiento de las inteligencias individuales y de los grupos humanos que

<del>___</del>

[*] «À propos de l'influence d'Érasme», *Hommages à Marie Delcourt*, Col. Latomus, n.° 114, Bruselas, 1970, pp. 243-250.

1. Marie Delcourt, Bibliografía, n.° 41. Marie Delcourt había tenido ocasión de leer la obra en galeradas.

2. Por ejemplo, por Claudio Guillén, «The Aesthetics of Influence Studies in Comparative Literature», en *Proceedings of the Second Congress of the International Comparative Literature Association at the University of North Caroline, Sept. 8-12, 1958*, Chapell Hill, N.C., 1959, I. pp. 175-192.

parecen arrastrados por una corriente, en qué paran sus iniciativas para la búsqueda y la defensa de una verdad? Incluso cuidando de no simplificar demasiado esos conjuntos complejos de acciones y reacciones espirituales, era casi un reto quererlas referir a un pensador tomado como reactivo privilegiado y simbolizarlas con su nombre. Ante un libro como *Erasmo y España*, Marie Delcourt apuntaba en 1937 que «es imposible dejar de advertir que el nombre de Erasmo se toma en dos sentidos diferentes. Tan pronto alude a Desiderio de Rotterdam como designa una tendencia que Erasmo representó con una maestría sin igual, pero que en modo alguno le era propia».[3] El autor era el primero en saberlo. Con toda razón se le pedían cuentas de esta ambigüedad. Se me preguntó con qué derecho trataba con tanta seguridad. como típicamente erasmiano (en mis españoles) el tema espiritual metafórico, que Erasmo toma de san Pablo, del «cuerpo místico» del que los cristianos son los miembros y Cristo la cabeza. Para justificar esta atribución de «erasmismo», referida al segundo cuarto del siglo XVI español, puede invocarse la preferencia con que el traductor español del *Enchiridion* subrayaba esta metáfora o la frecuencia con que reaparece en ciertos espirituales que escribían en una España en la que el *Enchiridion* hacía furor. Sin duda serían necesarios cómputos más completos que los míos para asegurarse de que esta frecuencia es estadísticamente mayor que la que presenta la literatura espiritual de la época precedente. Pero en este caso, al recoger los textos, también sería necesario no seleccionar indistintamente todos aquellos que hacen referencia al «cuerpo» de la Iglesia del que los cristianos son miembros,[4] sin ocuparse de manera forzosa del papel que Cristo, cabeza de este cuerpo místico, desempeña en el comportamiento de sus miembros, en su sumisión a su ley y en su salvación, cuando «se incorporan» a él.

Después de proceder con cierto rigor en las comparaciones entre la España erasmizante y la que le precedió, entre esta Es-

3. Delcourt, *op. cit.,* p. 331.
4. Véase por ejemplo José A. Maravall, «La idea de cuerpo místico en España antes de Erasmo», en *Estudios de historia del pensamiento español,* Edad Media, Serie I, Madrid, 1967, pp. 177-200.

paña y los demás países cristianos de la misma época, el problema interesante es saber por qué privilegió la metáfora paulina, por qué ésta pudo convertirse en un indicio de erasmismo en España y no en otros lugares, si es que fue un indicio. Yo insinué [5] que podía tratarse de una reacción de medios religiosos en los que los «cristianos nuevos», los «conversos» de origen judío, desempeñaban un papel importante, mientras eran víctimas de discriminaciones sociales (estatutos de «pureza de sangre») que les trataban, dentro de ese cuerpo místico de la Iglesia, como miembros inferiores a los «cristianos viejos». Semejante reacción se hermanaba con la simpatía que se sentía en estos mismos ambientes por la tendencia de Erasmo a restar valor a las ceremonias, y sobre todo por la crítica del formalismo de las reglas, de las que la tradición católica medieval, sobre todo la monástica, había sobrecargado la ley evangélica, y en la que Erasmo denunciaba la amenaza de un «nuevo judaísmo» ritualista. Se trataba, de eso sigue tratándose, de comprender el desarrollo histórico del erasmismo español como fenómeno específicamente español.

Lo curioso es que ha habido en estos últimos tiempos críticos avisados [6] que se han sorprendido, no de que yo hubiera tratado abusivamente de erasmianas ciertas actitudes atribuibles a tendencias muy extendidas, al «espiritualismo» religioso o a la ironía crítica, sino de que, por el contrario, yo no viera nada específicamente erasmiano en el anticlericalismo del autor del *Lazarillo*, mientras buscaba rastros de erasmismo tardío hasta en el autor del *Quijote*. ¿Será que, lanzado a la búsqueda de un erasmismo caracterizado, me he formado de él una idea demasiado estrecha, reduciéndolo a la religión en espíritu según el *Enchiridion* y sin fijarme más que en sus temas característicos formulados de una manera muy explícita? Haré notar que en un momento dado Don Quijote conversa con Sancho acerca de la religión de los franciscanos y de los caballeros andantes, y también

5. «L'Espagne religieuse dans son histoire», en *Bulletin Hispanique*, LII (1950), pp. 22-24.
6. Francisco Márquez Villanueva, *Espiritualidad y literatura en el siglo XVI*, Alfaguara, Madrid-Barcelona, 1968, pp. 71 ss.: «La actitud espiritual del *Lazarillo de Tormes*».

que elogia a san Pablo, mientras que nada semejante se filtra en los diálogos de Lázaro con sus amos. Si a propósito del primero de éstos nos aparecen en acción las proverbiales «oraciones de ciego» que la gente del pueblo hace recitar a un mendigo ciego a cambio de la limosna que le dan, no da la impresión de que ello sea para criticar esta práctica como supersticiosa, sino para chancearse del cinismo con el cual, apenas el cliente ha vuelto la espalda, el ciego, avisado por su lazarillo que le tira de la manga, pone fin a las plegarias; rasgo profesional del mendigo profesional que es el ciego amo de Lázaro. Por otra parte, ¿quién impedirá a un lector moderno ver en este pasaje un escarnio *implícito* de las «oraciones de ciego» o incluso de todas las seudooraciones contrarias al ideal del *modus orandi*, si lee el *Lazarillo* con la idea preconcebida de que esta obra maestra anónima, y de tanta sobriedad, se escribió y se leyó en una España impregnada de espíritu erasmiano? Sin duda nada, excepto un escrúpulo de método, el temor a proyectar arbitrariamente sobre un texto todo lo que sabemos del ambiente en el que surgió.

Nuestras opiniones (positivas o negativas) acerca del erasmismo siempre pueden ponerse en tela de juicio si es posible discutir legítimamente sobre esta etiqueta aplicada a una obra en la que se aconseja de modo expreso la lectura de «el *Enchiridion* de Erasmo y de algunas cosillas del mismo autor que se han traducido, como la *Explicación del Pater noster*, un breve *Sermón del niño Jesús* y algunos breves *Coloquios*», una obra, en fin, en la que el coloquio *Inquisitio de fide* (éste no traducido y más insidioso) se utiliza ampliamente para comentar el Credo. Tal es el caso del *Diálogo de doctrina cristiana* (Alcalá, 1529) de Juan de Valdés, al que un docto teólogo protestante,[7] autor de una reciente tesis sobre el pensamiento religioso valdesiano, ha dedicado un nuevo examen. Sin dejar de admitir que yo he evitado

7. José C. Nieto-Sanjuán, *Juan de Valdés, 1509(?)-1541: Background, Origins and Development of his Theological Thought with special References to Knowledge and Experience,* A Dissertation submitted to the Faculty of Princeton Theological Seminary in partial fulfilment of the requirements for the degree of Doctor of Theology, Princeton, New Jersey, 1967, XVI + 687 pp. (tesis policopiada de la que el autor me ha hecho llegar amablemente un ejemplar).

presentar a Valdés como un puro «erasmiano» español como cualquier otro, y que he señalado la continuidad de su pensamiento antes y después del encuentro con los libros de Erasmo, J. C. Nieto considera poco adecuada la expresión «catecismo moderadamente erasmiano» que yo apliqué al *Diálogo*. El descubrimiento de esta obra fue para mí en 1922 el de un argumento precioso, casi inesperado, en favor de la tesis que empezaba a esbozar sobre la peculiaridad histórica del erasmismo español: el vigor de éste se explicaba por el hecho de haberse injertado en un «iluminismo» preexistente, algunos de cuyos cenáculos, en Castilla la Nueva, tenían por animadores a «cristianos nuevos» convertidos del judaísmo. Valdés y su *Diálogo* habían empezado por ser sospechosos para la Inquisición en 1529 a causa de que su joven autor unos años atrás había pertenecido al círculo de discípulos fervientes que atraía a Escalona la predicación laica de Pedro Ruiz de Alcaraz, fundada en la Biblia. Esta predicación se juzgaba tan peligrosa para la ortodoxia que las proposiciones condenadas por el edicto contra los alumbrados (1525) eran en su mayoría expresiones de Alcaraz, extraídas de su proceso. Advirtamos que si el origen «converso» de la familia Valdés no está suficientemente demostrado, el de Alcaraz está fuera de toda duda. Con el *Diálogo* valdesiano, en la medida en que su deuda para con Erasmo es patente, ¿no nos encontramos en el corazón del erasmismo tal como yo lo concebía en tanto que fenómeno singular de la España de 1525-1530?

Pero por ello mismo se plantea de modo particularmente acuciante la cuestión de las relaciones en Valdés entre la utilización de Erasmo y el «iluminismo preexistente». Éste podía parecer una propedéutica del erasmismo, que sería por lo tanto como su coronación, pero toda la actuación religiosa posterior de Valdés en Roma desmiente esta hipótesis. La teología de sus obras de madurez, en las que nunca se recurre a Erasmo ni vuelve a aparecer ninguna referencia a este autor, confirma y resalta la originalidad del *Diálogo* juvenil, que para unos inquisidores podía sonar a «alumbrado o luterano». Éste es el motivo de que J. C. Nieto, con mucho mayor rigor de lo que había podido hacerlo el autodidacta que era yo en esta materia, se haya dedicado a destacar, más que analogías, una verdadera unidad entre el pensamiento teológico del joven Valdés y, no el de los iluminados o alumbrados en general, sino el del alumbrado Alcaraz del que había sido oyente. Atento a lo que emparentaba diversas corrientes de «religión del espíritu» —«dejamiento» de Alcaraz, «recogimiento» de los místicos que buscaban la unión con Dios como el fransciscano Osuna, espiritualismo erasmiano de la incorporación a Cristo— en su común oposición a las devociones y prácticas externas, no había insistido suficientemente en la divergencia entre los *dejados* y los *recogidos*.

Ahora bien, nos dice Nieto,[8] «Alcaraz lee la Biblia y enseña nuevas interpretaciones de la Escritura» (como recordemos que Valdés lo hará hasta su muerte); «Osuna lee la Biblia para confirmar por el método alegórico, que rechaza Alcaraz, que la Biblia como los Padres de la Iglesia han enseñado la vía de la unión mística y de la divinización del alma. Alcaraz concibe la fe como el don de Dios en oposición a la razón. Para Osuna la razón está dotada de luz divina, y adaptar nuestra naturaleza inferior (sensualidad, etc...) a nuestra razón equivale a hacer la voluntad de Dios en la tierra como se hace en el cielo. Alcaraz ve en el mandamiento de amar a Dios el veredicto según el cual el hombre es incapaz de amar a Dios, y en consecuencia el mandamiento es el juicio de Dios sobre la miseria y la infidelidad del hombre. Es el mismo Dios quien nos concede su luz y su gracia, o, en otros términos, Él mismo está en nosotros por medio de su amor» (recordemos la proposición denunciada por el edicto de 1525 «que el amor de Dios en el hombre es Dios»). Alcaraz [9] fue el maestro que transmitió a Valdés su conocimiento del pecado y de la gracia, la doctrina de la justificación por la fe implícita. Pero, según el nuevo analista del pensamiento valdesiano, esta doctrina, que de Isabel de la Cruz y de Alcaraz pasa a Valdés, y que «anticipates Luther in a most incredible way and even goes beyond him in his rejection or undermining of hell»,[10] no sufre ninguna influencia luterana apreciable (observemos, sin

8. Ibid., pp. 118-119.
9. Ibid., p. 136.
10. Ibid., p. 558, n. 89.

embargo, que Nieto no ha podido utilizar el reciente trabajo de Augustin Redondo sobre «Luther et l'Espagne de 1520 à 1536»).[11] Éste es un pensamiento no sólo ajeno sino refractario a los misticismos heredados de la Edad Media, tanto cristiana como musulmana. Nieto se inclina a suponer [12] que si el converso Alcaraz pudo permanecer inmune a influencias medievales e islámicas lo debió a su «conciencia religiosa judía».

¿Qué lugar puede ocupar entonces el erasmismo, aun temporalmente acogido, en el pensamiento del joven Valdés discípulo de Alcaraz? Erasmo se vincula claramente a la espiritualidad impregnada de neoplatonismo medieval que no opone de un modo radical Dios a la naturaleza y a la razón. Marie Delcourt,[13] citando mi fórmula sobre los felices tiempos del evangelismo, «ese momento en que la Reforma y la Contrarreforma están aún mezcladas y comulgan en un mismo sentimiento optimista de la gracia», se inclinaba justamente por añadir «inmanente a la naturaleza». Si Valdés permanece fiel a la concepción de su maestro sobre la intervención divina por la cual el hombre es salvado de su miseria, es difícil aceptar que se abriera al pensamiento de Erasmo como a una «religión del espíritu» intercambiable con la de los «dejados». Debe buscarse otra explicación de su erasmismo temporal o aparente. Y su caso revela la extremada dificultad de discernir lo que es erasmismo de lo que, a pesar de todas las apariencias, no lo es. Semejante tarea presupone un conocimiento íntimo de muchos sectores religiosos en los que yo apenas había penetrado.

Nieto se pregunta si antes de comentar el *Diálogo* yo había leído el proceso de Alcaraz. Mi respuesta es *no*. Apenas había hojeado este voluminoso expediente inquisitorial con la suficiente atención para darme cuenta de que Alcaraz no debía nada a Erasmo, autor aún muy poco conocido en España en el momento de su encarcelamiento. Este proceso hacia 1925 era un campo casi virgen todavía, a pesar de un primer examen de Serrano y

---

11. *Mélanges de la Casa de Velázquez*, I, De Boccard, París, 1965, pp. 109-165.
12. Nieto, *op. cit.*, p. 128.
13. Delcourt, *op. cit.*, p. 189 n.

Sanz. Esta situación ha cambiado en los últimos veinte años gracias a los trabajos de Ángela Selke de Sánchez, y ahora gracias a la tesis de J. C. Nieto. Ojalá ésta sea publicada dentro de poco y haga reconocer, en la historia espiritual del siglo xvi, la importancia del papel desempeñado por Alcaraz como maestro de Valdés.

Si Nieto hubiese podido conocer el breve estudio de A. Redondo, sin duda se hubiese mostrado más circunspecto al negar toda sospecha de influencia luterana en Alcaraz. Pero hubiera visto confirmadas sus opiniones al leer la explicación dada por el hispanista francés [14] del curioso pasaje de una carta de Alcaraz a sus jueces en el que el acusado «para justificar sus palabras sobre las ceremonias y las prácticas del culto» alega «un tratado breve que Erasmo Roterodamo dotor theologo hizo que se dize *arma del cavallero cristiano*», deformando, como se ve, el título del *Enchiridion*; no deja de recordar que la autoridad del gran inquisidor ampara su traducción española. Este pasaje me había pasado por alto. ¿Le ha prestado Nieto suficiente atención? Sin duda se adheriría a los argumentos dados por Redondo para sostener que Alcaraz no había leído el *Enchiridion* y suponer «que fue uno de sus abogados, quizás el dominico fray Reginaldo, quien le habló de *El manual del caballero cristiano* y le aconsejó servirse de él para su defensa». Exactamente del mismo modo, según Nieto,[15] que Alcaraz, que no tenía nada que ver con Dionisio el Areopagita, había creído oportuno citar a Dionisio «as a device to prove his orthodoxy».

Ello nos conduce a la nueva explicación sicológica que propone Nieto del recurso a Erasmo en el *Diálogo*. Es docta y compleja. Resumiendo lo esencial, digamos que se trataría también de una «contrived device», de un artificio para disimular la audacia de un pensamiento que Valdés sabe condenado como heterodoxo. Aunque es posible quedar indeciso ante ciertos argumentos (la hipótesis de que el *Diálogo* se escribió varios años antes de su publicación) y aunque, si puede admitirse que Valdés, entre

14. Redondo, art. cit., p. 142, n. 5.
15. Nieto, *op. cit.*, p. 108.

los erasmianos de Alcalá, se interesó por la lectura de Erasmo, en un principio sin ser consciente de una profunda diferencia de espíritu entre la teología de Erasmo y la que él buscaba en la Escritura siguiendo el ejemplo de Alcaraz, hay que admitir la fuerza de la opinión de Nieto, según la cual, Valdés, en esta encrucijada de su vida, eligió el menor de dos peligros. «To us it seems now rather clear that Valdés exposed himself to the danger of being accused by the Inquisition as "Erasmian" because he was trying to escape a greater danger, a danger which did not enjoy the intellectual support or prestige of the Erasmians at Alcala. This danger was the Illuminism of Alcaraz which the *Diálogo de doctrina* contained».[16]

Las gentes de la universidad estaban dispuestas a defender la ortodoxia de un libro erasmizante de un modo ostensible, no el pensamiento de un discípulo de un panadero iluminado, Alcaraz, encarcelado como heresiarca. Valdés tenía que despistar a los inquisidores.

He aquí, pues, un caso de erasmismo que cambia sensiblemente de aspecto. Este ejemplo podría hacernos recelar del uso excesivamente generalizado de imágenes demasiado fáciles: corrientes que mezclan sus aguas y a las que el erasmismo mezcla espontáneamente las suyas, injerto del erasmismo en el tronco de un iluminismo preexistente del que toma la savia. Imagen por imagen, podría admitirse que en el caso de Valdés, no menos que en el de Berquin, erasmizante que en 1529 fue quemado en la hoguera como criptoluterano, el erasmismo proclamado tuvo algo de máscara. Y si la Inquisición española identificó sistemáticamente erasmismo, iluminismo y luteranismo (del mismo modo que el maccarthismo norteamericano de hace veinte años identificaba antinacionalismo, pacifismo y comunismo), ello no es una razón para cerrar los ojos a lo que esta «amalgama» como táctica de la represión pudo tener de adecuado a la táctica defensiva de algunas de sus víctimas.

16. Nieto, *op. cit.*, p. 206.

Nuevas consideraciones sobre Juan de Valdés *

Éste es un *Juan de Valdés* [1] nuevo y muy consciente de su novedad. Novedad que se debe a una concepción muy resuelta, casi intransigente, del lugar ocupado por este pensador en los movimientos de reforma religiosa de España y de Italia en la época de Carlos V. Ya en la introducción, que analiza por orden cronológico todas las interpretaciones que se han dado del pensamiento y de la acción de Valdés desde su tiempo hasta el nuestro, vemos como la nueva concepción se perfila con insistencia frente a aquellas a las que se opone el autor, en particular todas las que ven en Valdés un creyente «espiritual» o «místico» sin horizonte teológico o dogmático. Como las opiniones del autor de la presente recensión se discuten a menudo en el libro de J. C. Nieto (quien le ha hecho el honor de dedicarle su obra), se le disculpará que hable de sí mismo, sin más circunloquios, en primera persona. Aquí se encontrará una *retractatio* parcial de algunas ideas mías que concebí hace casi cincuenta años, y que expuse por vez primera en 1925 en la introducción y las notas de mi edición facsímil [2] del *Diálogo de doctrina cristiana* (Alcalá, 1529) que acababa de descubrir en Lisboa (1922), ideas que en lo esencial volví a utilizar en 1937 en los capítulos IV y VII de *Erasme et l'Espagne*. [3]

Nieto me impulsa a reconsiderar mi concepto de los iluminados españoles, sobre todo del «dejado» Alcaraz, a quien, desde Serrano y Sanz (1903), se considera como el iniciador de Valdés en ese amor de Dios que es presencia de Dios en el hombre pecador, incapaz por sí mismo de una acción buena. Yo estaba ya predispuesto a semejante revisión por los trabajos de la señora Ángela Selke de Sánchez Barbudo, de los que expuso los puntos principales en el *Bulletin Hispanique* de 1962, y en los que, mi-

* En *Bibliothèque d'Humanisme et Renaissance*, XXXV (1972), pp. 374-381.

1. José C. Nieto, *Juan de Valdés and the Origins of the Spanish and Italian Reformation* (Travaux d'Humanisme et Renaissance CVIII), Droz, Ginebra, 1970, XVIII + 356 pp., in-4.º.

2. Impr. da Universidade, Coimbra, 1925 [citada como *Diálogo*].

3. Droz, París, 1937 [citado como *Erasme*].

nimizando la deuda de Alcaraz para con la literatura de tipo místico, acentúa en cambio todo lo que emparenta el «dejamiento» de Alcaraz con la teología de la justificación por la fe según Lutero. Ciertamente, yo volvería a escribir, como en 1937: «La solidaridad del iluminismo con la revolución religiosa europea no ofrece la menor duda. Pero su parentesco se debe sobre todo a sus orígenes comunes« (*Erasme,* p. 199). Ya no me contentaría con decir en bloque que «el iluminismo es el heredero de *toda una tradición de interioridad* que constituye una buena parte de su riqueza positiva» (*ibid.*). Con mayor motivo rectificaría mi simplificación juvenil de 1925: «[...] revuelta contra las devociones sin alma, no es específicamente ni iluminada, ni luterana, ni erasmiana, sino común a todas las *religiones del espíritu*» (*Diálogo,* p. 45). Esta fórmula que subrayo choca justificadamente a Nieto (pp. 29, 86, 93), que advierte en ella una «implicit phenomenology of religion» más bien elemental. Ya no recuerdo con exactitud, de dónde el novicio que yo era en estas materias hacia 1924 pudo sacarla: reminiscencia tal vez del título de una obra, entonces bastante conocida, del protestante liberal Auguste Sabatier, *Les religions d'autorité et la religion de l'esprit* (1904). Sea como fuere, hoy prestaría menos atención a un denominador común de *interioridad,* y mucha más a esa seguridad *no mística* de radical dependencia del fiel para con Dios que le da su gracia: certidumbre que emparenta estrechamente con el luteranismo a los «dejados» Isabel de la Cruz y Alcaraz, pero que les hace virtualmente ajenos a la búsqueda de la unión sustancial con Dios tal como la practica un «recogido» como Osuna, aunque «recogidos» y «alumbrados» coincidían en la idea de ir más allá de la meditación imaginativa de la Pasión. Una superioridad de los análisis de la señora Sánchez Barbudo y de Nieto sobre los míos se funda en el hecho de que ellos han leído el proceso de Alcaraz, que todavía hoy sigue inédito. Yo no me dediqué a ello cuando publiqué el *Diálogo* valdesiano recién descubierto, y me contenté con «establecer sobre esta base una serie de materiales fundamentales y comprobados, como una invitación para edificar» (*Diálogo,* p. 19) (invitación que, gracias a Dios, han seguido constructores que se llaman Cione, fray Domingo de Santa María,

Backhuizen van den Brinck o Nieto). Sólo volví a ocuparme de
Valdés en el marco de una obra sobre el erasmismo español, en
el que tenía que situar el *Diálogo*, y, estando suficientemente
convencido de que no había rastros de erasmismo en el proceso
de Alcaraz, me limité prácticamente a reproducir extractos que
de él había publicado Serrano y Sanz, creyendo, con error por
mi parte, que ya sabía bastante sobre el famoso dejado: yo admitía que las enseñanzas de éste habían podido dejar en Valdés
alguna huella (*Erasme,* pp. 374, 380), pero su lenguaje me parecía diferente del suyo, y además la Inquisición no había perseguido a Valdés como cómplice o discípulo de Alcaraz (*Diálogo,*
p. 44). Nieto se sorprende en varias ocasiones de «the paucity of
Bataillon's comments about Alcaraz' influence on Valdés» (p. 93)
y se pregunta si he estudiado el pensamiento del dejado en sus
cartas a los inquisidores; la respuesta es *no.* Esta insuficiencia de
mi información me hace ser más sensible a una de las originali-
dades principales de la reconstrucción de Nieto: su demostración
de que el pensamiento religioso de Valdés es hijo del de Alcaraz,
a despecho de pasajeras prudencias de lenguaje o de compromi-
sos provisionales con el de Erasmo. Yo había demostrado con
abundantes pruebas que el pensamiento del *Alfabeto cristiano*
se encontraba ya contenido en el *Diálogo.* Pero ahora es el valdesianismo en la totalidad de su desarrollo lo que Nieto interpreta
como de filiación alcaraciana. Las audacias del reformador de Nápoles son sensiblemente las mismas que en Alcaraz sonaban a «luteranas». Si hay que elegir, acerca de este último punto, entre dos
explicaciones divergentes, la de la señora Sánchez Barbudo, que
cree percibir ecos del propio Lutero en el dejado español, y la
de Nieto, para quien el dejamiento, herejía propagada por Isabel de la Cruz y Alcaraz aproximadamente desde 1511, se con-
solidó antes de las tomas de posición teológicas de Lutero, aunque ofrece con éstas sorprendentes analogías, ya me inclinaría más
bien a seguir esta cronología de Nieto y las consecuencias que
extrae de ella, pero sin estar tan convencido como él de que
Alcaraz y Lutero son dos iniciadores geniales, y como dos comienzos absolutos de esa modalidad moderna del cristianismo que conocemos con el nombre de «Reforma». Por lo que se refiere al

dominio español, las investigaciones de Charles F. Fraker Jr. sobre los poetas del *Cancionero de Baena* [4] demuestran que ya la Castilla de comienzos del siglo xv había oído articular, en ambientes en los que los conversos procedentes del judaísmo no desempeñaban un papel intelectual y religioso menos importante que a principios del siglo xvi, debates sobre la predestinación y afirmaciones que parecen anticiparse a las de los dejados. Fraker emite de forma convincente la hipótesis de que ciertos españoles del tiempo de Enrique III de Castilla hubieran podido captar ecos de Wiclef. Al no haber estudiado el proceso de Alcaraz, estoy tentado de dar crédito a Nieto cuando relaciona fórmulas alcaracianas con ciertas ideas religiosas fundamentales de Valdés. Como consecuencia de ello, me felicito por haber atribuido tan prudentemente a éste una posición marginal en la gran corriente del erasmismo, aunque Nieto, con un rigor casi aséptico, me reproche haber infravalorado la autenticidad «reformadora» de Valdés calificando el *Diálogo* de «catecismo moderadamente erasmiano». En efecto, la importante deuda que admite tener con el coloquio *Inquisitio de fide* y la inclusión de libros de Erasmo entre las lecturas aconsejables para los fieles, no constituyen pruebas rigurosas de un erasmismo ferviente en el autor del *Diálogo*. Según Nieto, estas vinculaciones con el erasmismo no son más que una estratagema o un truco (*device*) con el que Valdés desvía la atención de los inquisidores de su estrecha relación con una corriente —la de los dejados— anatematizada por ellos como herética desde hacía varios años, mientras que eran aún muy indulgentes con los erasmizantes. Esta forma de nicodemismo sería parcialmente comparable con la actitud adoptada por Berquin (que también utiliza la *Inquisitio de fide*) para ocultar quizás a los sorbonícolas, detrás de un erasmismo más venial, sus audaces concordancias con la obra de Lutero. En apoyo de esta concepción de un erasmismo puramente táctico, de apariencia, Nieto hubiera podido alegar el caso de su querido Alcaraz invocando como justificación de su pensamiento el *Enchiridion* de Erasmo, pero refiriéndose a él de forma oscura, visiblemente de

4. «The *dejados* and the *Cancionero de Baena*», *Hispanic Review*, XXIII, n.º 2 (1965), pp. 97-117.

segunda mano, como si el abogado de este acusado le hubiese sugerido la idea de escudarse en el célebre *Manual*, obra discutida, desde luego, pero que se había convertido en una lectura frecuentísima en España, desde la época de su encarcelamiento, con la protección del inquisidor general.[5] Nuestro autor insiste mucho en las posiciones comparables a las de Alcaraz, tratando de difuminar el rigor de su pura doctrina del dejamiento hasta hacerla solidaria de la tradición del misticismo medieval que se remonta al Seudo Dionisio el Areopagita. Pero, cuidado, porque este comportamiento nicodemita que pudieron adoptar algunos dejados perseguidos o en peligro de serlo, es una realidad histórica singularmente ambigua. ¿No corremos el riesgo, si la invocamos sistemáticamente, de convertirnos en émulos retrospectivos de los inquisidores sin piedad, que pretendían en su «caza de brujas», desenmascarar herejías disimuladas bajo apariencias más tranquilizadoras: luteranismo bajo la apariencia de un trivial erasmismo, iluminismo dejado bajo la de una mística dionisiana? ¿Una nueva inquisición, en resumen, para la mayor gloria de ciertos herejes de antaño, testigos prudentes de una gran verdad teológica moderna, ya que no para su confusión? Si no queremos esquematizar abusivamente unas almas religiosas es recomendable dudar de que semejante verdad fuese servida por nuestros nicodemitas con tal exigencia de pureza que les llevara a rechazar *in petto* (¡inquisidores de sí mismos!) las tendencias más ortodoxas en las que se escudaban por instinto defensivo. Me resulta difícil creer que el joven Valdés, explotando o recomendando a Erasmo en su *Diálogo* de 1529, sintiese respecto al pensamiento erasmiano un malestar comparable al que la tradición hagiográfica de la Compañía atribuye a Ignacio de Loyola en su época de estudiante respecto al *Enchiridion*. ¿Por qué, pues, Valdés, que vivía en el círculo erasmizante de Alcalá que le trataba como uno de los suyos, no iba a amar y respetar el erasmismo como una buena propedéutica de la espiritualidad escrituraria a la que le había iniciado precozmente Alcaraz? Y semejantemente, ¿por qué Alcaraz no iba a ver en el desprendimiento dionisiano una

---

5. A. Redondo, «Luther et l'Espagne de 1520 à 1536», *Mélanges de la Casa de Velázquez,* I, De Boccard, París, 1965, p. 143, n. 5.

vía de acceso posible a esta espiritualidad, para los que aún tenían que superar una devoción ya exterior, ya imaginativa y emotiva? Por lo que se refiere a Valdés, una concepción matizada de lo que debió inicialmente a Alcaraz y a Erasmo no impide reconocer (no me lo impidió en 1925) que su pensamiento religioso más tarde se alejó irreversiblemente de Erasmo.

Otra novedad del *Valdés* de Nieto, a primera vista accesoria, pero estrechamente ligada a la concepción alcaraciana de los orígenes de la fe escritural de Juan, se refiere a la biografía de éste. Cuanto más se anticipe en su formación espiritual el encuentro con Alcaraz, más se acerca de éste la redacción del *Diálogo* publicado en 1529, y mejor puede interpretarse como una finta el erasmismo aparente del libro. Nieto rejuvenece a Juan, haciendo de él un adolescente (*a boy*) en la fecha de 1524 en la que le encontramos en Escalona entre los oyentes de Alcaraz, a quien los timoratos consideran como un maestro peligroso para «muchachos» y mujeres. ¿Hay que creer, pues, que era sensiblemente más joven que su hermano Alonso, entonces ya secretario en la cancillería imperial? Nieto pone en duda la opinión que yo había aceptado y que les suponía gemelos, y emite la hipótesis de que Alonso (aunque parece que en realidad quiere aludir a Juan), fue gemelo de otro hermano cuyo nombre y destino ignoramos (p. 103). Queda, sin embargo, por explicar el doble testimonio de dos cartas, una de Alonso diciendo de Juan «me veluti illius fratrem ac gemellum», y otra de Juan diciendo de sí mismo: «ego gemellus cum sim». El propio Erasmo [6] había oído decir que se parecían hasta el punto de poder parecer «non duo gemelli sed idem prorsus homo». Sin dejar de admitir que «the twin problem must remain an open one» (p. 103, n. 30), Nieto no duda en argumentar insistentemente (pp. 100-104), como si Juan, discípulo de Alcaraz en 1523, sólo tuviera entonces trece o catorce años, se hubiese, después de la detención de Alcaraz, retirado a Cuenca para dedicarse a la meditación solitaria de las Escrituras, hubiera concebido en esta segunda etapa el plan del *Diálogo,* y sólo a fines de 1527 se hubiera trasladado a Alcalá,

6. Ep. 1961, Allen, VII, p. 341.

donde el ambiente erasmiano hubiese resultado en su caso bien inútil, a no ser para sugerirle una eficaz coartada («catchy» *device*, p. 127). Nuestro autor no puede negar que éstas son hipótesis tan personales como nuevas. Confiemos que hallazgos documentales, siempre posibles, las confirmen o las rectifiquen. Sobre las consecuencias intelectuales y sociales de su paso por la universidad de Alcalá, no sé si hay que interpretar el eco recogido por Erasmo («audio te deditum liberalibus disciplinis»)[7] como implicando que «he studied Liberal Arts» (p. 104), si se entiende por ello el *cursus* obligatorio de la Facultad de Artes. A la Facultad de Artes se habían adscrito estudios liberales y facultativos como los de griego, en los que Valdés sin duda fue iniciado por Francisco de Vergara. Pero en vano se busca su nombre en las listas de bachilleres en Artes de esta época, para la cual el «Libro de Actos y Grados» de Alcalá se conserva intacto. Fue, pues, en un sentido muy amplio y latitudinario que pudo ser considerado un poco más tarde como «clericus conchensis» respecto a los usos beneficiales de entonces. Nieto[8] ha planteado la cuestión de si Valdés había sido «an ordained priest», y parece haber respondido adecuadamente al dar una contestación negativa. El nicodemismo de este pensador religioso no necesitaba llegar hasta el extremo de vestir una indumentaria clerical para ponerse en regla exteriormente con la religión católica.

Pero que Valdés se comportó hasta su muerte como nicodemita está fuera de duda. Como dice Nieto (p. 174), existe el problema de saber si su hermano Alonso, el secretario imperial, hubiese adoptado su misma posición de no haber muerto dos años después de la dieta de Augsburgo, en la que se sintió muy cerca de Melanchton y donde había condenado duramente el error de la política pontificia (señalemos aquí una de las raras lagunas de la bibliografía de Nieto: las «Cartas inéditas de A. de Valdés sobre la Dieta de Augsburgo»).[9] En materia de política eclesiástica,

7. Ibid.
8. *Bibliothèque d'Humanisme et Renaissance*, XXXII (1970), páginas 603-606.
9. Publicadas por G. Bagnatori en *Bulletin Hispanique*, LVII (1955), pp. 353-374.

frente al cisma, el irenismo de los dos hermanos parece haber sido igual. Pero, más que por estas actitudes, que, hasta 1541, fecha de la muerte de Juan, podían tomarse impunemente tanto en Alemania como en el reino de Nápoles, Juan de Valdés es original por la conciliación de una «libertad cristiana» interior, más próxima al protestantismo que a la ortodoxia romana, con el respeto exterior de la práctica católica. Es natural que Nieto (p. 127), sorprendido como nosotros por la manera en que el Valdés joven desvalorizaba los mandamientos de la Iglesia para exaltar mejor el cumplimiento del decálogo, citando en apoyo suyo a Jean Gerson (*Diálogo*, LXXIIr), vea ahí «*a measure* of precaution or a theological device to show that he was in the Church tradition». A decir verdad, ni Nieto ni yo habíamos conseguido encontrar la fuente gersoniana, como he querido hacerlo para la presente recensión, ya que la obra de Gerson se ha hecho mucho más accesible que tiempo atrás gracias a los trabajos de A. Combes y a la edición de P. Glorieux. Si damos crédito a Valdés, Gerson dijo de los mandamientos de la Iglesia «que para cumplir nuestro deber para con ella, basta guardarlos exteriormente, y que incluso si los guardamos "de mala gana" estamos en regla con la Iglesia, pues ésta sólo juzga por el exterior: de modo que es posible decir sin pecar *siento que la Iglesia me mande ayunar hoy, porque yo querría comer carne,* y lo mismo vale para los demás mandamientos[...]». El texto citado —sin duda de oídas— pertenece a la Lectio IV del *De vita spirituali animae.*[10] En el corolario II de su tesis de que sólo la transgresión de la ley divina que ordena amar a Dios por encima de todas las cosas, hace perder la gracia y expone al peligro de la condenación, Gerson explica: «Nullus legislator ecclesiasticus vel civilis habet directe auctoritatem praeceptivam super illud eu interiori actu diligatur Deus super omnia aut quod in eum speretur vel credatur»; y sin dejar de admitir que el legislador concibe sus leyes para que contribuyan al mejoramiento interior de sus súbditos, concluye: «Itaque si fiant actus exteriores suorum jussorum etiam cum perversissimis intentionibus et finibus occultis,

10. Jean Gerson, *Oeuvres complètes*, ed. Glorieux, III, Desclée et Cie., París, 1962, pp. 158-159.

non erit ibi transgressio humanae legis ut humana est, sed divinae. Et ita si dicam horas meas canonicas cum quantacumque mentis evagatione et nulla attentione, si jejunem in quadragesimatantummodo ut sanior fiam vel ut postmodum voracius et inde voluptuosius comedam, si feram tonsuram clericalem vel vadam dominicis diebus ad ecclesiam auditum missam pro vana gloria aut fraude alia, similiter de aliis actibus praeceptorum, ago quidem male apud Deum peccans in legem suam, me tamen pro transgressione humanorum praeceptorum nullus accusabit».

Hemos subrayado el ejemplo del ayuno pervertido con el que se puede cumplir un mandamiento de la Iglesia, para mostrar a un tiempo en qué idea gersoniana se apoya Valdés y cómo la desnaturaliza. Pues en Gerson no se trata de ayunar de mala gana, sino de hacerlo con una intención perversa que constituye un pecado a los ojos de Dios, aunque la observancia exterior sea irreprochable. No era la primera vez que la paradoja gersoniana se citaba a propósito de opiniones subversivas del orden eclesiástico. Jean Laillier, en 1486, tuvo que retractarse de proposiciones malsonantes sobre el celibato de los clérigos, sobre la obligación del ayuno en cuaresma, y se defendió diciendo: «Hay proposiciones más fuertes que las mías en el tratado de Gerson sobre *La vida espiritual del alma*».[11] Recíprocamente, un Olivier Maillard, en su predicación contra el relajamiento de las costumbres, había exclamado: «Ojalá Jean Gerson no hubiese dicho que para el estado de perfección basta la caridad, y que la castidad no es necesaria».[12] Pero la flagrante inexactitud con la que Valdés cita en su apoyo a Gerson nos impide ver en él a un lector del *De vita spirituali* y pensar que debe a este libro su concepción que identifica la perfección del cumplimiento de los mandamientos de Dios con el perfecto amor de Dios (tema joánico fundamental en Alcaraz, como señala Nieto, p. 71, quien hubiera debido remitir a I Juan 3, 24, y no solamente 19-21). No hace más que apropiarse, deformándola, de una fórmula gerso-

11. A. Renaudet, *Préréforme et humanisme à Paris... (1494-1517)*, Champion, París, 1916, p. 109; cf. J.-P. Massaut, *Josse Clichtove, l'humanisme et la réforme du clergé*, II, Les Belles Lettres, París, 1968, p. 168.
12. Renaudet, *op. cit.*, p. 245.

niana oída sin duda en Alcalá de labios de algún maestro o estudiante de filosofía moral, y sin saber que Gerson, universalmente admirado como padre supuesto de la *Imitación* (*Diálogo,* p. 286), ha dado pie a controversias, lo convierte en una garantía de ortodoxia. Más imprudente aún, un Laillier, ¿no creyó o fingió creer que Wiclef era católico, no reprobado por la Iglesia, «ignorancia rara en un sorbonista», observa Renaudet? [13] Tal como sospechaba Nieto, la utilización abusiva de Gerson es una estratagema, pero quizá más instintiva que debida a mala fe. Por la misma materia a la que se refiere —la práctica exterior de la religión católica— manifiesta la inquietud de Valdés ante prácticas que él observa como nicodemita —«de mala gana»— y nos recuerda el carácter no confesional (subrayado por Backhuizen) del pensamiento religioso valdesiano, en ruptura consciente con el catolicismo imperante.

La presente recensión, ya muy larga, no puede extenderse acerca del «análisis teológico» de este pensamiento, que ocupa la segunda mitad de la obra de Nieto: método de Valdés, doctrina del conocimiento de Dios, experiencia religiosa, doctrina soteriológica. Este análisis abunda en observaciones pertinentes y es enriquecedor para la historia del movimiento reformista. Por mi parte no se me ocurre ninguna objeción fundamental, como máximo algunas dudas como las que ya he apuntado al tratar de la parte histórica del libro. ¿No se preocupa Nieto de un modo demasiado sistemático por abrir una y otra vez un foso infranqueable entre el pensamiento religioso de Valdés y el de Erasmo tal como lo acentúa el traductor español del *Enchiridion*? Pues, en fin de cuentas, aunque Valdés no sintió la necesidad de volver a usar como este último «esta comparación de la unidad y armonía maravillosa que tienen los miembros con la cabeça», [14] aunque como lo recuerda sin cesar Nieto, «Valdes' conception of "union with God" is not in any case, conceived as substantial union in the mystical sense, but rather as an ethical union or "conformity" of the human will to the Divine Will» (p. 275, n. 67), ¿acaso no es menos cierto que semejante conformidad,

13. Ibid., p. 116.
14. Erasmo, *El Enquiridion,* ed. Dámaso Alonso, Madrid, 1932, p. 330.

semejante unión ética y no mística, recuerda a la que describe el Canon IV del *Enchiridion* de Erasmo? Pero lo seguro es que en Nápoles Valdés mostrará una nueva preocupación, muy ajena a Erasmo, por distinguir profundamente la palabra, el mensaje indivisible del Evangelio y las palabras del hombre-Dios aceptadas como eficaces para darnos lo que Valdés llama en el «Proemio de los Evangelios» [a Giulia Gonzaga] encabezando la traducción comentada de *El Evangelio de San Mateo* (Madrid, 1880, p. 4) «el decoro de hija de Dios»: «El cual decoro, aunque está muy bien exprimido en las palabras de Cristo, todavía lo aprenderéis mucho mejor considerando las obras del mismo Cristo. Y en esto hablo con propia experiencia, habiendo experimentado en mí que aunque son muy eficaces en mí aquellas divinas palabras de Cristo "aprended de mí que soy manso y humilde de corazón", todavía es sin ninguna comparación más eficaz la consideración de la humildad de Cristo *en toda su vida y principalmente en su pasión y en su muerte*» [el subrayado es mío. — M. B.].

Es sorprendente que en su análisis Nieto no haya usado este texto, relacionándolo con otros pasajes sobre *El Evangelio de San Mateo*: «el decoro cristiano», que no debe separarse de una regeneración que supone que el hombre «renuncia a su propia justicia» (p. 62); una vez más «el decoro de hijos del reino» que viven «según el deber de la regeneración cristiana» que les hace «vivos por la incorporación en la resurrección de Cristo» (p. 79); sobre la «lección de las escrituras escritas *con espíritu santo* e interpretadas con aquel mismo espíritu como fueron escritas», rigor necesario para dar su verdadera fuerza a la máxima de que «casi siempre es así que tales somos nosotros cuales son las escrituras en quienes leemos y son los hombres con quienes platicamos y conversamos» (p. 469); donde se puede ver, mucho mejor que en los textos valdesianos discutidos por Nieto (p. 295), un rechazo implícito de Erasmo o una superación de la fórmula semejante de la *Paraclesis* que resonaba en el *Diálogo* (*Diálogo*, fol. 62v. y nota 48, p. 260). Hay ahí, en la doctrina escrituraria de Valdés, una vena original que su autor inaugura en el «Proemio» citado más arriba, explicando (pp. 1-2) que, contrariamente a las apariencias, los Evangelios son más difíciles de comprender que las Epístolas, y las Epístolas que los Salmos.

Hemos subrayado al final de la cita precedente del «Proemio» la referencia a la pasión y a la muerte de Cristo como clave soteriológica de toda su vida. Nieto parece haber identificado con razón (pp. 302 y 313) el remoto origen anselmiano de la idea de *satisfactio* que Valdés resalta para explicar el sacrificio de Cristo hecho hombre para redimir del pecado original. La fórmula del *Diálogo* (fol. XCI, 25) «[...] se hiziesse hombre porque hombre *satisfiziesse* a Dios la offensa que el primer hombre Adam le había hecho» [15] puede parecer un eco del tratado de san Anselmo *Cur Deus homo*. Pero se había convertido en un lugar común teológico. Por ejemplo, también lo encontramos desarrollado en uno de los primeros catecismos redactados antes de 1521 para la evangelización de América, la *Doctrina christiana* del dominico fray Pedro de Córdoba, impresa en México en 1544:[16] «el qual solo pudo satisfazer por el pecado de nuestro padre Adan[...] Dio y derramó toda su sangre en precio y paga del pecado de nuestro padre[...]». ¿Tiene algún interés preguntarse de qué fuente más próxima Valdés pudo sacar esta noción de base? Podría ser en la célebre *Teología natural* de Raimundo Sabunde, que I. S. Révah señaló como *Une source de la spiritualité péninsulaire*.[17] La *Teología natural* había sido compendiada en la *Viola animae*, y la *Lumbre del alma* de fray Juan de Cazalla, donde yo había creído ver un paralelo del dilema «amor de Dios o amor propio» planteado por Valdés (*Diálogo*, p. 247) no es otra cosa que una adaptación parcial de la *Viola*. Admitiremos gustosos con Nieto (p. 303) que Valdés, en la primera etapa de su pensamiento religioso representada por el *Diálogo* y prolongada por el *Alfabeto*, usa la fórmula anselmiana «as something well known

15. *Alfabeto*, ed. Croce, Bari, 1938, p. 70, donde el tema se desarrolla de manera más insistente.

16. Ed. facsímil de la Universidad de Santo Domingo, Ciudad Trujillo, 1945, p. 31; cf. pp. 87-88 de la transcripción moderna.

17. Academia das Ciencias, Lisboa, 1953, p. 16: «[...] sólo un Hombre-Dios puede con su muerte pagar nuestra deuda», cita del resumen de la segunda parte de la *Teología natural* hecha por el canónigo J. Coppin, *Montaigne traducteur de Raymond Seboud*, Lille, 1925, pp. 40-41.

and accepted by the Church». Antes de adentrarse más decididamente en una doctrina de la *justificación*, palabra que en un
principio sólo escribía con prudencia, aunque la haya añadido, de
manera reveladora, en el *Diálogo* en su adaptación del coloquio
«Inquisitio de fide» (*Diálogo*, p. 227 y *Erasme*, p. 376).

Señalemos para terminar que la génesis de la teología escrituraria practicada por Valdés es algo compleja. Para comprenderla plenamente tal vez se necesite algo distinto de una filiación
lineal y un análisis teorético de sus articulaciones, incluso si este
análisis, como el de Nieto, no deja de señalar estadios sucesivos
del pensamiento. La originalidad del libro de Nieto, como hemos
visto, se centra en la interpretación alcaraciana de los comienzos.
Sin duda tendrá como consecuencia volver a impulsar las investigaciones sobre un tema capital. Mientras yo preparaba esta recensión ha llegado a mis manos otro análisis del mismo libro, titulado «Juan de Valdés, teólogo de los alumbrados»,[18] cuyo autor,
Antonio Márquez, pone en duda la misma solidez del conocimiento del movimiento alumbrado sobre el cual Nieto funda su explicación. Anuncia un libro titulado *Los alumbrados, orígenes y
filosofía,* de próxima publicación en las Ediciones Taurus de
Madrid, del que me dicen que acaba de aparecer en el otoño
de 1972. La importante obra de J. C. Nieto,[19] ¿habrá acaso abierto una crisis en los estudios valdesianos?

18. *La Ciudad de Dios,* El Escorial, CXXXIV (1971), pp. 214-219.
19. La misma envergadura de la obra hace lamentar que su impresión
no haya sido debidamente cuidada, dejando pasar erratas como p. 61,
n. 48, l. 5: *friers* por *friars*; p. 68, l. 7: coma superflua después de *Alcaraz*'; p. 78, n. 103: *Rogues* por *Roques*; p. 82, l. 1: *ragarding* por
regarding, y n. 122, l. 2: *metter* por *mettre*; p. 100, l. 4: *theaching* por
teaching; p. 115, n. 101: *califar* por *calificar*; p. 148, l. 21: *in a letter*
por *is*; p. 175, l. 27: *Hs* por *He*, y l. 32: *fra* por *fray*; p. 176, l. 19:
with por *which*; p. 315, l. 2: *oher* por *other*; p. 349, n. 208: *alguno* por
algunos. Debe corregirse como un error de memoria, p. 89, n. 152: *trans-
lation* en lugar de *editions*. Resuélvase, p. 103, n. 29, el enigma de «Tra-
sonem» (deformado en *Transonem* en la l. 3 de la misma página) orto-
grafiando *Thrasonem*: se trata del soldado fanfarrón del *Eunuco* de Terencio. Nieto se confunde a menudo con los nombres de personas, sobre
todo con el uso onomástico español. Un español o un hispanista queda
confuso al ver que a fray Domingo de Santa Teresa se le llama Domingo
a secas (y en la bibliografía, p. 341, n. 40, «Domingo Fr. de Sta. Teresa»,
con el *Fr.* intercalado en el nombre de religión, o a la señora Ángela

Selke de Sánchez Barbudo, llamada Sánchez Barbudo a secas, en lugar de Mrs. Sánchez Barbudo (sonreímos en la p. 66, n. 63, cuando hay que explicar al lector que «Selke de Sánchez[...] is the same person as Sánchez Barbudo», sin que se aclare el sexo de esta persona). Corríjase en la p. 143, l. 14: *Accoliti* por *Accolti* (id., p. 351); p. 145, n. 26, l. 6, *Minadois Giovan Tommaso* por *Giovan Tommaso Minadois*; p. 148, n. 51: *Viceroy of Alcalá* por *Viceroy, Duke of Alcalá* (id., p. 351); p. 149, l. 35: *Flamino* por *Flaminio*; p. 346, n. 139: *Menédez* por *Menéndez*; p. 350, n. 224: *Melgaris* por *Melgares*. Lunares insignificantes.

¿Juan de Valdés, nicodemita?*

La interrogación de mi título no significa que el nicodemismo de Valdés sea dudoso para mí. Primordialmente quiere invitar al examen del nicodemismo considerado como un problema, y sugerir que plantea cuestiones estrechamente ligadas a las del libertinismo contra el que luchó el protestantismo naciente. ¿Acaso no se trata de dos caras de un mismo fenómeno al margen de las ortodoxias? Para la posteridad el caso de Valdés sigue siendo el de un pensador religioso que se disputan los creyentes, tanto protestantes como católicos, con tal de tener un talante liberal, o que, en el caso contrario, unos y otros rechazan a las tinieblas exteriores. El hecho puede ilustrarse remitiéndonos a la reciente obra de José C. Nieto,[1] quien hace de Valdés, según uno de sus críticos, «el teólogo de los iluminados» de Castilla la Nueva, entre los cuales el futuro evangelista de la aristocracia napolitana despertó a la fe en un Dios personalmente «experimentado» al que el creyente debe «abandonarse».

Como es sabido, la calificación de «nicodemita» fue ideada por Calvino con un sentido fuertemente peyorativo, hasta el punto de que casi estaríamos tentados de emplear el término entre comillas (sobreentendiendo *Calvinus dixit*) de no haber tenido tanta difusión en los últimos veinticinco años entre los historiadores del cristianismo moderno, sobre todo en Italia.[2] Res-

---

* «Juan de Valdés nicodémite?», *Aspects du libertinisme au XVIᵉ siècle* (Actes du Colloque de Sommières), Vrin, París, 1974, pp. 93-103.
   1. José C. Nieto, *Juan de Valdés and the Origins of the Spanish and Italian Reformation,* Droz, Ginebra, 1970, cuya introducción está principalmente dedicada a hacer un repaso cronológico de las interpretaciones de Valdés. Crítica de este libro por Antonio Márquez, «Juan de Valdés, teólogo de los alumbrados», *La Ciudad de Dios,* El Escorial, CXXXIV (1971), pp. 214-219.
   2. Una edición relativamente accesible de la *Excuse à Messieurs les Nicodémites* va a continuación del *Traité des reliques* de Juan Calvino en el volumen publicado en 1921 por Albert Autin, Coll. des Chefs d'Oeuvre Méconnus, Bossard, París, 1921. Para el alcance histórico del «nicodemismo» la obra capital es hoy la de Carlo Ginzburg, *Il nicodemismo. Simulazione e dissimulazione religiosa nell'Europa dell'500,* Einaudi, Turín, 1970. Remitiremos en más de una ocasión a este libro, agotado pocos años después de su publicación, que aún no conocíamos al preparar nuestro trabajo.

pecto a la ética religiosa del calvinismo, confesión de perseguidos que se atreven a confesar su fe hasta el suplicio —digamos hasta el martirio aceptando el título más intenso del *Martirologio* de Crespin—[3] o desterrándose para huir del «Cautiverio de Babilonia» del papismo, los nicodemitas están en los antípodas de los verdaderos creyentes reformados, incluso y sobre todo sin comparten creencias esenciales de la Reforma. ¿Es ésta la causa de que un Valdés, que no quiso romper públicamente con el catolicismo, no encontrara una buena acogida en el «bando reformado» excepto entre los no conformistas? El nicodemita, según Léonard, oculta su fe íntima en «la clandestinidad bajo formas conformistas».[4] Esta opinión, que plantea la dualidad o la duplicidad religiosa del nicodemita, es aplicable a Valdés. De una parte, en su corazón o en sus relaciones con sus hermanos de cenáculo, profesa una fe reformada o regenerada en espíritu que no confiesa ante los demás. De otra, en su vida social, pública, practica las ceremonias de la religión establecida en el país donde vive, reservándose la posibilidad de transfigurarlas en su fuero interno. Esta manera de buscar «en espíritu» la libertad religiosa justifica la asimilación al menos provisional de un Valdés a aquellos que Calvino estigmatizó como «libertinos que se llaman espirituales» (se trata de franceses, que no hay que confundir con los libertinos ginebrinos del interior, culpables solamente de discutir el rigor de la disciplina eclesial calvinista).

Una de sus novedades más llamativas reside en la influencia axial para las tendencias nicodemitas de las *Pandectas* de los dos Testamentos por O. Brunfels. El artículo que abrió el camino para estas nuevas investigaciones fue el de Delio Cantimori, «Nicodemismo e speranze conciliari nel Cinquecento italiano», *Quaderni di Belfagor*, I (1948), pp. 12-23 (reimpreso por el autor en sus *Studi di Storia*, Einaudi, Turín, 1959, pp. 518-536). Especialmente importante es también el volumen publicado por los discípulos de Cantimori en homenaje a su memoria en *Rivista Storica Italiana*, LXXIX (1967), en el que la contribución más notable es la de A. Rotondò, «Atteggiamenti della vita morale italiana del Cinquecento: la pratica nicodemitica» (pp. 991-1030).

3. Sobre la vacilación ginebrina a volver a utilizar la noción de martirio, Léon E. Halkin, «Hagiographie protestante», *Mélanges Paul Peeters*, II (Analecta Bollandiana, LXVIII, Bruselas, 1950, p. 457).

4. *Histoire Universelle*, III: *De la Réforme à nos jours*, Encycl. de la Pléïade, Gallimard, París, 1947, p. 66.

Antes de proseguir el análisis de este nicodemismo «espiritualista» (en el centro de la creencia valdesiana está «la regeneración del cristiano por el Espíritu Santo») será útil recordar que el establecimiento de una nueva ortodoxia reformada planteó casi desde sus inicios a los reformadores, sobre todo en la Alemania luterana (pero un poco más tarde también a los anglicanos) un problema emparentado, aunque no se confunde con él, con el de la duplicidad nicodemita ante el catolicismo, en parte rechazado y no obstante practicado de manera ostensible sin conceder al hecho demasiada importancia. Para limitarnos al caso de la reforma luterana, leyendo las páginas magistrales que le ha consagrado Stauffer en una reciente *Histoire des religions*, me llama mucho la atención el renovado debate sobre las *adiaphora*[5] o cosas indiferentes. Estas cosas, lo suficientemente exteriores a lo esencial de la fe como para que ciertos reformadores las traten como usos tolerables en determinados momentos cruciales de la fundación o de la consolidación de su Iglesia, son prácticas, sacramentos, ritos, costumbres católicas que los reformadores radicales persiguen implacablemente como manifestaciones de la superstición papista que hay que extirpar. Ahora bien, los que se juzgan los principales responsables de esta Reforma y de su adopción por todo un pueblo, que comprende también a los sencillos y modestos a los que puede escandalizar, creen deber tratar estas prácticas como *adiaphora*, indiferentes o secundarias. Esto es lo que vemos que sucede en 1522 cuando Lutero vuelve a hacerse cargo de su iglesia desconcertada, durante su retiro en el castillo de Wartburg, por el extremismo de Karlstadt: para tranquilizar a su grey, transige con ciertas herencias del catolicismo (culto en latín, ornamentos litúrgicos, comunión bajo una sola especie) cuyo rechazo brutal turbaba a la mayoría de los fieles. Un cuarto de siglo más tarde, poco después de la muerte de Lutero, cuando el ínterim de Augsburgo concede a los cató-

5. Richard Stauffer, *Histoire des religions*, II: *La Réforme et les protestantismes*, Encycl. de la Pléïade, Gallimard, París, 1972, pp. 923 y 925. Y sobre «La libre disposition des adiaphora» según Lutero, el libro de Robert Will, *La liberté chrétienne*, Estrasburgo, 1922, pp. 287-288. Véase también Ginzburg, *op. cit.*, pp. 75 y 197 sobre el adiaforismo de los nicodemitas.

licos de Alemania una serie de licencias luteranas (uso del cáliz y matrimonio de los clérigos) y el ínterim de Leipzig concede a los protestantes de Sajonia una liturgia teñida de catolicismo, es Melanchton quien preconiza a su vez la tolerancia respecto a estas *adiaphora* con toda su autoridad de teólogo, mientras que el *adiaphorismo* y la noción misma de *adiaphoron* son violentamente combatidos en nombre del puro luteranismo por Flacius Illyricus y otros doctores intransigentes.

Si tenemos presentes estas tendencias antagónicas en el seno de la Reforma alemana, comprenderemos mejor la actitud adoptada por Valdés en su juventud en el *Diálogo de doctrina cristiana* que publica en Alcalá en 1529, antes de su marcha a Italia; en esta obra insiste tanto en la desigualdad existente para el fiel entre el respeto sin reserva debido a los mandamientos de Dios y la observancia requerida por los preceptos de la Iglesia, que casi parece desvalorizar éstos como *adiaphora* por contraste con aquéllos.[6] Muy interesante es también el texto que cita en su apoyo para semejante desvalorización. Se trata de Juan Gerson, en un pasaje que he podido localizar hace poco[7] en el corolario 2 de la Lectio IV del *De vita spirituali animae*. Sí, es en este gran doctor del siglo xv en quien Valdés aspira a fundar su afirmación de que para satisfacer las exigencias eclesiásticas basta guardar exteriormente estos preceptos, y que, incluso si los guardamos de mala gana, cumplimos a pesar de todo, pues la Iglesia «sólo juzga por lo exterior». Por ejemplo, podemos decir sin pecado: «Siento que la Iglesia me mande ayunar hoy, porque yo quisiera comer carne [...]», y lo mismo para los demás preceptos. Aun cuando aquí aparezca forzada o falseada por Valdés para apoyar su tesis, la referencia a Gerson es ilustra-

6. Juan de Valdés, *Diálogo de doctrina cristiana,* reprod. en facsímil de la ed. de Alcalá, 1529, con introducción y notas de M. Bataillon, Impr. da Universidade, Coimbra, 1925, fol. LXIIr y p. 268; y M. Bataillon, *Érasme et l'Espagne*, Droz, París, 1937, p. 387.

7. En la recensión de la obra de Nieto (cit. en la n. 1) en la *Bibliothèque d'Humanisme et Renaissance*, XXXV (1973), p. 378 [dicha recensión está incluida en este volumen, pp. 254-267]. El texto en cuestión del *De vita spirituali animae* puede verse en Juan Gerson, *Oeuvres complètes*, III, Desclée et Cie., París, 1962, pp. 158-159.

tiva. Nos recuerda la existencia en el curso del siglo xv de una tendencia a la crítica de las observancias externas que busca apoyo en la autoridad de un maestro de la vida interior. En 1486 se había dado el caso en París de un tal Jean Laillier condenado a retractarse de proposiciones malsonantes sobre el celibato del clero y el ayuno de la cuaresma. Y este Laillier se había defendido diciendo: «Hay proposiciones más graves que las mías en el *De vita spirituali animae* de Gerson».[8]

Volviendo a la religión de Juan de Valdés, si pasamos de su período castellano a su período napolitano, nos sorprenderá el giro positivo, diríase casi constructivo, que da a la aceptación o a la recuperación de las prácticas católicas en un espíritu nicodemita. En su *Alfabeto cristiano* se pone a sí mismo en escena dialogando con Giulia Gonzaga para aquietar la turbación que causa en ella la predicación de Bernardino Ochino, quien no tardará en pasarse a Ginebra. Valdés enseña a su noble catecúmena la manera espiritualizada de seguir las prácticas exigidas por el catolicismo, incluyendo la misa con la adoración del misterio eucarístico, y las preces de la liturgia. Otros tantos «pretextos», como observa justamente Cantimori, otras tantas «ocasiones de ejercicios espirituales interiores en el sentido del misticismo valdesiano».[9] Estamos aquí en el corazón del nicodemismo que florece en Italia en vísperas del Concilio de Trento entre los católicos de tendencia reformista. Sin perder de vista los precedentes medievales de esta tendencia, ni la importancia axial que toma en la fase de auge del luteranismo, para comprender

8. A. Renaudet, *Préréforme et humanisme à Paris... (1494-1517)*, Champion, París, 1916, pp. 108-109. Pero la tendencia a desvalorizar las prácticas exteriores se remonta evidentemente a una época mucho más lejana de la Edad Media y a la época patrística. Sobre el asombroso parecido existente entre la crítica erasmiana de las observancias monásticas y la que efectúa Eloísa, abadesa del Paracleto, cuatro siglos antes, Étienne Gilson, *Héloïse et Abélard*, Vrin, París, 1938, pp. 173-174, remite para lejanas concepciones de las *indifferentia*, a Séneca (*Ad Lucil.*, Ep. CXVII) y a san Jerónimo (Ep. CXII, *Ad Augustinum*, n. 16, Patr. Lat., t. 22, col. 926).
9. Cantimori, «Nicodemismo», art. cit., en *Studi di Storia*, p. 523. Para estos ejercicios de interiorización de los sacramentos, que permiten reconquistar la libertad cristiana o «adquirir la luz del Espíritu Santo», véase todo el final del diálogo de Valdés, *Alfabeto cristiano*, ed. Croca, Laterza, Bari, 1938, pp. 104-126.

a Valdés en la coyuntura italiana de 1535-1540, hay que leer y releer el precioso estudio que Delio Cantimori publicó en 1948 en el *Quaderni di Belfagor* dedicado a conmemorar el cuarto centenario del Concilio: «Nicodemismo et speranze conciliari nel Cinquecento italiano». El nicodemismo preconciliar es a un tiempo una modalidad expectante —que está a la espera— del reformismo religioso, y una táctica de preservación de intereses y de prestigios que los católicos que esperan una reforma del Concilio tienen en el aparato eclesial y político. No muestran ningún escrúpulo en poseer beneficios sin residir allí, o cargos de la curia romana, o en ser auxiliares o corresponsales titulares de cardenales: rasgos que caracterizan, hoy en día lo sabemos, la posición ambigua de Juan de Valdés reformador religioso (incluso se ha podido plantear —aunque la duda se ha resuelto negativamente— la cuestión de si había sido ordenado sacerdote católico.[10] Sobre este punto los nicodemitas están en los antípodas del comportamiento de Calvino. Éste, cuando cruzó el Rubicón de la Reforma antipapista, renunció a beneficios eclesiásticos que le habían proporcionado ingresos desde su primera juventud. Está, pues, en una posición sólida para estigmatizar a «los protonotarios delicados, satisfechos de tener el Evangelio para conversar alegremente de él y como por juego con las damas, con tal de que eso no les impida vivir a su guisa».[11] Ciertamente, Calvino no piensa aquí en Valdés, sino en los «evangelistas» de la corte de Margarita de Navarra. Y Valdés no fue, al menos que se sepa, «un alegre conversador» sobre el Evangelio. Uno de sus discípulos más fervientes, el protonotario Carnesecchi, terminará por pagar con su vida, después de un largo proceso de la Inquisición romana, su fidelidad al «espiritualismo» valdesiano.[12] Pero no es menos cierto que Valdés, en una de sus

10. José C. Nieto, «Was Juan de Valdés an ordained priest?», en *Bibliothèque d'Humanisme et Renaissance*, XXXII (1971), pp. 603-606.

11. J. Calvino, *Excuse*, ed. cit., pp. 215-216.

12. El valdesianismo de Pietro Carnesecchi ha sido analizado muchas veces desde hace un siglo sobre la base del *Estratto del processo...* publicado en 1870 por Giacomo Manzoni (*Miscellanea di Storia d'Italia*, X, pp. 187-573). Véase sobre todo fray Domingo de Santa Teresa, O.C.D., *Juan de Valdés, 1498 (?)-1541. Su pensamiento religioso y las corrientes espirituales de su tiempo*, Analecta Gregoriana, Roma, 1957, cap. XIV.

cartas al cardenal Gonzaga [13] confesaba su afición a vivir «regiamente», y que su libertad de criterio sobre las posibilidades conciliares de Reforma (semejante a la de su hermano Alfonso, que había vivido en 1530 la dieta de Augsburgo como simpatizante de Melanchton y como corresponsal del cardenal Accolti),[14] era la franqueza de un observador capaz de apreciar la ineficacia de los ministros del emperador de quien dependería una orientación conciliar y reformadora. Y si en 1537 renuncia a trabajar en la corte, no por ello se le ocurre anatematizar a los dirigentes de la política imperial, ni tampoco adherirse a la nueva ortodoxia de una Reforma puritana.

Entre los rasgos de la mentalidad nicodemita que Cantimori [15] analiza en la perspectiva preconciliar, puede señalar con ironía: «fenomeni come il concepire spontaneamente avvenimento vantaggioso alla buona causa la concessione di un benefizio a uno dei loro con questo commento: l'abbazia è ottenuta, ma con molti aggravi di pensioni, pero il nostro ecclesiastico, nonostante tutte le polemiche dei riformatori contro i benefizi, ecc., ne ringrazia Dio come "operatore diretto" perche non si puo havere la carne senza l'osso».

Esta cómica «tranquilidad de conciencia» beneficialista justifica los sarcasmos de Calvino en la carta que escribe a Margarita para apartarla de Roussel y de otros místicos a los que ella protege. Estas gentes, le dice, «son *veneficiados* (tal vez con un juego de palabras en el que entran *beneficia* y *veneficia*), prebendados, rentados, coronados y mitrados, e incluso, lo que es peor, a la sombra del Evangelio».[16] No es posible hacer abstracción de este aspecto socioeconómico de la expectativa conciliar de ciertos nicodemitas, en cuyo caso se manifiesta el peso multisecular de la práctical beneficial perfeccionada por los canonistas, práctica evidentemente

13. *Cartas inéditas de J. de Valdés al cardenal Gonzaga*, ed. J. F. Montesinos (anejos de la *Revista de Filología Española*, XIV), Madrid, 1931.
14. Giuseppe Bagnatori, «Cartas inéditas de Alfonso de Valdés sobre la Dieta de Augsburgo», *Bulletin Hispanique*, LVII (1955), pp. 353-374.
15. Cantimori, «Nicodemismo», art. cit., p. 533.
16. Citado por Albert Autin en su introducción a la *Excuse* de Juan Calvino, p. 51 (que cita por Herminjard, *Correspondance des Réformateurs dans les pays de langue française*, V, p. 299).

incompatible con toda concepción pastoral de una iglesia, fuera la que fuese. Ésta es una de las circunstancias agravantes que hubiesen hecho que Calvino y Beza se hubieran mostrado más severos en su reprobación de los escritos de Valdés, de saber que su autor participaba poco o mucho en semejantes abusos.

Una vez dicho esto, hay que guardarse de desnaturalizar la actitud nicodemita presentándola como inmovilista, congelada en una medrosa abstención de la que sólo podría salir para caer del lado del apoyo incondicional al catolicismo conservador de un «desorden establecido». La etiqueta de «nicodemismo» no debe ocultarnos la diversidad de conciencias y de existencias que abarca. Las circunstancias podían hacer pasar a un hombre de una fase de nicodemismo disimulador a una fase de destierro voluntario y de lucha por una verdad religiosa. Tal fue el destino de Mino Celsi de Siena, de quien P. Bietenholz analiza los comportamientos como una contribución a un juicio histórico que engloba el fenómeno del nicodemismo y el de la emigración religiosa.[17] Celsi, comprometiéndose en su búsqueda de la verdad, sigue el mismo camino que Castellion tomando una posición opuesta a la de Beza sobre el problema del castigo de los herejes. Se trata, como observa Bietenholz, de una cuestión antigua, por no decir eterna, en la historia de las iglesias. Pero, ¿no podría decirse, como hemos insinuado al evocar las querellas protestantes sobre los *adiaphora*, que las actitudes llamadas nicodemitas comportan un fondo de sabiduría irénica más noble, eventualmente más heroica, que el simple repliegue defensivo ante una ortodoxia perseguidora? Y para tener en cuenta los cambios de conducta que se produjeron en vidas como las de Mino Celsi o Bernardino Ochino, hay que observar finalmente que los hermanos Valdés murieron jóvenes, Alfonso en 1532, Juan en 1541, y que nadie puede saber cómo se hubieran comportado después de 1548. Fue en 1542 cuando el capuchino Ochino se cansó de «predicar Cristo mascarado in gergo» y comenzó sus peregrinaciones de expatriado.[18]

17. Peter G. Bietenholz, «Mino Celsi von Siena. Ein Diskussionsbeitrag von Nikodemismus und Glaubensexil im 16. Jahrhundert», *Basler Zeitschrift für Gesichte und Altertumskunde*, LXXI (1971), pp. 97-119, sobre todo p. 110.
18. Carta de Ochino a Vittoria Colonna (22 de agosto de 1542) citada por A. Rotondò, «La practica nicodemitica», art. cit. en la n. 2, p. 1018.

Cantimori, que investigó tanto, descubrió tantas cosas y reflexionado tan profundamente sobre el significado del nicodemismo, tuvo la suerte de encontrar una curiosa variante suya que, en vez de ocultarse en la oscuridad y el silencio, enseña públicamente el acuerdo, la renuncia a la polémica, como si preconizase implícitamente la indiferencia ante las posiciones religiosas dogmáticamente tajantes. Ésta es la originalidad de las *Symbolicae quaestiones de universo genere* publicadas por el humanista Achille Bocchi en Bolonia en 1555. Cantimori interpreta este libro como «insinuazioni simboliche di posizioni "nicodemitiche"».[19] «Insinuaciones» solamente, pues ¿cómo saber si los símbolos de Proteo, de san Cristóbal, son utilizados por este humanista amigo de M. A. Flaminio, de Sadolet, y admirador de Renata de Francia, como otras tantas invitaciones a permanecer resignadamente en la antigua Iglesia o como consejos de irenismo nicodemita? Uno de los símbolos (la linterna encendida con el yesquero) lleva por divisa «Ex disputatione veritas patet, contentione evertitur». La edición de 1574 (con autorización inquisitorial) advertirá que estos símbolos dan a entender más de lo que expresan. Si en ellos se sobreentiende una religión del justo término medio, de tercer partido, sería sin duda la que podía atraer a un pequeño círculo de humanistas y de aristócratas, incluso por su ropaje enigmático también reservado a una minoría.

Ahora bien, si es cierto que es un ambiente de esta clase al que se dirige Valdés en Nápoles, no es posible olvidar que este original heresiarca procede de España. Y la España de los herejes a un tiempo «iluminados» y sujetos al ídolo romano, ¿acaso no era una tierra de elección para toda suerte de nicodemismos, como país profundamente marcado desde fines del siglo XIV por el «marranismo»? Esto es motivo de interminables discusiones entre los historiadores del judaísmo peninsular, unos insistiendo en la realidad de las persistencias clandestinas del judaísmo sobre las que se abatía todo el rigor de la Inquisición, otros en la obsesión de un judaísmo fantasmal, mantenido por la misma persecución, cuando

19. D. Cantimori, «Note su alcuni aspetti della propaganda religiosa del Cinquecento», en *Aspects de la propagande religieuse* (Travaux d'Humanisme et Renaissance, XXVIII), Droz, Ginebra, 1957, pp. 344-348.

en realidad la conversión de los «cristianos nuevos» había sido efectiva en su conjunto.[20] Sabemos que el mito de la «limpieza de sangre» exigida como garantía de la pureza de la fe por los cristianos viejos conduce a una segregación de los conversos, cuando éstos a menudo eran conscientes de ser mejores cristianos que los cristianos viejos, de una beatería hecha de devociones exteriores. ¿No es comprensible que en los estratos más cultos de la sociedad peninsular del siglo XVI, en la clase de los clérigos, de los intelectuales en un sentido lato, donde abundan los conversos y sus descendientes, coexista el sentimiento de una fe íntima, o incluso inspirada, fácilmente sospechosa de herejía, con la práctica exterior de un catolicismo de tipo tradicional, adoptada como única garantía posible de su conversión, de su repudio de las prácticas mosaicas? Los cristianos nuevos de origen judío desempeñan un papel destacado en los movimientos católicos españoles de depuración y de interiorización de la fe, empezando por el erasmismo. Aunque los hermanos Valdés no fueran seguramente de origen converso,[21] como Castiglione insinúa que lo eran, el maestro de

20. En la Fondazione G. Cini, en septiembre de 1973 di dos conferencias sobre «Le marranisme, héritage moderne de l'Espagne médiévale des trois religions» (que se publicaron en Venecia en 1974 en un volumen titulado *Tra Medioevo e Rinascimento*). En ellas se verá la primera tendencia ilustrada por los trabajos del difunto I. S. Révah, y la segunda por A. A. Saraiva, pero ésta apoyándose también en el libro original de B. Netanyahu, *The Marranos of Spain from the Late XIVth to the Early XVIth Century*, Nueva York, 1966, que se funda en las respuestas de los rabinos que tenían que decidir si un judío convertido al catolicismo en España y que luego pasaba a África del norte, aún podía ser tratado como judío en una comunidad judía de África. Según Ginzburg, *op. cit.*, pp. 191-192, Vermigli, en su *Treatise of the Cohabitacyon of the Faithfull with the Unfaithfull* (1955), evocaba ya el caso de los marranos «come un precedente storico di simulazione religiosa» para ilustrar el peligro que hace correr a la iglesia la cohabitación con los no creyentes.

21. Yo lo había admitido en *Érasme et l'Espagne* (1937) dando crédito a Castiglione, pero en la segunda edición española de mi libro (México, 1966) mencioné la reserva hecha por Eugenio Asensio acerca del valor del testimonio de un italiano hostil, predispuesto a tratar de *marrani* a todos los españoles en bloque. Muy recientemente un investigador de Cuenca ha descubierto en el fondo de los archivos inquisitoriales de esta ciudad documentos de los que ha tenido la amabilidad de mandarme extractos, y de los que resulta que Valdés tenía una madre de ascendencia «conversa en tres cuartos», y un tío, Fernando de la Barrera, párroco de San Salvador,

Juan de Valdés, Alcaraz, predicador laico de los alumbrados de Guadalajara y de Escalona, era un cristiano nuevo. Y de un modo bastante claro, Alcaraz defiende su posición de «dejado o alumbrado» como nicodemita, tratando de disimular el carácter radical del «dejamiento» a Dios, como única fuente de amor a Dios y de las buenas acciones, so capa de un misticismo tradicional inspirado en el «Aeropagita».[22] No nos extrañemos si Valdés, adepto y «teólogo» de este iluminismo, sospechoso a la Inquisición en el momento en que parte para Italia, adopta también comportamientos nicodemitas y empieza por refugiarse bajo la casaca de camarero pontificio. Y si en el camino abierto por Cantimori, aspiramos a comprender que el nicodemismo «fue algo muy distinto de un fenómeno marginal» o una constelación de casos individuales en los que una debilidad de carácter impedía hacer coincidir la práctica religiosa con la fe íntima, no sólo hay que situar el nicodemismo valdesiano en la coyuntura indecisa y en las peripecias de la espera del Concilio, que explican muchas cosas en las corrientes reformadoras tanto de Italia como de Alemania, sino que además hay que tener en cuenta el sustrato español que puede designarse «tradición marrana». Uso la expresión entre comillas con objeto de denominar un fenómeno más difuso que el judaísmo clandestino que podríamos llamar marranismo en el sentido más estricto, y englobar la tendencia a ese cristianismo interior cultivado por muchos conversos como religión más auténtica que las prácticas tradicionales que se forzaban a manifestar públicamente. Así, ampliando el alcance del marranismo, quizá podamos proyectar luz sobre la asociación existente entre cierta simulación «nicodemita» y la adhesión íntima a un cierto espiritualismo que, por contraste, desvaloriza las formas exteriores como indiferentes.

Hay que considerar con todo el asombro que merece provocar

que fue condenado a la hoguera por la Inquisición (el autor de estos hallazgos, don Miguel Martínez Millau ha dado la primicia del descubrimiento en unos artículos de *El Diario de Cuenca*: «La familia Valdés en Cuenca», 4-15 agosto 1972).

22. José C. Nieto, *op. cit.*, pp. 65-80 y mi recensión de esta obra citada más arriba (n. 7).

el juicio emitido sobre Valdés por Teodoro de Beza.[23] Cuando
lee las *Ciento y diez consideraciones divinas* una veintena de años
después de la muerte del autor, ve en ellas una confirmación de
la capacidad de error y de divagación personal a que pueden llegar
los españoles, tan propensos no obstante a someterse al ídolo romano. Para Beza esta tendencia estaba superiormente encarnada
por los dos monstruos del siglo: Servet e Ignacio. ¡Qué curiosa
relación! Pero de este modo es la *gens hispana* la que se pone en
la picota. Aunque Beza no recoja explícitamente la trivial impu-
tación de marranismo lanzada contra los españoles en bloque, cabe
preguntarse si no piensa *in petto* en las pullas contra el «peccadiglio
di Spagna» que era, según ciertos italianos, la alergia al dogma
trinitario. Señalemos que Roland Bainton dio el título de «Marrano» al capítulo primero de su libro sobre *Michel Servet hérétique
et martyr* (Droz, Ginebra) no para aludir a un judaísmo secreto o
hereditario en Servet,[24] sino porque el destino de su héroe obliga
a considerar probable que los camaradas tolosanos del joven español le tratasen de «perro marrano» y que de este modo se viera
empujado muy pronto a abordar el problema de la Trinidad como
piedra de escándalo para los judíos y para los mahometanos. Pero
el problema del marranismo, aunque evoca el nudo de la dogmática cristiana, no es menos interesante de considerar desde la perspectiva del nicodemismo, como caso de adhesión táctica y aparente
a la ortodoxia romana de las formas exteriores. ¿Qué es, en efecto,

23. *Epistolarum theologicarum Theodori Bezae...*, Liber Unus, 2.ª ed.,
Eust, Vignon, Ginebra, 1575, pp. 40-41. Para el juicio más moderado que
expone Beza en sus *Iconas* (1580), véase sin embargo José C. Nieto, *op.
cit.*, p. 15.

24. Aunque la acusación de «judaizar» se hubiese lanzado muy tem-
pranamente contra Servet por Oecolampadio, como lo recuerda Jérôme
Friedman en un interesante artículo («Michael Servetus: the Case for
a Jewish Christianity», *Sixteenth Century Journal*, IV, n.º 1 (abril 1973),
pp. 87-110) donde descarta como «groundless speculation» (p. 88) la hipótesis de que Servet fuera de origen converso. Pero no rechaza la idea de
contactos de juventud con conversos de tendencia erasmiana y que se
sentían incómodos ante el dogma de la Trinidad. Este artículo, capital
para el estudio de la exégesis antitrinitaria de Servet, en relación con la de
los rabinos y la de la apologética judía, me ha sido amablemente indicado
por J. C. Nieto y proporcionado por Ángela Selke de Sánchez Barbudo,
otro especialista de los alumbrados españoles.

el marranismo para la Inquisición española y para los cristianos viejos, más inquisitoriales que la Inquisición, sino una duplicidad criminal consistente en ir a misa, en respetar en apariencia el catolicismo y sus sacramentos, sin dejar de ser, en el secreto de la familia o del sentimiento íntimo, fiel a un cierto judaísmo de contenido variable, cuyos indicios se persiguen rutinariamente en detalles de la vida doméstica, comidas *casher* o reposo del sábado, predilección por ciertos ayunos que coinciden con fiestas judías? Pero la suposición generalizada de marranismo que afecta a los cristianos nuevos peninsulares, y se amplía, en los lugares comunes que circulan fuera de España, a todos los españoles, ¿no podría reducirse a reproches de nicodemismo relativos a una multitud de desajustes entre la práctica religiosa y el sentimiento religioso, y, por qué no, justificar la vaga sospecha de que la Inquisición favorecía por una parte esta enfermedad endémica de las conciencias que pretendía extirpar? El mártir Servet vivió en el extranjero como nicodemita durante largos intervalos entre sus publicaciones provocadoras inauguradas por el *De Trinitatis erroribus*, y que, tras el *Cristianismi restitutio*, harán que se le queme en efigie en Viena del Delfinado, y más tarde que se le queme vivo en Champel. ¿Cómo no iba a parecer a los ojos de Beza un monstruo típicamente español?

En cuanto a Ignacio de Loyola,[25] sospechoso de iluminismo en la época de su primer apostolado de juventud, sospechoso de manera más persistente, según los dominicos, de organizar una especie de «dejamiento» a los impulsos divinos en esos procedimientos de elección de las almas que son los *Ejercicios espirituales*, evitó el abismo cayendo del lado ultraortodoxo, a diferencia de Servet que caía en la ultraherejía. Para comprender lo que llamo ultraortodoxia basta con recordar las *Regulae ad orthodoxe sentiendum*

25. Sobre los aspectos de Ignacio y de su Compañía naciente que se evocan aquí, véase la parte de mi primer curso en el Colegio de Francia (1945-1946) que los *Archives de Sociologie des Religions* (XII, n.° 24, julio-diciembre 1967, pp. 57-81) han publicado con el título: «D'Érasme à la Compagnie de Jésus. Protestation et intégration dans la Réforme Catholique du xviᵉ siècle» [incluido en este volumen, pp. 203-244], y un breve resumen del conjunto de este curso en *Annuaire du Collège de France*, París, XLVI (1946), pp. 164-168.

agregadas a los *Ejercicios* cuando se publicaron. Pues lo que Ignacio codifica en ellas es una «voluntad de ortodoxia» proclamada, dedicándose a defender, no sólo los dogmas de la Iglesia jerárquica de Roma, sino incluso todo lo que los nuevos herejes protestantes habían discutido y atacado. Un ejemplo típico es el principio de deferencia para con el monaquismo.

Ignacio había visto que su Compañía causaba escándalo y que la aprobación de ésta por Roma se aplazaba porque fundaba una congregación que aparecía como muy distinta de la tradición del monaquismo, sin clausura, sin coro para el canto colectivo de las horas, sin hábito distintivo. Necesita, pues, evitar a toda costa que le asimilen a esos negadores del monaquismo que son los protestantes. De ahí la regla: *multum laudare religiones*. Consiguiendo poner su Compañía bajo el patronazgo directo del papa, Ignacio es naturalmente a los ojos de Beza uno de los dos «teterrima monstra nostro primum saeculo nata», y el segundo es Servet, otro fenómeno muy español.

Pero lo más interesante para nosotros es que el teólogo protestante los relaciona explícitamente juzgándolos a ambos obsesionados, imbuidos de sus vanas contemplaciones demasiado españolas: «utrumque [...] suis vanissimis, inanissimis, hispanissimis denique contemplationibus addictum». Y más aún, Beza transforma el funesto dúo en un trío añadiendo a Valdés, tercer español: «¿Quieres otro ejemplo tomado entre los que hubieran podido tener un valor (*in iis etiam qui aliquid esse potuerunt*) de no haberse abandonado a sus malas inclinaciones (*nisi vitio suo indulsissent*)? Ahí tienes, por ejemplo, las *Consideraciones* de Valdés[...]». Al decir que Valdés hubiera podido «aliquid esse», Beza sin duda quiere decir que hubiese podido ser un verdadero pastor clandestino para los aristócratas de Nápoles atraídos por la Reforma, si se hubiera puesto bajo la disciplina de Ginebra. Pero, ay, sus *Ciento y diez consideraciones divinas* son especulaciones inconsistentes («evanidae speculationes») que cautivan a las mujeres y a los incompetentes hasta el punto de que incluso el Verbo de Dios les parece desdeñable en comparación con ellas («prae quibus mirum ni mulierculis et imperitis ipsum Dei verbum sordeat»). Está claro que para Beza como para Calvino es el subjetivismo de la inspiración, la ilusión pneumática de ser directamente regenerados por el Espíritu Santo, lo que hace a esos presuntos espirituales irrecuperables para una sana predicación del Verbo de Dios. En un juicio que Beza transcribe, atribuyéndolo a Calvino en persona, sobre las *Considerazioni* (con motivo de su traducción al neerlandés por Gorin), la inspiración valdesiana es denunciada no sólo como culpable de haber extraviado a Ochino (el refractario que, después de pasar a Ginebra, se comporta allí como un objetor ante la condenación de Servet), sino sobre todo como estrechamente emparentada con la de los anabaptistas. Este libro, que ha hecho tanto daño a la iglesia naciente de Nápoles, es, dice Beza, «a spiritu anabaptistico multis locis non multum dissidentem, id est a verbo Dei ad inanes quasdam speculationes, quas falso *Spiritum* appellant, homines abducentem». ¡Qué lástima, parece decir Beza en la carta en la que relaciona a Valdés con Ignacio de Loyola y Servet, que todos esos españoles aparentemente destinados por sus dotes a ser reformadores religiosos, siempre se perviertan para mayor beneficio del ídolo romano y de las formas religiosas tradicionales, cuando este pueblo se distingue por una indudable agudeza! («Quaenam [gens] idolo romano et hominum traditionibus addictior? et hoc est scilicet acutum aliquid prae caeteris gentibus discernere. Cui vero genti debemus duo illa teterrima monstra, etc.»).

Insistamos de nuevo en que Beza no se priva de tachar a los españoles de marranismo. Se defiende incluso de la acusación de querer denigrar a España en beneficio de sus compatriotas franceses, en quienes denuncia la *stoliditas* y la *vecordia*. Pero escribiendo a Antonio del Corro,[26] otro emigrado español por razones religiosas (con quien un poco más tarde se enfrentará también en un agudo conflicto), para denunciar la nocividad de tres reformistas religiosos españoles, les reprocha conjuntamente (y diríase que correlativamente) su exceso de libertad y de subjetivismo especulativo, y su complicidad objetiva con la tiranía papista. ¿No nos vemos llevados a preguntarnos si la «condi-

---

26. Sobre Corro, véase J. Hauben, *Three Spanish heretics and the Reformation. Antonio del Corro, Casiodoro de Reina, Cypriano de Valera*, Droz, Ginebra, 1967.

ción marrana» tan extendida en España, no predispuso a ciertas almas profundamente religiosas a esas formas singulares y extremadas de nicodemismo en las cuales la inveterada resignación a practicar la religión impuesta, y a considerar *in petto* esta práctica como indiferente, pudo encontrar una compensación en la creencia en la íntima «regeneración por el Espíritu Santo»?

La evidencia histórica es que Valdés (cuya fórmula favorita acabamos de citar) y también Servet, otro pensador religioso irrecuperable para la Reforma ginebrina, se convirtieron posteriormente en maestros de las corrientes religiosas modernas que Kolakowski [27] agrupa bajo la rúbrica de «Cristianismo no confesional». Y, naturalmente, para Kolakowski como para Rufus Jones, Valdés, futuro maestro de los cuáqueros, se emparenta, por la fe en la regeneración a través del Espíritu Santo, con reformadores que quedaron al margen de las ortodoxias reformadas, como Sebastián Franck, Sebastien Castellion y Coornhert. Un rasgo que les interrelaciona claramente a todos es su hostilidad a la supresión violenta de los herejes, característica que les vale la simpatía de los liberales modernos y que les designa como participantes de la herencia erasmiana de irenismo y de tolerancia.

Si está dispuesto a admitir con nosotros que una parte de esas tendencias nicodemitas tiene sus orígenes en una «disposición marrana», entrevemos cómo un fenómeno que tiene sus raíces en España pudo adquirir un alcance europeo debido a la nueva *diaspora* de los marranos (o más generalmente de los cristianos nuevos) a quienes la discriminación que sufrían incitó a expatriarse a la Francia meridional, a Italia o a los Países Bajos españoles. Procedentes de la diáspora judía, numerosas familias de la burguesía comerciante entraron más o menos a su gusto y por «conversiones» más o menos forzadas, en la sociedad cristiana de Occidente. Y así se establecieron en Burdeos (como la familia materna de Montaigne), en Toulouse, en Amberes... Estas gentes se encuentran bien en su nuevo ambiente en la medida en que éste no tiene en cuenta su origen judío, mientras

27. Leszek Kolakowski, *Chrétiens sans Eglise. La Consciense religieuse et le lien confessionel au XVIIe siècle*, Gallimard, París, 1969, pp. 16-17.

que su condición les es incesantemente reprochada a sus parientes que se quedaron en España como un estigma indeleble. En Francia o en los Países Bajos les basta con ser católicos practicantes para estar en paz con su parroquia. ¿Equivale ello a decir que en el secreto de su conciencia ninguno de ellos tiene la menor dificultad para creer en los misterios de la Trinidad, de la eucaristía? Tales dificultades íntimas pudieron manifestarse al contacto de los movimientos de reforma religiosa que en el siglo XVI transforman el cristianismo europeo. Del mismo modo que en España, la creciente influencia del *Enchiridion* de Erasmo hacia 1525 atrae principalmente a ciertos medios de conversos procedentes del judaísmo, por sus tendencias antidogmáticas y anticeremoniales, mientras que otros españoles del mismo origen cultivan ya el iluminismo del «dejamiento» a Dios del que Alcaraz se hace el apóstol, en los Países Bajos, a partir del momento en que el luteranismo empieza a ser conocido, circula el rumor, recogido por Aleandro, de que los mercaderes de las colonias meridionales de Amberes sospechosos de marranismo simpatizan con Lutero al menos en su tesis de que no hay que quemar a los herejes. Defienden el herético *verbis tantum,* dice Aleandro.[28] Siguen siendo, pues, católicos practicantes, pero llevan en su corazón un profundo agravio contra la ortodoxia católica. Situación eminentemente nicodemítica. Mucho después, en 1566, cuando se produce la irrupción del calvinismo en Flandes, un informador de Granvela le escribe desde Lovaina: «Se dice que los portugueses están muy inficionados, y que por esta razón son tan agradables al pueblo de Amberes como odiosos le son los españoles. Pero la verdad es que yo creo que son judíos y que se preocupan poco de nuestra religión, aunque estarán muy gusto-

---

28. Carta de Girolamo Aleandro publicada en Balan, *Monum. Refor. Lutheranae,* Ratisbona, 1884, pp. 28-29, sobre el escándalo provocado por el caso de Lutero entre los españoles «excetto li mercatanti sospetti marani, li quali in Antwers et alibi favoreggiano a Martino perche ha detto che nè heretici nè altri si debbeno abbrusciar, et questo che io scrino, ancor che è da ridere, tutta volta è vero che li marani il defendono quantum possunt *verbis tantum*». Cf. A. Redondo, «Luther et l'Espagne de 1520 à 1536», *Mélanges de la Casa de Velázquez,* I, De Boccard, París, 1965, p. 123. Para la «tolerancia» según Lutero, véase R. Will, *La liberté chrétienne,* pp. 198-199.

sos de mostrarse tales [calvinistas] con tal de alimentar la disensión en el seno de nuestra santa fe».[29]

Así, el profundo nicodemismo de los marranos pudo impulsarles a favorecer la heterodoxia en el seno del cristianismo. El judaísmo que se les imputa, ¿no es acaso antes que nada alergia al catolicismo tradicional? Es la época en que cristianos nuevos de origen judeo-español encabezan el movimiento calvinista en Amberes. Al cabo de poco tiempo, llega como refuerzo para ponerse a su lado aquel Corro, monje evadido de España en 1558, y del que Teodoro de Beza, en Lausana, no ha conseguido hacer un pastor calvinista inaccesible a las tentaciones de herejía o de irenismo. Terminará su vida no poco lamentablemente, refugiado en Inglaterra aislado entre iglesias protestantes de refugio (la francesa y la italiana) que le rechazan como sospechoso. La causa de ello es que cuando se unió en Amberes a los marranos calvinistas del grupo de Marcos Pérez se mostró más cándidamente que éste partidario de hacer esfuerzos de fusión entre calvinismo y luteranismo.[30] Tendencia irenista, en el fondo antidogmática, emparentada con las actitudes nicodemitas, y que no podía provocar por parte de Beza y de Jean Cousin más que una aversión apenas menos violenta que la que les inspiraba el papismo.

Sería de desear que la renovación de los estudios concernientes a los heterodoxos españoles proyecte más luz sobre las raíces y las variedades del nicodemismo, al igual que sobre el antinicodemismo total de la joven ortodoxia calvinista. Si aquí me he propuesto ensanchar el horizonte del campo de investigaciones explorado por Cantimori y su escuela relacionando el nicodemismo con el marranismo, ha sido con la esperanza de que en esta reunión, en la que están presentes los «reformados», se encuentre un buen conocedor de Beza que pueda discutir mejor que yo, en relación con las reacciones del calvinismo, la solidaridad entre práctica nicodemita y espiritualismo antidogmático.

29. Citado por J. A. Goris, *Étude sur les colonies marchandes méridionales (Portugais, Espagnols, Italiens) à Anvers de 1488 à 1567*, Lovaina, 1925, p. 582, n. 1, que cita a E. Poullet, *Correspondance du cardinal Granvelle*, I, Bruselas, 1878, p. 501.

30. Cf. Hauben, *op. cit.*, pp. 25 y 35-59.

12. SOBRE EL HUMANISMO DEL DOCTOR LAGUNA. DOS LIBRITOS LATINOS DE 1543 *

La persona a cuya memoria están dedicadas estas páginas se había revelado al mundo del hispanismo con un bello estudio de «Transmisión y recreación de temas greco-latinos en la poesía lírica española».[1] Ya nunca cesó de interesarse por las fuentes grecolatinas de la literatura española, siempre con el mismo espíritu. Si su recensión del famoso libro de E. R. Curtius fue justamente memorable, fue porque sin dejar de extender aún más el campo de investigación de los *topoi* y otras «fuentes» antiguas, devolvía su verdadero interés a esos preciosos jirones de vida que atraviesan los siglos, y los trataba como un material no convencional, sino válido por la vida personal y renovada que les infunde un escritor. Por ello he vacilado antes de contribuir al presente homenaje atrayendo la atención sobre un uso más bien externo y casi indumentario que Laguna hizo del tesoro de accesorios literarios que los profesores de humanidades tomaron de los antiguos. Pero María Rosa Lida de Malkiel creía que la crítica debe ejercerse sin miramientos que falseen su objetividad; y aunque estas páginas puedan aparecer en resumidas cuentas como un poner en tela de juicio —casi un someter a tortura— la cultura humanística del célebre médico, al menos en este aspecto seguirán un camino que nos señaló nuestra difunta colega, el de la compren-

* «Sur l'humanisme du docteur Laguna. Deux petits livres latins de 1543», *Romance Philology*, XVII, n.° 2 (noviembre 1963), pp. 207-234.
1. Publicado en *Revista de Filología Hispánica*, I (1939), pp. 20-63.

sión y la estimación de los trabajos literarios en un espíritu de justicia que empieza por ser precisión y exactitud.

Aquí sólo nos ocuparemos de los dos únicos escritos latinos de Laguna que no son tratados técnicos de medicina, traducciones de textos griegos o epístolas dedicatorias. Son dos obras en las que el médico quiso mostrarse político y moralista, pero también brillar en composiciones más extensas que las prodigó a modo de prefacios. El primero, *Europa* ἑαυτὴν τιμωρουμένη, es un discurso pronunciado en la Universidad de Colonia el 21 de enero de 1543. Recientemente ha sido reeditado en España en facsímil,[2] con una traducción española y varias introducciones, ninguna de las cuales trata de las cuestiones precisas de historia política, cultural y literaria que serán abordadas aquí. El otro libro, impreso casi inmediatamente después (le siguió tan de cerca que el impresor añadió a su lista de erratas un suplemento a la de *Europa*), es una traducción acompañada de un copioso comentario de un tratado seudoaristotélico sumamente esquemático, *Aristotelis philosophorum principis De Virtutibus*.[3] Dada la desproporción existente entre el comentario y el texto (y teniendo en cuenta el anonimato al que hay que restituir éste), el volumen merece ser llamado el *De Virtutibus* de Laguna. Su apari-

---

2. Andrés Laguna, *Discurso sobre Europa*, Joyas Bibliográficas, Madrid, 1962. Las introducciones son de [Don Carlos Romero de Lecea] El Aprendiz de Bibliófilo, del Dr. Teófilo Hernando Ortega, de Don José López de Toro (a quien se debe también la traducción española) y de S. A. R. el Archiduque Otto de Austria-Hungría. — La Biblioteca Nacional de París posee de la edición original dos ejemplares, uno de ellos en vitela, que tal vez estaba destinado al Rey de los Romanos Fernando o al arzobispo de Colonia Hermann von Wied (X.18205 bis y Vélins 2730). Remitimos a los folios del original y a las páginas de la reedición.

3. *Aristotelis Philosophorum Principis de Virtutibus uere aureus atque adamantinus libellus*, ex Graeco in sermonem Latinum per Andream a Lacuna Secobiensem. Medicum, summa fide atque diligentia conversus, scholiisque et exemplis multis locupletatus. Additae sunt ad calcem aliquot in Grynaeum castigationes, ex quibus liquido ostenditur, eum non uertisse, sed potius peruertisse Aristotelem. Coloniae Joan. Aquensis excudebat. Anno 1543. (In-8.° de 162 pp., de las cuales las diez últimas van sin numerar.) Debo a la amistad del difunto doctor Marañón un microfilm del ejemplar de la Biblioteca Nacional de Madrid (2.36383). Sólo he visto otros dos, en Bruselas (Bibl. Royale, 20.916) y en Viena (National-Bibl., 70 Bb 292).

ción puede fecharse en marzo de 1543 (la epístola dedicatoria es del 28 de febrero). Aún más raro que la *Europa,* nunca ha llamado la atención de la posteridad excepto por un corto fragmento en el que Laguna habla de sus maestros (p. 68). Y aun los autores de los siglos XIX y XX sólo parecen haber conocido el contenido de este pasaje a través de la noticia de Colmenares. El hecho es que los modernos admiradores de Laguna parecen no haber descubierto el retrato grabado del médico que adorna la última página del volumen hasta que nosotros lo reprodujimos en 1958.[4]

Sin entretenernos en comentar esta imagen física del autor hacia sus treinta y dos años —cara redonda, un poco gruesa quizás, alargada por una barba más bien escasa e iluminada por unos ojos grandes—, es útil caracterizar brevemente la etapa de su vida en la que se insertan nuestros dos libros, y la coyuntura política que reflejan. Hace apenas siete años que Laguna ha dejado París después de haber hecho allí sus estudios no sólo de medicina, sino también de griego. Estos últimos parecen inspirarle más orgullo que los otros: los únicos que nombra entre sus maestros parisienses son, además del filósofo valenciano Juan Gelida, Pierre Danès y Jacques Toussaint o Tusan (Tusanus), los helenistas del primer equipo de lectores reales que inauguran en 1530 la enseñanza del futuro Colegio de Francia. Desde 1540 era médico de la ciudad de Metz, por contrato con el municipio. En el otoño de 1542 acababa de obtener un permiso del que pasó la mayor parte en Colonia. ¿Únicamente para hacer imprimir allí diversas traducciones de opúsculos griegos elaboradas en el curso de los años precedentes? ¿No se proponía también tantear el terreno en busca de un nuevo empleo menos fatigoso, de un ambiente más decididamente católico e imperial que el que había encontrado en Metz, ciudad «fronteriza», dividida ya entre varios partidos? Al salir de Colonia en marzo de 1543, Laguna dará a entender que vuelve a Metz con el propósito de irse nuevamente de la ciudad en la dirección en que el espíritu divino

4. Encabezando mi librito *Le docteur Laguna, auteur du «Voyage en Turquie»,* París, 1958. En ésta puede verse un «curriculum vitae» de Laguna y una bibliografía sumaria.

guíe sus pasos.[5] Pero esta estación invernal que Laguna pasa lejos de Metz se ensombrece debido a los grandes peligros que corre la causa imperial. Francisco I ha roto la paz para apoyar al duque de Clèves en sus pretensiones sobre Güeldres, y el sur de los Países Bajos españoles es invadido. El ejército imperial reunido por Joaquín de Brandeburgo en ejecución de la «Türkenhilfe» votada por la dieta de Spira sufrió una sangrienta derrota ante Pest. Los contingentes renanos de este ejército vuelven a Alemania occidental cruelmente diezmados por la disentería. Por otra parte, en la misma Colonia la propaganda religiosa de los protestantes, contra los cuales Carlos V ha tomado posición sin dejar de buscar un compromiso doctrinal con ellos, se desarrolla con el más alto apoyo oficial, ya que la predicación de Martín Bucero es aprobada por el arzobispo Hermann von Wied.[6] En estas circunstancias, Laguna, entre diciembre de 1542 y febrero de 1543, dedica su ágil pluma de humanista a servir de diferentes maneras a la causa del emperador y, por lo que puede verse, a hacer también su corte al Rey de los Romanos Fernando, quien en enero de 1543 acaba de volver a reanudar la dieta de Nuremberg,[7] suspendida desde el verano anterior. Nuestro español, como su anfitrión y amigo Eichholz le sugiere, empieza por contribuir a levantar la moral de los cristianos aterrados por los repetidos fracasos de las operaciones emprendidas contra los turcos, traduciendo del italiano al latín una seudorrelación de prodigios supuestamente ocurridos unos meses antes y que habrían cons-

5. *De Virtutibus,* p. 152: «Apud quos quidem [Metenses], ubi aliquantulum respiravero, alio nobis peregrinandum est, nempe quò mens Divina gressus nostros direxerit». Cf. la imagen del peregrino y las divisas griegas en el emblema grabado sobre la tumba de Laguna (Bataillon, *op. cit.,* p. 18, y *Romance Philology,* V, p. 81).
6. Véase la obra, que sigue siendo fundamental, de C. Varrentrapp, *Hermann von Wied und sein Reformationsversuch in Köln,* Leipzig, 1878. Véanse también sobre la campaña de Joaquín de Brandeburgo y la retirada, Paulo Jovio, *Historiarum sui temporis,* II, París, 1560, libro XLII, p. 293, y Artus Thomas Sieur d'Embry, continuador de L. Chalcondylas, *Histoire de la décadance de l'empire grec et establissement de celuy des turcs,* trad. de B. de Vigenère, I, Ruán, 1660, pp. 532 ss.
7. Paul Heidrich, *Karl V. und die deutschen Protestanten am Vorabend des Schmalkaldischen Krieges,* I: *Die Reichstage der Jahre 1541-43,* Frankfurt, 1911, p. 114.

ternado la capital del Gran Turco al que anunciaban el crepúsculo de su poderío (*Rerum prodigiosarum, quae in urbe Constan-
tinopolitana et in aliis ei finitimis acciderunt Anno a Christo
nato MDXLII brevis atque succincta enarratio*).[8] Tal vez un
poco confuso por difundir en latín esta novelita, Laguna le había
añadido para dar más peso material e intelectual al opúsculo, un
resumen de la historia de los turcos, de su manera de hacer la
guerra y de sus costumbres (*De prima truculentissimorum Turcarum origine, deque eorum tyrannico bellandi ritu et gestis, brevis et compendiosa expositio*). Advirtamos de pasada que, empeñado en dar valor a su mercancía, sin reparar en mixtificaciones para el lector, disimuló que este resumen era un compendio
puro y simple de un tratado de Paulo Jovio ya muy difundido
en italiano y en latín (*Comentario de le cose de' Turchi*)[9] y presentó su trabajo como el fruto de una información personal no
libresca («quatenus mihi res explorata est, quum ab ipsismet
Turcis, tum vel maxime a Venetis oratoribus, cum quibus mihi
maxima familiaritas intercessit»). Poco después concibió el proyecto de ceder la palabra, en una declamación académica, a la
desventurada *Europa que se persigue a sí misma*. La que dedica
posteriormente al arzobispo de Colonia por mediación del «Dom-
probst» Jorge de Brunschwick, pero no sin recordar que ha sido
honrada con la presencia del «Domkepler» Georg von Sayn-Witt-
genstein, personaje destacado por su oposición a la reforma de
Bucero.[10] El lector tiene la sorpresa de tropezar, en el corazón

8. Cf. M. Bataillon, *Érasme et l'Espagne*, Droz, París, 1937, p. 721,
n. 2. He manejado la reimpresión de Amberes de 1544, que posee la Biblioteca Mazarina. La edición original de Colonia de 1543 posteriormente
ha sido señalada en la Biblioteca Municipal de Metz por C. A. Dubler
(*D. Andrés de Laguna y su época*, Barcelona, 1955, p. 114).

9. La primera edición (en italiano) parece que se publicó en Roma
en 1532. Hemos manejado la traducción latina (Francisco Bassaniate inter-
prete) *Turcicarum rerum Commentarius Pauli Iovii Nucerini ad Caro-
lum V*, Estrasburgo, 1537, una de las ediciones que Laguna pudo tener en
sus manos. La confrontación con la *Perioche* demuestra que Laguna lo
tomó todo de Jovio, salvo uno o dos detalles fáciles de inventar. La soca-
rrona referencia «ab ipsismet Turcis» coincide curiosamente con la del
héroe del *Viaje de Turquía* (Nueva Biblioteca de Autores Españoles, t. 2,
p. 60*b*) «lo cual, aunque yo no lo vi, sé de los mismos turcos que me lo
contaban».

10. Cf. Varrentrapp, *op. cit.*, p. 131.

del opúsculo, con una *Apologia Ferdinandi regis*[11] de un carácter singular: pues Laguna, volviendo a tomar la palabra en nombre propio después de prestar su elocuencia a Europa, defiende como médico al Rey de los Romanos contra una estúpida campaña de opinión según la cual el príncipe y los elementos húngaros del ejército vencido ante Buda envenenaron a los contingentes alemanes mezclando cal viva y cristales pulverizados en la harina del pan de munición (rumores conocidos por otros documentos).[12] La arenga en la que se insertó este fragmento se pronunció en Colonia cinco días después de la llegada de Fernando a Nuremberg para la reapertura de la Dieta.[13] Finalmente Laguna dedica al mismo Rey de los Romanos, parangón de numerosas virtudes, su *De Virtutibus*, tratado de moral que abunda en ejemplos, compuesto apresuradamente en el curso del mes de febrero de 1543, donde se presenta a sí mismo como defensor de la moralidad pública, al mismo tiempo que hace gala de su ortodoxia y exhibe su cultura de humanista. Esta es la cultura que las páginas que siguen se proponen apreciar.

I. *Europa* ἑαυτὴν τιμωρουμένη

Hoy estaría menos predispuesto que tiempo atrás a acentuar en la *Europa* su carácter de alegato patético, y en cambio me llaman más la atención los artificios que hacen de esta obra un trabajo académico cuyo lugar más adecuado sería una aula magna de universidad. Laguna aplica en ella como un alumno brillante las recetas enseñadas por sus profesores, y muestra menos indignación contra los perturbadores de la paz de Europa, menos combatividad contra el enemigo común (el turco), que deferencia

11. Cuya importancia se subraya con la repetición de este título en la parte superior de las páginas.

12. Véase una carta de Frecht a Vadian (Ulm, 18 diciembre 1542), *Vad. Korr.*, ed. Arbenz y Wartmann [Mitteil. f. Vaterländ. Gesch., XXX, 3. Folge, X], VI, St. Gall, 1906, p. 178, edición donde se citan otros textos. Esta correspondencia, importante para la historia de la campaña de Hungría de 1542, me ha sido amablemente señalada por J. V. Pollet, O.P.

13. Cf. supra, n. 7.

para con Carlos V, Fernando, el papa y una larga serie de soberanos, príncipes, embajadores y ministros, en quienes la Europa afligida reconoce agradecida a sus amigos y defensores (fols. 25-28, pp. 184-198). ¿Cómo no sospechar que, por su propia voz, es el mismo autor el que aprovecha la oportunidad para captarse la benevolencia de todos estos altos personajes? Pero, insistamos, la cortés Europa no dice ni una palabra de los enemigos de sus amigos; calla los nombres de Francisco I y del duque de Clèves contra quienes se bate Carlos V, como tampoco menciona a los príncipes protestantes que han «arrojado de sus estados» al duque de Brunschwick. Más sorprendente aún es la falta de agresividad de Europa contra el turco, cuyas empresas ha facilitado la desunión de los europeos. Las violencias impías de las que es víctima por parte de sus defensores naturales la hacen digna de compasión para sus adversarios tradicionales: «ut iam non tam invisa meis sim adversariis, quam miserabilis. Siquidem qui me oderant, quibus olim terrori fueram, qui meum uenabantur exitum iam condolescunt meis malis, iam mitescunt, et emolliuntur, satis magnam ultionem sumi de me censentes, si meo proprio morbo tabescam, eoque fatiscens consumar» (fol. 15, pp. 145 s.).

Cabría preguntarse si Laguna, que frecuenta los ambientes oficiales, había captado por aquel entonces en éstos como una aspiración a la coexistencia pacífica con el turco. Muy distinto había sido el tono de las llamadas lanzadas después de Mohácz por otros humanistas cristianos alarmados por el peligro turco, cuando Joh. Cuspinianus exhortaba a los príncipes del Imperio y a Carlos V a la guerra contra el invasor musulmán, y el propio Luis Vives ponía como conclusión a su diálogo *De Europae dissidiis* unas palabras de aliento para esta lucha y describía a los europeos como ciegos, para anunciarles la misma suerte, la triste vida de los pueblos cautivos bajo el yugo turco. Nada más evidente que la situación había cambiado radicalmente desde entonces, e incluso desde las efímeras veleidades de cruzada que en el verano de 1538 habían inspirado a un rimador español el célebre «incitamento contra el turco».[14]

14. «Sevilla la realeza...», *Cancionero de romances*, Amberes, s. a., fols. 215v-220r.

No es, pues, únicamente por una analogía de tema y de tonalidad que esta *Querela Europae* nos recuerda cada vez más a
la *Querela pacis* de Erasmo a medida que nos acercamos a su
conclusión. Se metamorfosea verdaderamente en una lamentación de la paz y en una reprobación de LA GUERRA a secas, y no
solamente de las guerras intestinas. Laguna le pondrá como apéndice una historieta (*Privatum quoddam exemplum at christianis
maxime nunc imitandum principibus*) sugiriendo que, en los conflictos internacionales al igual que en los litigios privados, la
conciliación es preferible a las guerras o a los pleitos ruinosos: es copia literal del adagio *Bellum* (cols. 1076-1077). Ya
cuando nuestro autor escribe: «Siquidem ignorant infoelicissimi
quantam sibi omnium malorum lernam accersant, mutuum bellum
gerentes, jugibusque dissidiis rixantes» (fol. 29, p. 200), y toda
la página siguiente sobre los desastres de la guerra, el lector fa-
miliarizado con los *Adagios* de Erasmo cree oír un eco de los
comentarios sobre *Dulce bellum inexpertis*, (*Adag*, IV, I, 1, cols.
1067 ss.). Pero cuando más lejos Europa evoca las guerras entre
cristianos que regocijan a los enemigos de Cristo, el escándalo
de esos ejércitos que se enfrentan desplegando sus estandartes
con el signo de la cruz, cuando para tales guerreros serían em-
blemas más apropiados unos animales feroces, cuando evoca la
paz que reina entre los astros, entre los elementos y los seres más
humildes, para avergonzar al hombre, único dotado de razón,
por haber sido el único en inventar la guerra; cuando, para terminar, Europa exhorta a los príncipes cristianos, a los que se
dirige exclamando: «Satis libatum est furiis», éstos son temas
concretos que Laguna toma de la *Querela pacis*, llegando a menudo a utilizar sus mismas palabras.[15]

15. Véase el análisis de la *Querela* en Bataillon, *Érasme et l'Espagne*, pp. 95 ss., y el original de Erasmo en sus *Opera*, LB, IV, sobre
todo col. 640: efecto producido en los «Christiani nominis hostes»; col.
635: «Vexilla crucem habent [...] Quid tibi cum cruce scelerate miles?
Istis animis, istis factis, dracones, tigrides ac lupi conveniebant [Laguna
de modo más difuso, p. 206: «Quorum animis magis certe congruerent
serpentes, aspides, crocodili, lupi, leones, tigrides» [...] pugnat crux cum
cruce»; col. 626: «Jam tot orbium caelestium, tot jam saeculis constant
vigentque foedera» [Laguna, p. 208: «Inter coelestes orbes numquam
violantur foedera». Los temas siguientes, paz entre los elementos, entre

Pero no acaba aquí la deuda contraída por Laguna con Erasmo y con los profesores que le enseñaron a servirse de los modelos y de los instrumentos erasmianos. Puede decirse que les debe todo el aparato retórico, casi toda la ornamentación estilística con la que se esfuerza por salvar a su *Europa* de la sequedad literaria. No insistamos mucho en el procedimiento de amplificación, no poco monótono, que le sirve para dar mayor énfasis a sus palabras, mayor resonancia a las quejas y a los reproches de la triste Europa. Erasmo, en su *De duplici copia rerum ac verborum,* había proporcionado a un tiempo reglas del arte de desarrollar y un arsenal de clisés estilísticos que permitían variar la expresión de cada tema usual. Laguna es «copioso» con el artificio más fácil, acumulando series de fórmulas equivalentes. Antes citábamos el *Sat libatum est furiis,* que en su peroración se hace eco de las fórmulas de la *Querela* de Erasmo. En realidad escribe: «Satis superque iam humani fusum est sanguinis. Satis libatum est furiis. Satis obtemperatum Orco» (fol. 32r, p. 212). Y unas líneas más abajo: «Miseris opem ferte singultibus. Exuite iam istum crudelem animum, Mitescite paululum. A furore isto aliquandiu respirate». ¿Se habla de la ingratitud de los hijos que desgarran a su madre Europa? «O me matrem infelicissimam (quorsum amplius appellarer virgo, tot stupris poluta? tot contaminata adulteriis? tot incestibusque violata?). O me inquam matrem infelicissimam, quae prolem plus quam viperinam ediderim, a qua tandem impie discerperer, a qua pessime lacerarer. Concepi qui mea laniarent viscera: genui qui me conterent; lactaui qui me diriperent: foui qui meum haurirent sanguinem: promoui qui me dejicerent, accenderrent, labefactarent» (fol. 14r, p. 140). ¿Busca en las letras sagradas y profanas las grandes voces que serían dignas de cantar su desdicha? «Ubi igitur mihi nunc tot tragoedi? Ubi mihi Sophocles? Ubi Aeschy-

---

los animales salvajes, entre los vegetales, entre los seres inanimados, son paralelos]; col. 627: sólo el hombre, dotado de la razón, de la palabra, ha degenerado en bestia feroz; col. 641: «Eja satis jam superque fusum est Christiani; si parum est humani sanguinis, satis in mutua debacchatum exitia, satis hactenus Furiis Orcoque libatum, satis diu quae Turcarum pascat oculos acta est fabula».

les, Hesiodusve? Ubi Euripides? Ubi σκυθρωπός ille Heraclitus
ut meas lugerent aerumnas? Ubi propheta Iob? Ubi denique
Hieremias? Cur omnes ad me non veniunt? Cur non festinant
et properant?» (fol. 17r, p. 152). Un poco más lejos, sin aban-
donar la fórmula del *Ubi sunt?*, encontramos la letanía de las
ciudades perdidas (fol. 18r, p. 156). Luego la invocación a los
poderes infernales: «O Lachesis, Atrope et Clothω; O Tesipho-
ne, Megaera et Alectω, quid vos tam diu cunctamini? quid me
ιam e mundo non tollitis? tam aerumnosam? tam exhaustam? tam
tristem? tamque omni destitutam solatio?» (fol. 19r, p. 160).
Pero inmediatamente después le llega el turno a los remedios
que podrían dar la muerte o el olvido: «Quis mihi faciet copiam
mandragorae. quis cicutae? quis loti? quis papaveri rubei? quis
deletherii hyoscyami?»; enumeración fácil para un experto en
materia médica, aunque hay que reconocer que se adorna con
una inflexión virgiliana en la interrogación: «Quis me ad latices
deducat letheos?» (*Aen.*, VI, 714 s.). Cuando Laguna quiere
burlarse de los soldados fanfarrones que han vuelto de Hungría
y que se quejan de ser víctimas de un intento de envenenamiento,
utiliza irónicamente la *duplex copia* de las palabras y de las ideas
para ridiculizar esta fábula que asimila a unos desharrapados cri-
minales a los poderosos a quienes se envenena con fines interesados: «Cuius, dic mihi, rei gratia illi miseri et miserabiles, ex-
tinguerentur veneno? An ut cederent sacerdotiis? An ut spolia-
rentur regno? Ut pellerentur pontificatu? Regibus enim, Im-
peratoribus, Praelatis et Pontificibus parari tales solent insidiae,
non leuioris armaturae militibus, qui quidem si cum sua sorte
et infelici conditione sinantur, si permittantur vivere (quanquam
flagitiosissimi sint) satis acerba est vindicta: nisi quis dicat forte
eos veneno necandos esse, quod mundi venena existant» (fols.
22r-v, pp. 172 ss.).

En este ejemplo vemos cómo la técnica de amplificación, con
el apoyo de un cierto sentido del humor, puede ayudar al humanista hasta en un pasaje más personal (o profesional) de su *Declamatio funebris*, donde pone su competencia de médico al servicio de la Apología del rey Fernando, discutiendo supuestas au-
topsias de soldados muertos.

Aunque Erasmo sólo fue uno de los más famosos expositores del arte de desarrollar, enseñado por todos los maestros de retórica, vinculó más estrictamente su nombre y su gloria a la ornamentación del estilo por medio de adagios, expresiones que se han convertido en refranes, uniendo el prestigio de la venerable antigüedad a la comodidad de la frase hecha. Ahora bien, me ha sido fácil calibrar sin demasiadas ilusiones el saber humanístico de Laguna porque tenía al alcance de la mano un bello infolio —*Adagiorum opus Des. Erasmi Roterodami. Ex autoris postrema recognitione Seb. Gryphius..., Lugduni..., MDXLI*—, volumen hermano del que hojeaba el médico español en busca de clisés estilísticos y de citas apropiadas a sus intenciones.

Teniendo en cuenta el sistema de variaciones y de alusiones que dan flexibilidad al uso de los adagios (como el de los refranes españoles, por ejemplo, en *La Celestina*), no encontramos menos de diecinueve fórmulas de la gran recopilación de Erasmo en el pequeño volumen de la *Europa*, incluyendo el prefacio. (Señalemos de pasada que en las epístolas dedicatorias de sus diversas obras fue donde Laguna mostró toda su predilección por ese género de elegancia grecolatina.)[16]

16. Remitimos a los números de quiliada, de centuria y de adagio, y a las páginas de la edición de Lyon de 1541: fol. 3v (p. 98): *Erynnis ex tragoedia* (*Adag.*, IV, II, 95, col. 1122); ibid.: *In antro Trophonii vaticinatus est* (*Adag.*, I, VII, 77, col. 326); fol. 4v (p. 102): *Odium Vatinianum* (*Adag.*, II, II, 94, col. 534); fol. 5r (p. 104): *Glaucus poto melle resurrexit* (*Adag.*, II, VIII, 32, col. 722); fol. 8v (p. 118): *Admeti naenia* (*Adag.*, II, VI, 22, col. 669); fol. 12r (p. 132): *Animus heptaboëus* (*Adag.*, IV, I, 19, col. 1087); ibid.: *Ut possumus, quando ut volumus non licet* (*Adag.*, I, VIII, 43, col. 349); fol. 12v (p. 134): *Deus ex improviso apparens* (*Adag.*, I, I, 68, col. 61); ibid.: *Ipsa dies quandoque parens, quandoque nouerca* (*Adag.*, I, VIII, 64, col. 360, traducción de un verso de Hesíodo); fol. 14v (p. 142): *Ale luporum catulos* (*Adag.*, II, I, 86, col. 492); fol. 16v (p. 150): *Ubi non sis qui fueris, non est cur velis vivere* (*Adag.*, I, VIII, 45, col. 351); fol. 17v (p. 154): *Extrema extremorum mala* (*Adag.*, III, III, 88, col. 893); fol. 19r (p. 162): *In occipitio oculos gerit* (*Adag.*, III, III, 41, col. 883); fol. 23r (p. 176): *Diolygium malum* (*Adag.*, II, VI, 79, col. 678); fol. 25r (p. 184): *In me haec eudetur faba* (*Adag.*, I, I, 84, col. 69); fol. 28v (p. 198): ἀντιπελαργεῖν (*Adag.*, I, X, 1, col. 10); fol. 29r (p. 200): *Lerna malorum* (*Adag.*, I, III, 27, col. 139); fol. 29v (p. 202): *Aureo piscari hamo* (*Adag.*, II, II, 60, col. 519); fol. 33r (p. 216): *Velis equisque* (*Adag.*, I, IV, 17, col. 179). Hay que hacer notar que para facilitar la impresión hemos dado aquí la forma la-

Pero ¿no será que la mayoría de estos clisés se encontraban por todas partes, y que Laguna, al redactar su Europa, podía sentirlos afluir de la memoria a la pluma sin necesitar copiarlos de un infolio? Sin duda alguna esto fue lo que ocurrió en algunos casos. Pero, hojeando a mi vez el *Adagiorum opus* con más calma de lo que sin duda lo hizo el médico español acuciado por los acontecimientos y la propaganda, he podido darme cuenta de que es de este volumen, y más exactamente de las disertaciones de Erasmo sobre diversos adagios, de donde toma todo lo que he llamado la ornamentación literaria de su discurso: quiero decir TODAS las hermosas citas griegas con las que espolvoreó, como descuidadamente, su texto. Yo al principio le había imaginado hojeando, en la biblioteca de su anfitrión Adolf Eichholz, a Homero, Hesíodo, los trágicos griegos, la Antología y otros volúmenes, para encontrar —o reencontrar— allí citas apropiadas a sus intenciones. Pero poco a poco me he dado cuenta de que el epigrama (*Antol.*, IX, 47) de la oveja que criaba un lobezno (texto y traducción latina, p. 142) procedía del comentario del adagio *Ale luporum catulos* (*Adag.*, II, 1, 86, col. 492); que las irónicas sentencias griegas de la p. 132, Βουλόμεθα πλουτεῖν πάντες, etc..., procedían directamente del comentario del adagio *Ut possumus, quando ut volumus non licet,* y que a Laguna le había bastado doblar una página para encontrárselo, después de haber tomado del comentario de *Ubi non sis qui fueris non est cur velis vivere* dos citas del Áyax de Sófocles (Αἰσχρὸν γὰρ ἄνδρα, etcétera.: vv. 473 ss., y Ἀλλ ἢ καλῶς ζῆν: vv. 479 ss.), que

---

tina de todos los adagios que la tienen, aquella con la que figuran en el índice de las ediciones, aunque Laguna, por vanidad de helenista, prefirió la forma griega en todos los casos precedidos de un asterisco. De todos modos se refiere en latín a las cigüeñas proverbiales (p. 198) que dieron lugar al verbo ἀντιπελαργεῖν. Sobre el empleo alusivo o por variación de los refranes españoles, cf. M. Bataillon, «*La Célestine» selon Fernando de Rojas,* París, 1961, pp. 98 s. y 101. Para el uso sistemático de los adagios como ornato de la prosa latina, véase el caso del libro escolar del profesor de humanidades sevillano Juan de Mal Lara, *In Aphthonii Progymnasmata Scholia,* Sevilla, 1567, estudiado por F. Sánchez y Escribano al final de su monografía *Los «Adagia» de Erasmo en «La Philosophia Vulgar» de Juan de Mal Lara,* Nueva York, 1944, pp. 76-77.

Erasmo, citando su fuente, había distinguido claramente como
muy próximas dentro del mismo monólogo, mientras que él se
limita a reproducirlas anónimamente imprimiéndolas una tras
otra. Con la misma facilidad cita dos versos y medio (p. 180: 'Ω
πᾶσιν' ἀνθρώποισιν [...] ἑλικτὰ κοὐδὲν ὑγιές) cuyo origen no
indica, y que son una cita truncada de la *Andrómaca* de Eurípides (vv. 445-448) que toma del comentario erasmiano sobre *Nihil
sanum* (*Adag.*, I, VIII, 38, cols. 347 ss.). En este caso fue Laguna
quien suprimió el segundo verso, ya que no tenía ninguna necesidad de designar a los espartanos como los príncipes de las men-
tiras que increpa Andrómaca. Durante algún tiempo me hice la
ilusión de que tres versos de Homero (p. 170; por una vez nuestro español cita al autor) habían sido tomados directamente de
la fuente por Laguna. Se trata de aplicar a los calumniadores del
Rey de los Romanos Fernando los reproches que dirige Mentor
a las gentes de Ítaca que habían olvidado a su rey Ulises (*Od.*,
II, 230-232). Pero una vez más fue el *Adagiorum opus* lo que se
utilizó (III, IX, 82, bajo el título *Ingratitudo vulgi*, enunciado de
un *topos* más que de un adagio).

Sin embargo, hay que destacar también otra fuente literaria
ampliamente explotada por Laguna para ennoblecer su *Declamatio lugubris*. Se trata de los Salmos. En tres ocasiones la desventurada Europa, que lamentaba no tener a su lado a un Job o a un
Jeremías para deplorar dignamente sus desdichas, recurre a los
versículos patéticos del salmista. Sólo la tercera vez, cuando se
trata de cantar las desgracias del duque de Brunschwick expulsado
de sus estados (p. 190), Europa nombra explícitamente la fuente
diciendo: «[...] mecum potest canere illud Davidicum». Por lo
demás, sólo el segundo de estos casos es una cita continua (p. 182,
contra los enemigos de Carlos V y de Fernando: «Ut frendunt gentes...», Sal. II, 1-4; «Quare fremuerunt gentes...?», en la Vulgata). El primer pasaje (pp. 156-158) es una composición que
junta versículos de diversos salmos (VI, 6-7: «Laboro gemens...»;
XXXVIII, 7: «Pleni sunt miseria lumbi mei...»; XXXVIII, 10:
«Cor meum palpitat...»; X, 1: «Qui ergo nunc fit, Domine, ut
longissime absis?...»; XXXVIII, 9: «Notum est tibi omne desyde-
rium meum...»; X, 12: «Exurge igitur, Domine Deus...»). El

tercer préstamo al salmista agrupa también versículos que pertenecen principalmente al salmo XXXVIII, pero dispuestos en el
orden que más conviene al humanista (XXXVIII, 20: «Qui red-
dunt malum pro bono»; XXXVIII, 11-12: «Amici et proximi
mei...»; XXXVIII, 6: «Afflictus et humiliatus sum...»; XVIII,
19: «Hostem autem mei salvi sunt...»; VII, 8: «Domine populorum vindex...»; VI, 10: «Erubescent ac turbabuntur...»). El
lector que tenga la curiosidad de volver a situarlos en su contexto
consultando la Vulgata advertirá que Laguna no siguió la versión
latina usual en la Iglesia. Circunstancia que ya se anunciaba en el
post-scriptum en el que Laguna, a continuación de las *Errata*
(p. 242), se disculpaba: «Aduerte etiam, Candide Lector, trala-
tionem illam psalmorum quae a nobis ter recitata est, nec receptam
nec recipiendam esse a Catholica Ecclesia: quod nimirum per
uirum haud satis probatae fidei sit edita. Eam autem (quanquam
iam poenitet) nostro inseruimus luctui, quia Europae declama-
tioni uidebatur sese magis accomodare. Caetera uero, versionem
Diui Hieronymi, Doctissimi, Sanctiss(imi) atque diligentiss(imi)
Sacrarum scripturarum interpretis, multo magis exprimere Hebraicam ueritatem et Graecam non ignoramus, ac proinde Christianis viris eam tantum legendam esse, imitandam, aliisque omnibus praeferendam, censemus».

¿Por qué convenía mejor a la lamentación de Europa esta
versión no eclesiástica de los Salmos que Laguna dice al principio
que prefiere, pero que luego condena enérgicamente como menos
fiel que la Vulgata a la verdad de los textos hebreo y griego? Estamos tentados de creer que en este punto cometió una típica imprudencia de humanista cristiano, que se dejó seducir por las nuevas
versiones elaboradas por helenistas o hebraístas que se remontaban a los textos originales, y que sin mala intención utilizó ésta
como hubiera podido utilizar la del Nuevo Testamento debida a
Erasmo. Estas versiones no oficiales revitalizaban el sentido arran-
cándolo a su expresión hierática; podían hacer más perceptible su
universalidad o su actualidad; finalmente permitían variar un
poco esta expresión, con fines literarios, como Laguna hace en
varias ocasiones. Pero Laguna se encontraba en Colonia, en contacto bastante íntimo con teólogos católicos como el provincial de

los carmelitas Eberhard Billick [17] y con Kasper Dorler, prior del
monasterio de carmelitas de la ciudad. Eberhard Billick pudo leer
nuestro librillo cuando estaba en pruebas puesto que había compuesto en su honor un poema latino en dísticos titulado «*Europa
ad lectorem* per Eberh. B. C.» con el cual comienza el volumen
(pp. 92-94). Debió de reprochar su imprudencia a Laguna, quien
advirtió su desliz un poco tarde, aunque aún a tiempo para
cantar la palinodia en la última página.

¿Quién era, pues, ese traductor poco digno de confianza de
quien había utilizado la versión no aceptada e inaceptable? No es
difícil dar con la respuesta justa cuando se conoce el escándalo
causado en Lovaina en 1531 por una tal «Psalmorum omnium
iuxta Hebraicam Veritatem Paraphrastica Interpretatio autore
Joanne Campensi [...]».

Actualmente podemos leer en la monumental historia del Colegio trilingüe de Lovaina por H. de Vocht la aventura del hebraísta que tuvo que renunciar a su cátedra, salir de Lovaina y publicar
su trabajo en Nuremberg en 1532.[18] En mi biblioteca dormía, en
triste estado, un librillo encuadernado en pergamino que traía en
el lomo: «Campens. in Psalm.». Me fue fácil comprobar que Laguna había copiado de un volumen semejante, modificándolos
muy ligeramente en algunos puntos, versículos de la «Psalmorum
ad Hebraicam veritatem uersio latina» acompañada de la Paráfrasis del Campensis, y sin más referencia a la Vulgata que el
incipit tradicional de cada salmo en el margen.

En resumen, nuestro humanista no necesitó una biblioteca muy

17. Cf. el final del *De Virtutibus*, p. 151, donde Laguna pondera no
sólo su ciencia y su rectitud, sino incluso la amenidad de su conversación.
Sobre Billick, J. V. Pollet ha tenido la amabilidad de remitirme, no sólo al
artículo de la *Neue Deutsche Biographie*, II, pp. 238 ss., sino también a
la obra de Alois Postina, *Der Karmelit Eberhard Billick* (Erläut. und Er-
gänz. zu Janssens, *Gesch. des deutschen Volkes*, Bd. II, 4, Heft 2 y 3),
Friburgo de Brisgovia, 1901. Pollet resume su papel diciendo que fue un
«Gropper en pequeña escala» que «le sirvió de suplente» en los coloquios
de religión y que le sustituyó en Ratisbona en 1546. «Era, pues, favorable
a un acercamiento de las confesiones, pero por otra parte se trataba de un
doctrinario rígido y de un religioso observante e intransigente.»

18. M. Bataillon, *Érasme et l'Espagne*, pp. 448 ss., H. de Vocht, *History
of the Foundation and the Rise of the Collegium Trilingue Lovaniense 1517-
1550*, II, Lovaina, 1954, pp. 154-184.

bien nutrida para escribir esta obra de circunstancias que es la *Europa*: le bastaron tres volúmenes, la *Querela pacis*, un Salterio del Campensis y el *Adagiorum opus* de Erasmo; digamos cuatro si hay que añadir un Virgilio del que toma dos citas muy conocidas del canto segundo de la *Eneida* (fol. 10v, p. 126, y fol. 36r, p. 232), tal vez los únicos textos, de entre todos los que cita, de los que su memoria conservaba un recuerdo preciso o una huella que se remontaba a su primer aprendizaje de las humanidades. El único rasgo seudoerudito que resiste a la investigación es, al parecer, una pura superchería, para la cual buscar la fuente sólo llevaría a perder el tiempo: una respuesta trivial y sentenciosa que da al conquistador de Numancia un tal «Tiresius, príncipe galo»... (fol. 31v, p. 211).[19]

Laguna escribía entonces más que para humanistas puntillosos, para hombres cultos que ocupaban altas posiciones sociales o eclesiásticas. Y si se pregunta qué es lo que pudo gustarles de la audición de su *Declamatio* o de su lectura, estamos tentados de responder: la facilidad, la imitación de modelos familiares a todos los buenos alumnos de los profesores de humanidades. Esta *Declamatio* era en gran parte una prosopopeya, variedad del género que, desde la antigüedad, habían hecho ilustres personificaciones morales o políticas. Laguna ya había hecho la personificación de un libro que aparece en público y que busca un protector a quien confiarse.[20] Personificar a Europa era una tarea de mayor ambición. El autor resuelve la dificultad en un tono familiar y con cierta desenvoltura. Le imaginamos cambiando de tono en el curso de su arenga para identificarse con el personaje de Europa, según la técnica habitual en la lectura en voz alta de los diálogos dramáticos que no se representaban.[21] En vez de que esta figura ideal aparezca en un sueño, según el clisé al uso, Laguna no vacila en contar que encontró a esta mujer afligida en la calle, cuando se

19. Cabría preguntarse si este personaje fantasmal no le fue sugerido a Laguna por una reminiscencia del *De Europae dissidiis et bello turcico* (1526), donde Vives hizo dialogar en los infiernos, junto con personajes mitológicos o imaginarios, al adivino Tiresias y a Escipión (debate de actualidad del que Tiserias saca la conclusión).

20. Véase la epístola dedicatoria de su *Anatomica methodus*, París, 1535.

21. Cf. M. Bataillon, «*La Célestine*»..., p. 81.

dirigía a sus ocupaciones (*eunte dudum ad priuata negotia mea*). Y sin duda recurría a la mímica y a las entonaciones de comediante para hacer revivir ante sus oyentes la entrada de Europa, desesperada, avergonzada, casi expirante, en el aula magna: «Veni Europa: Europa: Non est quod suffundaris rubore, vel si te ostendas viris et humanissimis et amicissimis nobis. Accede inquam Europa. Hem? Quid hoc est? Non respondet. Facem admoueas. Prorsus extincta iacet. Iesus. Iesus. Iam agit animam. Omnino est exanguis et frigida. Acetum! Acetum!... Europa! Europa! ad te revertere. Laetare! Laetare! Omnia foeliciter cedent. Aulam Reuerendissimi ibimus. Ille tuis malis medebitur. Ille dolores tuos solabitur. Ille quippe semper opem fert aerumnosis. Ille confirmar tristes. Ille fovet exhaustos. Ille esurientes pascit. Ille tegit nudos. Ille refecit advenas. Ille orphanos atque viduas tuetur. Ille disciplinarum bonorumque omnium institutorum integerrimus est conservator... Iam resumit spiritum. Iam reuiuiscit quodammodo. Iam oculos aperit... Mene agnoscis, Europa? Quid consternaris animo, quin potius corroboraris? Surge, surge, Charissima! Sume tecum et baculum; alioqui statim corrues. Quid lachrymaris?...» (fol. 11r, pp. 128-130).

Explotación sistemática de la repetición, arte del desarrollo en el que se transparenta también la habilidad del humanista para matar dos pájaros de un tiro, adular delicadamente al reverendísimo príncipe arzobispo, al mismo tiempo que se consuela a Europa convenciéndola de que está en Colonia, completamente a salvo. Todo ello en un estilo límpido y fluido que es el de la conversación latina aprendida en las escuelas con los *Colloquia familiaria* de Erasmo.

II. *De Virtutibus*

Aunque sin tratar de rastrear el origen y la difusión del esquemático tratado seudoaristotélico al que Laguna agrega un copioso comentario, es necesario considerar cómo este texto se puso en circulación en los años inmediatamente precedentes, y de qué modo fue acogido.

Al parecer, pasó a ser de actualidad gracias a dos humanistas que, de una manera casi simultánea, hicieron dos ediciones bilingües totalmente independientes la una de la otra. Un francés, Alexandre Chamaillard, descubrió por casualidad un manuscrito que según asegura es «muy antiguo». El primero de enero de 1538 (es decir, de 1539, de acuerdo con el nuevo cómputo), desde Orléans dedica una edición «in utraque lingua» al cardenal de Châtillon, Odet de Coligny.[22] En 1539, en Basilea, Simon Grynaeus, experimentado humanista, publica por su parte este tratado como «recientemente descubierto» y como traducido por vez primera al latín por él.[23]

Laguna, que no es muy amigo de citar sus fuentes, si no es para reivindicar su superioridad o su originalidad, se refirió largamente al trabajo de Grynaeus, muerto en 1541, en una especie de epílogo que dirigió a su anfitrión Eichholz. Con el pretexto de prevenir las «calumnias» de que su traducción podría ser objeto por el hecho de ser muy diferente de la del célebre profesor de Basilea, defiende la suya propia confrontando con el original fragmentos de la versión de Grynaeus (pp. 143 ss.). Sin querer arbitrar esta rivalidad de un vivo con un muerto, digamos que la traducción del segoviano es más literal que la del basiliense; por ejemplo, en el desarrollo inicial sobre la división tripartita del alma (τὸ λογιστικόν, τὸ θυμοειδές, τὸ ἐπιθυμητικόν), los adjetivos empleados por Laguna (*pars ratiocinatrix*, [...] *animosa siue irascibilis*, [...] *concupiscibilis*) reflejan mejor el estilo del griego que las perífrasis imaginadas por Grynaeus para acercar estas líneas a su propia concepción de la virtud que expone en anexo a su librito (*Virtutum exactior divisio per Simonen Grynaeum*).

22. Aunque lleva un título en griego, y luego otro en latín, el ejemplar que posee la Bibl. Nat. de París (Rz.2860) de la edición parisiense (Chr. Wechel) de 1538 no trae la traducción latina anunciada por Chamaillard; lo mismo ocurre con una reimpresión de Wechel de 1548, Bibl. Nat., X.26578(2). Tal vez un ejemplar semejante a éste fue el que Grynaeus tuvo en las manos. Pero es probable que a partir de 1538 o 1539 la traducción de Chamaillard se imprimiese en un opúsculo separado, sin pieza liminar, como el de la edición de París (Chr. Wechel) de 1541, que posee el Brit. Mus., 8463.bbb.29(6).

23. Oporinus, Basilea, 1539 (Bibl. Nat., París, R.9481). Hemos manejado la cómoda compilación mencionada infra, n. 25.

Pero Chamaillard también había encontrado adjetivos fieles a los tres adjetivos sustantivados del griego (*rationalis, animosa, cupida*) evitando caer en el vocabulario escolástico medieval (*concupiscibilis*) que no asusta a nuestro Laguna. Ignoramos si Laguna se inspiró en Chamaillard. La traducción de este último ya había sido impresa (o reimpresa) en París en 1541 al mismo tiempo que se reimprimía en esta ciudad una traducción anterior de otro librillo aristotélico de Laguna.[24] Nuestro español, como vemos cuando puede confrontárselo con sus fuentes, era experto en utilizar sin copiar, variando el vocabulario de los textos que utilizaba. Pero, aunque el hecho de que Laguna en 1543 no nombre a Chamaillard no pruebe en modo alguno que ignoraba su traducción, también hay que reconocer en Laguna una práctica que le hacía experto en traducir o abreviar del griego al latín. Lo seguro es que, aunque un editor de 1542 dio a continuación del texto griego del Περὶ ἀρετῶν los textos sinópticos de las tres versiones de Chamaillard, Grynaeus y Laguna, e incluso en una cuarta columna la de Justus Velsius Haganus,[25] la traducción de Laguna gozó de un honorable éxito en ediciones bilingües de uso evidentemente escolar. La hemos encontrado junto con el texto griego en tres ediciones parisienses de mediados del siglo (1545, 1558, 1560).[26]

El comentario de Laguna no tuvo la misma resonancia que su traducción. No se conoce de él otra edición que la de Colonia

24. Cf. supra, n. 22. Aludimos al *Liber de physiognomicis* impreso en París por Laguna en 1535 y reimpreso en 1541; París, ex officina P. Caluarini, Brit. Mus., 8463.bbb.29(3).

25. Es un largo apéndice (pp. 78-127) de la edición de Adolphe Occo de *Georgii Gemisti Plethonis... Quatuor virtutum explicatio, graece et latine,* Oporinus, Basilea, 1552 (Bibl. Nat., París, R.47047). La manera como se anuncia en el frontispicio subraya la utilidad escolar que se esperaba de él: «Adjunximus Aristotelis de Virtutibus et uitiis libellus uere aureolum, quatuor ejus interpretibus ita inter se conjunctis, ut non sine fructu conferri ab utriusque linguae tyronibus possit».

26. Estas tres ediciones están en la Bibl. Mazarine (Pièces 44258, 27743 y 14316). Cuando la casa Giunta de Venecia emprendió la publicación de un corpus latino de las obras de Aristóteles acompañadas en la medida de lo posible de comentarios de Averroes, el editor, en el volumen de las obras morales (t. III, 1562) incluyó el breve tratado, ya clásico, *De las virtudes y de los vicios,* aunque apuntando dudas acerca de su paternidad; pero eligió la versión de Chamaillard.

de 1543. Su misma profusión, desmesurada en relación con la sequedad del texto, y sin duda también su carácter demasiado personal, por no decir caprichoso, lo hacían impropio para uso escolar, aunque fuese por cierto tiempo.

Tratemos de dar una idea de algunas digresiones en las que reside la originalidad del libro, en cualquier caso su interés mayor para los modernos, atraídos por la enigmática personalidad del doctor Laguna. El autor se extendió largamente (pp. 61-78) sobre tres aspectos que el autor griego anónimo distingue en la justicia, virtud social que da a cada cual lo que le corresponde, pero 1) a los dioses, 2) a los «demonios», 3) a la patria y a los padres, 4) a los muertos. Laguna inventa cuatro palabras para designar estas cuatro especializaciones de una misma virtud: Theophila, Daemonophila, Patrophila o Philopatris, y Necrophila. No dedica mucho espacio al homenaje que se debe al Dios creador y salvador (pues todo se traspone en una tonalidad no solamente monoteísta, sino incluso cristiana), pero en cambio insiste mucho en el amor «erga Divos atque sanctos». Sensible a la candente actualidad de la propaganda protestante y a los excesos iconoclastas, se indigna al oír murmurar contra el culto de los santos y de las imágenes: los que no pueden ver a los santos ni en pintura («ut videre iam ne pictos quidem sustineant») tienen sin embargo en sus casas efigies de emperadores romanos... o turcos. Laguna les opone el culto de los héroes que practicaba la antigüedad. Les ofrece, traducida por él mismo desde hace tiempo (tal vez un antiguo ejercicio de estudiante), una página del *Toxaris* de Luciano, en el que el protagonista del diálogo defiende el culto que los escitas tributan a Orestes y a Pílades.[27] Como cristiano humanista, apela al argumento de las estatuas que los antiguos erigían a los vencedores olímpicos para defender las imágenes de los santos que nos recuerdan sus virtudes, del mismo modo que el crucifijo evoca el sacrificio del Salvador. Dedica otra página al culto ahora difamado de la Virgen, que, según él, no atenta en modo alguno a la fe de Cristo, único mediador.

27. En cualquier caso, esta traducción es distinta de la versión latina, entonces clásica, del *Toxaris,* debida a Erasmo.

El desarrollo sobre Patrophila o Philopatris da ocasión a Laguna de mostrarse buen hijo de Segovia, alumno agradecido de los buenos maestros que le formaron en su ciudad natal, en Salamanca, en París. Al nombrar a aquellos a quienes debe más, añade a este homenaje el nombre de su buen padre Diego Fernández de Laguna, «insignis doctor in medicina», muerto recientemente, que fue para él un celoso educador tanto como un afectuoso padre.

Necrophila, que este difunto permite introducir por medio de una cómoda transición, da lugar a un desarrollo mucho más farragoso, con una gran abundancia de erudición antigua al tratar de la gran diversidad de los ritos funerarios.

El final de este capítulo, dedicado al cortejo de los discípulos de Justitia bajo las cuatro figuras de piedad, incluye de modo significativo, después de los ejemplos tomados de la antigüedad, modelos cristianos y actuales: una cohorte de defensores de la fe, entendamos de Padres de la Iglesia, a los que se mezcla santo Tomás, y a los que siguen el papa Paulo III y sus cardenales (p. 75); inmediatamente después, Laguna incluso da entrada a «otro coro santísimo», sin los esfuerzos perseverantes del cual «ya haría tiempo que hubieran desaparecido nuestra Theophila y su hermana» (Daemonophila): «Hunc enim constituunt Chorum quum alii integerrimi Viri, tum vel maxime Clarissimi illi, Grauissimi, Syncerissimi atque Pientissimi patres Inquisitores fidei Hispanici».

Estos hombres que han preservado a la Iglesia de España de las mayores desgracias tienen a su cabeza al cardenal don Juan Tavera, arzobispo de Toledo, inquisidor general (pp. 75 ss.).

Corresponde luego a la antigüedad ilustrar con anécdotas variadas y desigualmente pertinentes el honor tributado a los padres y a la patria. Finalmente, Judas Macabeo, Tobías y el poeta griego Simónides constituyen una floja escolta para la cuarta hermana divina, que se consagra al culto de los muertos, los pobres muertos que apenas desaparecen son ya olvidados.

El capítulo que sigue a continuación en el *De Virtutibus*, el de la Liberalitas, mezcla del mismo modo pintoresco los ejemplos modernos a los antiguos, y muestra la misma propensión del escritor a exhibir su experiencia. Mecenas va seguido del generoso papa Alejandro V, quien afirmaba haber sido un obispo rico, un cardenal pobre y ser un papa pordiosero. Luego Laguna nos ofrece dos páginas sobre un tema al que volverá en su *Dioscórides* español [28] y que se basan en recuerdos personales de un viaje a Inglaterra: se trata de riñas de gallos, que como los espectáculos de combates de animales feroces, pueden testimoniar la magnificencia de un soberano, puesto que Enrique VIII ha hecho construir en su palacio un anfiteatro en el que mil espectadores pueden asistir cómodamente a este juego (pp. 87-89). Insiste mucho en la utilidad de estos espectáculos para aprender a vencer o a morir. Laguna explota otro recuerdo (o seudorrecuerdo) de viaje en el capítulo de la Intemperantia. Allí es donde, entre el sibarita Apicius y el glotón Astydamas de Mileto, introduce la figura de cierto marinero portugués a quien dice haber visto en 1536, durante una travesía y en un gran peligro de naufragio, engullir unas veinte libras de higos antes de dejar que fueran pasto de los peces (historieta en parte folklórica, que Laguna vuelve a utilizar con más arte, cambiando el nombre del marinero, en su *Dioscórides* español... ¡en el capítulo de los higos!) [29] Laguna pretende estigmatizar a unos contemporáneos suyos que han convertido su vientre en su Dios. Ya (pp. 110 ss.) había denunciado la intemperancia que no sólo reina entre el vulgo ignaro, sino que invade además el mundo de los filósofos, de los médicos, de los juristas y de los teólogos, la rivalidad que empieza en la adolescencia sobre quién beberá en el vaso más grande, la mala educación dada por las madres a las hijas a las que vemos tan bien «lamer las copas» («egregie calices lambunt»). Vuelve sobre este asunto

28. *Diosc.*, libro II, cap. 43, p. 148 de todas las ediciones antiguas. Laguna, aficionado a variar las versiones de sus recuerdos (cf. n. 29), en el *Dioscórides* se pone a sí mismo en escena discutiendo la utilidad de estas peleas, cuando en el *De Virtutibus* las elogiaba sin reservas. En la segunda versión, Laguna empieza por mostrarse crítico respecto a ellas, aunque luego aparece como convencido de su valor ejemplar, aceptando las razones que le da Thomas Wyatt, el antiguo embajador de Carlos V en la corte de Enrique VIII... uno de los personajes que *Europa* acababa de incluir en el palmarés de los buenos defensores de Europa (...¿o de la paz?).

29. *Diosc.*, libro I, cap. 145, p. 120. Cf., para el análisis de las dos versiones, mis comentarios sobre «Laguna conteur à la première personne», en *Le docteur Laguna, auteur du «Voyage en Turquie»*, pp. 130 ss.

(pp. 113-115) después de haber evocado los desórdenes de la embriaguez (cuyos ejemplos griegos y bíblicos demuestran que puede conducir hasta el incesto) en un pasaje que suena también como una invectiva contra las costumbres de su tiempo y que describe las interminables borracheras, las horas que se desperdician así, los espectáculos dados por los borrachos; y entre ellos hay, insiste Laguna, médicos y jurisconsultos. Nuestro médico profesor de moral no abandona este tema al abordar el de la Incontinentia, hermana de la Intemperantia. Otra vez el uso y el abuso del vino es la materia principal del diálogo que imagina entre Ratio y Cupiditas. Unos diez años más tarde, en su *Dioscórides*, en el capítulo de la Vid,[30] disertará largamente sobre los estragos que causa la embriaguez, que, de Alemania ha pasado a España y a Italia, y que degradan hasta a la aristocracia y al clero. Un tema relacionado con éste también predilecto de Laguna, es la vituperación del afán de lucro, que aparta a los hombres de los estudios desinteresados y de la práctica de las virtudes (pp. 133 ss.).

Sin insistir más en las digresiones que, por la intervención del «yo» o por su insistencia, delatan el deseo de hablar de sí mismo y de presentarse como un censor de las costumbres, tratemos ahora de las características más sobresalientes de este tratado: la tentativa de animar, por medio de la personificación, las virtudes y los vicios, y la abundancia de ejemplos vivos que engrosan su cortejo.

Sería inútil preguntarse si Laguna había explicado en su niñez pasajes de la *Psicomaquia*, o si conocía los *Triunfos* de Petrarca, o si al escribir recordaba representaciones figuradas de Virtudes o de Vicios. Como ya hemos visto, era muy propenso a animar abstracciones.[31] Y se abandonó a esta facilidad, sin el menor escrúpulo para transformar una clasificación en un cortejo, en el que las virtudes y los vicios emparentados pero distintos entre sí, desig-

---

30. *Diosc.*, libro V, cap. 1, p. 504.

31. Cf. supra, n. 20. En sus obras científicas no deja de animar con comparaciones antropomórficas la comunicación existente entre los órganos del cuerpo (*Anatomica methodus*, fols. 21 ss., 36 ss.) o las relaciones de las plantas entre sí (*Diosc.*, libro II, cap. 124, pp. 218 ss., Pepino y Cogombro), cuando no es el comportamiento singular de algunas de ellas (*Diosc.*, libro II, cap. 130, p. 225, Basilisco), a menudo con un humor muy visible. En

nados en latín con apelaciones femeninas, desfilan como otras tantas hermanas o compañeras, escoltadas por personajes de notoria vinculación a ellas. Como ya podía suponerse, el pintoresquismo y la curiosidad reinan más bien en la cola del cortejo, donde se agolpan los vicios, que en el aspecto de las virtudes que abren la marcha. Laguna dice, con un humor de naturalista (p. 46), que cuando se las encuentra, hay que poder reconocer a las virtudes de las que «Aristóteles» da unos rasgos distintivos, del mismo modo que se reconoce, por haber visto sus imágenes, un león, un camello o un elefante, aunque antes nunca los hayamos visto. Sin embargo, una vez se ha descrito a Prudentia como una «Virgo iam aetate provecta, *incedens maxime philosophicum*» (p. 47), y se ha explicado que el espejo que lleva en la mano no es emblema de coquetería, sino de conocimiento y de crítica de sí misma, ¿cómo distinguirla de Mansuetudo, a no ser porque ésta tiene una expresión más afable y unos ojos de mirada benigna, aunque de un brillo casi irresistible? Sus ropas son cándidas. Pero también lo son las de todas las virtudes. ¿Y su manera de andar? «Incedit autem heroicum» (p. 49). La monotonía de este giro es la misma a la que su procedimiento condena al autor. Él parece disculparse invocando el adagio *Non tam ovum ovo simile* (p. 59; *Adag.*, I, v, 10, col. 208) y desarrollando el tema de la «familia» formada por las hermanas. Pero, ¿cómo se adelantará la Justicia con su espada y su balanza, sino «heroico incessu et constanti» (p. 61)? Hay que reconocer que Liberalitas tendrá derecho a un carro adamantino tirado por caballos de raza, elefantes y leones (p. 80), y Magnanimitas a un carro más rápido, al que unas águilas elevarán hasta el cielo (p. 86). ¿Para qué insistir? La invención en el fondo es bastante pobre, como precio de la facilidad a la que se abandona el escritor y que le es fatal como lo sería a un pintor que tradujera sin disciplina lo abstracto por lo concreto. Por eso dudamos antes de llamar bruegeliana a la fantasía acumulativa con la

---

el *De Virtutibus* (p. 43) explica que el *anima rationalis* que alberga la *avaritia* se expone a ser traicionada por ella, incluso a ser inducida a injusticia, del mismo modo que un soberano corre el riesgo de ser víctima de los traidores a los que concede su favor (pensamos en el condestable de Borbón, en Rincón cuya reciente muerte había dado mucho que hablar).

que su pluma representó los vicios. Dos ejemplos bastarán para dar una idea de la cuestión. Stultitia anda o se arrastra a cuatro patas, sacando una lengua de dos codos, profiriendo balbuceos infantiles, divirtiendo la mirada por su abigarrado ropaje de arlequín (pp. 88 ss.). Intemperantia es una mujer ebria, que se tambalea, vomita y eructa. Pero que aún tiene fuerzas suficientes para llevar en las manos, en el cuello, en el regazo, una voluminosa provisión de bebida y de comida: «Dextra porro manu, quum se continere non possit, fortiter tamen tenet quatuor amphoras vini. Nam siniestra quidem veru impedita est, quo miseri sunt tres porcelli transfixi. A collo ejus, tanquam monilia, quinque aut sex anseres pendent, quos infelix certe proximumque manet exitium. Gremium illi est multis oleribus plenum, explendo ventri devotis» (p. 107).

Su vestimenta es una bota de vino, que tiene la ventaja de ser extensible, su cinturón un cerco de tonel, su peinado un mortero de mostaza, sus zapatos cortezas de pastel de venado.

Aunque el cortejo avanza con lentitud debido a ciertas descripciones o a algunos fragmentos plúmbeos, y sobre todo por culpa de retahilas demasiado largas de personajes representativos de los vicios y de las virtudes, el director de toda esta retórica hace algunos esfuerzos irrisorios para mantener un vago movimiento marcando transiciones entre una figura simbólica y su hermana que la sigue, subrayando una entrada sensacional (la de Intemperantia va precedida de *Quem tamen vomentem audio?*), atribuyendo «visajes» a algún personaje histórico del cortejo. Así, Laguna, después de presentarnos a Tomyris entre las mujeres fuertes que escoltan a Fortitudo, tuvo la cómica idea de hacer que no lejos de ella anduviera Ciro, a quien Tomyris dio muerte para vengar a su hijo, y nos muestra a este gran rey (que sin embargo tiene todo el derecho de seguir a Fortitudo) lleno de terror y mirando de reojo a su temible enemiga, al tiempo que reprime por respeto humano un vehemente deseo de salir huyendo: «Quam quidem intuens toruis oculis Cyrus (qui ab altero, inter alios, latere sequitur Fortitudinem), maxima etiamnum formidine trepidat, ordinemque ultro desereret nisi insignis pudor obstaret» (p. 55).

Pero ya es hora de dar cuenta de la riqueza, a primera vista sorprendente, de ejemplos históricos y legendarios con que Laguna adornó —o rellenó— su *De Virtutibus*. Reconozcamos que, también en este libro, al principio consiguió deslumbrarnos un poco.

El buscador de fuentes empieza por acudir a Valerio Máximo. Y no queda defraudado. Por otra parte, como los comportamientos morales se habían expresado a menudo en frases memorables, nada más indicado que consultar las recopilaciones de *Apotegmas*, y mejor que el de Plutarco, el de Erasmo, quien a fuerza de sucesivos enriquecimientos (sobre todo en 1532 y en 1535), había dejado la compilación más completa. También ésta es una de las fuentes de Laguna. Pero una vez comprobado esto, quedábamos perplejos ante una masa considerable de hechos o de personajes, en su mayoría conocidos, algunos apenas identificables, o listas de nombres escuetamente alineados, y de los que era difícil decir de dónde los había sacado nuestro humanista español. Como muchos pertenecían a la historia romana de la época imperial o del bajo imperio, ¿había que imaginar a Laguna documentándose en Suetonio, en los historiadores de la Historia Augusta, en Ammiano Marcelino? ¿O en obras abreviadas como las de Eutropio y Paulo Diácono, sino en compiladores modernos como Sabellicus (Marc. Ant. Coccius) y Egnatius (Giovanni Battista Cipelli)? Cada uno de estos posibles caminos conducía a algunos resultados. Para la Edad Media occidental parecía probable que se hubiera inspirado en la *Historia de vitis Pontificum* de Platina (B. Sacchi), quizás en Robert Gaguin. Algunas anécdotas sobre los emperadores turcos podían proceder de Giovio, del que se sabía el uso que había hecho Laguna pocos meses antes. Finalmente, yo había quedado no poco satisfecho al descubrir que mi autor había leído al menos a un humanista italiano del siglo xv, que había tomado varias historietas de los tratados de Pontano sobre las virtudes, en concreto del *De liberalitate* y del *De fortitudine*.

Pero todo resultó mucho más claro y de una sencillez casi desarmante cuando, advertido por el descubrimiento del gran papel que desempeñaron los *Adagios* de Erasmo como fuente literaria de Europa, me decidí a buscar del lado de los florilegios más recientes, de los tesoros de nombres, de hechos y de ideas que

servían a los humanistas como diccionarios enciclopédicos, tanto
si estaban provistos de un índice alfabético muy copioso, como
el monumental volumen de las *Lectiones Antiquae* de Ludovicus
Caelius Rhodiginus (Ricchieri), como si adoptaban una forma de
enciclopedia alfabética de temas como la *Polyanthea* de Nannus
Mirabellius, o de repertorio metódico de los conocimientos más
diversos sobre los dioses, el universo y los hombres, como la
Officina de J. Ravisius Textor. Después de una ligera vacilación
(pues la *Officina* [1522], publicada pocos años después de las
Lectiones Antiquae [1516], tomó una parte de su contenido de
esta última obra), resultó evidente que una vez más la mayor
parte de la erudición de Laguna procedía de un solo libro, la célebre *Officina*. La cosa era tanto más natural cuanto que esta recopilación había dedicado todo su título VII y último al mismo
tema que Laguna: «De variis virtutibus ac viciis». Pero, mientras
Ravisius Textor parece más bien complacerse en citar de vez en
cuando la fuente de la que toma una historia un poco rara, tanto
si se trata de un antiguo (Plutarco) como de un moderno (Pontano),
Laguna entró a saco en la *Officina*, sin decir nunca de dónde pro-
ceden los muchos datos y nombres que, de cerca o de lejos, afectaban a su tema y podían enriquecer su comentario.[32]

32. Después de proceder a la confrontación del *De Virtutibus* con la
Officina, valiéndonos de una edición un poco tardía de esta que teníamos al
alcance de la mano (*Ioannis Ravisii Textoris Nivernensis Officina*, nunc de-
mum post tot editiones diligenter emendata, aucta, et in longe commodiorem
ordinem redacta per Conradum Lycosthenem Rubeaquensem, Haeredes Bry-
ling, Basilea, MDLXVI), damos el resultado refiriéndonos a esta edición, aun
siendo conscientes de que podrían introducirse algunos retoques si se dispu-
siera de alguna de las ediciones que Laguna pudo manejar, por ejemplo, la de
París (R. Chauldière), 1532 (Bibl. Nat., París, X.1124) o la de Basilea (B.
Westheimer) 1535 (ej. incompleto en el Brit. Museum, 611.d.18). Una vez
terminado el presente trabajo, hemos conseguido ver en Venecia (Bibl. Naz.
Marciana, 205.c.150 y 206.c.143) otra edición de la *Officina* que Laguna pudo
manejar, la edición veneciana de Lucantonio Giunta impresa en 1537 y reimpresa en 1541 (la Marciana posee, de la *Segunda Pars*, esta reimpresión, que
debía de corresponder página por página a la edición de 1537, a juzgar por el
índice común a los dos volúmenes que encabeza la *Prima Pars* de 1537). Hemos podido comprobar que el contenido, las alteraciones de nombres propios, los errores de referencias que mencionamos siguiendo la edición de
Basilea de 1566, se encuentran ya en la de Venecia de 1537. — Muerte de
los tiranos, p. 27, Heliogábalo (*Off.*, 539: In latrinis mortui aut occisi), p. 28,
Phalaris (*Off.*, 1189: Crudelissimi homines), Benedictus VI y Bonifacius VIII

Una vez se ha comprobado que Ravisius Textor es el principal proveedor de la materia seudoerudita de este *De Virtutibus*, en particular de sus numerosas series de ejemplos y de enumeraciones

P.M. (*Off.*, 545: Siti et fame mortui). — Mansuetudo, p. 50, Hadrianus (*Off.*, 1150: Constantes). — Fortitudo, pp. 51 ss. (*Off.*, 673: Bellicosi viri), Lucretia, p. 53 (*Off.*, 582: Mortem qui sibi variis modis consciuerunt...), Tomyris, p. 54 (*Off.*, 1152: Magnanimi). — Temperantia, pp. 56 ss. (*Off.*, 1250-1253: Sobrii et temperantes). — Citharaedi, Tibicines, p. 57 (*Off.*, 854 ss.: Citharaedi insignes, 860: Tibicines), Terpander (*Off.*, 853), Pictrices (*Off.*, 936: Mulieres pictrices). — Ritos funerarios, pp. 70 ss. (*Off.*, 606 ss.: De vario inhumandi ritu). — Legislatores, pp. 72 ss. (*Off.*, 621 ss.: Legislatores diversarum gentium). — Cambises, p. 73 (*Off.*, 1132: Justissimi), Sisannes, p. 73 (*Off.*, 1134: Injusti). — Amor filial, pp. 76 ss., Aeneas, Antonius (por Antigonus) (*Off.*, 1101-1103: Amor liberorum in parentes). — Entrega a la patria, Spartius, Bulilides (*Off.*, 1086: De charitate in patriam exempla). — Liberalitas, pp. 80 ss., Vespasiano, Mecenas (*Off.*, 1222 ss.: Liberales et magnifici), pp. 84 ss., Cleopatra, Nerón, Vitelio, Heliogábalo (*Off.*, 1237-1240: Prodigi). — Magnanimitas, pp. 86 ss., Dionysius Junior, Amatricina, Anaxagoras, Pigmenius, Theramenes (*Off.*, 400: Dionysius, Qui ex prospera fortuna ad humilem et miseram redacti sunt; *Off.*, 1142-1145: Constantes). — Enemigos del saber, p. 93, Licinius, Valentinianus (*Off.*, 1215-1217: Adulatores, scurrae et parasiti). — Iracundia, pp. 98 ss., Mahometes Ottomanus, Saül, Clotarius, Stephanus VI P.M., Sergius III P. M. (*Off.*, 1165-1170: De ira et odio), Antonius, Fulvia (*Off.*, 1192: Crudelissimi homines). — Parricidae, p. 100 (*Off.*, 1109: Liberi parentum interfectores), Quae viros suos occiderunt (*Off.*, 1096: Uxores quae maritos occiderunt), Qui uxores interfecerunt, y p. 101, Periander (*Off.*, 1095: Mariti uxorum interfectores). — Timiditas, pp. 104 ss., Archilochus, Vatienus, Aristogiton, Taurea, Dionysius, Marcellinus P.M., Petrus (*Off.*, 1176-1178: Timidi et meticulosi). — Intemperantia, pp. 108-110, Apicius, Astydamas, Vedius Pollio, Philoxenus, Gnatho, Phago, Diotimus y la docena de «mancipia ventris», a los que Laguna añade Epicuro (*Off.*, 1260-1269: Gulosi, edaces et vinolenti), Alejandro, p. 112 (*Off.*, 414: Bella et alia quaedam mala a mulieribus orta), Cambises y Prexaspe, Armitus y Cyanippus, p. 113 (*Off.*, 1264, loc. cit.). — Injustitia, pp. 123 ss., Pilatus, Sisannes, Tarquinius, Amulius (*Off.*, 1134: Injusti). — Perjuri, perfidi, mendaces et impostores, p. 124 (*Off.*, 1134-1138: Proditores, perjuri et perfidi). — Ateos, p. 125, Diagoras, Leo Imp., Trajanus Decius, Valerianus, Diocletianus, Theophilus, Herostratus (*Off.*, 84: Contemptores Deorum), Haereticorum turba, p. 126 (*Off.* 88-95: Haereteci nonnulli). — Qui in motuos saevierunt, p. 127, Achilles, Septimius Severus, Tullia, (*Off.*, 1183-1190: Crudelissime homines). — Avari, pp. 130 ss., Judas (*Off.*, 561: Mortem qui sibi consciuerunt), Pygmalion, Polymestor, Achaeus, Simon Magus, Martinus P.M., Angelotus Cardinalis, Darius (*Off.*, 1229-1235: Illiberales, avari et foeneratores, Foeneratorum turba) (ibid.). — Contemptores divitiarum et dignitatum, pp. 133 ss., Crates Thebanus, Diocletianus, Lotharius y toda la lista (*Off.*, 1156-1158: Contemptores honorum et divitiarum). — Gymnosophistae, p. 137 (*Off.*, 313: Populorum diversi mores), Solon, ibid. (*Off.*, 1329: Ociosi).

de virtuosos y de viciosos, falta por ver aún cómo nuestro autor utilizó esta fuente, y a qué otras fuentes pudo además recurrir. Tan pronto resumía libremente como copiaba cambiando algunos términos, y en ocasiones se remontaba, según pudiera o no hacerlo, a las autoridades que encontraba citadas en Ravisius Textor. Éste confiesa haber tomado de Plutarco (*Op. Mor.*, Parallela, XIX) la escandalosa historia de los siracusanos Arnutius y Cyanippus, quienes, bajo el imperio de la embriaguez, violan a sus propias hijas. Pero el nombre del primero había sido transformado por descuido en Armitus, y Laguna (p. 113) se contenta con reproducir este error de la *Officina*, cometiendo otro al llamar al otro personaje Canippus. En otro lugar (p. 77) transformó un Antigonus en Antonius, y un Bulides en Bulilides. Lapsus de hombre apresurado. Pero Laguna a veces parece haber encontrado tiempo suficiente para hojear ciertos libros a los que le remitía Ravisius Textor. Y así, quizás al ver a Egnatius citado a propósito del ignorante emperador Licinius (*Off.*, 751), aprovechó algunos detalles sobre otro caso de analfabetismo imperial (Brytannion, p. 54) que no estaba en la *Officina*. Parece que también tuvo ocasión de consultar el enorme infolio de Ricchieri (*Lud. Caelii Rhodigini Lectionum Antiquarum Libri XXX*),[33] al que Ravisius Textor remite a menudo, y que su copiosísimo índice hacía de fácil consulta. De allí podría haber sacado algunos datos complementarios sobre Alejandro (p. 112), así como haber descubierto el ejemplo heroico de las cincuenta jóvenes espartanas defendiendo su virginidad contra los mesenios (p. 53) y la existencia de combates de codornices (p. 89) organizados en la antigüedad griega.

Como ya por anticipado era casi seguro, Laguna recurrió también a Valerio Máximo (o a un autor que lo había utilizado).[34]

33. Hemos consultado el Caelius Rhodiginus (Ricchieri) en la ed. de Froben, Basilea, 1550, que no debe de diferir sensiblemente de la publicada por el mismo editor en 1542. El lector encontrará fácilmente los pasajes a los que nos referimos con la ayuda del admirable índice alfabético.

34. He aquí las deudas probables o seguras que Laguna contrajo con Valerio Máximo. Como este autor era accesible en numerosas ediciones, me limito a remitir a los libros, capítulos y párrafos indicando por R o E (Quae accepere Romani, Externi) la sección del capítulo correspondiente. — *De Virtutibus*, p. 52: Alejandro, Val. III, VIII, E 6; p. 52: Epaminondas, Val., III, II, E 5; p. 54: Semíramis, Val., IX, III, E 4; p. 59: Jenócrates y Friné,

Por otra parte es casi seguro que, para enriquecer su arsenal de rasgos de virtud con algunas de las frases sentenciosas recogidas por los recopiladores de apotegmas, se sirvió de los *Apophtheg- mata* de Erasmo.[35] Finalmente, el examen del *De Virtutibus* con- firma el testimonio de la *Europa* en lo que se refiere a la afición de Laguna por los adagios como adorno, y al uso que hace del infolio erasmiano de los *Adagia*.[36]

Pedimos disculpas por reconstruir, tal vez de un modo dema- siado policíaco, los procedimientos de documentación de Laguna,

---

Val., IV, III, E 3; ibid.: Bruto, Val., V, VIII, R 1; ibid.: Aulo Fulvio, Val., V, VIII, R 5; p. 76: Coriolano, Val., I, VIII, R 4; p. 77: Curcio, Val., V, VI, R 2; p. 78: Simónides, Val., I, VII, E 3.

35. Manejamos la edición de Frellon, Lyon, 1559, pero remitimos a las frases utilizadas por Laguna con una referencia válida para todas las edicio- nes. *De Virtutibus*, p. 90: Dionisio y sus aduladores, inspirado por *Apoph.*, libro III, Aristippus, n.º 5; ibid.: Diógenes, *Apoph.*, libro III, Diógenes, n.º 157; p. 92: Diógenes, *Apoph.*, libro III, Aristippus, n.º 33.

36. Para adornar su epístola dedicatoria al rey Fernando (p. 4), toma de los *Adagia* casi una tras otra tres expresiones menos vulgarizadas que el *Asinus ad lyram* del que no andan lejos en el mismo volumen: *Nihil graculo cum fidibus, Nihil cum amaricino sui* y *Quid cani et balneo?* (*Adag.*, I, IV, 37, 38 y 39), esta última en su forma griega, así como otra que le propor- ciona fácilmente el índice alfabético (*Quid caeco cum speculo?*, *Adag.*, III, VII, 54). Ya unas líneas más arriba había habido un «prorsus ἀμούσοι» que es otro lugar común proverbial comentado por Erasmo (*Adag.*, II, VI, 18). En las páginas siguientes tropezamos con *Lerna malorum* (p. 6, *Adag.*, I, III, 27), una alusión a *Foenum esse, ambrosia alendus* (p. 9, *Adag.*, III, I, 91) y la forma griega de *Canis festinans caecos parit catulos* (p. 12, *Adag.*, II, II, 35). De este modo es fácil adornar un prefacio, pero no sin caer en el reproche de otro adagio que Laguna utiliza más lejos (p. 128) para cortar una digresión excesiva: *Quid de pusillis magna prooemia?* (*Adag.*, III, III, 96). — La clasificación de los *stulti* le lleva a buscar en su Erasmo los nom- bres de los necios proverbiales de la antigüedad. Allí encuentra a Coroebus, ya registrado junto con Melitides por Ravisius Textor (*Off.*, 1182 ss.: *Stulti et insipientes*) y de *Coroebo stultior* pasa a *Praxillae Adonide stupi- dior* (*Adag.*, II, IX, 64 y 11) y a *Embarus sum* (*Adag.*, III, X, 81). — En otro lugar (p. 121) la idea trivial de «Dios los cría y ellos se juntan» le lleva a citar en su forma griega el *Semper graculus graculo assidet* (*Adag.*, I, III, 23). Su otro ornamento favorito, que consiste en versos de poetas griegos, también a veces, dentro de este mismo libro, le hace inspirarse en esta ilus- tre recopilación. Comentando la frase de Vespasiano (p. 134) de que el dinero carece de olor, consulta los *Adagia* por *Lucri bonus odor ex re qualibet*, y encuentra, inmediatamente después, el cínico adagio *Lucrum pudori praestat*, de cuyo comentario puede aprovechar un verso de Sófocles («impia[...]So- phoclis sententia») (*Adag.*, III, VII, 13 y 14).

por ser demasiado curiosos por averiguar cuáles fueron los autores
que las cómodas compilaciones le evitaron leer en su texto original. Pero cuando le vemos, a él, tan amigo de las citas griegas,
citar en traducción latina unos versos de la Odisea (p. 120: Ulises
exhortándose a sí mismo, *Od.*, XX, 20) o de Hesíodo (p. 137: La
pereza predispone al crimen, *Opera et dies*, 498 ss.), estamos tentados de creer que encontró estas «autoridades» bajo esta forma
en alguna compilación. En cuanto a los poetas latinos que cita,
no pondremos ningún inconveniente para admitir que tuvo en
sus manos las obras de Battista Spagnoli el Mantuano, el moderno
Virgilio cristiano, puesto que de ellas extrae (pp. 13 ss.) una
larga *Querimonia virtutis undique profligatae*, y que toma del
mismo autor (*Parthenice*, III) unos versos sobre el martirio de
santa Lucía (pp. 54 ss.). Es posible que sus profesores de filosofía
le hubieran hecho aprender de memoria fragmentos tan célebres
como el pasaje ovidiano en el que Medea profiere el famoso «Video
meliora proboque, deteriora sequor» (*Metam.*, VII, 17-21 y 92 ss.;
cf. *De Virtutibus*, p. 119) o aquel otro fragmento de las *Metamorfosis* (I, 84-86) en el que Ovidio resume a la vez la originalidad anatómica del hombre respecto a los cuadrúpedos y la
vocación de la especie para contemplar el cielo: «Pronaque quum
spectent animalia coetera terram / Os homini sublime dedit,
caelumque tueri / Iussit, et erectos ad sidera tollere vultus».

Laguna, no contento con destacar estos versos en la conclusión de su *De Virtutibus*, los reproduce como una divisa personal
bajo su retrato que adorna la última página del volumen. Pero
si se le ocurre citar otro pasaje de las *Metamorfosis* (III, 135-137:
«Sed scilicet ultima semper / Expectanda dies homini est. Dicique
beatus / Ante obitum nemo, supremaque funera debet») que parece presentar como una frase de Solón, estamos tentados de
creer que se limita a reproducir una nota tomada apresuradamente
de un comentario de los *Adagia* (I, III, 37: «Finem vitae specta»)
donde Erasmo, después de haber evocado la respuesta de Solón
a Creso, la relaciona con dos textos de Sófocles, tres de Eurípides
y, para terminar, el texto ovidiano. En cualquier caso, su manera
de trabajar con misceláneas se delata claramente cuando, al
encontrar en su Ravisius Textor, a propósito de Tarquino y de

Amulio, una referencia a los *Fastos* de Ovidio (II, 87-90; III, 49-52), se remonta a los textos, los transcribe, pero remite por error al libro primero (error cometido en la *Officina*). No debemos desesperar de encontrar por casualidad la página de compilación o la cita de humanista que le permitió conocer la bonita fábula lapidaria de Ausonio del *Avaro que perdió su tesoro* (más irónica que las de Nevelet y La Fontaine): «Qui laqueum collo nectebat, repperit aurum / Thesaurique loco deposuit laqueum. / At qui condiderat, postquam non repperit aurum / Aptavit collo quem reperit laqueum». Es poco probable que la haya ido a buscar a las *Ausonii opera* (Epigr. XX; cf. *De Virtutibus*, p. 132).[37]

Laguna trabajaba apresuradamente, pero además le caracteriza una cierta desenvoltura en la reproducción y utilización de los materiales que compila. Si lee en su *Officina* que Julio César consiguió cinco «triunfos» después de sus campañas («*quinquies triumphavit*», col. 722), multiplica este número por diez cuando se trata de batallas («quinquagies [...] conflixit»); si lee que el mismo guerrero se jactaba de haber hecho perecer a 1.190.000 hombres sin contar los muertos de las guerras civiles (*Off.*, 671: «undecies centum et nonaginta millia [...] caesa»), afirma que César humilla bajo sus plantas las soberbias cervices de 1.150.000 enemigos («undecies centenorum quinquaginta millium», p. 52). La historia del toro de Fálaris pudo encontrarla bajo su forma clásica en la *Officina*. Perillus, inventor del toro de bronce en el que Fálaris hacía quemar a sus víctimas, fue el primero en perecer por este sistema («quod teterrimum artis suae opus primus artifex inclusus expertus est», *Off.*, 1188 ss.). Laguna, al incluir a Fálaris en una serie de tiranos que tienen un mal fin, le muestra también como víctima de su cruel ingenio (p. 28: «Quippe in eodem tauros crematus et suffocatus est, quo torquere ipse suos cives solebat»).

Otra innovación la introduce en la historieta del cardenal Angiolotto, que se roba a sí mismo la cebada de sus caballos y que es apaleado en la oscuridad por el mozo de cuadra (cuento que Molière incorporó a su *Avaro*). Ravisius Textor (1235), copiando

---

37. Este epigrama inspiró a un imitador francés, Guillaume Gueroult, en *Le premier livre des emblèmes*, B. Arnollet, Lyon, 1550, pp. 14-16.

fielmente a Pontano, cuya autoridad cita, escribe: «Donec a magistro stabuli pro fure depraehensus in tenebris vapulavit». Laguna, desdeñando el plagio puro y simple, prefiere decir: «Semel a stabulario in tenebris depraehensus, ceu fur vapulavit *ad necem usque*» (p. 131), sin que pueda decirse si estas últimas palabras significan que el avaro murió a consecuencia de estos hechos o si son un encarecimiento de una paliza capaz de ocasionar la muerte.

Sospechamos que Laguna introdujo otras variaciones que le parecían divertidas o razonables en historietas proporcionadas por sus fuentes preferidas. Encontramos en los *Apotegmas* (III, Aristippus, 5) esta frase atribuida a Aristipo: «Consputus a Dionysio, aequo animo tulit ob eam rem contumeliam; indignantibus "Piscatores, inquit, ut gobionem capiant, aqua marina se patiuntur aspergi; ego ut balenam capiam, non patiar me aspergi saliva?"». Sin duda esto es lo que hace imaginar a Laguna que Dionisio tenía aduladores capaces no sólo de exponer sus caras a sus salivazos, sino que «superfluitates oris ejus lambebant, asseverabantque ea videri sibi mellita quae evomuisset ille» (p. 90).

También en los *Apotegmas* encontró la anécdota del filósofo a quien se lleva a visitar una casa demasiado lujosa y que, al sentir deseos de escupir, lo hace en la cara del dueño de la casa, única superficie próxima que no le parece indigna de ensuciar. Erasmo se había extrañado un poco (*Apophth.*, III, Aristippus, 33) de que la historia se atribuyera a Aristipo, y decía que era más propia de un cínico. Laguna se apresura a atribuirla a Diógenes (p. 92). Con una libertad similar, al leer que entre los griegos existían juegos de combates de codornices (L. Cael. Rhod., *Lect. Ant.*, libro XVI, cap. 13, remitiendo a Luciano, *Anacharsis*), los convierte en juegos lacedemonios destinados a contribuir a la educación del valor (p. 83). Otro hallazgo que sin duda se le debe es el relativo a la importación del vino entre los escitas (p. 111). Ya es proverbial que los escitas se emborrachaban con frecuencia. Laguna encontraba mencionado el hecho en Ravisius Textor («Populorum diversi mores», *Off.*, 336), quien cita el verbo *scythissare* (adaptación latina de σκυθίζειν) como sinónimo de «embriagarse». Pero ¿quién antes de Laguna (o después de él) ha contado el trágico destino del primer mercader que, movido por el afán de lucro, importó vino en Escitia? Sus primeros clientes abusaron de esta bebida, y al comprobar que perdían el equilibrio, se creyeron envenenados y dieron muerte al mercader. La historia tiene todo el aire de un cuentecillo moral para uso de un siglo demasiado aficionado al vino, preocupado por el problema de los inventores de todas las cosas (véase Virgilio Polidoro) y quizá también por los efectos de la europeización de los pueblos salvajes por los colonizadores.

Pero Laguna introdujo además en su *De Virtutibus* una de esas historietas como a él le gustaba inventar,[38] mezclando hechos históricos (o personales) y chanzas de vena folklórica. Paolo Giovio le daba como ejemplo de temeridad el papel fatal desempeñado por el franciscano Paul Tomori, arzobispo de Colosas, en la batalla de Mohácz («vir manibus promptus, ut ingenio nimium audaci», juzgaba el historiador). Laguna (p. 32) imagina al monje guerrero, como un héroe de epopeya medieval, prometiendo en sus arengas a los soldados que los cristianos que afrontaran con él el combate sin esperanza «aquella noche cenarían todos con Cristo» («omnes ea die coenaturos cum Christo»). Ante lo cual un veterano oficial español («veteranus Hispanus dux...» ¡pero nadie menciona a combatientes españoles en Mohácz!) se supone que respondió: «Por lo que a mí se refiere, hoy ayuno y no tengo intención de cenar. Morid vos y cenad si eso os place». Laguna añade: «De este modo, en vez de morir se reservó para otros servicios. Pero sabemos que el arzobispo no tardó en caer acribillado de heridas. Incluso es verosímil que cenara con Cristo, ya que Él da de comer a los que tienen hambre» («quandoquidem ille esurientes pascit», p. 33). La alusión evangélica que termina el cuento acentúa su ironía clerical. Seguramente era una broma de clérigos y estudiantes responder «jejuno hodie»[39] cuando alguien invitaba también burlonamente a parti-

---

38. Cf. M. Bataillon, *Le docteur Laguna,* pp. 130 ss.
39. Otro médico chistoso, el licenciado Francisco López de Úbeda, en la *Pícara Justina* (tercera parte del libro II, cap. I, n.° 1, ed. Puyol, Madrid, 1912, II, p. 145) inserta este chiste en una conversación entre un monje bromista de León y una de las «romeras» a las que hace visitar su

cipar en algún ágape que inspiraba sospechas. La anécdota, tal como la da (y probablemente la inventa) Laguna suena como una burla del espíritu de cruzada.

Digamos ahora unas palabras sobre la latinidad de nuestro «philiatre». Laguna escribe a vuela pluma un latín que acentúa el anticiceronianismo enseñado por Erasmo en el sentido de la familiaridad y de la expresividad fácil. Aunque le gusta cambiar los términos empleados en sus fuentes para no parecer que incurre en plagio, tiende a repetirse a sí mismo. En el exordio de su *Europa* insiste en la desgracia de los tiempos que vive, preguntándose quién va a atreverse a mostrarse jubiloso, para responder en seguida: «Nemo, nemo, nemo, nisi forte aliquis mente captus et furens» (fol. 8v, p. 118) y reincide en la misma fórmula de encarecimiento al hablar de los actos crueles a los que nadie puede asistir con mirada serena: «Nemo, nemo, nemo, nisi forte aliquis ignavus et asininus» (*De Virtutibus,* p. 30, cf. p. 10: «Nemini profecto, nemini»).

Ya hemos visto que no le embaraza el mismo escrúpulo purista que a ciertos colegas ante un empleo de *concupiscibilis* consagrado por el uso escolástico medieval. Sin duda otra deuda suya para con el lenguaje de sus maestros de filosofía es el uso que hace de *existere* por *esse,* con una frecuencia que llega hasta la monotonía. Los buenos maestros de latinidad censuraban esta falsa equivalencia. Aunque sin iniciar acerca de este tema una investigación que nos apartaría de nuestro objetivo, es significativo que leamos en el compendio de las *Elegancias latinas* de Lorenzo Valla que Erasmo preparó en su juventud para las escuelas: «*Exto* et *existo*[...] Videant hic Grammatistae nostri qui dicunt *extare* et *existere,* idem significare quod *esse*» (Erasmo, *Opera,* LB, I, col. 1088).

Ahora bien, la edición sinóptica de cuatro ediciones latinas aproximadamente contemporáneas del breve tratado seudoaris-

convento y ofrece una colección... de disciplinas: «Tomando la disciplina en la mano las dixo: Señoras ¿quieren colación? y ella respondió: *padre, yo ayuno, que es oy viernes*». Cf. mi artículo del *Bulletin Hispanique,* LXIII (1961), p. 177.

totélico *De Virtutibus,* nos permite comprobar que en estas pocas páginas Laguna (pp. 15, 18, 51, 60, 85, 120, 128) recurre
nada menos que siete veces al empleo abusivo de *existere* en vez
de *esse,* mientras que Grynaeus sólo recurre una vez (Laguna,
p. 51: «victoriae causam existere»; Grynaeus: «authoremque
victoriae existere») y Chamaillard y Velsius lo evitan siempre
(en el caso citado, Cham.: «victoriae causam praestare»; Vels.:
«victoriae causam esse»), empleando *esse* o utilizando otros recursos. Pero en Laguna este *existere* es un verdadero tic de estilo, tanto cuando expresa su propio pensamiento como cuando
traduce. Desde luego, vemos a qué tendencias de las lenguas románicas modernas, y en particular del español, responden algunos de estos usos de *existere* en casos en que el verbo *esse* es
defectivo o no resulta suficientemente expresivo (p. 65: Luciano, «qui quidem, subsannator hominum juxta et deorum *exis-
tens*» [«étant», *esp.* «siendo»]; p. 82: «Intra ipsius autem am-
bitum, qui circularis est, *existit* pauimenti medius locus editior»
[«se trouve», *esp.* «se da»]; p. 88: «Ut Prudentia *existit* omnium
virtutum mater» [«est en somme», *esp. mod.* «resulta»]). El
latín de Laguna no siempre está exento de adulteración por las
lenguas románicas. Sus buenos maestros sin duda hubieran frun-
cido el ceño al leer *in torno ipsius* (p. 57) en vez de *circa ipsam*
(«alrededor de ella»). Hubieran sonreído con más indulgencia
al verle buscar como sinónimos de las palabras usadas en la fuente que copia, ciertos términos más familiares y más expresivos,
pero no sin antecedentes en los autores antiguos (p. 109: «Astydamas Milesius[...] *solus decoxit* [«hizo desaparecer»] ea quae
omnibus apposita fuerunt convivis», Rav. Text. 1261: «*solus
devoravit* quicquid convivis omnibus fuerat praeparatum»;
p. 110: «Phago[...] *exsiccavit*que orcam vini», Rav. Text. 1269:
«[...]*biberit*que orcam vini»).

III. *Conclusión*

La excusa de un examen tan minucioso de dos libros efíme-
ros —tantas horas perdidas en un trabajo que se hizo tan apri-

sa— es contribuir a una visión más justa de la cultura humanística del siglo XVI al tiempo que proyectar más luz sobre la personalidad intelectual de Laguna.

Es bien sabido, aunque tenemos demasiada tendencia a olvidarlo, que un hombre culto del Renacimiento está lejos de conocer directamente todo aquello de lo que habla, y que puede citar a muchos autores sin haberlos leído. A veces somos víctimas de un espejismo del «Renacimiento», esa época maravillosa en la que los hombres, movidos por una especie de voracidad intelectual, se supone que leyeron y asimilaron todo el tesoro de los autores antiguos redescubiertos. Tal vez también nuestros propios maestros de humanidades nos han echado en cara excesivamente el haber leído muy pocos autores, al tiempo que nos exhortaban a leer obras completas más que fragmentos escogidos. Ahora bien, es un hecho que la cultura del Renacimiento fue, para la mayoría de sus beneficiarios, exceptuando unos casos privilegiados como el de Montaigne, una cultura de *excerpta* puesta al alcance de numerosas personas por la escuela y el libro impreso. Laguna nombra piadosamente a los maestros que en Segovia le enseñaron los primeros rudimentos del latín, que tuvo que perfeccionar y depurar en Salamanca.[40] Más tarde, ¿qué le enseñaron Danès y Toussaint? Le enseñaron a leer griego, a traducirlo en un latín rápido, sin pretensiones de elegancia. Laguna se hizo amigo de Barthélemy Latomus;[41] pero éste aún no era lector real de latín cuando nuestro segoviano era estudiante en París. Hizo su aprendizaje de latinista con sus maestros de griego, del mismo modo que, todavía durante varios siglos,

40. Hay que hacer notar que Laguna (a diferencia de sus condiscípulos portugueses Amatus Lusitanus y Luis Nunes que prosiguieron sus estudios en Salamanca) no nombra al famoso Hernán Núñez, «el comendador griego», como uno de sus maestros en esta universidad. Sólo menciona a su maestro de dialéctica, el médico portugués Henrique. Sobre este otro «doctor medicus» cuyo doctorado en medicina es dudoso, y que jamás enseñó en Salamanca más que filosofía, cf. E. Esperabé Artega, *Historia de la Universidad de Salamanca,* II, Salamanca, 1917, p. 358: Enrique Hernández.

41. Véase la epístola dedicatoria de *Europa* (pp. 106-108) en la que Laguna cuenta de un modo festivo (cita en alemán las bruscas palabras del portero que le detiene en la puerta del castillo de Coblenza) cómo trató de ver a su amigo al trasladarse a Colonia. Latomus era ya secretario y consejero teológico del arzobispo de Tréveris.

las personas cultas tenían que aprender de sus maestros de latín el uso un poco riguroso de su lengua materna. A fin de cuentas Laguna llegó a ser capaz de traducir bastante bien del griego al latín tratados de medicina, de filosofía moral o natural. Como las dificultades de la traducción le habían enfrentado muy pronto con problemas de establecimientos de textos, llegó a ser hábil en colacionar un manuscrito y en extraer de él variantes útiles para corregir un pasaje. Así podrá prestar a la comunidad de los médicos, en el curso de su larga estancia en Italia, dos servicios principales, en los cuales se fundará sobre todo su notoriedad internacional: un compendio latino de las obras completas de Galeno y un volumen de correcciones al texto de Dioscórides sacadas principalmente de un manuscrito prestado por su amigo Páez de Castro. Las reediciones en diversos países del *Epitome Galeni,* hasta el siglo XVII, demuestran que la obra era considerada como muy útil. Pero es indudable que, fuera de algunos casos excepcionales (pensamos siempre en un Montaigne, cuya primera educación, tan original, hizo de él un alumno fuera de serie del Colegio de Guyena), los alumnos de los centros de humanismo trilingüe que luego no se convertían en profesores, no aprendieron gran cosa de los historiadores antiguos y sólo fueron iniciados en pocos poetas. Por ello les entusiasmaba saquear con poco esfuerzo una especie de enciclopedia como la *Officina* de Ravisius Textor, y cuando se sentían atraídos por la filosofía moral, se sumergían con delicia en los *Adagia* de Erasmo. Ravisius Textor, en la epístola dedicatoria de su famosa obra, se compara con ironía con el arrendajo de la fábula, que se adorna con las plumas del pavo real. No es de extrañar que muchos humanistas en ciernes tomaran de él lo que necesitaban para pavonearse a su vez.

Si los dos libritos de Laguna ilustran un aspecto fundamental de los frutos de la cultura humanística de su tiempo —la aptitud adquirida por los buenos alumnos para improvisar una cultura de segunda mano—, ilustran también el comportamiento literario y la situación de Laguna en un momento de su carrera. La cultura humanística, al tiempo que transformaba los saberes y las profesiones de los médicos, de los juristas, y, desde luego,

de los teólogos, tenía intrínsecamente un valor profesional y una
«rentabilidad», no sólo para el mundo de los maestros de humanidades, sino también para la clase, muy numerosa, de los secretarios. Entre ellos se reclutaban en parte los consejeros y los
embajadores. Aunque sin acceder a tan altos puestos, muchos
secretarios ocupaban un lugar honorable en las cancillerías, en los
palacios de los príncipes seculares o eclesiásticos. Médicos cultos podían representar allí un papel de consejeros íntimos. ¿Por
qué Laguna se lanza entonces a una intemperante exhibición de
humanismo engañoso, en la que no volverá a reincidir posteriormente, y al mismo tiempo exhibe pruebas de su ortodoxia y
de su amor a la virtud.[42] Podemos preguntarnos si no creyó que
tales demostraciones podían ser susceptibles de procurarle un
buen protector, de quien tal vez podía ser no sólo el médico. En
esta fecha sus grados y títulos médicos son aún modestos. De ahí
la orgullosa modestia con la que se intitula siempre *philiatre*,
que suple el título de doctor que no tardará en hacerse conferir
en Bolonia, y que al parecer no hubiera podido lograr en España
a causa de la discriminación de que eran objeto los hijos de judíos conversos como él.[43] Una vez en posesión de su doctorado
honoris causa, de un título de Miles Sancti Petri comprado en
Roma, tras estar ocho años al servicio del cardenal don Francisco
de Bobadilla y Mendoza, nuestro médico humanista podrá ser
más auténticamente él mismo, declararse helenista de un modo

---

42. Al insistir en este último punto pensamos solamente en los manifiestos esfuerzos de Laguna por mostrarse entonces como un médico más
virtuoso que numerosos colegas. No ponemos en duda la sinceridad de su
aversión por el abuso del vino, ni su amor por las virtudes activas y el trabajo intelectual, ni tampoco su moral voluntarista (véase ya en el comienzo
del *De Virtutibus,* p. 15, su actitud contraria a la fórmula platónica del
Timeo: nadie es malo voluntariamente).
43. Esta cuestión, capital para explicar la carrera cosmopolita de más
de un médico español de aquel entonces, es una de las menos estudiadas
por los historiadores actuales de los conversos. Es también una de las más
disimuladas por los interesados y sus biógrafos. Laguna atribuye el título de
«insignis doctor medicus» a su difunto padre, quien sin duda jamás tuvo
derecho a usar el título de doctor, sino sólo el de licenciado que le da el
único documento oficial conocido que le menciona. Colmenares obsequiará
a nuestro Laguna con un imaginario «doctorado» de Toledo que el interesado
nunca reivindicó.

que no fuese tan aparatosamente deslumbrante, y cultivar literariamente, sin avergonzarse por ello, su lengua castellana, hasta en sus obras médicas.

Sin embargo, incluso entonces seguirá fiel a su vicio favorito, disimular sus verdaderas fuentes, que lleva hasta la mixtificación descarada en su librillo de fines de 1542 sobre los turcos.[44] Pero también es una manera de mixtificar poner griego por todas partes sin necesidad como hace en la *Europa*,[45] o, como en el *De Virtutibus*, exhibir una suma impresionante de saber, establecer un índice alfabético de los «notatu digniora» (este índice de un pequeño volumen de 152 páginas ocupa nada menos que seis, impresas a dos columnas), y decir luego hacia el final, tomando por testigo al anfitrión que le ha visto trabajar, que no ha dedicado más de diez o doce días a este trabajo, debido a las prisas que le daba un impresor impaciente por partir con esta nueva producción para la feria de Frankfurt (p. 144). Tanto da que fueran diez o doce días, como si fueran quince o veinte —el tiempo no tiene nada que ver con este asunto—, en cualquier caso fue un trabajo que se hizo muy aprisa, incluso teniendo en cuenta el tiempo de preparación. Sus maestros, que no se hubiesen dejado engañar y que hubieran descubierto en seguida el secreto de la redacción, hubieran dedicado a Laguna la pulla escolar que yo aún oí en mi infancia: *doctus cum libro*! Pero ¿quién puede parecer, aunque sólo sea un poco docto, sin algunos libros al alcance de la mano? Si la afición a la superchería y al disimulo era en Laguna un rasgo de carácter individual, una forma del sentido del humor del que sin duda alguna estaba dotado, o era un rasgo de cristiano nuevo, frecuente no sólo entre los marranos, sino también entre los conversos decididos a ser buenos católicos y a hacer olvidar su origen... La doble pregunta ha de

---

44. Cf. supra, n. 9, por no citar aquí fuentes del *Viaje de Turquía*, cuya paternidad hoy generalmente se le reconoce (cf. M. Bataillon, *Le docteur Laguna*, pp. 97 y 106 ss.).

45. Hasta en su librito de 1542 sobre los turcos, siente la necesidad de comenzar y de terminar con fórmulas griegas su epístola dedicatoria al deán del capítulo de Colonia, el conde Henri de Stolberg. Por pura pedantería puso al margen de cada párrafo de su traducción latina del *De Virtutibus* una indicación en griego sobre su contenido.

tener sin duda como respuesta un doble sí. El caso de Laguna, a medida que se le conoce mejor, se revela como uno de los más instructivos que existen acerca del comportamiento social de los conversos.

13. UN PROBLEMA DE INFLUENCIA DE ERASMO EN ESPAÑA. EL «ELOGIO DE LA LOCURA» *

Que nadie espere de mí que continúe o que resuma lo que expuse largamente acerca del erasmismo español hace más de treinta años. *Erasmo y España* era una tesis doctoral, y en ella sostenía una *tesis* que en conjunto ha sido aceptada por los historiadores de la espiritualidad: la de que España, predispuesta por corrientes iluministas a comprender el espiritualismo del *Enchiridion,* había sido un país singularmente acogedor, bajo Carlos V, al evangelismo erasmiano y a su alegato en favor del culto en espíritu; que en España, donde la mayor parte de los miembros de las órdenes mendicantes se habían apresurado, al igual que los teólogos de la Sorbona, a acusar a Erasmo, una élite eclesiástica y monástica no había temido hacerse eco del «monachatus non est pietas» como un aviso contra todo formalismo petrificado, contra lo que Erasmo llamaba el nuevo judaísmo de las prácticas externas, y que este erasmismo había calado tan profundamente que existen huellas suyas hasta en la época de Felipe II, en maestros de espiritualidad de la reforma católica como fray Luis de Granada y fray Luis de León, y hasta en el autor del *Quijote.* Mis erasmistas españoles habían traducido al castellano, no sólo el *Enchiridion,* la *Paraclesis* y el *Modus orandi,* sino también una selección de los *Coloquios,* los *Silenos de Alcibíades* y la *Lingua.* Pero me parecían muy recelosos

* «Un problème d'influence d'Érasme en Espagne. L'Eloge de la Folie», *Actes du Congrès Érasme (Rotterdam, 27-29 octobre 1969),* North-Holland Publishing Company, Amsterdam-Londres, 1971, pp. 136-147.

ante el *Elogio de la Locura,* obra de la que no se conoce ninguna traducción española antigua. Y sin duda yo ya me había resignado con excesiva facilidad a no descubrir al otro lado de los Pirineos una influencia apreciable de la *Moria.* Este libro audaz, que había escandalizado a los teólogos conservadores incluso antes de que se pudiera decir de su autor que preparaba el terreno al luteranismo, ¿no era natural que en España no pasase de ser una lectura reservada a una ínfima minoría? ¿Y acaso mis erasmistas no habían ratificado tácitamente la afirmación de Erasmo, en su carta a Dorp, de que la *Moria,* bajo una forma más irónica, más mordaz, venía a decir lo mismo que el *Enchiridion?* Para conquistar la Europa de su tiempo el pensamiento de Erasmo de Rotterdam no necesitaba de esa obra maestra de la paradoja y del humor en la que, desde el siglo XVIII, se funda casi exclusivamente la gloria de Erasmo.

Ahora bien, en estos últimos años se ha percibido mejor la significación filosófica original de este libro irónico, y además hemos descubierto por fin rastros indiscutibles del *Elogio de la Locura* en España, y, como yo mismo soy más receptivo que antes a la fuerza singular del elogio de la locura por sí misma, donde se produce una turbadora amalgama de la necedad, de la enajenación mental y de la locura de la cruz, he prestado más atención a la idea de que la locura itinerante y comunicativa de Don Quijote pudiera ponerse bajo el estandarte de la *Moria* erasmiana. De un modo más general me he preguntado si algunas de las geniales innovaciones de la literatura narrativa española, relato autobiográfico del ingenuo *Lazarillo de Tormes,* autonomía irónicamente concedida por Cervantes a sus dos criaturas literarias más ilustres, no podrían deber algo, o al menos emparentarse con la aparición de esa *stultitia* que Erasmo personificó para hacerle pronunciar su elogio en primera persona. En síntesis, el problema que planteo hoy es saber si el legado de Erasmo en España podría estribar no sólo en una cierta actitud religiosa y moral, sino también en sugerencias literariamente fecundas de la única estructura literaria memorable que Erasmo creó, creación a la que en resumidas cuentas debe su inmortalidad de escritor.

Digamos una vez por todas que no se ha descubierto ningún

ejemplar de una *Moria* en una antigua traducción castellana, aunque el Índice de libros prohibidos por la Inquisición en 1559[1] la aluda en estos términos en su sección de «libros en romance»: «Moria de Erasmo en romance, y el Latín, y en otra cualquier lengua». Esta prohibición tan amplia permite suponer que los inquisidores tenían noticia de la versión italiana de 1539 titulada *La Moria d'Erasmo novamente in volgare tradotta*, y al menos habían oído hablar de una versión en lengua vulgar castellana. De todos modos no debe excluirse la posibilidad de que en esta lengua se les hubiese señalado la existencia de un librillo ya antiguo titulado no «Alabanza de locura» sino *Triunfos de Locura*, poema moral debido al rimador Hernán López de Yanguas, que recientemente se ha reproducido dos veces en facsímil en ediciones de bibliófilo,[2] y del que se conocen dos ediciones rarísimas del siglo XVI, una publicada en Valencia después de 1521, y otra sin lugar ni fecha. Ha sido Eugenio Asensio,[3] a quien la historia del erasmismo español debe tantos descubrimientos, quien reveló el año pasado que se trataba de una adaptación o de una manipulación muy libre de la *Moria* de Erasmo. En efecto, hasta ahora se había creído, fundándose en el grabado del título que representa una barca a la que suben locos y locas, que se trataba de una imitación de la *Nave de los locos* de Sebastian Brant. En realidad, el grabado procede de la *Nave de las locas* de Josse

1. Reproducido en facsímil en *Tres índices expurgatorios de la Inquisición española en el siglo XVI*, Madrid, 1952, p. 45.

2. Primero por Antonio Pérez Gómez en su colección *El ayre de la almena*, III: *Cuatro obras del bachiller Hernán López de Yanguas (siglo XVI)*, Cieza, 1950; luego por Antonio Rodríguez-Moñino en *Los pliegos poéticos de la colección del Marqués de Morbecq (siglo XVI)*, Madrid, 1962, pp. 133-156. Sólo Rodríguez-Moñino da la reproducción completa de la edición sin fecha (que supone salida hacia 1525 de la imprenta de Alonso de Melgar de Burgos), ya que el ejemplar muy incompleto del marqués de Morbecq conserva por fortuna la undécima hoja que falta en el ejemplar del British Museum reproducido por Pérez Gómez. Éste rellenó la laguna en tipografía moderna según la edición de Valencia de 1521, de la que el señor Portabella de Barcelona posee un ejemplar. Ha figurado también en la colección del bibliófilo inglés R. S. Turner (*Catalogue...*, póstumo publicado en 1888, n.° 17s35).

3. «Los estudios sobre Erasmo, de Marcel Bataillon», *Revista de Occidente*, n.° 63 (junio 1968), pp. 315-317.

Bade,[4] donde ilustra la locura del sentido de la vista. Añadamos que el poeta moralista español ha tomado también de la *Nave de las locas* del humanista e impresor parisiense, la idea de cinco estrofas tituladas *Triunfos de los sentidos*.[5] Pero la mayor parte de su obrita procede, a veces hasta literalmente, de la *Moria* de Erasmo, de la que Yanguas adapta numerosos fragmentos no sin adornarlos con unas cuantas pinceladas muy españolas. Por ejemplo, la sátira de Erasmo (*Moria*, XLII) contra la necia vanidad nobiliaria se transforma en una estrofa sobre la vanidad de los escuderos pobres, que están tan orgullosos de su hidalguía que por el placer de pavonearse en la calle son capaces de soportar el hambre, la sed y el cansancio: esbozo que parece anunciar al escudero famélico del *Lazarillo*. Del mismo modo, cuando llega, en uno de sus préstamos erasmianos de mayor longitud, al triunfo de los religiosos, de los que cada orden se siente tan orgullosa de su hábito y de su nombre, Yanguas les hace hablar en un tono muy erasmiano (aunque su origen no deba buscarse en la *Moria*): «Uno dice: yo soy agustino, otro: yo soy bernardo, otro: yo soy carmelita». Ahora bien, también se oye la voz de otra orden bien peninsular que Erasmo no había nombrado: «Yo soy jerónimo».

¿Por qué, pues, este poema, que se declara compuesto «sobre una frase del Sabio que dice *Stultorum infinitus est numerus*», y que de ciento cuatro estrofas de doce versos dedica alrededor de ochenta a hacernos oír a la Locura hablando de sí misma y ponderando la universalidad de su imperio sobre los hombres, tiene un acento tan distinto del de la *Moria* erasmiana? El motivo es que, a pesar de todo, la Locura no es la única que habla. En lugar de un monólogo de *Stultitia,* es un diálogo del poeta con esa diosa equívoca que le ha abordado por el camino cuando se dirigía a un convento. Hernando, sin dejar por ello de escucharla durante largo rato, no olvida la existencia de Prudencia, de la cual la locuaz Locura habla con desdén. Y menos mal que obra así, porque hacia el final tropieza con Prudencia

4. Reproducido en el libro de J. C. Margolin, *Erasme par lui-même,* París, 1965, p. 50.

5. Fols. *a* IVv-*a* Vr.

en persona, quien le reprocha severamente haberse entretenido en tan mala compañía; le aconseja seguir su idea inicial y, puesto que le preocupa su salvación, salvarse «dentro de la religión más que fuera de ella». Es decir, que Yanguas elimina la ambigüedad radical de la paradoja que es el puro elogio de la necedad y de la locura por la misma *Stultitia,* volviendo a la antigua y venerable tradición de las moralidades y debates al dar a Stultitia una antagonista que tiene, o parece tener, la última palabra. En Erasmo la Sabiduría en el fondo está presente en virtud de su mismo mutismo total, pero es el lector quien tiene que pesar en cada encrucijada de esta paradoja tan cambiante, el *contra* que equilibra el *pro* (sería ingenuo suponer que Erasmo proyectara escribir, después de su *Elogio de la Locura,* un elogio de la Sabiduría). He dicho que Prudencia, en Yanguas, *parece* ganar la partida. En realidad la última estrofa del poema es irónica y restablece otro tipo de ambigüedad muy erasmiana acerca de la gran pregunta: la verdadera Piedad y la verdadera Sabiduría, ¿habitan o no los monasterios? El poeta y Prudencia se dicen adiós y se separan. «Yo —dice el poeta— reemprendí el camino hacia el lugar donde habita la tristeza. No sé cuándo llegaré a él. Todavía ahora no estoy allí.» Confesión de debilidad, si se quiere. O mejor de repugnancia apenas velada a entrar en el convento sin vocación. No es casual que Yanguas dedicase en el discurso de Locura doce estrofas fidelísimamente inspiradas en la *Moria* a los triunfos de la locura en los monjes y religiosas. En resumen, si la lección de sabiduría de la *Moria* queda un poco diluida por la abierta rivalidad de Prudencia con Locura, estos *Triunfos de Locura,* cuyo autor ha juzgado preferible no nombrar a Erasmo en su breve preámbulo, constituyen sin embargo un testimonio importante sobre los inicios del erasmismo en España. Apenas diez años después de la publicación del *Moriae encomium* en París, cinco años antes de la batalla del *Enchiridion* en España, Yanguas publica una imitación poco disimulada de la *Moria* en castellano, con un eco ostensible del «Monachatus non est pietas».

Es posible que este delgado opúsculo, del que han llegado hasta nosotros cuatro ejemplares (dos de ellos mutilados) de dos ediciones diferentes, haya tenido más difusión de la que se ima-

gina en la España de Carlos V. López de Yanguas es el único
autor de «coplas» y de «farsas» al que Juan de Valdés hizo el
honor de nombrar al lado de Torres Naharro, a decir verdad
con un elogio más bien incierto en su pluma («que muestra bien
ser latino»).[6] Es probable que su común amor por el *Elogio de
la Locura,* obra sutil, empapada de erudición y escasamente vul-
garizable, fuese como un santo y seña entre verdaderos humanistas erasmianos. Y en relación con la *Moria* y con su artificio,
hoy estaría yo dispuesto a volver a examinar el problema tan discutido del erasmismo del autor anónimo del *Lazarillo de Tormes.*
Desde hace un cuarto de siglo no han dejado de criticarme ciertos hispanistas de las generaciones más jóvenes que consideran
paradójica mi opinión de que el anticlericalismo del *Lazarillo* no
tiene nada de específicamente erasmiano, mi obstinación en afirmar que su autor anónimo, hombre sutil y culto, escribiendo en
una España que erasmizaba con fervor, no ofrecía un ejemplo
típico de religión erasmiana a la vez interior y crítica, y que, si
compartía este erasmismo, «lo ocultó bien».[7] Tal vez el joven
Lázaro deja escapar en una ocasión, entre los juicios de su simple sentido común, un rasgo de agudeza bien erasmiana que ilumina un aspecto esencial de la locura reinante, cuando dice acerca de la superstición del honor de su tercer amo, el escudero famélico: «¡Oh, Señor, y cuántos de aquéstos debéis Vos tener por
el mundo derramados, que padescen por la negra que llaman honra, lo que por Vos no sufrirán!». Sin forzar demasiado la nota,
es posible afirmar que aquí el autor del *Lazarillo* recuerda la regla IV del *Enchiridion*: «que el fin de todas nuestras obras, oraciones y devociones debe ser tan sólo Jesucristo». Pero pensemos
ahora en la *Moria* y en la profunda ironía que implica el artificio de la *declamatio* en la que ella misma hace su elogio. ¿No po-

---

6. *Diálogo de la lengua,* ed. J. F. Montesinos, Clásicos Castellanos, Madrid, 1928, p. 161.
7. Cf. M. Bataillon, *Erasme et l'Espagne,* París, 1937, p. 653. Y *Erasmo
y España,* 2.ª ed. en español, corregida y aumentada, México, 1966, pp. 611-
612, sobre mi divergencia de M. J. Asensio. Véanse también las páginas más
recientes de Francisco Márquez Villanueva «La actitud espiritual del *Lazarillo de Tormes*», en su libro *Espiritualidad y literatura en el siglo XVI,* Madrid-Barcelona, 1968, pp. 67-137.

demos imaginar que, junto con otros modelos, como el *Asno de oro* de Apuleyo, hay aquí un elemento que contribuyó a hacer adoptar al autor anónimo del *Lazarillo* la forma autobiográfica que da a la historia del pobre diablo, y que, de un modo más preciso, la *Moria* comunicó su propia ironía a esta historia narrada en primera persona, de una manera cada vez más evidente a medida que el héroe alcanza lo que él juzga como la cúspide de su triunfo social y de su dicha, es decir, la situación de marido engañado y feliz de serlo por el clérigo con cuya criada se ha casado? La *Stultitia* de Erasmo dedicó un breve capítulo (XX) a esa dudosa felicidad conyugal: «¡Ah! ¡Qué pocos casamientos se harían si el novio tuviera la curiosidad de informarse acerca de los juegos a que su inocente y cándida prometida se entregaba mucho antes de su boda! ¡Cuántas rupturas si la despreocupación y la necedad de los maridos no les cegaran con tanta frecuencia sobre la conducta de sus mujeres! He ahí, se dice, uno de los efectos de la locura; sea; pero no por ello la mujer deja de agradar a su marido y el marido a su mujer, la casa está en paz y reina la buena armonía. Se burlan del marido, le motejan con nombres ridículos, ¿qué sé yo? Bebe afectuosamente las lágrimas de su infiel. Pero, ¿acaso esta bondad no es mejor que las torturas y los furores de los celos?».[8] El lector del *Lazarillo* recuerda necesariamente aquí la última página del famoso libro, en lo que vemos a Lázaro negarse en redondo a escuchar los comentarios maliciosos que circulan sobre su mujer: «Yo juraré sobre la hostia consagrada, que es tan buena mujer como vive dentro de las puertas de Toledo. Quien otra cosa me dijere, yo me mataré con él. Desta manera no me dicen nada y yo tengo paz en mi casa».

Quisiera subrayar por una parte que esta provechosa manifestación de *Stultitia* cerrando los ojos a la evidencia, divertía a Erasmo hasta el punto de que volvió a insistir en el tema, dentro de la misma *Moria,* unos capítulos más adelante (XXXIX), pre-

8. Cito el *Elogio de la Locura* por la traducción de Auguste Renaudet (Erasme, *Oeuvres choisies,* Coll. Les Cent Chefs d'Oeuvre Étrangers, París, s.a., p. 53) que sigue la cómoda división en capítulos adoptada por numerosos editores desde 1765. Cf. ibid., p. 79.

cisando que era ésta una situación muy frecuente: «Si un marido públicamente engañado afirma que su mujer es más fiel que Penélope, y si, dichoso en su error, se felicita por la suerte que le ha correspondido, no se le llamará loco, porque esta locura es la de muchos».

Observaré, por otra parte, que si ciertos críticos siguen buscando en el *Lazarillo* huellas de una «espiritualidad» erasmiana que yo continúo sin acertar a ver, otros comienzan a analizar la autobiografía de Lázaro no tomando como punto de referencia la crítica erasmiana de la superstición, sino relacionando algunos de sus puntos concretos con la *Moria*. Fernando Lázaro Carreter, que ha estudiado recientemente del modo más penetrante «la ficción autobiográfica en el *Lazarillo de Tormes*» y la «construcción» de esta obrita como reveladora de su «sentido»,[9] ha insistido mucho en la importancia de la supuesta felicidad conyugal de Lázaro como razón de ser predominante de este relato para el cual se improvisa como narrador: éste es el *caso*[10] del que el destinatario de su historia deseaba enterarse, y que, apogeo de su ascensión social, se anuncia en una frase del prólogo, en el que se justifica de ser a la vez narrador y héroe de una historia, cediendo así a la atracción de la gloria (atracción de la que da ejemplos bien conocidos de la *Stultitia* erasmiana). De este modo adquiere toda su profundidad irónica esta autobiografía de un héroe que encarna una o varias formas de la *stultitia* de la que Erasmo hizo oír el paradójico autoelogio. Otros críticos, sin re-

9. Fernando Lázaro Carreter, «La ficción autobiográfica en el *Lazarillo de Tormes*», en *Litterae Hispanae et Lusitanae, Festschrift zum fünfzigjährigen Bestehen des Ibero-Amerikanischen Forschungsinstituts der Universität Hamburg*, Munich, 1968, pp. 195-213; y sobre todo «Construcción y sentido del *Lazarillo de Tormes*», *Ábaco*, Madrid, n.º 1 (1969), pp. 45-134, donde por vez primera se establecen las relaciones pertinentes con la *Stultitia laus* (XXXIX, p. 52, n. 13; VIII, p. 53, n. 20; LIV, p. 89, n. 98; XLII, p. 99, n. 126; XXVII, XXVIII y LIV, pp. 123-124 y n. 183) y con su adaptador López de Yanguas (p. 89, n. 99 y p. 100, n. 127).

10. F. Lázaro, «Construcción», art. cit., pp. 60-61 y 117-118. La importancia de *el caso*, destacada por el artificio epistolar del prólogo, ya había sido señalada por Francisco Rico, «Problemas del *Lazarillo*», *Boletín de la Real Academia Española*, XLVI (1966), pp. 277 ss. (artículo refundido en F. Rico, *La novela picaresca y el punto de vista*, Seix Barral, Barcelona, 1970, pp. 15 ss.).

mitir a textos de la *Moria*, estudian esta ironía en relación con
el empleo de la primera persona, y también por sus implicaciones sociales, susceptibles de denunciar la posición marginal del
autor desconocido; y siempre insistiendo en estos pasajes del fin
del relato en los que el autor parece burlarse *in petto* de ese héroe al que atribuye su *yo*.[11] Me parece, pues, que ha llegado el
momento de decir que si el autor del *Lazarillo* deja transparentar
un erasmismo auténtico, es, más que en la pintura mordaz del
clérigo de Maqueda o de los bulderos, en esta construcción literaria que podría inspirarse sutilmente en la *Moria* para ceder la
palabra a un *stultus* satisfecho de su *stultitia* y orgulloso de ele-
varse, tal cual es, a la dignidad social y literaria. El *yo* que le
atribuye su autor es a un tiempo generador de realismo y resorte
oculto de ironía.

Para pasar ahora a la posible relación existente entre la *Moria* elogiada por Erasmo y la locura que desempeña el papel de
primer motor en las aventuras de Don Quijote, no estará de
más recordar ciertas verdades esenciales insuficientemente teni-
das en cuenta tanto en la crítica de la obra maestra de Cervantes
como en la del *Moriae encomium*. El *Quijote*, a pesar del esta-
llido inventivo que deslumbra en su primera parte y del éxito
que ésta alcanzó a partir ya de 1605, revela verdaderamente todas sus posibilidades en la segunda parte de 1615 gracias a la
perspectiva con que Cervantes ve ahora a sus personajes, ya que
tiene la audacia de lanzarlos a una nueva serie de aventuras haciendo que sean extrañamente conscientes de esa celebridad literaria de la que ya gozan; de este modo las convierte en lo que
se ha llamado «personajes autónomos», atreviéndose a discutir la
veracidad del relato que les ha hecho populares, atreviéndose a
acusar de mentirosa la segunda parte apócrifa de su historia recientemente publicada por el seudo-Avellaneda. Cervantes preside
así jovialmente la entrada de sus héroes en la inmortalidad. Por

---

11. R. W. Truman, «Parody and Irony in the Self-portrayal of Lázaro de
Tormes», *The Modern Language Review*, n.º 63 (1968), pp. 600-605, y «Lázaro de Tormes and the "Homo nouus Tradition"», ibid., n.º 64 (1969), pp.
62-67. Donald McGrady me ha enviado el texto de su artículo «Social Irony in L. de T. and its implications for Authorship», que aparecerá en 1970
en *Romance Philology*.

otra parte, en esta nueva etapa de sus andanzas, se manifiesta con
toda claridad lo que a menudo se ha llamado la quijotización de
Sancho Panza, evolución que se opone a la interpretación de Sancho como mera encarnación del sentido común popular aferrado
a las realidades positivas y como absoluta negación de la locura
de su amo. No se trata de negar la seguridad de la cordura o de la
razón elemental que inspiran a menudo las reacciones de Sancho
ante el proceder insensato de Don Quijote. Pero conviene no olvidar la solidaridad que el campesino ha establecido con el hidalgo
cuando acepta ser su escudero, para medir debidamente esta solidaridad en los capítulos culminantes de la segunda parte, cuando
Sancho, después de romper en cierto modo las amarras de su
condición primitiva, gobierna con aplomo la imaginaria ínsula llamada Barataria, cumbre en la que cordura y locura resultan muy
difíciles de delimitar. Ya volveremos a ese punto después de recordar algunos otros desplazamientos de tono en los que estriba
a la vez la dificultad y la originalidad de la glorificación que la
Stultitia erasmiana nos hace oír de su ascendiente sobre los hombres. Esta diosa burlona empieza celebrando con una convicción
impresionante la *stultitia* general, elemental, fundamental, los
instintos o las pasiones contrarias a la razón, las fuerzas de ingenuidad o de inconsciencia astuta, por así decirlo, que suelen impulsar a los mortales, desde el instinto sexual y el amor, a los que
deben su nacimiento (sin olvidar la ceguera voluntaria de los maridos) hasta las pasiones más particularizadas —las del jugador, el
cazador, el alquimista, por ejemplo— que acaban por dominar a
ciertos seres. Pero en un cierto punto de su *declamatio,* doña *Stultitia,* la parlanchina que se ha negado a definirse de una vez por
todas, pasa sin previo aviso de la *stultitia* a la *insania,* es decir,
a la enajenación mental reconocida como tal por la generalidad de
los hombres, los cuales, entre tantas otras necias presunciones, cometen la tontería de creerse cuerdos. Recuerda que los poetas están convencidos de que en la inspiración ceden a una *insania* que
es de origen divino, celestial, muy diferente de las iras destructo-
ras. Y para caracterizar la dichosa naturaleza de ciertas formas de
insania, las únicas de las que admite ser inspiradora, la *Moria* erasmiana (XXXVIII) apela a un ejemplo bien conocido de extravío

mental, el del argivo cuya historia cuenta Horacio; la enajenación de este hombre consistía en ir a sentarse completamente solo en el teatro, días enteros, riendo, aplaudiendo, gozando del espectáculo de bellas tragedias que sólo se representaban en su imaginación. En todas las demás actividades de la vida era un hombre honrado, jovial con sus amigos, amable con su mujer, capaz de ser indulgente con sus esclavos. Por desgracia, su familia le hizo someter a tratamiento. Curó de su demencia y entonces se quejó amargamente de lo que habían *matado* en él al quitarle la alegría de su vida. Erasmo relacionó este caso con otros casos análogos, entre ellos uno citado por Ateneo, en el adagio *Insania non omnibus eadem* (III, x, 97; LB, II, 949 E): cada cual tiene su propia locura. Por lo demás *Moria* no afirma que todo error de los sentidos o de la mente merezca el nombre de *insania*. «Si un hombre que no tiene buena vista confunde un mulo con un asno; si otro admira un poema necio como una obra maestra, no por eso se les tachará de locos. Pero si al error de los sentidos se une el del juicio; si es constante y de una especie singular, por ejemplo, si cada vez que un asno rebuzna uno de nosotros cree oír acordes armoniosos, o si, nacido en la abyección y la pobreza, se cree rico como el rey Creso, podrá decirse que está muy cerca de la locura.» Y advirtamos que hay aquí como una propagación de la alegría que *Moria* alaba como uno de los efectos más jocosos de la locura feliz para aquellos que se creen indemnes de ella: «[...] cuando esta demencia, como sucede a menudo, mueve a risa, divierte mucho a los que la sufren y a los espectadores que no son víctimas del contagio. Este género de locura es más frecuente de lo que se cree. Un loco se ríe de otro loco, y los dos se representan recíprocamente una comedia; a menudo vemos que el loco ríe a carcajadas del que lo es menos».

Finalmente, antes de ver qué relación puede tener Don Quijote con ese elogio de la *insania* unido al de la *stultitia*, conviene recordar que la *Moria* erasmiana (XXXVI) no se contenta con extender su afecto a todas las variedades de *stulti* y de *insani*, y muestra una predilección muy comprensible por los *moriones*, es decir, por los que tienen por actividad casi profesional la de divertir a los demás y a los que se reconoce la condición de «fous»

—los bufones—, para diversión de los privilegiados, reyes o grandes señores. La locuaz *Stultitia* pondera las ventajas de que gozan los *fatui, blitei* o *moriones*, exentos del miedo a la muerte, de los escrúpulos y de los terrores, de los pudores, de las presunciones, de las envidias y de los amores que aquejan al común de los mortales: «No sólo no hacen otra cosa que alegrar, chancearse, reír y cantar, sino que además difunden por doquier a su alrededor el placer, la alegría, los juegos y las risas[...]». Se desea su presencia, se les obsequia, «se les permite decirlo todo y hacerlo todo». «Divierten a los reyes, quienes a menudo se deleitan con ellos en la mesa o durante sus paseos, y que no podrían prescindir de su compañía ni una hora. Aprecian mucho más a sus bufones que a esos graves filósofos a los que alimentan a veces por vanidad.»

No sólo los bufones, por la gracia y la espontaneidad de sus palabras les divierten, sino que gracias al privilegio que se concede al bufón de la corte, de expresarse libremente, los soberanos pueden oír de sus labios, a veces sobre su propia persona, verdades que ningún cortesano se atrevería a decir.

Sería un error dejar de lado, por el hecho de que prolonga una tradición medieval (la de las fiestas de los «fous», de las «mères-sottes», de las «soties») este aspecto casi institucional de la locura que exalta la *Moria* erasmiana. Cuando leemos una de las últimas, si no la última apología que Erasmo escribió de su *Moria*, en su respuesta al príncipe de Carpi Alberto Pío,[12] enemigo encarnizado del *Moriae encomium*, nos sorprende ver al viejo filósofo asumiendo el papel de *morio,* de bufón, que él mismo desempeñó al escribir este libro, para divertir a un círculo de amigos. Reconoce haber elegido ciertos temas con el único fin de alegrar al lector por medio de la risa, «vt risu lectorem exhilarent». Y puesto que el príncipe de Carpi afirma que este libro ha causado la perdición de muchas almas, Erasmo, sin dejar de admitir que ha suscitado odios entre los teólogos y los monjes, recuerda que ha tenido un gran éxito entre los príncipes y los prelados, e incluso ante el propio León X, asegurando que no ha hecho daño

---

12. *D. Erasmi ad Albertum Pium Responsio*, LB, IX, 1109-1111. Sobre la fecha de publicación (febrero 1529), véase Allen, introd., Ep. 1634.

EL «ELOGIO DE LA LOCURA» EN ESPAÑA   339

a nadie: «Ninguno, que yo sepa, ha sido lo bastante taciturno como para decir que la *Moria* le ha producido el más mínimo daño. El libro ha enderezado los juicios de muchos y disipado la tristeza de los más».

No sólo no se acoge a la vulgar disculpa de que, en su paradoja, es la Locura la que habla y no el escritor, sino que reconoce que, sin atacar a individuos, ha denunciado por juego («per lusum») los vicios de los mortales, y compara su franqueza a la del *morio*, el bufón público de los banquetes que puede decir a todos lo que se le antoje.

Ahora podemos volver al *Quijote*. A Antonio Vilanova no le faltaban razones para asombrarse, hace veinte años, de que yo no hubiese planteado la cuestión de una posible filiación entre la obra maestra de Erasmo y la de Cervantes.[13] Pero sólo se ve la mitad de esta cuestión si se centra el análisis únicamente en el ingenioso hidalgo al que la lectura de las novelas de caballerías ha vuelto loco y que cabalga por los caminos embutido en una simbólica armadura para renovar las hazañas míticas de los caballeros andantes. Desde luego hay que subrayar que se trata de una locura limitada en sus efectos alucinatorios, como la locura teatral del argivo de Horacio, que permite ampliamente comportamientos sociales normales. Es indiscutible que es una locura feliz, como las que alaba *Moria*, y una locura alegre muy distinta de la furia de Orlando o de Áyax.[14] También es cierto que, en relación a esta locura ca-

---

13. Antonio Vilanova, *Erasmo y Cervantes*, CSIC, Barcelona, 1949, pp. 17 ss. El autor presenta este trabajo (p. 58) como el esbozo de una demostración más completa de «la persistente atención que Cervantes otorgó a las ideas erasmistas del *Moriae encomium* a todo lo largo de la elaboración del *Quijote*». No parece, sin embargo, que haya efectuado este análisis más profundo. En estos últimos años ha estudiado las relaciones entre «La Moria de Erasmo y el Prólogo del Quijote» (*Collected Studies in Honour of Américo Castro's Eightieth Year*, ed. M.P. Hornik, Oxford, 1965, pp. 423-433). Sus comparaciones demuestran como mínimo un parentesco espiritual y de tono entre la sátira cervantina de la pedantería presuntuosa de los prefacios y piezas liminares y la que *Moria* ejerce (cap. L) a costa de la vanidad de los retores plagiarios.

14. Sólo excepcionalmente el *Quijote* ofrece una imagen paródica de la furia de Áyax que Atenea hace recaer en los rebaños (I, xxxv, combate del héroe contra los cueros de vino del ventero, con la refriega que le sigue). Sobre la demencia destructora inspirada por las Euménides y que *Moria* no reconoce como suya, cf. *Moria*, XXXVIII.

balleresca, Sancho Panza, convertido en el compañero de Don Quijote, puede parecer una encarnación de la cordura o del sentido común que juzga esta locura como tal. Pero hay que recordar que Sancho hereda la antigua función del «cuerdo loco» y sentencioso, que, desde el esclavo Esopo hasta los *clowns* de Shakespeare, comenta los hechos y se comporta como un «desmitificador», como ha escrito Robert Klein.[15] De un modo concreto, sirviendo de contrapartida al honor caballeresco y militar, es (siempre según Robert Klein) una variedad de «cuerdo loco» la que representa Sancho, «loco glosador que acompaña al loco natural Don Quijote». Pero Sancho es mucho más que un loco glosador y desmitificador de locas ilusiones. No tarda mucho en engañar a su amo, no para ridiculizar su locura, sino para explotarla en beneficio de su patrimonio. Porque este cuerdo-loco, si se opone a la *insania,* a la enajenación mental refinada y literaria de Don Quijote, tiene las pasiones de adquirir, de comer y de beber que son las más frecuentes entre la necia humanidad ignorante. Sancho, como el Lazarillo, es una encarnación original de la *stultitia* antes de revelar sus recursos de cordura. Su situación social es muy distinta a la de Lázaro, y como consecuencia de ello, no carece por ejemplo de un cierto sentimiento de honor racial. Si el problema del honor conyugal no se le plantea, comparte el necio prejuicio de los campesinos que están orgullosos de la limpieza de su sangre, ajena a toda mezcla de sangre mora o judía, prejuicio que es el tema del mejor de los entremeses de Cervantes: *El retablo de las maravillas*.[16] Puede, pues, decirse que la asociación del *tonto* (o necio o simple) con el *loco* en que se ha convertido el ingenioso hidalgo es perfectamente adecuada al polimorfismo de la *stultitia* en su inolvidable *Elogio* realizado por Erasmo.

15. R. Klein, *Le thème du fou et l'ironie humaniste,* Estr. de Archivo di Filosofia, n.º 3, Roma (Istituto di Studi Filosofici, dir, da Enrico Castelli), 1963, p. 19.
16. Significativamente, es en un diálogo con el bachiller Sansón Carrasco (II, 4) y a propósito de las funciones de gobernador que se siente capaz de desempeñar, cuando Sancho se jacta de tener «sobre el alma cuatro dedos de enjundia de cristianos viejos». Véase el comentario de A. Castro en *De la edad conflictiva. I: El Drama de la Honra en España y en su literatura,* Madrid, 1961, p. 200.

Sin embargo, si pensamos en la virtud regocijante que Erasmo atribuye a las manifestaciones de la *stultitia* y de la *insania*, parece que es sobre todo en la segunda parte del *Quijote* cuando Cervantes se muestra discípulo a la vez fiel y genial del espíritu de la *Moria*. Ya que, incluso antes de que comience la tercera salida de Don Quijote (la segunda con Sancho) los dos héroes perciben el jocundo eco de sus aventuras inmensamente multiplicadas por el solo hecho de verse en presencia de su fama literaria ya extendida y comentada por toda España por los lectores del libro publicado en 1605 en Madrid. Me saldría de mi tema si insistiese demasiado en el advenimiento de esos «personajes autónomos» dotados de un pasado y de un futuro, de esos seres que viven a la vez en un libro que ya es pasto de la imaginación de los hombres, y en sus vidas inacabadas que ya el autor prolonga en otro libro hacia un término imprevisible. He ahí un hallazgo de mayor alcance en el orden de la creación literaria que el logro del monólogo irónico y ambiguo de la *Moria* erasmiana. No obstante hay que insistir en que la nueva situación revelada a nuestros amigos el «loco» y el «necio» por el bachiller Sansón Carrasco, esa enorme popularidad de los dos héroes ya inseparables, esa situación que corrobora una vez más, según el bachiller, lo de *Stultorum infinitus est numerus*, será la base del considerable desarrollo de las mixtificaciones que provocan buena parte de las nuevas aventuras. Camino de Aragón, al loco y al necio ya no se les ve solamente como tales, sino que se les espera y se les reconoce como Don Quijote y Sancho en persona, no sólo por el bachiller disfrazado, sino también por el duque y la duquesa que les conceden hospitalidad, y que van a chancearse, con un aristocrático virtuosismo en el arte de la burla, de la locura del uno y de la necedad del otro. Aquí triunfa el poder de la diversión emanado de la *Stultitia*, que tanto apreciaba Erasmo. Es una fuerza que desarrolla efectos en cadena, y puede parecer abusiva la importancia concedida por Cervantes a estas mixtificaciones. Él mismo ironiza sobre esto (II, 70), diciendo que según el cronista de estas aventuras, Cide Hamete Benengeli, son «tan locos los burladores como los burlados» y «no estaban los duques dos dedos de parecer tontos, pues tanto ahínco ponían en burlarse de dos tontos». «A menudo vemos», ya decía *Moria*, «que el loco ríe a carcajadas del que lo es menos». Pero por lo que se refiere a esos juegos de espejos de la *stultitia* y del punto de vista de la «locura-cordura» que está en el corazón de la *Moria* erasmiana, admiramos en la novela de Cervantes la profunda cordura que se desprende del personaje de Sancho Panza cuando se produce la mixtificación de los duques, que le envían a gobernar una aldea vecina bajo el nombre de ínsula Barataria. La duquesa adora la ingenuidad maliciosa de Sancho. Hace de él un favorito, un bufón palaciego —un *morio*— que goza de privilegios de los que no es digno el grave clérigo que frecuenta la mesa ducal. El resultado es óptimo por las enseñanzas dadas por Don Quijote a su escudero y por la sagacidad que éste despliega en el gobierno de su ínsula, y así este episodio, por absurda que sea la grandeza ficticia a la que se ve elevado Sancho, es una de las cumbres de la novela de Cervantes.

Éste era consciente de su originalidad de creador, *raro inventor*. Es curioso que tratando de explicar el atractivo de las mejores invenciones novelescas de sus *Novelas*, les aplique la noción de *desatino*, es decir, locura, capricho o divagación, pero insista en su carácter deliberado (*de propósito*) y en la función motriz que desempeña en ellas el rasgo de ingenio (*el donaire*).[17] Lo cual podría relacionarse, a dos siglos de distancia, con el concepto del *Witz* como acto creador en Friedrich von Schlegel.[18] Y para definir en el ocaso de su carrera el éxito del *Quijote*, Cervantes, un poco como el viejo Erasmo al reivindicar el mérito de la *Moria*, lo juzga un libro para hacer reír, para divertir los talantes melancólicos y sombríos («pasatiempo al pecho melancólico y mohíno»).[19]

No hay que empeñarse en demostrar demasiadas cosas. Si en

17. *Viaje del Parnaso*, cap. IV, v. 27, y cap. VI, vv. 58-60 (ed. Rodríguez Marín, Madrid, 1935, pp. 52 y 79).

18. Fr. Schlegel. *Jugendschriften*, ed. minor, II, p. 238, frag. 220. Cf. los desarrollos de A. W. Schlegel comentados por Werner Brüggemann, *Cervantes und die Figur des Don Quijote in Kunstanschauung und Dichtung der deutschen Romantik*, Münster, 1958, p. 131, sobre la mezcla de «das Narrische» y de «das Höfische» cuyo símbolo son los bufones cortesanos.

19. *Viaje del Parnaso*, cap. IV, vv. 22-24 (ed. cit., p. 51).

general se advierte en Cervantes un interés vivo y duradero por la locura (y en particular por la locura cuerda), si podemos ver en él tendencias religiosas que recuerdan al humanismo cristiano, es tanto o más necesario hacer constar que, cuando decide hacer abjurar a su héroe, en su lecho de muerte, de una locura demasiado humana, no se le ocurre la idea de hacerle abrazar la divina locura de la cruz.[20] Esta locura a lo divino, a la que Erasmo había reservado la conclusión de su paradoja, tenía que intimidar a un novelista español profano. Ha sido necesario, ya en el siglo XX, el genio paradójico y religioso de Unamuno, para arrancar a Don Quijote a su creador y para descubrir en él una profundidad trágica y un símbolo de fe religiosa que Cervantes, según el pensador de nuestra época, no había sabido ver en su héroe.

Para volver a Erasmo, es un problema insoluble saber lo que Cervantes leyó de este autor, y si había leído el *Elogio de la Locura.* Antonio Vilanova, que está convencido de que el novelista lo tenía muy en cuenta cuando escribió el *Quijote,* no ha justificado plenamente su tesis y la ha comprometido con un argumento poco convincente. En efecto, ha complicado de un modo inútil su demostración mezclando con ella el curioso libro del moralista Jerónimo de Mondragón, publicado en Lérida en 1598, y dedicado, con un espíritu mucho más medieval que erasmiano, a la *Censura de la locura humana y excelencias della.* Vilanova creyó poder afirmar que esta obra traduce páginas enteras de la *Moria,*[21] a la que no hace más que una alusión tímida y anónima.

20. Aunque en el capítulo LVIII de la segunda parte se asiste a una confrontación muy emotiva del Caballero de la Triste Figura con imágenes ecuestres de santos que él asimila a «caballeros andantes» de la milicia divina, entre ellos san Pablo, enemigo de la Iglesia convertido en su mayor defensor. Es interesante señalar la existencia de una imitación italiana del *Elogio de la Locura* que se publicó entre la primera y la segunda parte del *Quijote* (Ant. Maria Spelta, *La Saggia Pazzia,* Pavía, 1607; adapt. francesa por L. Garon, Lyon, 1628), cuya segunda parte, titulada *La dilettevole pazzia* contiene un capítulo «De la locura de los cuerdos» en el que el autor no elude el tema erasmiano de la locura de la cruz según san Pablo (I Cor., 3, 19 «la sabiduría de este mundo es locura ante Dios»).

21. A. Vilanova, *Erasmo y Cervantes,* p. 26. Este autor vuelve a usar la misma fórmula sin justificarla tampoco con ejemplos en la reimpresión que se le debe de Jerónimo de Mondragón, *Censura de la locura humana y excelencias della,* edición, prólogo y notas por Antonio Vilanova, Selecciones

Es de lamentar que no se nos ofrezca el original y la traducción de estas páginas a dos columnas. Yo personalmente me siento más inclinado a pensar que si Mondragón conocía la *Moria* de algo más que de oídas, lo disimuló bien, hasta tal punto usa constantemente otros elementos, otros ejemplos distintos de los de Erasmo para tratar determinados temas que ya habían sido abordados por su antecesor. El único punto de coincidencia concreta que he observado es la historia del argivo loco por el teatro; pero esta anécdota pertenece a Horacio,[22] en quien pudieron inspirarse nuestros dos autores. No vemos, pues, a qué contenido real corresponde la ingeniosa fórmula de Vilanova, quien, invirtiendo mi noción de «erasmismo sin Erasmo» en la España de la época de Felipe II, quisiera convertir la *Censura de la locura* de Mondragón en un espécimen español de «Erasmo sin erasmiano».[23] Semejante fórmula sólo tendría un sentido pleno en caso de tratarse de una verdadera adaptación de la *Moria* que él hubiese expurgado de sus audacias, sobre todo respecto a los monjes y teólogos.[24] Pero en vano buscaríamos semejante adaptación en la *Censura*. Por otra parte, la influencia de Mondragón sobre Cervantes que Vilanova cree advertir se reduce a un posible eco de una sola historieta que cuenta Sancho acerca de la vanidad de las preeminencias en la cabecera de la mesa. Pero el aire folklórico de esta anécdota también hace pensar que los dos autores la han tomado de una misma tradición oral.[25]

Bibliófilas, Barcelona, 1953, p. 25. La única alusión de Mondragón a la *Moria* consiste en recordar al comienzo (parte I, cap. I) que la tesis sostenida en su parte segunda (más vale ser loco que cuerdo) será facilitada «por aver sido ia en tiempos passados alabada la locura, con larga vena i caudaloso corriente de facundia». Mondragón sólo nombra a Erasmo una vez (p. 58) a propósito de un caso de soberbia demencial de «Hannion cartaginés» que según él Erasmo atribuye a «un tal Plafón». Esta historia, de la que ni Vilanova ni yo encontramos la menor referencia en Erasmo, no figura en la *Moria*.

22. *Epist.*, II, 128-140. Vilanova cita la fuente *in fine*, p. 60, n. 30 de su opúsculo de 1949. Erasmo (*Moria*, XXXVIII) mencionaba su fuente como lo hace Mondragón (p. 184), cuya alusión a este griego es más rápida.
23. Mondragón, ed. cit., prólogo, pp. 15 ss.
24. Caso de *Las Saggia Pazzia* de Spelta, mencionada más arriba, n. 20.
25. *Quijote*, II, XXXI. Cf. Mondragón, ed. cit., p. 120.

No, el libro de Mondragón no puede ser el puente que una la *Moria* con el *Quijote*, ni siquiera servir de prueba de que la obra maestra de Erasmo podía estar aún en las manos de ciertos españoles a fines del siglo XVI, a despecho de todas las prohibiciones. Pero, ¿necesitamos acaso una prueba de este tipo para creer en la probabilidad de un hecho semejante? Por mi parte hace ya tiempo que he abandonado la ingenua suposición de que el Índice de libros prohibidos, sobre todo en España, hiciera desaparecer para siempre ciertas obras de la biblioteca de los hombres cultos. Los ejemplares salvados de estas obras demuestran lo contrario. Me parece verosímil que la *Moria* fuese leída por hombres como Cervantes y Lope de Vega. La biblioteca del conde de Gondomar, su contemporáneo, poseía las obras completas de Erasmo.[26] Gondomar había sido embajador en Inglaterra. ¿Quién sabe lo que poseería de Erasmo en su biblioteca el duque de Sessa, hijo de un embajador de España en la Santa Sede, que había respirado en Italia un ambiente menos timorato que el del Madrid de Felipe III? Este joven grande de España es el destinatario de la carta en la que Lope de Vega alude con simpatía a la ironía antimonástica de Erasmo, «que pintó la necedad con una capilla».[27]

Pero, una vez más, evitemos querer demostrar demasiadas cosas. Bástenos constatar el profundo parentesco entre la regocijante y variada historia de Don Quijote y de Sancho y el elogio erasmiano de la regocijante y multiforme cordura que cohabita con la locura en algunos *stulti, insani* o *moriones*. No pidamos a la locura cervantina que se parezca mucho más a la *Moria* según Erasmo que a la locura shakespeariana. También es un problema insoluble saber lo que Shakespeare había leído de Erasmo. El novelista español, como el dramaturgo inglés, sigue un camino que había abierto el autor de la *Moria*. No dudemos en situar a

26. Véase mi contribución al homenaje a Werner Krauss, *Beiträge zur französischen Aufklärung und zur spanischen Literatur*, Akademie-Verlag, Berlín, 1971: «Livres prohibés dans la bibliothèque du Comte de Gondomar».
27. M. Bataillon, *Erasmo y España*, México, 1966, p. 773, n. 16.

Cervantes en la estela de Erasmo, con Rabelais y Shakespeare, entre los «loadores de la Locura» [28] que inauguran en la literatura moderna un tono nuevo.

28. Tomo la fórmula del título del libro de Walter Kaiser, *Praisers of Folly: Erasmus, Rabelais, Shakespeare*, Cambridge, Mass., 1963.

14. EL ERASMISMO DE CERVANTES EN EL PENSAMIENTO DE AMÉRICO CASTRO *

En 1969 se cumplen el quinto centenario del nacimiento de Erasmo y el cincuentenario de mi amistad con Américo Castro: feliz coyuntura para escoger el erasmismo como tema de mi colaboración a una valoración colectiva de la obra de mi viejo amigo.

Fue él quien me comunicó el afán de buscar huellas de Erasmo en la literatura española más allá de la época en que, vivo todavía el pensador de Rotterdam, se dio la irrupción de sus obras en España a pesar de poderosas resistencias; más allá también del empobrecido concepto de erasmismo puramente estético (sin sombra de disconformidad religiosa) que Menéndez y Pelayo definió un tiempo como único residuo asimilable de Erasmo para castizos genios españoles como Cervantes. La renovación del problema del erasmismo español, especialmente cervantino, ha sido preocupación constante de Américo Castro desde su obra básica sobre *El pensamiento de Cervantes* (1925)[1] hasta *Cervan-*

* En Aranguren, Bataillon, Gilman, Laín, Lapesa y otros, *Estudios sobre la obra de Américo Castro*, Taurus, Madrid, 1971, pp. 191-207.

1. *El pensamiento de Cervantes* (anejo VI de la *Revista de Filología Española* [RFE]), Madrid, 1925 [citado *Pensamiento*]. Los ulteriores trabajos de A. Castro utilizados aquí son «Erasmo en tiempo de Cervantes», *RFE*, XVIII (1931), pp. 329-389 [citado *RFE*, XVIII] (este artículo, como los dos siguientes, han sido reimpresos textualmente en la colectánea de trabajos del autor: *Semblanzas y estudios españoles*, Princeton, 1956 [citado *SEE*]; y con algunas modificaciones en *Hacia Cervantes*, Taurus, Madrid, colectánea a cuya «tercera edición considerablemente renovada» de 1967 remitimos [cita-

tes y los casticismos españoles (1966) y la edición renovada de
Hacia Cervantes (1967), y el autor cambió bastante de proble-
mática literaria en el espacio de un cuarto de siglo para que sus
enfoques sucesivos del tal problema caractericen etapas de su
itinerario intelectual, al par que nos obligan a poner en cuestión
el mismo sentido que pueda tener la influencia de un escritor
como Erasmo en otro tan distinto como Cervantes.

Nos admira retrospectivamente la seguridad con que Castro,
desde el principio de su investigación cervantina, tomó en cuenta
el pensamiento de Erasmo con su máxima virulencia crítica, no
vacilando en alegar, además de obras bastante difundidas en traducciones castellanas (*Enchiridion,* selección de *Coloquios, Silenos de Alcibíades,* etc...), el propio *Elogio de la Locura,* del cual
no se ha descubierto ninguna traducción, y planteó la cuestión de
saber si Cervantes pudo leer la tan combatida *Moria.*[2] Se inclinó
a contestar positivamente, mientras yo propendía, con excesiva
timidez, a prescindir del *Elogio de la Locura* como fuente típica
del erasmismo español, y a suponer que el erasmismo que pudieron asimilar todavía algunos ingenios de la España filipina era
sobre todo indirecto, de segunda mano, a consecuencia de las
severas prohibiciones de los Índices de 1559 y 1583. No le convenía
a Castro mi fórmula somera de «l'Espagne de Philippe II où nul
ne lisait plus Erasme». Hace tiempo que empecé a rectificarla,
y en años recientes, al par que Castro tenía a bien suprimir (*HC*[3],
p. 222) de su memorable artículo («Erasmo en tiempos de Cervantes», *RFE,* XVIII, 1931, pp. 329-330; *SEE,* pp. 145-146) el
pasaje en que manifestaba nuestra discrepancia, yo me convencía
más y más de que siguieron leyéndose obras prohibidas en la
España post-tridentina, y siguió siendo viva, aunque discontinua

---

do *HC*[3]]. — «Los prólogos al Quijote», *Revista de Filología Hispánica,* III
(1941), pp. 313-338 [citado *RFH,* III] (reimpr. en *SEE* y *HC*[3]. — «La
estructura del *Quijote», Realidad,* Buenos Aires, II (1947), p. 145-170 [ci-
tado «Estructura»], (reimpr. en *SEE,* pp. 221-242, y en *HC*[3], pp. 302-358,
texto muy renovado y ampliado). — *Cervantes y los casticismos españoles,*
Alfaguara, Madrid-Barcelona, 1966 [citado *CCE*].

2. *Pensamiento,* p. 86; *HC*[3], pp. 256 y 334.

y subterránea, la afición a leer la *Moria* en algunos focos españoles de cultura humanística.[3]

Para el Castro de 1925, lector de J. B. Pineau (*Erasme. Sa pensée religieuse*), Erasmo representa, en convergencia con Telesio y otras posibles inspiraciones venidas de Italia, y también con la corriente neoestoica, un alimento crítico, racionalista y naturalista del pensamiento de Cervantes. Pero no puede dejar de ver que Erasmo y erasmismo significan reforma de la piedad cristiana. Es Castro el primer cervantista que no se contenta con identificar la *Luz del alma,* cuyo título inspira cuerdas consideraciones a Don Quijote, en su visita a una imprenta de Barcelona, con la obra homónima del dominico fray Felipe de Meneses, sino que tiene la curiosidad de leer este libro, y descubre en él un manual de piedad reformada, consonante con las críticas erasmianas de la ignorancia y de la ceguedad del pueblo cristiano (*RFE,* XVIII, pp. 345-358; *SEE,* pp. 157-172; *HC*[3], pp. 236-251). Y la *Luz del alma* no fue oscurecida por prohibiciones. Otro descubrimiento de Castro es el de la mal disimulada afición a Erasmo del maestro madrileño de humanidades Juan López de Hoyos, quien, en 1569, trataba a Miguel de Cervantes de «amado y caro discípulo» suyo. Hoyos cita una comparación erasmiana entre los adulteradores del vino, corruptores de los cuerpos, y los malos educadores, corruptores de «los ánimos tiernos de sus discípulos», y remite al *Antibarbarorum liber,* obra no prohibida de Erasmo. ¿Cita insignificante de un libro anodino? Pero los *Antibarbari,* obra hasta hace poco desatendida, resultan ser algo más que una invectiva contra los ignorantes adversarios del humanismo, ya que buscan en ella los actuales estudiosos de la filosofía cristiana de Erasmo una expresión temprana de su teología y un paso en el camino que lleva al *Enchiridion.*[4] Pero lo que

3. Por arrepentirme de haberme ocupado muy poco de la *Moria* en mi *Erasmo y España,* he dedicado al tema de su influencia en la época de Carlos V y Felipe II una conferencia en el Congreso sobre Erasmo celebrado en Rotterdam (octubre de 1969). [Véase el cap. 13 de este volumen.]

4. Véase en particular Ernst Wilhelm Kohls, *Die Theologie des Erasmus,* Basilea, 1966, I, cap. II, «Die "Antibarbari"». Esta obra puede leerse ya en el tomo I de la edición internacional, crítica y anotada, de *Opera omnia Des. Erasmi Roterodami,* North-Holland Publishing Company, Amsterdam, 1969 (pp. 1-138, *Antibarbarorum liber,* ed. Kazimierz Kumaniecki).

reveló Castro en 1929 (*RFE*, XVIII, pp. 333-343; *SEE*, pp. 148-156; *HC*³, pp. 225-235) es que la comparación recordada por López de Hoyos con referencia a los *Antibarbari* no figura en este libro, pero sí en la *Exomologesis*, tratado erasmiano sobre la confesión, mucho más sospechoso de herejía y terminantemente prohibido. Con o sin conciencia de ello, callaba el humanista madrileño el título de una obra vedada de la cual conservaba retazos en la memoria o en cuadernos de apuntes, y quién sabe si un ejemplar en un rincón de su biblioteca... Es lástima que se hiciese someramente en 1583 —por los forros sin duda— el inventario de los 460 volúmenes que formaban parte de su testamentaría,[5] pues en la lista aparece cuatro veces (no dos, como dice Astrana Marín) la mención «otro yntitulado herasmo», y aparte de ellas «otro yntitulado enquiridion» que, por aparecer aislada hacia el final del inventario, no se puede afirmar que corresponde a un ejemplar del *Enchiridion* de Erasmo. Pero es hipótesis plausible, aunque otros manuales del siglo XVI se titularon «enchiridion».

Recuerdo aquí descubrimientos factuales, nada anecdóticos o aberrantes, de Castro explorador de la oculta permanencia de «Erasmo en tiempos de Cervantes», para hacer constar la parte

5. Fue Luis Astrana Marín (*Vida ejemplar y heroica de Miguel de Cervantes Saavedra,* III, Reus, Madrid, 1951, pp. 264-266) quien dio a conocer la existencia de este inventario en el Archivo de Protocolos de Madrid (Francisco de Quintana, n.° 994, fols. 961-987). Debo a la amistad de Jean Vilar el haber consultado para mí el original por ver si acaso la mención «otro yntitulado enquiridion» figuraba a renglón seguido de otra con el nombre de Erasmo. Pero no es así. Figura (fol. 985r) muy lejos de las cuatro menciones aisladas de «otro yntitulado herasmo» (fols. 978v, 892v dos veces y 983v). Si el *Enchiridion militis christiani* de Erasmo es el *Enchiridion* más glorioso del siglo XVI, no faltan en inventarios de bibliotecas otros títulos que empiezan por la misma palabra. En una sola página de J. Ignacio Tellechea, «La biblioteca del Arzobispo Carranza», *Hispania Sacra,* XVI (1963), p. 494, figuran tres: el conocido *Enchiridion psalmorum,* el *Enchiridion* [locorum communium adversus Lutheranos], *Echii* [Johannes vons Eck] y el *Enchiridion temporum*. Otro prelado poseía los dos primeros, y además el *Enchiridion* de Erasmo y el *Enchiridion militiae christianae* de Lanspergio (Juan Martínez Ruiz, «D. Pedro Guerrero, Arzob. de Granada. Dos Cartas desde Trento y Catálogo de la biblioteca», *Arch. Teol. Gran.,* XXXI (1968), pp. 243, 245, 250, 263, 275). Comenté en *Erasme et l'Espagne,* p. 581, el *Enchiridion o manual de doctrina cristiana* de fray Diego Ximénez.

decisiva que le cupo en el progreso de la erudición histórica sobre el erasmismo español, y en la revisión del concepto inadecuado que formó Menéndez y Pelayo de este fenómeno cultural y de su alcance, al reconocer y admirar en Cervantes la persistencia de huellas puramente estéticas del humanismo erasmista y lucianesco. Sin embargo, interesa más aún, en 1969, ver cómo Castro, en el decorrer de un cuarto de siglo (1941-1967), enfocó dicho fenómeno desde nuevos puntos de vista a consecuencia de su radical reconsideración de la historia cultural de España como fruto de la coexistencia medieval de tres «castas» sociorreligiosas: cristianos, moros y judíos.[6] Ya en «Los prólogos al Quijote» (1942) le preocupaba ver cómo Cervantes, partiendo de la «ironía metódica» practicada por Erasmo en el *Elogio de la Locura*, y orientado, por consiguiente, en la dirección que conducía «a la farsa, a la comedia, y a la narración picaresca, géneros fundados en la desestima del ser íntimo..., puede apartarse de aquel camino, porque cree en ese ser íntimo y lo valora» (*RFH*, III, p. 332; *SEE*, pp. 212-213). Y al advertir que el *Quijote* «no es un muestrario de estilos, ni siquiera un repertorio de temas, ni pretende depurar el gusto de los contemporáneos en cuanto a la lectura de los libros de caballerías, ni hacer mejor el género humano», indicaba a la vez la necesidad de acudir a las mismas palabras del autor para recoger lo que en ellas haya de «*significante de una intención* poética», y la dificultad de la empresa, pues esta intención, «a su vez, siempre será más difícil de intuir que de explicar» (*RFH*, III, pp. 319-320; *SEE*, p. 197). Castro iba fortaleciendo su convicción añeja de que «en el *Quijote* las figuras esenciales tienen conciencia de poseer una vida plena» (y no tardaría en comentar: «o sea, total conciencia de su ensamblada estructura») (*RFH*, III, p. 320; *HC*[3], pp. 273 y 482). A esta «estructura del *Quijote*» dedicó en 1947 uno de sus más sugestivos estudios, que, enormemente ampliado en 1967, es texto

6. Me refiero al título primitivo de la gran obra de Castro *España en su historia. Cristianos, moros y judíos*, Losada, Buenos Aires, 1948, después renovada dos veces con el título de *La realidad histórica de España*, Porrúa, México, 1954 y 1962.

básico, con *Cervantes y los casticismos españoles* (1966), para entender la nueva fecundidad que el erasmismo cervantino ha venido adquiriendo a los ojos de nuestro autor.

Era natural que, al descubrir la «realidad histórica de España», incluso la de la Edad de Oro, como herencia de conflictos nacidos de la coexistencia medieval de «las tres religiones», relegara a segundo término los datos de una «Kulturgeschichte» entendida como «historia de ideas» (*HC*³, p. 326), ideas sueltas, viajeras en libros a través de las fronteras de las naciones occidentales del siglo XVI. También, y más radicalmente, para discernir la originalidad del nuevo modo cervantino de novelar, Castro juzgaba conveniente olvidar, de momento por lo menos, todas las calificaciones en *-ismo* o *-ista* aplicadas ya al creador, ya a sus personajes, pues esto era «confusión entre las creaciones del arte y las del pensamiento», era «contemplar la literatura desde fuera de ella» («Estructura», p. 161; *SEE*, p. 325). Saldría del propósito de las presentes páginas si analizara en detalle la concepción que elabora Castro de los personajes cervantinos como vidas personalizadas y conscientes de serlo, y también como personas «incitadas», lanzadas por una incitación a salir de sus casillas consuetudinarias (característica no sólo de Don Quijote y del quijotizado Sancho, sino de Dorotea, del mismo cura Pero Pérez en cuanto se lanza a imaginar libros de caballerías de nuevo cuño, *CCE*, p. 136). Para Castro, el que los libros —«la palabra escrita»—[7] fueran fuente de incitación (inicial y máxima) en el funcionamiento del *Quijote* como estructura de vidas en mutua reacción, suponía una convergencia de «ideas de abolengo oriental con la modernidad de los tiempos renacentistas». Por algo se había dado el fenómeno en España y en el siglo XVI. Es decir, que, sin pretender por ningún *Zeitgeist* o *Volksgeit* la genial no-

---

7. Américo Castro, «La palabra escrita y el Quijote», artículo (que es como continuación de «La estructura del Quijote») publicado en *Asomante*, III, n.° 3 (1947), pp. 7-31 (reimpr. en *SEE*, pp. 243-270, y con muchas adiciones, en *HC*³, pp. 359-408). Sin conocer los estudios de Castro, enfocó el problema de la gran novedad cervantina con una intuición análoga a la suya Marthe Robert en *L'ancien et le nouveau. De Don Quichotte à Franz Kafka*, Grasset, París, 1963.

vedad de Cervantes, Castro no quería prescindir de «la relación del autor con la obra» o de la obra «con circunstancias españolas e individualizadas» especialmente en el autor (HC³, p. 332). Tomo estas expresiones de páginas recientes que nos revelan la nueva idea que Castro ha venido a formarse del erasmismo como raíz de la obra cervantina, especialmente del *Quijote*. No se trata ya de ideología. Aunque sea imposible comprender las obras plenamente dentro de la asepsia formal de una crítica llamada «intrínseca», impermeable a la historia, tampoco resultan las creaciones literarias de tendencias ideológicas, o de situaciones sociales. Pero la historia de ideas y la de sociedades no dejan de determinar ámbitos de posibilidad y de inteligibilidad de las obras.

Castro ha llegado últimamente a formular la situación de las creaciones más originales de la literatura española en la «edad conflictiva» (que coincide con la edad de oro), como polarizada entre dos «casticismos», uno a tono con los prejuicios de la casta mayoritaria, o si se quiere, del «vulgo» de los «cristianos viejos» (esta es la orientación de la *comedia* plasmada por Lope de Vega); otro expresivo del malestar que experimenta la minoría culta de los cristianos nuevos descendientes de judíos conversos. Así es como, sin dar al término, desde luego, un rigor de limpieza de sangre cuantitativamente definida (como en los estatutos), se atreve a decir, para provocar la reflexión, que el «especial casticismo» representado por Cervantes es el de la casta minoritaria de los «cristianos nuevos». «Hasta qué punto y en qué grado Cervantes fuese un cristiano nuevo, interesa menos que el hecho evidente de haberse sentido mal encajado en una sociedad en la cual el linaje puro, sin mezcla judaica o moruna, determinaba la condición y valía de la persona. La posición de Cervantes frente a aquella sociedad afectó indirectamente a la concepción y estructura literaria del Quijote» (HC³, p. 337), siendo esta estructura irreductible a categorías abstractas y genéricas. Para Castro, el mismo personaje de Don Quijote, que toma como «duelos y quebrantos» los huevos con torreznos del sábado, y no presume nunca de limpieza de sangre, es otro hijo espiritual de la «casta minoritaria» de los cristianos nuevos, mientras Sancho representa la fe gregaria de los rústicos, ufanos de comer tocino, que expresan su seguridad de ser cristianos nuevos por los cuatro costados, diciendo que tienen «cuatro dedos de enjundia de cristiano viejo rancioso» (*CCE*, p. 124). Dentro de este sistema de los casticismos españoles, el erasmismo de Cervantes y de su creación más famosa no consiste ya principalmente en expresar una reprobación más o menos explícita de prejuicios o supersticiones alimentarias como las que Erasmo criticó (recuérdese la *Ichthyophagia*), sino en una filiación directa entre las creaciones de personajes autónomos creadores de sí mismos y que saben quiénes son, y una forma de espiritualidad típica de cristianos nuevos, ya vislumbrada antes de Erasmo por los conversos españoles del siglo xv (*CCE*, p. 108), pero que desde 1525 halló su alimento en la religión interior erasmiana, especialmente en el sentimiento de pertenecer al cristianismo no por integración en una sociedad gregaria unida en el odio al judío, sino por incorporación al cuerpo místico cuya cabeza es Cristo. Si el Evangelio y las epístolas paulinas fundamentaban «constitucionalmente» la causa de los cristianos nuevos, las obras de Erasmo, su intensa y combativa espiritualidad cristiana, ofrecían argumentos doctrinales y teológicos a las víctimas de los irreconciliables casticismos. En otra dirección la mística de santa Teresa y de san Juan de la Cruz (o en un plano inferior los «alumbrados») buscaba refugio y razón de existir *humanamente* en Dios, dejando a un lado los usos del vulgo y, a veces, los razonamientos de los teólogos («un no sé qué, que quedan balbuciendo»). Muy varios fueron los modos de escapar a «la opinión» angustiante, tan enérgicamente denunciada por fray Luis de León (*HC*³, p. 329). Con notable insistencia, en páginas recientes, habla Castro del *Quijote* como de una «mística secularizada» o «forma secularizada de espiritualidad religiosa» (*CCE*, pp. 110-112, 126, 153). En otros términos, es empresa profana de creación de personas tan profundamente conscientes de su relación íntima con Dios y con sus hermanos como lo fueron los místicos que siguieron la vía de una piedad interior más o menos afín a la predicada por Erasmo. Desde luego, tampoco hay que tomar a la letra esta sugestión de una como metamorfosis literaria de la energía espiritual represada en la «casta minoritaria» de los cristianos nuevos; [8] aún más erróneo sería pensar que Cervantes fuese *determinado* por su pertenencia a dicha casta a emprender esta creación *libérrima* y sin precedentes (*HC³*, p. 323). La «intención» del poeta o creador —recordémoslo— «siempre será más fácil de intuir que de explicar». Castro insiste en que acude al «especial casticismo» de Cervantes (que sólo puede «horrorizar» a los incapaces de distinguir entre cristiandad nueva y judaísmo) como a un «reactivo» (*CCE*, p. 132) o un «dispositivo» (*CCE*, p. 161) útil para hacer ver mejor aspectos desatendidos o falseados de la época en que Cervantes escribe el *Quijote* y hacer entender mejor la obra como expresión de esa época.

Tiene mucha razón Américo Castro en disociar la genial novedad del arte de novelar inventado por Cervantes y las tendencias morales y religiosas que para un lector culto de hoy puedan destacarse como aparente «lección» del *Quijote*. Por haber juzgado crucial esta disociación se fijó repetidas veces en el caso del Caballero del Verde Gabán, ya en «La estructura del *Quijote*» («Estructura», pp. 150, 159; *SEE,* pp. 226, 233; *HC³*, pp. 308, 317), y mucho más detenidamente unos veinte años después en *Cervantes y los casticismos españoles* (*CCE*, pp. 138-142, 147-161). Mucho me interesa puntualizar mi coincidencia y mi divergencia con Castro sobre el particular, pues soy yo, no Paul Hazard (*CCE*, p. 156, n. 76), quien había escrito que en el Caballero del Verde Gabán, más que en ningún otro personaje del *Quijote*, «parece que el autor quiso encarnar su ideal moral y religioso» (ideal erasmiano a mi ver). Es conmovedor para mí descubrir que alguna «cerebración inconsciente» en mi viejo amigo le hizo equivocar la referencia por no imputarme a mí algo que «no le parece exacto» a él. Confieso que sólo introducida con «*parece que*» es tolerable mi indicación de 1937, y añado hoy que contra

---

8. Ya en «Los prólogos al Quijote» (*RFH*, III, p. 322; *SEE*, p. 200), Castro, en busca de equivalencias que permitiesen unir íntimamente las creaciones originales de la cultura española del siglo XVI, insistía en «la erótica pastoril», tipo de relato donde, «por primera vez, se muestra el personaje literario como expresión de un *dentro de sí*». Y sugería que «lo pastoril es una hijuela laica de la mística religiosa, y opera con el amor humano como santa Teresa con el divino».

tales apariencias debe precaverse el lector de Cervantes deseoso de entender el Caballero del Verde Gabán como miembro vivo de la humanidad quijotesca, la cual no se formó para encarnar ideales. Castro señaló con gran agudeza los rasgos del caballero labrador que hacen de él una figura antitética de la del «ingenioso hidalgo» de la Mancha, y también de otros personajes «incitados» (aunque no veo tan clara la afinidad entre él y el Eclesiástico de casa de los Duques, ni la desestima de Cervantes por el primero como por el segundo). Notó ingeniosamente que de haberse quedado cautivo durante meses de la hospitalidad de la mansión de Don Diego «ancha como de aldea» (casa y figura tan del agrado de Azorín) «Don Quijote se habría transmutado en una figura azorinesca, se nos habría disuelto» (*CCE*, p. 153). Recordó —no sin advertir que «la Primera parte [del *Quijote*] es, respecto de la Segunda, lo que los libros de caballerías fueron para la Primera»— que «no había aún llegado a su noticia [de Don Diego] la primera parte» de la historia de Don Quijote (II, 17), cosa natural «puesto que los libros de caballerías, dice él, aún no han entrado por los umbrales de mis puertas» (II, 16). Siendo tan claro el temple «antiquijotesco» o «aquijotesco» de Don Diego de Miranda, de lo que dudo es de que este carácter baste para hacerle indigno de la simpatía humana de Don Quijote y de su creador, o incapaz de humana comprensión por el hidalgo, de quien, andando con pies de plomo, a pesar de que le ha «visto hacer cosas del mayor loco del mundo», opina con toda moderación: «*Antes* le tengo por loco que cuerdo». Veo más matizadas que Castro las relaciones mutuas de Don Quijote con Don Diego y con su hijo Lorenzo, el poeta. Tampoco me parece que pueden considerarse como representantes de dos mundos antagónicos Don Lorenzo y su padre, porque éste se duele de ver al hijo embelesado por la poesía y refractario al estudio de las leyes. ¿No nos engaña la metáfora de las dos «vertientes» (una prosaica, otra poética) por las que se despeñan aguas como destinadas a no juntarse jamás, cuando la aplicamos a personajes de este episodio, que evoca más bien un clima espiritual del tipo que Thibaudet llamaba de «coteaux modérés»? Tan templado y modesto es Don Lorenzo en afirmarse poeta como prudente es su padre en opinar sobre cordura y locura, y dispuesto a dejar al hijo poeta la ardua sentencia.

¿No echaremos a perder la esclarecedora polaridad de las dos «castas» si convertimos en esencias o en modelos típicos los «especiales casticismos» de Don Quijote y Sancho, y, por comportarse diversamente Don Diego y Don Quijote ante la jaula abierta de los leones de Su Majestad, hacemos de Don Diego de Miranda un pariente espiritual de Sancho Panza? Castro ha señalado como nadie la complejidad y la fecundidad imprevisible del personaje de Sancho. Éste, por ufano que sea de su «cristiandad vieja», es capaz de olvidarla y ser *cristiano* a secas. Cita Castro (*CCE*, p. 112) lo de «bástame tener el Christus en la memoria para ser buen gobernador», y añade: «ya no dice *ser yo cristiano viejo*». Teniendo presentes estos dos niveles del personaje, cabe sentir muy distintas resonancias en el gracioso arrebato de devoción que lanza a Sancho a besar el pie de Don Diego proclamando: «me parece vuesa merced el primer santo a la jineta que he visto en todos los días de mi vida». Esto ocurre después de resumir el Caballero del Verde Gabán su género de vida en unos términos que podrían convenir al edificante Eusebio del *Convivium religiosum* de Erasmo. Personalmente, no siento el arrebato de Sancho como algo revelador de afinidades sanchopancescas de Don Diego, sino más bien como destello de la capacidad que tiene Sancho cristiano para «salir de sus casillas» y acatar en la conducta de un distinguido epicúreo cristiano [9] un género de santidad laica, seglar, muy distinto del modelo corriente de santos canonizados y venerados por su «casta» (pienso en los «frailecitos descalzos» recordados por Sancho en un episodio anterior (II, 8), que ganan el cielo ascéticamente disciplinándose). Lo de «santo a la gineta» me suena, en efecto, como santo seglar, «de capa y espada». El inventor de tan gra-

9. Baste recordar la atención que hoy merece este tipo de espiritualidad, especialmente en el colloquio *Epicureus* de Erasmo (Marie Delcourt y Marcelle Derwa, «Trois aspects humanistes de l'épicurisme chrétien», *Colloquium Erasmianum*, Mons, 1968, pp. 119-133, y Wolfgang Bernard Fleischmann, «Christ and Epicurus», *Comparations at Work*. Studies in Comparative Literature, Blaisdell Publishing Company, Waltham, Mass., 1968, pp. 235-246.

ciosa frase, ¿no es el mismo Sancho cristiano del diálogo oportunamente citado por Castro (II, 20 in fine; cf. *HC⁹*, p. 349)? «Dígote, Sancho, que si como tienes buen natural tuvieras discreción, pudieras tomar un púlpito en la mano y irte por el mundo predicando lindezas. —Bien predica quien bien vive, respondió Sancho, y yo no sé otras *tologías*.[10] —Ni las has menester, dijo Don Quijote; pero yo no acabo de entender cómo siendo el principio de la sabiduría el temor de Dios, tú, que temes más a un lagarto que a Él, sabes tanto.» La irónica familiaridad entre los dos héroes logra, para cualquier lector sensible, la «intención» artística de Cervantes al mismo tiempo que plantea (para lectores interesados en cultura religiosa) la cuestión de si el humilde y miedoso labrador es capaz de vislumbres de aquella erasmiana *philosophia Christi* tan cara a la «casta minoritaria». La lógica interna de la creación cervantina suscitará bien pronto otra ocasión en que Sancho, para sus adentros, proclame a su amo «tólogo» (II, 27) después de escuchar el evangélico sermón que dirige a los combatientes del rebuzno para «ponerlos en paz». Es natural que resulte ambigua, o si se prefiere, preñada de diversos sentidos, la intervención de Sancho en el episodio en que «con genial perversidad, colocó Cervantes [a Don Diego de Miranda] frente al Don Quijote de la aventura de los leones, como en un diálogo entre cimas y llanadas sin relieve» (*HC³*, p. 317). Pero confesemos que sería torpe pretender que en aquel jovial acatamiento de Sancho al Caballero del Verde Gabán quiso Cervantes rematar una leccioncita de piedad y moral erasmizantes.

También pecarían contra la amistad y el sentido del humor dos amigos metidos a cervantistas que pelearan acerca de Don Diego, el pacífico (en el sentido activo de «hacedor de paz»).

---

10. No sé cómo, al buscar en Cervantes fórmulas que recuerdan temas erasmianos fundamentales, no me fijé en esta frase lapidaria y no recordé la página de *La Paraclesis* sobre la teología verdadera («aquel es verdadero théologo que enseña cómo se han de menospreciar las riquezas, con buena manera de vivir[...]», «[...]será, en fin, un verdadero théologo, puesto caso que el tal sea cavador o texedor, y el que estas mismas cosas en sus costumbres demostrare, este tal será grande y excelentíssimo doctor». Erasmo, *El Enquiridión... La Paráclesis...*, ed. y prólogo de Dámaso Alonso [anejo XVI de la *RFE*], Madrid, 1932, p. 457).

El imprevisto surgir de este personaje en la novela nos encanta, no por motivos «ideológicos» o espirituales, sino por el sutil juego de disonancias y consonancias que suscita en ella y sus héroes al dar a cada uno nueva ocasión de seguir creándose en actos y diálogos, por lo mismo que «el de lo Verde» puede parecer «cerrado y sin horizonte» en comparación con seres más dinámicos y exaltados. Concluyamos con palabras de Américo Castro (*CCE*, p. 157): «El bien y el mal, junto con los "tipos" que los encarnaban, descendieron de sus nubes abstractamente olímpicas, y crearon criaturas que conversan unas con otras, y con las cuales continuamos hoy conversando». Y porque conversan con nosotros nos ayudan a dialogar unos con otros.

15. ERASMO, AYER Y HOY *

Ya que admiradores y amigos de Dámaso Alonso nos jun-
tamos para hablar de él y de su obra, ¿cómo podría yo no pensar
en los años juveniles en que nos fue dado colaborar en una
empresa de algún empeño? Se trataba, cuatro siglos después de
la sacudida erasmista que agitó a la España de Carlos V, de
reeditar el *Enquiridion o manual del caballero cristiano* en la
versión castellana que tanto ayudó, hacia 1527, a vulgarizar entre
españoles medianamente cultos el pensamiento de Erasmo en
materia de reforma de la piedad cristiana. Que el hacerse monje,
el observar una regla monástica, no significaba forzosamente el
colmo del cristianismo auténtico, era la fórmula del libro que
más escándalo había producido entre los defensores de las devociones tradicionales. Era en efecto el más llamativo corolario de
las reglas en que Erasmo formulaba las exigencias de interiorización de una fe inspirada por las palabras de Cristo.
Pues bien, me tocaba a mí exponer el alcance histórico de la
obra reeditada. Quien repartió la labor a los dos colaboradores
de la nueva edición planeada como anejo de la *Revista de Filología
Española*, fue su común maestro y amigo Américo Castro, que,
pocos años antes, había publicado en la misma colección *El pensamiento de Cervantes.* Muy interesado por el erasmismo español
como aspecto de la vida espiritual del siglo XVI, y muy al tanto
de la marcha de mi trabajo acerca del tema, Castro me encargó

* En *Cuadernos Hispanoamericanos*, n.º 280-282 (octubre-diciembre 1973),
pp. 323-332, volumen de homenaje a Dámaso Alonso.

la redacción de un prólogo algo amplio que situara el *Enquiridion* en dicho movimiento, y lo escribí con cierta alacridad, en los pocos días libres que me dejaba cada semana mi tarea de profesor de español del Liceo de Burdeos, como desquite de la lentitud que esta situación imponía a la redacción de mi tesis doctoral. Era la primera ocasión que se me presentaba de esbozar con exactitud mi visión de conjunto del fenómeno histórico del erasmismo español. A Dámaso Alonso le había sido asignada la parte más importante, minuciosa y engorrosa de la empresa: la edición propiamente dicha, con anotación crítica que diese a conocer las variantes en sucesivas ediciones, las libertades más o menos acentuadas de la versión del Arcediano del Alcor respecto del original latino de Erasmo, la descripción bibliográfica completísima de todas las ediciones entonces conocidas de la traducción castellana. Además, con muy buen acuerdo, llegó a proyectarse la inclusión en el mismo volumen de la versión de La *Paraclesis o exhortación al estudio de las letras divinas,* famoso alegato erasmiano en pro de la difusión de la Sagrada Escritura en cualquier lengua vulgar, otra opinión muy discutida de Erasmo. La *Paraclesis* en español circuló unida a varias ediciones del *Enquiridion,* y admitía Dámaso Alonso la posibilidad de que las dos traducciones fuesen del mismo traductor (hipótesis que se ha hecho más verosímil en años recientes cuando Eugenio Asensio descubrió una edición conjunta de las dos obras en castellano, publicada por Miguel de Eguía en fecha tan temprana como 1529). Labor imponente la de Dámaso Alonso, que cargó también con la tarea de prologar la *Paraclesis* poniendo de relieve la significación del opúsculo dentro de la obra de Erasmo, las polémicas a que dio lugar en España y las características de la versión española. ¿Cuántos especialistas hasta la fecha (y al que escribe se dirige también la pregunta) han sacado todo el jugo a las valiosas anotaciones y advertencias de Alonso sobre textos erasmianos tan famosos?

Recordar la ingente labor del editor filólogo era conveniente para explicar cómo tardó unos seis años la publicación, y hubo tiempo para una curiosa peripecia que, fuera de su interés anecdótico, es reveladora del camino que quedaba por recorrer al sentimiento católico frente a la «reforma» erasmiana en el segundo tercio del siglo XX. En el presente año de 1973 en que se planea una edición de *Obras completas* de Américo Castro, sin excluir el epistolario, vale la pena dar a conocer la siguiente carta de mi difunto amigo, que por fortuna conservé. Ilustra el estado de ánimo en que vivieron la época de la dictadura de Primo de Rivera instituciones como el Centro de Estudios Históricos y la Junta para Ampliación de Estudios.

Madrid, 20 de abril de 1928

Querido Bataillon: Al ir a dar a la imprenta su prólogo de Erasmo, Alonso siente un pequeño escrúpulo. Usted conoce la situación en que vivimos, combatidos, calumniados, en suma, en una situación algo parecida a la que se encontraban los amigos de Erasmo hace cuatrocientos años. Usted comprenderá el disgusto particular que me produce el tener que hablar de estas cosas. En su prólogo (para mi gusto, tan excelente que nada que corregir he observado en él) usted se expresa con el mismo desenfado que lo haría yo o cualquiera que no escribiese en un Centro que es dependencia de un Gobierno de Dictadura y de clericalismo: de un Gobierno que ha castigado a un catedrático por hablar en público de la limitación de la natalidad.

El caso es éste: si publicamos el prólogo tal como está, los periódicos clericales y amigos del Gobierno dirán en seguida que esta Casa es, en efecto, sectaria e irreligiosa, donde se hace toda clase de propaganda nociva. Usted sabe que la Junta se halla intervenida por elementos nombrados directamente por el Gobierno. Y dado que es así, no cabe más que tomarlo como es o dejarlo.

Hemos hablado D. Ramón, Alonso y yo y hemos quedado en que todo lo que usted dice podría quedar introduciendo algunos ligeros cambios de estilo a fin de que todo lo que se dice sobre frailes, supersticiones religiosas y demás aparezca como expresión del punto de vista de los erasmianos y no afirmación con valor actual. En este sentido hemos comenzado ya ese trabajo de transposición, que, como le digo, no afectará en nada al contenido. De todas maneras se lo remitiremos a usted en cuanto esté listo para que vea si en esa forma se puede publicar el prólogo.

No necesito decirle cuán fastidioso es para mí el ver que se haya adelantado tan poco a los cuatrocientos años de haberse celebrado la junta de Valladolid; cierto es que los momentos son excepcionales y que en todas partes se están removiendo los posos de las cosas más sucias. Qué le hemos de hacer.

Dé saludos muy afectuosos a su señora y reciba un fuerte abrazo de su amigo.

AMÉRICO CASTRO

Me apresuro a decir que finalmente mi prólogo salió tal como había sido escrito. No llegué siquiera a ver los retoques que se habían pensado. Con la dimisión del dictador en 1930 habían empezado a respirar más libremente los intelectuales españoles. El anejo XX de la *Revista de Filología Española* salió en 1932, bajo la República, aumentado con un apéndice mío sobre «*El Enchiridión* y la *Paráclesis* en México», fechado desde Argel en 1931.

Pero no debo eludir dos cuestiones que me plantea restrospectivamente el escrúpulo experimentado por Dámaso Alonso y el Centro de Estudios Históricos en 1928. La primera es si era imaginario o no el temor de que en aquellos momentos «excepcionales» la publicación de páginas escritas libremente acerca del erasmismo español de 1526-1528 y la lucha que hubo de sostener contra los frailes antierasmistas pudiese ser interpretada como apoyo intencionado a las tendencias oprimidas por un gobierno intolerante. Era evidente para mí que hombres como Menéndez Pidal, Castro y Alonso tenían visión del momento más clara que la mía (y por eso me conformaba de antemano con los retoques de estilo que juzgasen conveniente). Una contraprueba de que tenían fundamento sus temores la encuentro en lo que pasó en otros «momentos excepcionales» a mi libro *Erasme et l'Espagne* cuando en 1939 empezaron a circular en España algunos ejemplares, y sobre todo después de 1950 cuando podía difundirse más en la traducción del mexicano Antonio Alatorre. A no pocos lectores católicos de temple tradicionalista les pareció mi voluminoso libro un ataque indirecto contra la vieja España inquisitorial. La censura gubernativa de Madrid se opuso durante unos cuantos años a que la obra traducida se expusiera en los escaparates de los libreros: éstos sólo podían importar unos ejemplares destinados a determinados compradores que los habían encargado, y cuyos nombres debían ser comunicados al censor de importación. Pasó tiempo antes que la editorial mexicana, con adecuada diplomacia, lograse permiso de abrir sucursal en Madrid, y pudiese en 1966, después de publicada la segunda edición del libro en español, llenar su escaparate de la avenida Menéndez Pelayo con ejemplares de *Erasmo y España*. Pero cuando con el pensamiento retrocedo a la situación de 1938, aún más excepcional que la de 1928, no puedo recorrer sin emoción la primera reseña de mi libro que se publicó en España. Al leer otra vez la cuarentena de páginas que la *Ciencia Tomista* de aquel año le dedicó —el más extenso comentario que entonces mereció dicha obra—, me llena de admiración el carácter positivo y constructivo de las críticas del querido padre Vicente Beltrán de Heredia. Sin embargo, no puedo silenciar en la ocasión presente la suave reconvención que el docto dominico (pp. 569-570) dirigía al autor: «Aunque parecía lógico que se estudiase la doctrina religiosa de Erasmo desde un punto de vista católico, por haber pretendido él permanecer siempre en la Iglesia, sin embargo Bataillon se coloca en una posición netamente erasmiana [...]. Exagerando quizás un poco la nota, podría decirse que para Bataillon la regla de la fe es el pensamiento de Erasmo. Así el libro resulta, tal vez sin pretenderlo Bataillon en forma directa, una apología de Erasmo y del erasmismo, con la consiguiente reprobación implícita o explícita de cuanto se opuso a su libre desenvolvimiento».

Cito esta opinión matizada para justificar el recelo de que mi exposición más breve, al caer en 1928 en manos de críticos españoles menos ecuánimes que el padre Beltrán, pareciera un compendio del erasmismo español escrito por un virulento erasmista francés con siniestras intenciones.

La segunda cuestión que no quiero soslayar es, precisamente, la de si era yo erasmista de verdad, quiero decir subjetivamente. Sabían mis amigos del Centro de la calle Almagro que difícilmente podía serlo, pues, aunque bautizado, vivía al margen de la fe católica. Metido a historiador de una fase decisiva de la transformación religiosa de la cristiandad moderna, no me sentía obligado a ocultar que me satisfacía más, *humanamente*, la libertad de que había gozado Erasmo desde el pontificado de León X hasta el de Paulo III (gozando en España sus discípulos de la protección del inquisidor general) que no la ortodoxia implacable del Índice que, bajo Paulo IV, llegó a prohibir las obras completas del humanista menos de un cuarto de siglo después de su muerte. Al fin y al cabo, ¿no era la misma Iglesia católica cuyo supremo magisterio había aplaudido a Erasmo la que cuarenta años después lo había aniquilado? Era ella, para el historiador profano, objeto de historia, no punto de vista intemporal y trascendente, desde el cual pudiese enfocar y enjuiciar hechos históricos. Desde el siglo XVI ha seguido viviendo la Iglesia católica, y ya se sabe hasta qué punto, últimamente, han modificado papa, Concilio y episcopados su actitud frente a la libertad religiosa. Sus criterios han variado más de diez años a esta parte que en los cuatro siglos anteriores. La reforma interiorizadora de Erasmo, incluso en su lucha contra las devociones supersticiosas, parece, mirada retrospectivamente desde nuestros días, precursora de algunas tendencias de la actual ortodoxia católica posconciliar, tan distinta, para cualquier historiador, de la tridentina.

Pero lo que podía escandalizar en mi esbozo juvenil, ¿no era el estilo, «desenfadado» como decía Castro? Antes de escribir las presentes líneas, he querido comparar lo que dije allí de la *Apologia monasticae religionis* de fray Luis de Carvajal con lo que escribí unos años más tarde en *Erasme et l'Espagne* sobre el mismo asunto. Y realmente la mayor brevedad —y, como dije, alacridad— de la redacción del primer texto resulta en mayor desenfado. Basta citar el comentario de la página 55 al párrafo en que Carvajal nombraba (me cito a mí mismo) «una caterva de dominicos y franciscanos españoles, unos ilustres y otros oscuros, que no podían dejar de agradecerle tan halagüeña publicidad». Esta formulación irónica no pasó a mi libro de 1937. En ella podía transparentarse mi poca consideración, no por los religiosos en general, y menos por los del siglo XX entre los cuales contaba amigos admirados, sino por los *viri obscuri* de la coalición monástica del siglo XVI contra Erasmo, el cual también tenía amigos y admiradores en los monasterios. Curiosamente había creído lícito anteponer a mi prólogo de 1937 unas líneas del filósofo francés Alain, expresivas de mi concepto de la Iglesia en la que se contraponen y rectifican, en proceso inacabable, la interioridad y la exterioridad. Menos mal que, en la cita, no se habían incluido las líneas anteriores en que Alain había escrito: «Bref l'hérésie ne cessera jamais de sauver l'Église». Me gustaba el párrafo, tal vez, porque había dicho algo semejante, a propósito de la «herejía» valdesiana, al final de la advertencia preliminar de mi edición del *Diálogo de doctrina cristiana* de Juan de Valdés. Podía oler aquello a chamusquina para algunos celadores espontáneos de la ortodoxia, aun cuando se tomasen el trabajo de leerme bien.

Ya basta de confesiones. Serían del todo impertinentes si no se encaminaran a destacar lo distinto que era del mío el enfoque de Erasmo que Dámaso Alonso llevaba a la obra común. Menos interesado que yo por la contribución del humanista de Rotterdam a la espiritualidad cristiana de su tiempo, le atraía (¿o acaso repelía?) Erasmo como entidad estilística, pues dos libros suyos traducidos al español le inducían, por las exigencias específicas de su tarea, a frecuentes comparaciones de estilos que yo no hice nunca con la atención y agudeza de mi amigo, ni mucho menos. Y ¿cómo podría el más exacto filólogo hacer estilística, mayormente si es poeta, sin meter en ella su sensibilidad? Dámaso Alonso, en 1927, ya llevaba años de profunda reflexión acerca de la lengua y estilo de Góngora. Pues bien, es sensible la irritación que le produce el amaneramiento humanístico del latín de Erasmo, comparado con el español del Arcediano del Alcor, cuando el autor se esmera en referencias proverbiales (o adagiales) a la mitología e historia de la antigüedad clásica. Gracias a Dios, la traducción del *Enchiridion* (y la de la *Paraclesis*) operan, como dice Alonso, una «despaganización», o mejor dicho, una «deshumanistización» del original (p. 440). Tampoco le gustan a Alonso las «secas y cortadas clausulillas de Erasmo» que el traductor recarga con «muletillas y frases exhortativas y familiares» (p. 442). Invade así las dos obras el «popularismo español»: «Aquí como allí se actualiza y vitaliza en español lo que en el original está visto a través del vidrio (de fría coloración) de la tradición grecolatina». El Arcediano, «con un sentido racial del idioma popular (comprensible en la tierra del Corbacho, de la Celestina y de la casi contemporánea Lozana Andaluza) amplifica y vivifica los breves y grises pasajes de Erasmo, susceptibles de «monologuización» (pp. 488-489). Sequedad, tonalidad fría y gris. ¿No había notado ya el gran Huizinga que el mundo de su compatriota Erasmo parece visto a través de una ventana de una habitación bien cerrada, en parte por resultar cada cosa o impresión «velada» por el latín? Sensación de lectores modernos debida tal vez al propio empeño de Erasmo de tratar en una «lengua muerta» —o viva sólo como herramienta profesional de unas minorías— temas vitales para todos sus contemporáneos. Confirmaba Dámaso Alonso esta sensación magistralmente, al mostrar el mundo de Erasmo transfigurado (en vida suya) por rayos de luz de España.

Me hago cargo, con más viva conciencia y compasión hoy que hace cuarenta años, de que mi amigo aguantó como inmerecido castigo la austera labor y la convivencia prolongada con Erasmo, que había aceptado sin saber bien a qué se comprometía. Se desahogó, más aún que en cortos párrafos de la monumental edición de 1932, en un brillante artículo que salió el mismo año en la *Revista de Occidente*, con el título de «El crepúsculo de Erasmo» y puede leerse hoy en la colección de artículos de Dámaso Alonso *De los siglos oscuros a los de oro*. ¿No era tiempo de «convenir en que los escritos de Erasmo han perdido la capacidad para interesar al espíritu moderno con otro interés que no sea el puramente histórico»? Y (añado yo) ¿no podría decirse lo mismo —quitando pocos poetas que sólo pueden paladear en su lengua original una minoría cada vez más escasa de latinistas— acerca de toda la tradición clásica, patrística, humanística de la latinidad? «Niebla y cansancio» se titula la sección del artículo dedicado a la envoltura latina del pensamiento de Erasmo. «Su lengua se nutre del lugar común, del excremento idiomático de los siglos [...] ¿Sus libros? Vastos montones de podredumbre idiomática [...]. Siempre por la línea del menor esfuerzo, riberas del tópico, el viajero (con la curiosidad ya amortiguada) todo lo puede prever en esa prosa de Erasmo, en la cual hasta el re-

tórico encresparse súbito es una incidencia más de lo prefija-
do [...]. Por eso, cuando un traductor castellano como el Arcediano del Alcor [...] cambia la vulgaridad pluscuamputrefacta
del latín del holandés por la vulgaridad ibérica y de cutio, el resultado es portentoso. Los secos y amojamados tenùones se van recu-
briendo de carne viva, y el cadáver se pone en pie. Cierto que no
se trata sólo de una transmutación idiomática. Porque en el
cambio entra en no poco el espíritu añadido y la carne caliente e
hispánica del traductor.»

Hacía falta citar estos renglones apasionadamente hispánicos
y cruelmente antierasmianos, después de las expresiones más
mesuradas de la edición acerca de los mismos aspectos de la
obra de Erasmo, para hacer revivir el «desenfado» con que Dámaso Alonso, por fin, al escribir sin trabas académicas para el
público culto no especializado, se vengaba del prolongado cansancio que le habían impuesto los textos erasmianos a lo largo
del cotejo minucioso de originales y traducciones. ¿Concedía al
final algún interés, aunque fuese «puramente histórico», al fenómeno del erasmismo español, o sea del entusiasmo provocado
entre españoles de otros tiempos por aquellos latines inaguan-
tables para nuestro cultísimo español de hoy? Dejemos aparte,
como el mismo Alonso, el problema de la valoración del latín de
Erasmo en cuanto latín, aunque mucho de su éxito se debió a la
soltura y eficacia con que expresó en él cosas modernas (a diferencia de los remilgados ciceronianos contra quienes ironizaba).
Gran parte del artículo de la *Revista de Occidente* venía dedicada
a los progresos más recientes de la resurrección histórica de Erasmo, Allen, Renaudet, nuestra edición común recién publicada, los
últimos atisbos de Américo Castro sobre «Erasmo en tiempo de
Cervantes», reveladores de una «perenne vitalidad de la planta»
del erasmismo en España. El propio Dámaso Alonso había de
aportar veinte años después una contribución más a la demostración de esta perennidad, revelando ecos tardíos de la traducción del Arcediano, en sus páginas sobre «Erasmo y fray Luis
de Granada»: figuran a continuación de las anteriormente co-
mentadas en la citada colección de artículos. Esta aportación
—que no dejaba de remitir a «nuestra edición conjunta del En-

quiridion»— era amistoso homenaje a mi *Erasmo* recién traducido al español. El famoso holandés, reactivo que nos reveló uno a otro en las sinceridades divergentes de nuestras maneras de sentir a Erasmo, servía una vez más, y sigue sirviendo hoy en la fidelidad de los recuerdos, para acercarnos y hacernos amigos de verdad. Llamo así a los que se quieren diferentes, hasta cierto punto complementarios.

No hay por qué ocultar que la antipatía al estilo de Erasmo, fruto amargo de una ímproba labor, se hacía en Dámaso Alonso extensiva al hombre Erasmo y al alcance de su papel histórico. Al ratificar el fallo de la posterioridad que prácticamente salvaba de él una sola obra, el *Elogio de la Locura*, concedía al humanista, mirado desde su crepúsculo, alguna «grandeza en su concepción de la religión cristiana, basada en la idea paulina de la libertad y del predominio del espíritu sobre la carne [...]. Hubiera podido llegar a ser un gran heresiarca. Pero el alma de Erasmo carecía de la grandeza dramática de la de un Lutero».

Después de recordar la sutil táctica defensiva-ofensiva del hombre de Basilea, concluía que «no por eso dejaba de ser lo que fue y lo que es en sus obras, un cobarde». De manera menos tajante había escrito en «nuestra» edición al examinar el pasaje de la regla XX del *Enchiridion* en que Erasmo parecía negar la materialidad del fuego infernal, y la defensa de su formulación contra Noel Beda: «Aquí como tantas otras veces Erasmo nos deja ver sus titubeos, su miedo y la poca sinceridad de sus palabras» (p. 378 n.).

Ya se ve qué ironía de la suerte hubiera sido si el Centro de Estudios Históricos hubiese padecido persecución clerical hacia 1930 por reeditar críticamente textos capitales de Erasmo traducidos hace siglos al español, únicamente a consecuencia del tono más o menos desenfadado del prologuista. Permítaseme ahora insistir en mi alusión a la modificación reciente de la actitud católica frente a la reforma erasmiana. Ni Dámaso Alonso ni yo, hace cuarenta años, nos sentíamos solidarios de corrientes modernistas o ecumenistas del catolicismo (profesadas entonces por diminutísimas minorías) que pudiesen reivindicar la piedad del *Enchiridion* como afín a la suya y darle valor actual o futuro.

Con diferente comprensión del hombre Erasmo, de su actuación, de su importancia histórica, en visión binocular, si vale la metáfora, lo considerábamos entre los dos como corifeo de una tendencia que había luchado sin éxito por triunfar dentro de la Iglesia: tendencia condenada por la historia, aplastada entre las ortodoxias de Roma, Wittenberg y Ginebra. Pero hoy ¿qué queda intacto de las exigencias doctrinales, eclesiales, litúrgicas, indumentarias, etc., que hacían esas ortodoxias irreductibles una a otra, y a Erasmo peligroso para todas ellas? Si el cuarto centenario de la muerte de Erasmo, en 1936, fue celebrado con un decoroso florecer de publicaciones, en gran mayoría belgas, holandesas, inglesas, cargando el acento sobre el «humanista» y su pacifismo o evangelismo político, llamará la atención, en el próximo tomo de la *Bibliographie érasmienne* de J. C. Margolin la cosecha de los años 1968-1972, suscitada por el quinto centenario del nacimiento del hombre de Rotterdam, no sólo por la abundancia de publicaciones y la gran diversidad geográfica de sus procedencias, sino también por la profundidad y consideración con que se estudia hoy la teología de Erasmo, ya por protestantes como Kohls, ya por católicos como el padre Chantraine, S. J. Y en cuanto al latín de Erasmo, el obstáculo con que tropieza no es ya el hastío de algunos lectores sino la ignorancia generalizada del latín. Al «velo» transparente de que hablaba Huizinga sucede otro opaco. Mientras se publica para uso de la minoría humanista, cada vez más reducida entre la humanidad occidental culta, una nueva edición crítica internacional de *Opera omnia* de Erasmo en latín, se prepara en Toronto un monumental *Erasmus in English* que hará las mismas obras legibles en la lengua más difundida entre los pueblos de abolengo europeo. Y ¿quién sabe si mañana dirá alguien «voy a leer el *Enchiridion* en inglés para ver en él cosas que me oculta el latín», como Unamuno escribió un día que iba a leer el Quijote en inglés para ver en él cosas que le ocultaba el español? Se multiplican además traducciones a otras lenguas (alemán, francés, italiano, etc.), aunque no tantas como en el siglo XVI. ¿Qué nos importan ya las timideces o cobardías tras las cuales se escudó Erasmo para seguir adelante pensando y escribiendo, ni las precipitadas retiradas de sus pensamientos de vanguardia? Cualquiera que sea el porvenir de las Iglesias cristianas a las que me referí, es fácil ver hoy que el pensamiento de Erasmo influyó más ampliamente que el de Lutero o el mismo de Calvino (tan a menudo mencionado como origen de la mentalidad capitalista) en la evolución intelectual, social y religiosa de las sociedades occidentales modernas. Porque las condenas protestantes de su obra fueron aún más ineficaces que la católica. Véase lo que dice H. R. Trevor Roper en el capítulo final de su libro *Religion, Reformation and Social Change* [1] acerca de la perduración del espíritu erasmiano en el arminianismo y el socinianismo, movimientos religiosos al margen del protestantismo que «remontan, más que a Calvino, a Erasmo y a la Prerreforma, a la época en que la Iglesia católica seguía indivisa», y acerca de las corrientes independientes, erasmizantes, que sobrevivieron a la reacción tridentina en países católicos como la Francia de De Thou y la Venecia de fray Paolo Sarpi, historiador crítico del Concilio de Trento...

¿No es mañana, mejor que hoy, cuando veremos quién fue Erasmo en su vitalidad histórica?

---

1. Sexta edición, 1967; trad. francesa: *De la Réforme aux Lumières,* Gallimard, París, 1972, pp. 269 ss.

ABREVIATURAS

CT	*La Ciencia Tomista*, Salamanca.
CU	*Cultura Universitaria*, Caracas.
CuadAm	*Cuadernos Americanos*, México.
Diog	*Diogène*, París.
ÉdNat	*L'Éducation Nationale,* París.
ES	*Estudios Segovianos*, Segovia.
Ét	*Études*, París.
Eur	*Europe*, París.
FilRom	*Filologia Romanza*, Nápoles.
HAHR	*Hispanic American Historical Review*, Durham.
Hesp	*Hespéris*, París.
Hisp	*Hispania*, Stanford, California.
HJ	*Historisches Jahrbuch*, Munich.
HM	*Historia Mexicana*, México.
HR	*Hispanic Review*, Philadelphia.
HuRe	*Humanisme et Renaissance*, París.
Ibér	*Ibérida*. Revista de Filologia, Río de Janeiro.
IM	*Imago Mundi*, Leyden.
InfHist	*L'Information Historique*, París.
Íns	*Ínsula*, Madrid.
Inst	*O Instituto*, Coimbra.
JSAmP	*Journal de la Société des Américanistes*, París.
Lat	*Latomus*, Bruselas.
Letr	*Letras*, Lima.
Lic	*La Licorne*, Amberes.
LM	*Les Langues Modernes*, París.
LNL	*Les Langues Néo-Latines,* París.
LR	*Les Lettres Romanes*, Lovaina.
LRin	*La Rináscita*, Florencia.
LT	*La Torre*, Puerto Rico.
Lum	*Luminar*, México.
MCV	*Mélanges de la Casa de Velázquez,* París.
MdS	*Mar del Sur*, Lima.
MHS	*Mélanges d'Histoire Sociale*, París.
Mor	*Moreana*, Bulletin Thomas More, Angers.
MP	*Mercurio Peruano*, Lima.
ND	*La Nueva Democracia*, Nueva York.
Neoph	*Neophilologus*, La Haya.
NL	*Les Nouvelles Littéraires*, París.

NRFH	*Nueva Revista de Filología Hispánica*, México.
NRS	*Nuova Rivista Storica*, Génova.
NZZ	*Neue Zürcher Zeitung*, Zurich.
OM	*Outre-Mer*. Revue Générale de Colonisation, París.
Pe	*La Pensée*, París.
PSA	*Papeles de Son Armadans*, Madrid-Palma de Mallorca.
QIA	*Quaderni Ibero Americani*, Turín.
RBPH	*Revue Belge de Philologie et d'Histoire*, Bruselas.
RCHG	*Revista Chilena de Historia y Geografía*, Santiago de Chile.
RÉc	*Revue Économique*, París.
RÉCoop	*Revue des Études Coopératives*, París.
RÉJ	*Revue des Études Juives*, París.
RESup	*Revue de l'Enseignement Supérieur*, París.
RevHist	*Revista de História*, São Paulo.
RF	*Romanische Forschungen*, Colonia.
RFE	*Revista de Filología Española*, Madrid.
RFH	*Revista de Filología Hispánica*, Buenos Aires.
RFL	*Revista da Faculdade de Letras*, Lisboa.
RH	*Revue Historique*, París.
RHBG	*Revue Historique de Bordeaux et du Département de la Gironde*, Burdeos.
RHdA	*Revista de Historia de América*, México.
RHE	*Revue d'Histoire Ecclésiastique*, Lovaina.
RHM	*Revue d'Histoire Moderne*, París.
RIB	*Revista Interamericana de Bibliografía*, Washington.
Rin	*Rinascimento*, Florencia.
RLComp	*Revue de Littérature Comparée*, París.
RMed	*Revue de la Méditerranée*, Argel-París.
ROcc	*Revista de Occidente*, Madrid.
RomPhil	*Romance Philology*, Berkeley.
RPol	*Revue de Pologne*, París-Varsovia.
RS	*Revue de Synthèse*, París.
RSS	*Revue du XVIe siècle*, París.
RUC	*Revista da Universidade de Coimbra*, Coimbra.
SF	*Studi Francesi*, Turín.
StIsp	*Studi Ispanici*, Milán.
Sy	*Symposium*, Syracuse, Nueva York.
TWa	*La Terre Wallone*, Charleroi.
VInt	*La Vie Intellectuelle*, París.

BIBLIOGRAFÍA DE MARCEL BATAILLON *

1917

1a. [Informe de Investigación al Director de la École des Hautes Études Hispaniques sobre el helenismo en España y particularmente sobre Hernán Núñez de Guzmán, el Comendador Griego], *BHi*, XIX (1917), pp. 85-89.

1921

1b. «Les sources historiques de *Zaragoza* de Pérez Galdós», *BHi*, XXIII (1921), pp. 129-141.

1922

2. «Influences antiques en Espagne» [reseña de R. Schevill, *Ovid and the Renascence in Spain*], *BHi*, XXIV (1922), pp. 164-166.

3. Reseña de A. Bonilla, *Un antiaristotélico del Renacimiento, Hernando Alonso de Herrera*, en *RFE*, IX (1922), pp. 81-83.

4. Reseña de J. Fitzmaurice-Kelly, *Fray Luis de León*, en *BHi*, XXIV (1922), pp. 174-176.

5. Reseña de R. Pérez de Ayala, *Belarmino y Apolonio*, en *BHi*, XXIV (1922), pp. 189-191.

* La presente bibliografía, debida a Charles Amiel (Collège de France), apareció primero en los *Arquivos do Centro Cultural Português*, IX (1975), pp. XVII-LIV, donde reelaboraba la cuidada (para el período 1921-1961) por I.-S. Révah en los *Mélanges offerts à Marcel Bataillon* (*BHi*, LXIV bis, 1962, pp. IX-XXXII). El profesor Amiel la ha actualizado ahora con varias entradas complementarias, y algunas otras ha aportado también Pedro M. Cátedra, quien ha preparado la versión que aquí se publica.

6. Reseña de M. Gonçalves Cerejeira, *O Renascimento em Portugal: Clenardo*, en *BHi*, XXIV (1922), pp. 274-276.

1923

7. «Charles-Quint et Copernic», *BHi*, XXV (1923), pp. 236-238; *RPol*, I (1923), pp. 131-134.

8. «Sur Florian Docampo», *BHi*, XXV (1923), pp. 33-58.

9. M. de Unamuno, *L'essence de l'Espagne. Cinq essais* [En torno al casticismo] (traducción del castellano por M. Bataillon), Plon, París, 1923, x + 301 pp.

1924

10. «Érasme et la chancellerie impériale», *BHi*, XXVI (1924), pp. 27-34.

11. Reseña de Foster Watson, *Luis Vives*, en *BHi*, XXVI (1924), pp. 77-78.

12. Reseña de António Sérgio, *Oliveira Martins: Impressões sôbre o significado político da sua obra; Bosquejo de história de Portugal*, en *BHi*, XXVI (1924), pp. 289-292.

13. Reseña de José Ortega y Gasset, *Revista de Occidente*, en *BHi*, XXVI (1924), pp. 300-302.

1925

14. «Honneur et Inquisition. Michel Servet poursuivi par l'Inquisition espagnole», *BHi*, XXVII (1925), pp. 5-17.

15. «Chanson pieuse et poésie de dévotion. Fr. Ambrosio Montesino», *BHi*, XXVII (1925), pp. 228-238.

16. «Encore Érasme», *BHi*, XXVII (1925), pp. 238-242.

17. «Alonso de Valdés, auteur du *Diálogo de Mercurio y Carón*», *Homenaje a Menéndez Pidal*, I, Madrid, 1925, pp. 403-415.

18. Juan de Valdés, *Diálogo de doctrina cristiana* (facsímil del ejemplar de la edición de Alcalá de Henares, 1529, conservado en la Biblioteca Nacional de Lisboa, con una introducción y notas de Marcel Bataillon), Impr. da Universidade, Coimbra, 1925, 321 + 215 pp. de facsímil.

[Reseña: A. Renaudet, «Érasme et Juan de Valdés d'après une publication récente», *BHi*, XXIX (1927), pp. 293-298.]

19. Reseña de Jean Baruzi, *Saint Jean de la Croix et le problème de l'expérience mystique*, en *BHi*, XXVII (1925), pp. 264-273.

20. Reseña de Jean Baruzi, *Aphorismes de saint Jean de la Croix*, en *BHi*, XXVII (1925), pp. 273-274.

21. Reseña de J. de Montemor, *«A Diana» em português de A. Lopes Vieira*, en *BHi*, XXVII (1925), pp. 357-358.

22. Reseña de António Sérgio, *Antologia dos Economistas portugueses*, en *BHi*, XXVII (1925), pp. 371-372.

23. Reseña de *Guia de Portugal* (ed. Biblioteca Nacional de Lisboa), en *BHi*, XXVII (1925), p. 374.

1926

24. Reseña de J. A. Goris, *Étude sur les colonies marchandes méridionales (Portugais, Espagnols, Italiens) à Anvers de 1488 à 1567*, en *BHi*, XXVIII (1926), pp. 290-296.

25. Reseña de M. Jiménez Catalán y J. Sinués y Arbiola, *Historia de la Real y Pontificia Universidad de Zaragoza*, en *BHi*, XXVIII (1926), p. 390.

1927

26. «Portugal», *Histoire et historiens depuis cinquante ans* [volumen publicado con motivo del cincuentenario de la *RH*], I, Alcan, París, 1927, pp. 304-319.

27. «Érasme et la cour de Portugal», *AHB*, II (1927), pp. 258-291.

1928

28. «Autour de Luis Vives et d'Iñigo de Loyola», *BHi*, XXX (1928), pp. 184-186.

29. «Sur la *Description de tout le Païs-Bas* de Lodovico Guicciardini», *RSS*, XV (1928), pp. 337-339.

30. «Cervantès penseur, d'après le livre d'Américo Castro» [reseña de Américo Castro, *El pensamiento de Cervantes*], *RLComp*, VIII (1928), pp. 318-338.

31. «La mort d'Henrique Caiado», *Inst*, LXXVI (1928), pp. 78-82.

32. «Sur André de Gouveia, principal du Collège de Guyenne», *RHBG*, XXI (1928), pp. 49-62; reimpreso en *Inst*, LXXVIII (1929), pp. 1-19.

33. Reseña de P. U. González de la Calle y A. Huarte y Echenique, *Constituciones de la Universidad de Salamanca* (1422), en *BHi*, XXX (1928), pp. 95-96.

34. Reseña de J. F. Montesinos, *Die moderne spanische Dichtung*, en *BHi*, XXX (1928), pp. 100-103.

35. Reseña de Heinz Pflaum, *Die Idee der Liebe; Leone Hebreo*, en *BHi*, XXX (1928), pp. 260-262.

36. Reseña de M. Monmarché y M. N. Schveitzer, *Espagne (Les Guides bleus)*, en *BHi*, XXX (1928), p. 282.

37. Reseña de Miguel Artigas, *Menéndez y Pelayo*, en *BHi*, XXX (1928), pp. 282-284.

1929

38. «Les sources espagnoles de l'*Opus Epistolarum Erasmi*», *BHi*, XXXI (1929), pp. 181-203.

39. Reseña de Luís de Camões, *Os Lusíadas* (ed. J. M. Rodrigues), en *BHi*, XXXI (1929), pp. 162-163.

40. Reseña de Juan de Valdés, *Diálogo de la lengua* (ed. J. F. Montesinos), en *BHi*, XXXI (1929), pp. 163-166.

41. Reseña de Fernando de los Ríos, *Religión y Estado en la España del siglo XVI*, en *BHi*, XXXI (1929), pp. 170-171.

1930

42. «Damião de Goes et Reginald Pole», *Inst*, LXXIX (1930), pp. 21-27.

43. «Du nouveau sur J. L. Vivès» [reseña de *Literœ virorum eruditorum ad Franciscum Craneveldium*, ed. de H. de Vocht], *BHi*, XXXII (1930), pp. 97-113.

44a. «Les Portugais contre Érasme à l'Assemblée théologique de Valladolid», *RUC*, XI (1930) [Miscelânea de Estudos em honra de D. Carolina Michaëlis de Vasconcellos], pp. 206-231.

44b. «Deux français devant l'Inquisition de México», *BSHPF*, LXXIX (1930), pp. 307-313.

45. Reseña de A. de Valdés, *Diálogo de las cosas ocurridas en Roma* (ed. J. F. Montesinos), A. de Valdés, *Diálogo de Mercurio y Carón* (ed. J. F. Montesinos), J. F. Montesinos, *Algunas notas sobre el Diálogo de Mercurio y Carón*, en *BHi*, XXXII (1930), pp. 417-420.

46. Reseña de M. Carayon, *Lope de Vega*, en *RHM*, V (1930), pp. 306-308.

47. Reseña de J. S. Pons, *La littérature catalane en Roussillon au XVIIᵉ siècle*, en *RHM*, V (1930), pp. 461-463.

48. Reseña de *The earliest english translations of Erasmus «Colloquia»* (ed. H. de Vocht), en *RSS*, XVII (1930), pp. 173-174.

1931

49. *Le roman picaresque* (introducción, traducciones y notas de M. Bataillon), Col. Les Cent Chefs-d'Oeuvre Étrangers, La Renaissance du Livre, París [1931], 155 pp.

50. «Para la biografía de un héroe de novela: Eugenio Aviraneta», *RFE*, XVIII (1931), pp. 255-258.

51. «Antheros», *BHi*, XXXIII (1931), pp. 156-157.

52. Reseña de J. F. Montesinos, *Un esbozo de Fernán Caballero*, en *BHi*, XXXIII (1931), pp. 80-81.

53. Reseña de H. Cidade, *Ensaio sôbre a crise mental do século XVIII; A Marquesa de Alorna*, en *BHi*, XXXIII (1931), pp. 86-88.

54. Reseña de Dom Chevallier, *Le «Cantique spirituel» de saint Jean de la Croix, docteur de l'Église*, en *BHi*, XXXIII (1931), pp. 164-170.

55. Reseña de J. de Carvalho, *A evolução espiritual de Antero*, en *BHi*, XXXIII (1931), pp. 171-172.

56. Reseña de R. Proença y M. Monmarché, *Les Guides bleus: Portugal, Madère, Iles Açores*, en *BHi*, XXXIII (1931), p. 280.

57. «L'histoire de l'Espagne au Moyen Âge, d'après deux travaux récents, I» [reseña de R. Menéndez Pidal, *La España del Cid*], *RS*, I (1931), pp. 419-423.

58. Reseña de H. P. Seaver, *The great revolt in Castile. A study of the Comunero movement of 1520-1521*, en *RHM*, VI (1931), pp. 300-301.

59. Reseña de M. Gonçalves Cerejeira, *Clenardo*, en *BEP*, I (1931), pp. 92-95.

1932

60. Erasmo, *El Enquiridión del Caballero cristiano* (ed. de Dámaso Alonso, prólogo de Marcel Bataillon) y *La Paráclesis o exhortación al estudio de las letras divinas* (ed. y prólogo de Dámaso Alonso, traducciones españolas del siglo XVI), anejo XVI de la *RFE*, Madrid, 1932, 539 pp., 16 facsímiles. [De M. Bataillon: «Prólogo» (pp. 5-84), «Apéndice III: *El Enchiridión* y la *Paráclesis* en México» (pp. 527-534).]

61. «Érasme au Mexique», *Actes du 2ᵉ Congrès National des Sciences Historiques (Alger, 14-16 avril 1930)*, Alger, 1932, pp. 31-44.

62. «Mona, étude étymologique», *Cinquantenaire de la Faculté des Lettres d'Alger*, Alger, 1932, pp. 73-86.

63. Reseña de J. F. Montesinos, *Cartas inéditas de J. de Valdés al Cardenal Gonzaga*, en *BHi*, XXXIV (1932), pp. 76-80.

64. Reseña de P. U. González de la Calle y A. Huarte y Echenique, *Constituciones y bulas de la Universidad de Salamanca*, en *BHi*, XXXIV (1932), p. 329.

65. Reseña de Ronald H. Bainton, *The present state of Servetus studies*, en *BHi*, XXXIV (1932), pp. 329-331.

66. Reseña de Pierre Guillaume, *Un précurseur de la Réforme catholique: Alonso de Madrid, l'«Arte para servir a Dios»*, en *BHi*, XXXIV (1932), pp. 331-332.

67. Reseña de J. M. de Queiroz Velloso, *D. Francisca de Aragão*, en *BHi*, XXXIV (1932), pp. 332-333.

68. Reseña de C. E. Correia da Silva, *Ensaio sobre os latinismos dos Lusíadas*, en *BHi*, XXXIV (1932), p. 333; y *BEP*, II (1932), pp. 100-101.

69. Reseña de Pierre Hourcade, *Guerra Junqueiro et le problème des influences françaises dans son œuvre*, en *BEP*, II (1932), pp. 103-105.

70. Reseña de Francisco Manuel de Melo, *Epanáforas de vária história portuguesa* (E. Prestage), en *BEP*, II (1932), pp. 123-124.

71. Reseña de J. J. Mangan, *Life, Character and Influence of Desiderius Erasmus of Rotterdam*, en *RHM*, VII (1932), pp. 396-397.

72. Reseña de J. Sarrailh, *La contre-révolution sous la régence de Madrid (mai-octobre 1823)*, en *RHM*, VII (1932), p. 508.

1933

73. Reseña de M. N. Schveitzer, *Notes sur la vie économique de l'Espagne en 1931-1932*, en *BHi*, XXXV (1933), p. 466.

1934

74. Domingo F. Sarmiento, *Facundo* (traducción del castellano por Marcel Bataillon, prefacio de Aníbal Ponce), Col. Ibéro-américaine de l'Institut de Coopération Intellectuelle, Stock, París, 1934, 315 pp.

75. «La nouvelle Charte organique de l'Empire colonial portugais» [comunicación hecha el 23 de junio de 1934 al Centre d'Études de Colonisation Comparée d'Alger], *OM*, VI (1934), pp. 283-293.

76. «La canción de la Atala», *BHi*, XXXVI (1934), pp. 199-205.

77. «Sur la diffusion des œuvres de Savonarole en Espagne et en Portugal (1500-1560)», *Mélanges de philologie, d'histoire et de littéra-*

ture offerts à M. Joseph Vianey, Les Presses Françaises, París, 1934, pp. 93-103.

78. «Un document portugais sur les origines de la Compagnie de Jésus», *Miscelânea científica e literária dedicada ao Dr. José Leite de Vasconcelos*, I, Imprensa da Universidade, Coimbra, 1934, pp. 89-96.

79. Reseña de *The two treatises of Servetus on the Trinity* (traducción de Earl Morse Wilbur), en *BHi*, XXXVI (1934), pp. 104-106.

80. Reseña de Dom Chevallier, *Les avis, sentences et maximes de saint Jean de la Croix, Docteur de l'Église*, en *BHi*, XXXVI (1934), pp. 110-115.

81. Reseña de J. Sarrailh, *Enquêtes romantiques. France-Espagne*, en *BHi*, XXXVI (1934), p. 390.

1935

82. «Simples réflexions sur Juan de la Cueva», *BHi*, XXXVII (1935), pp. 329-336.

83. «L'arabe à Salamanque au temps de la Renaissance», *Hesp*, XXI (1935), pp. 1-17.

1936

84. «De Savonarole à Louis de Grenade», *RLComp*, XVI (1936), pp. 23-39.

85. «Une source de Gil Vicente et de Montemor: la méditation de Savonarole sur le *Miserere*», *BEP*, III (1936), pp. 1-16.

86. Reseña de Baltasar Isaza y Calderón, *El retorno a la naturaleza*, en *RLComp*, XVI (1936), pp. 250-253.

87. Reseña de Jean Baruzi, *Problèmes d'histoire des religions*, en *RLComp*, XVI (1936), pp. 599-601.

1937

88. *Érasme et l'Espagne. Recherches sur l'histoire spirituelle du XVIe siècle*, E. Droz, París, 1937, LIX + 903 pp.
[Reseñas: G. M. Bertini, *Conv*, XVII (1939), pp. 79-93; V. Beltrán de Heredia, *CT*, LVII (1938), pp. 544-582; M. Bonnard, *BHi*, XL (1938), pp. 5-32; F. Buchholz, *HJ*, n.º 1-2 (1937), pp. 177-178; E. Cione, *NRS*, XXIV (1940), p. 7; J. Cassou, *NL* (24 septiembre 1938), pp. 1 y 6; M. Delcourt, *HuRe* (julio 1937), pp. 326-331; N. Façon, «Cultura Neolatina, I», *Boll. dell'Isti-*

tuto, Ist. di Filol. Romanza della R. Univ. di Roma, XIX, fasc. 1 (1941), pp. 73-77; E. Garin, *LRin*, II (1939), pp. 737-745; W. Krauss, *ASNS*, CLXXV (1939), pp. 76-89; W. K., *NZZ* (17 y 18 julio 1938); L. Febvre, *AHSoc*, I (1939), pp. 28-42; J. Lecler, *Ét* (5 octubre 1937), pp. 84-89; A. Leman, *Vint* (10 noviembre 1938), pp. 455-458; P. Mesnard, *RMed*, n.º 11 (enero-febrero 1946), pp. 57-77; E. A. Peers, *BSS* (1938), pp. 71-73; J. Pannier, *BSHPF*, LXXXVI (1937), pp. 519-520; I. S. Révah, *REJ*, CIII (1938), pp. 97-101; A. Renaudet, *RH*, vol. 182 (1938), pp. 97-104; A. Roersch, *RHE* (enero 1938), pp. 124-127; J. L. Romero, *RFH*, V (1943), pp. 173-176; R. Schevill, *HR*, VII (1939), pp. 93-116; P. Smith, *AHR*, XLIII (1938), pp. 366-368; R. G. Villoslada, *AHSJ* (1938), pp. 118-120; C. Witmeur, *Twa*, XXXVI (1937), pp. 315-319.]

1938

89.   «Le cosmopolitisme de Damião de Goes», *RLComp*, XVIII (1938), pp. 23-58.

90.   *O cosmopolitismo de Damião de Góis* (traducción y prefacio de Castelo Branco Chaves), Cadernos da Seara Nova, Lisboa, 1938, 71 pp.

91.   «La *Nouvelle Histoire d'Espagne* de M. Legendre», *BHi*, XL (1938), pp. 448-457.

1939

92.   «Sarmiento, l'écrivain», *Hommage à Sarmiento* (Cinquantenaire de la mort de Sarmiento, célébré à Paris le 17 décembre 1938), Impr. Darantière, Dijon, París [1939], pp. 45-59.

93.   «Salmacis et Trocho dans *L'Abencérage*», *Hommage à Ernest Martinenche*, Ed. d'Artrey, París, 1939, pp. 355-363.

94.   «Jeanne d'Autriche, princesse de Portugal», *BEP*, VI (1939), pp. 10-26.

95.   Reseña de H. Pérès, *La poésie andalouse en arabe classique au XIᵉ siècle*, en *BHi*, XLI (1939), p. 187.

1940

96.   «À propos d'une épitaphe d'André de Laguna», *HuRe*, VII (1940), pp. 123-127.

97. «Essai d'explication de l'*auto sacramental*», *BHi*, XLII (1940), pp. 193-212.

98. «Le *Charles-Quint* de Karl Brandi», *BHi*, XLII (1940), pp. 296-302.

99. Reseña de V. Beltrán de Heredia, *Historia de la Reforma de la Provincia de España (1450-1550)*, en *BHi*, XLII (1940), pp. 250-253.

100. Reseña de Margit Sahlin, *Étude sur la carole médiévale*, en *BHi*, XLII (1940), pp. 328-331.

101. Reseña de Baldassare Castiglione y Giovanni Della Casa, *Opere* (ed. Prezzolini), en *BHi*, XLII (1940), pp. 332-333.

102. Reseña de G. di Valdés, *Alfabeto Cristiano* (ed. B. Croce), en *BHi*, XLII (1940), pp. 333-336.

103. Reseña de E. Cione, *Juan de Valdés*, en *BHi*, XLII (1940), pp. 336-338.

1941

104. «Pérégrinations espagnoles du Juif errant», *BHi*, XLIII (1941), pp. 81-122.

1942

105. «Philippe Galle et Arias Montano. Matériaux pour l'iconographie des savants de la Renaissance», *BiblHuRe*, II (1942), pp. 132-160.

106. Reseña de A. Roersch, *Correspondance de Nicolas Clénard*, en *BHi*, XLIV (1942), pp. 187-191.

107. Reseña de *Die Amerbach Korrespondenz* (ed. A. Hartmann), I, en *BiblHuRe*, II (1942), pp. 206-213.

1943

108. «Vagabondages de Celse Hugues Descousu, jurisconsulte bourguignon», *BiblHuRe*, III (1943), pp. 190-213.

109. Reseña de Gil Vicente, *Tragicomedia de Don Duardos* (ed. Dámaso Alonso), en *BHi*, XLV (1943), pp. 211-214.

1944

110. «Le problème de l'incroyance au XVIe siècle, d'après Lucien Febvre» [reseña de L. Febvre, *Le Problème de l'incroyance au XVIe*

siècle: La Religion de Rabelais et Origène et Des Périers, ou l'énigme du «Cymbalum Mundi»], MHS, V (1944), pp. 5-26.

111. Reseña de Dámaso Alonso, *La poesía de San Juan de la Cruz*, en BHi, XLVI (1944), pp. 95-101.

112. Reseña de V. Beltrán de Heredia, *Las corrientes de espiritualidad entre los Dominicos de Castilla durante la primera mitad del siglo XVI*, en BHi, XLVI (1944), pp. 268-274.

1945

113. «Le rêve de la conquête de Fès et le sentiment impérial portugais au XVI⁰ siècle», *Mélanges d'études luso-marocaines dédiés à la mémoire de David Lopes et Pierre de Cénival*, Coll. portugaise publiée sous le patronage de l'Institut Français au Portugal, vol. 6, París-Lisboa, 1945, pp. 31-39.

114. «Juan de Valdés» [traducción castellana del estudio preliminar de la edición del *Diálogo de doctrina cristiana* de Juan de Valdés, Coimbra, 1925 (cf. n.° 18)], *Lum*, VII (1945), pp. 1-60.

1946

115. «La nouvelle chronologie de la *comedia* lopesque: de la métrique à l'histoire» [reseña de S. G. Morley y C. Bruerton, «The Chronology of Lope de Vega's *Comedias*»], BHi, XLVIII (1946), pp. 227-237.

116. «Paul Hazard et le monde ibérique», *RLComp*, XX (1946), pp. 44-50.

117. «Autour de l'*Heptaméron*. À propos d'un récent livre de Lucien Febvre» [reseña de Lucien Febvre, *Autour de l'Heptaméron. Amour sacré, Amour profane*], BiblHuRe, VIII (1946), pp. 245-253.

118. «Les commencements de la Compagnie de Jésus en Espagne», ACP, XLVI (1946), pp. 164-168.

119. «Recherches sur le développement du théâtre espagnol. *Comedia* d'ambiance rustique», ACF, XLVI (1946), pp. 168-172.

120. Reseña de Venancio D. Carro, *La teología y los teólogos juristas españoles ante la conquista de América*, en BHi, XLVIII (1946), pp. 373-375.

1947

121. «La desdicha por la honra: Génesis y sentido de una novela de Lope», NRFH, I (1947), pp. 13-42.

122. «Cervantès et le *mariage chrétien*», *BHi*, XLIX (1947), pp. 129-144.

123. «L'hispanisme au Collège de France: Alfred Morel-Fatio» [fragmento de la lección inaugural de Marcel Bataillon en el Collège de France], *BSS*, XXIV (1947), pp. 132-139.

124. «Les Jésuites dans la vie religieuse et culturelle du Portugal jusqu'à la réunion avec l'Espagne», *ACF*, XLVII (1947), pp. 178-192.

125. «Recherches sur le développement du théâtre espagnol: *Comedia et Romancero*», *ACF*, XLVII (1947), pp. 182-186.

126. Reseña de *Monumenta Historica Societatis Jesu*, vol. 66: *Fontes narrativi de S. Ignatio et de Societatis Jesu initiis*, I (ed. D. Fernández Zapico, S.J.; C. de Dalmases, S.J.; P. Leturia, S.J.), en *BHi*, XLIX (1947), pp. 97-101.

127. Reseña de *Bibliografia geral portuguesa. Século XV*, en *BHi*, XLIX (1947), pp. 219-220.

128. Reseña de J. de Rújula y de Ochotorena, *Índice de los Colegiales del Mayor de S. Ildefonso y Menores de Alcalá*, en *BHi*, XLIX (1947), pp. 231-232.

129. Reseña de J. de Valdés, *Le Cento e dieci divine Considerazioni* (ed. E. Cione), en *BHi*, XLIX (1947), pp. 232-233.

130. Reseña de J. Zaragüeta, I. González, S. Minguijón, J. Corts Grau, *Balmes, filósofo social, apologista y político*, en *BHi*, XLIX (1947), p. 234.

131. Reseña de C. M. Bowra, *From Virgil to Milton*, en *RLComp*, XXI (1947), pp. 302-305.

132. Reseña de E. von Kramer, *Le type du faux mendiant dans les littératures romanes depuis le Moyen Age jusqu'au XVIIᵉ siècle*, en *RLComp*, XXI (1947), pp. 465-466.

133. Reseña de C. D. Rouillard, *The Turk in French History, Thought and Literature*, en *RLComp*, XXI (1947), pp. 621-625.

1948

134. «Pages retrouvées de Jean d'Avila», *Lic*, II (1948), pp. 203-214.

135. «Charles-Quint bon pasteur selon Fray Cipriano de Huerga», *BHi*, L (1948) [A Georges Cirot, In memoriam], pp. 398-406.

136. «L'Espagne de Mérimée d'après sa correspondance», *RLComp*, XXII (1948), pp. 35-66.

137. «Érasme et le renouveau chrétien du XVIᵉ siècle», *InfHist*, X (1948), pp. 1-7.

138. «Genèse et métamorphoses des oeuvres de Louis de Grenade», *ACF*, XLVIII (1948), pp. 194-201.

139. «Recherches sur le réalisme comique chez Lope de Vega et Tirso de Molina», *ACF*, XLVIII (1948), pp. 201-205.

140. «Roman portugais et roman européen» [reseña de Jacinto do Prado Coelho, *Introdução ao estudo da novela camiliana*], *RLComp*, XXII (1948), pp. 155-156.

141. «Sur l'essence de l'Argentine» [reseña de E. Martínez Estrada, *Sarmiento*], *AESC*, III (1948), pp. 439-441.

142. Reseña de E. A. de Nebrija, *Léxico de derecho civil* (ed. C. Humberto Núñez), en *BHi*, L (1948), pp. 100-101.

143. Reseña de J. Almoina, *La biblioteca erasmista de Diego Méndez*, en *BHi*, L (1948), pp. 101-102.

144. Reseña de J. Jiménez Rueda, *Herejías y supersticiones en la Nueva España*, en *BHi*, L (1948), pp. 102-104.

145. Reseña de M. de la Pinta Llorente, *Proceso criminal contra el hebraísta salmantino M. Martínez de Cantalapiedra*, en *BHi*, L (1948), pp. 205-208.

146. Reseña de A. González Palencia, *Gonzalo Pérez, secretario de Felipe II*, en *BHi*, L (1948), pp. 208-209.

147. Reseña de L. A. Getino, *Influencia de los Dominicos en las Leyes Nuevas*, en *BHi*, L (1948), p. 213.

148. Reseña de A. J. Saraiva, *Gil Vicente e o fim do teatro medieval*, en *RLComp*, XXII (1948), p. 135.

149. Reseña de A. J. Saraiva, *Para a história da cultura em Portugal. Ensaios*, en *RLComp*, XXII (1948), pp. 136-139.

150. Reseña de O. Lopes y J. Martins, *Breve história da literatura portuguesa*, en *RLComp*, XXII (1948), pp. 139-140.

151. Reseña de Óscar Lopes, *Realistas e Parnassianos*, en *RLComp*, XXII (1948), pp. 140-142.

1949

152. «*El villano en su rincón*», *BHi*, LI (1949), pp. 5-38.

153. «Notre hispanisme devant l'Amérique», *LNL*, n.º 112 (febrero-junio 1949), pp. 1-7.

154. «Cervantès peint par lui-même», *ACUM*, II (1949), pp. 113-134.

155. «Un itinéraire cistercien à travers l'Espagne et le Portugal du XVIᵉ siècle», *Mélanges d'études portugaises offerts à M. Georges*

Le Gentil, Instituto para a Alta Cultura, Imp. Durand à Chartres, París-Lisboa, 1949, pp. 33-60.

156. «L'Espagne de Chateaubriand», *RLComp*, XXIII (1949), pp. 287-299.

157. «Por un inventario de las fiestas de Moros y Cristianos», *MdS*, n.º 8 (noviembre-diciembre 1949), pp. 1-8.

158. «Sur la genèse poétique du *Cantique spirituel* de saint Jean de la Croix», *BICC*, V (1949) [Homenaje al R. P. Félix Restrepo, S.I.], pp. 251-263.

159. «Karl Vossler (1872-1949)», *BHi*, LI (1949), pp. 117-118.

160. «Jean Amade», *BHi*, LI (1949), p. 376.

161. «Recherches sur les pauvres dans l'ancienne Espagne: roman picaresque et idées sociales», *ACF*, XLIX (1949), pp. 209-214.

162. «Formes métriques et thèmes lyriques dans la poésie hispanique moderne: des anacréontiques au *Cántico* de Jorge Guillén», *ACF*, XLIX (1949), pp. 214-217.

163. «Histoire et légendes épiques. Autour de Girart, comte de Vienne» [reseña de R. Louis, *De l'histoire à la légende*], *AESC*, IV (1949), pp. 95-101.

164. «La poésie des ruines et l'humanisme colombien» [reseña de M. A. Caro, *La canción a las ruinas de Itálica*, y de J. M. Rivas Sacconi, *El latín en Colombia*], *RLComp*, XXIII (1949), pp. 594-595.

165. Reseña de V. Beltrán de Heredia, *Un grupo de visionarios y pseudo-profetas que actúa durante los últimos años de Felipe II... y Los alumbrados de la diócesis de Jaén*, en *BHi*, LI (1949), pp. 369-370.

166. Reseña de G. Le Gentil, *Les Portugais en Extrême-Orient. F. Mendes Pinto: un précurseur de l'exotisme au XVIᵉ siècle*, en *RLComp*, XXIII (1949), pp. 134-137.

167. Reseña de J. Krynen, *Le «Cantique spirituel» de saint Jean de la Croix, commenté et refondu au XVIIᵉ siècle. Un regard sur l'exégèse du Cantique de Jaén*, en *BHi*, LI (1949), pp. 188-194.

168. Reseña de F. de los Ríos, *El pensamiento vivo de Giner de los Ríos*, en *BHi*, LI (1949), pp. 198-200.

169. Reseña de M. C. Huff, *The Sonnet «No me mueve, mi Dios». Its Theme in Spanish Tradition*, en *BHi*, LI (1949), pp. 442-444.

170. Reseña de Ch. A. Julien, *Les Voyages de découverte et les premiers établissements (XVᵉ-XVIᵉ s.)*, en *RHdA* (diciembre 1949), pp. 480-481.

1950

171. *Erasmo y España* (traducción castellana de Antonio Alatorre de *Érasme et l'Espagne*, puesta al día por el autor, y aumentada con un apéndice sobre «Erasmo y el Nuevo Mundo»), Fondo de Cultura Económica, México, 1950, 2 vols. de LXXI + 503 y 545 pp.

[Reseñas: E. Asensio, «El erasmismo y las corrientes espirituales afines», *RFE*, XXXVI (1952), pp. 31-98; C. V. Aubrun, *BHi*, LIV (1952), pp. 94-95; O. H. Green, *HR*, XX (1952), pp. 75-77; M. R. Lida de Malkiel, *RomPhil*, VII (1953-1954), p. 401; E. A. Peers, *BHS*, XXIX (1952), pp. 121-122; I. S. Révah, *BEP*, XIV (1950), pp. 338-341; A. Rey, *Sy*, VI (1952), pp. 225-229; G. C. Rossi, *FilRom*, VII (1954), pp. 72-78; L. Santullano, *ND*, XXXI (1951), pp. 64-72; H. C. Woodbridge, *Hisp*, XXXV (1952), p. 126.]

172. «Erasmo y el Nuevo Mundo», *CuadAm*, n.º 3 (1950), pp. 173-195.

173. «La littérature espagnole en 1850», *LM*, n.º 6 (noviembre 1950), 8 pp.

174. «Les idées humanitaires de 1848 et les valeurs littéraires de l'Espagne», *Actes du 4ᵉ Congrès International d'Histoire Littéraire Moderne (París, 1948)*, París, 1950, pp. 229-238.

175. «L'Espagne religieuse dans son histoire. Lettre ouverte à Américo Castro», *BHi*, LII (1950), pp. 5-26.

176. «L'édition scolaire coimbroise des *Colloques* d'Érasme», *BEP*, XIV (1950), pp. 2-38.

177. «El anónimo del soneto *No me mueve, mi Dios...*», *NRFH*, IV (1950), pp. 254-269.

178. «El sentido del *Lazarillo de Tormes*», *BIEL*, n.º 12 (octubre 1950), pp. 1-6.

179. «La dénonciation mensongère dans *La Gitanilla*», *BHi*, LII (1950), pp. 274-276.

180. «Pour l'histoire de la littérature romanesque dans l'Europe de la Renaissance» [reseña de publicaciones en *Mélanges 1945*, II, fasc. 105 de las Publications de la Faculté des Lettres de Strasbourg], *RLComp*, XXIV (1950), pp. 155-157.

181. «Le français dans la Péninsule ibérique et l'Amérique latine», *ÉdNat* (9 marzo 1950), pp. 3-5.

182. «Aubrey Fitz Gerald Bell (1881-1950)», *BHi*, LII (1950), p. 298.

183. «Encore *El villano en su rincón*», *BHi*, LII (1950), p. 397.

184. «L'esprit des évangélisateurs du Mexique», *ACF*, L (1950), pp. 229-234.

185. «La Méditerranée et le monde méditerranéen à l'époque de Philippe II» [reseña de la obra de Fernand Braudel], *REc*, n.º 2 (julio 1950), pp. 232-241.

186. Reseña de J. E. Gillet, ed. de Bartolomé de Torres Naharro, *Propalladia and other works*, I-II, en *RomPhil*, III (1949-1950), pp. 213-214.

187. Reseña de I. S. Révah, *Deux «Autos» méconnus de Gil Vicente* y *Deux «Autos» de Gil Vicente restitués à leur auteur* y *Les sermons de Gil Vicente*, en *RomPhil*, III (1949-1950), pp. 318-321.

188. Reseña de R. A. Arrieta, *La literatura argentina y sus vínculos con España*, en *RLComp*, XXIV (1950), pp. 599-601.

189. Reseña de Dámaso Alonso, *Cancioncillas de amigo mozárabes (Primavera temprana de la lírica europea)*, en *BHi*, LII (1950), pp. 127-129.

190. Reseña de M. Brandão, *A Inquisição e os professores do Colégio das Artes*, en *BHi*, LII (1950), pp. 133-135.

191. Reseña de Luís de Matos, *Les Portugais à l'Université de Paris entre 1500 et 1550*, en *BHi*, LII (1950), pp. 135-137.

192. Reseña de A. Jiménez, *Ocaso y restauración, Ensayo sobre la Universidad española moderna*, en *BHi*, LII (1950), pp. 137-139.

193. Reseña de Ibn H'azm al-Andalusî, *Le collier du pigeon ou de l'Amour et des Amants* (ed. y trad. de L. Bercher), en *BHi*, LII (1950), p. 142.

194. Reseña de S. Cirac Estopañán, *Los procesos de hechicerías en la Inquisición de Castilla la Nueva*, en *BHi*, LII (1950), p. 143.

195. Reseña de E. du Gué Trapier, *Velázquez*, y de Ch. de Tolnay, *Velásquez' «Las Hilanderas» and «Las Meninas»*, en *BHi*, LII (1950), pp. 143-144.

196. Reseña de Miguel de Unamuno y P. Jiménez Ilundain, *Cartas inéditas*, en *BHi*, LII (1950), p. 144.

197. Reseña de A. Sánchez Barbudo, *La formación del pensamiento de Unamuno. Una experiencia decisiva: la crisis de 1897*, en *BHi*, LII (1950), p. 292.

198. Reseña de A. Losada, *Juan Ginés de Sepúlveda a través de su «Epistolario» y nuevos documentos*, en *BHi*, LII (1950), p. 292.

199. Reseña de *Colección de índices de publicaciones periódicas* (dirigida por J. de Entrambasaguas), en *BHi*, LII (1950), pp. 410-411.

1951

200. «Publications cervantines récentes», en *BHi*, LIII (1951), pp. 157-175.

201. «La Vera Paz. Roman et histoire», *BHi*, LIII (1951), pp. 235-300.

202. «Les lecteurs royaux et le Nouveau Monde», *BiblHuRe*, XIII (1951), pp. 231-240.

203. «L'Iñiguiste et la Beata. Premier voyage de Calisto à México», *KHdA*, n.º 31 (junio 1951), pp. 59-75.

204. «Avènement de la poésie heptasyllabique moderne en Espagne», *Mélanges d'histoire littéraire de la Renaissance offerts à Henri Chamard*, Nizet, París, 1951, pp. 311-325.

205. «L'édition princeps du *Laberinto* de Juan de Mena», *Estudios dedicados a Menéndez Pidal*, II, Madrid, 1951, pp. 325-334.

206. «Pour la bibliographie de deux *cultismos*: *epiqueya* et *tertulia*», *RFE*, XXXV (1951), pp. 119-124.

207. «La *Visión deleitable* du bachelier Alfonso de la Torre», *ACF*, LI (1951), pp. 258-262.

208. «L'humanisme de Las Casas», *ACF*, LI (1951), pp. 252-258.

209. «Rafael Altamira y Crevea (1866-1951)», *BHi*, LIII (1951), pp. 457-459.

210. «Tradition et originalité» [reseña de Pedro Salinas, *Jorge Manrique o Tradición y originalidad*], en *RLComp*, XXV (1951), pp. 286-288.

211. «Rubén Darío et le modernisme» [reseña de Pedro Salinas, *La poesía de Rubén Darío*], en *RLComp*, XXV (1951), p. 288.

212. «L'Amérique vue par les hommes du XVIIIᵉ siècle», en *RLComp*, XXV (1951), pp. 381-384.

213. «Nourritures étrangères d'écrivains espagnols», en *RLComp*, XXV (1951), pp. 156-157.

214. Reseña de I. S. Révah, *Recherches sur les oeuvres de Gil Vicente*, I, en *BHi*, LIII (1951), pp. 206-212.

215. Reseña de A. Rodríguez-Moñino, *Historia literaria de Extremadura (Edad Media y Reyes Católicos)*, en *BHi*, LIII (1951), p. 222.

216. Reseña de R. J. Cuervo, *Disquisiciones sobre filología castellana* (ed. R. Torres Quintero), en *BHi*, LIII (1951), pp. 222-223.

217. Reseña de *Cancionero de obras de burlas provocantes a risa*, en *BHi*, LIII (1951), pp. 223-224.

218. Reseña de *Espejo de Enamorados* (ed. A. Rodríguez-Moñino), en *BHi*, LIII (1951), p. 224.

219. Reseña de A. Rodríguez-Moñino, *El cancionero manuscrito de Pedro del Pozo (1547)*, en *BHi*, LIII (1951), pp. 224-225.

220. Reseña de *Cancionero Antequerano (1627-1628)*, recogido por *Ignacio de Toledo y Godoy* (ed. D. Alonso y R. Ferreres, en *BHi*, LIII (1951), pp. 226-227.

221. Reseña de D. Devoto, *Cancionero llamado Flor de la Rosa...*, en *BHi*, LIII (1951), p. 227.

222. Reseña de João de Barros, *Diálogo evangélico sobre os artigos da fé contra o Talmud dos Judeus* (ed. I. S. Révah), en *BHi*, LIII (1951), pp. 324-325.

223. Reseña de W. Krauss, *Altspanische Drucke im Besitz der ausserspanischen Bibliotheken*, en *BHi*, LIII (1951), p. 332.

224. Reseña de R. Menéndez Pidal, *Orígenes del español: Estado lingüístico de la Península Ibérica hasta el siglo XI*, en *BHi*, LIII (1951), pp. 332-333.

225. Reseña de M. Morreale, *Pedro Simón Abril*, en *BHi*, LIII (1951), pp. 325-326.

226. Reseña de J. E. Longhust, *Erasmus and the Spanish Inquisition. The Case of Juan de Valdés*, en *BHi*, LIII (1951), p. 336.

227. Reseña de L. y B. L. de Argensola, *Rimas* (ed. J. M. Blecua), en *BHi*, LIII (1951), pp. 337-338.

228. Reseña de Lope de Vega y otros, *Al Santíssimo Sacramento, en su fiesta, Iusta Poética...*, en *BHi*, LIII (1951), p. 339.

229. Reseña de A. Crabbé Rocha, *Aspectos do «Cancioneiro Geral»*, en *BHi*, LIII (1951), p. 341.

230. Reseña de B. Becerra de León, *Bibliografía del Padre B. de Las Casas*, en *BHi*, LIII (1951), p. 342.

231. Reseña de L. Hanke, *Bartolomé de las Casas, pensador político, historiador, antropólogo*, en *BHi*, LIII (1951), p. 343.

232. Reseña de *Obras nueuamente imprimidas assi en prosa como en metro de Moner, las mas dellas en lengua castellana y algunas en su lengua natural catalana*, en *BHi*, LIII (1951), pp. 438-439.

233. Reseña de Pedro Manuel de Urrea, *Églogas dramáticas y poesías desconocidas* (ed. Eugenio Asensio), en *BHi*, LIII (1951), pp. 439-440.

234. Reseña de E. Petit Muñoz y otros, *La condición jurídica, social, económica y política de los Negros durante el Coloniaje en la Banda Oriental*, en *BHi*, LIII (1951), p. 450.

1952

235. *Études sur le Portugal au temps de l'humanisme*, Acta Universitatis Conimbrigensis, Coimbra, 1952, XI + 311 pp.

[Contiene los n.ᵒˢ 31, 44, 27, 113, 32, 78, 42, 89, 85, 176, 94 y 124 de esta bibliografía.]

[Reseñas: L. Bakelants, *Lat*, XIII (1954), p. 249; A. E. Beau, *RF*, LXVI (1954), pp. 209-211; H. Bernard-Maître, *AHSI*, XXII (1953), pp. 599-601; G. M. Bertini, *QIA*, II (1954), pp. 451-454; J. Cruz Costa, *RevHist*, VI (1953), pp. 505-506; E. Gianturco, *BAbr*, XXIX (1955), p. 62; T. Halperin Donghi, *IM*, I (1953), pp. 79-80; N. J. Lamb, *BHS*, XXX (1953), pp. 118-119; M. R. Lida de Malkiel, *RomPhil*, VII (1953-1954), pp. 254-256; Luís de Matos, *BHi*, LV (1953), pp. 393-395; G. M. Moser, *HR*, XXII (1954), p. 237; I. S. Révah, *BEP*, XVI (1952), pp. 236-239; G. C. Rossi, *Rin*, IV (1953), pp. 155-161; H. Cidade, *RFL*, XVIII (1953), pp. 172-174.]

236. «Nouvelles recherches sur le *Voyage en Turquie*», *RomPhil*, V (1951-1952) [Antonio G. Solalinde Memorial Issue], pp. 77-97.

237. «L'Université et la société créole naissante en 1551» [discurso en el 4.ᵒ Centenario de la Universidad de San Marcos de Lima, Sorbona, 29 mayo 1951], *AL*, 52, n.ᵒ 1, pp. 22-24; reimpreso en *AESC*, VII (1952), pp. 337-347.

238. «Mexico au milieu du XVIᵉ siècle, d'après son professeur d'humanités» [discurso en el 4.ᵒ Centenario de la Universidad de México, Sorbona, 14 diciembre 1951], *AL*, 52, n.ᵒ 2, pp. 22-23.

239. «Pedro Salinas, anacreóntico del siglo XX», *Hisp*, XXXV, n.ᵒ 2 (mayo 1952) [A la memoria de Pedro Salinas], pp. 133-134.

240. «¿Melancolía renacentista o melancolía judía?», *Homenaje a Archer M. Huntington*, Wellesley College, 1952, pp. 39-50.

241. «J. L. Vivès, réformateur de la bienfaisance», *BiblHuRe*, XIV (1952) [Mélanges Augustin Renaudet], pp. 141-158.

242a. «Glosa americana al soneto II de Garcilaso», *CE*, V, n.ᵒ 35-36 (1952), pp. 195-196.

242b. «Santa Teresa, lectora de libros de caballerías», *CE*, V, n.ᵒ 37 (1952), pp. 265-266.

243. «Dr. Andrés Laguna, *Peregrinaciones de Pedro de Urdemalas*» [muestra de una edición comentada], *NRFH*, VI (1952), pp. 121-137.

244. «Vasco de Quiroga y Bartolomé de Las Casas», *RHdA*, n.ᵒ 33 (junio 1952), pp. 83-95.

245. «Cheminement d'une légende: Les *caballeros pardos* de Las Casas», *Sy*, VI, n.º 1 (mayo 1952), pp. 1-21; traducción castellana en *LT*, I, n.º 4 (1953), pp. 41-63.

246. «Le *clérigo Casas*, ci-devant colon, réformateur de la colonisation», *BHi*, LIV (1952), pp. 276-369.

247. «Nouveau Monde et fin du monde», *ÉdNat*, n.º 32 (11 diciembre 1952), pp. 3-6; traducción portuguesa por Ana Leonísia Ferreira Aratangy, en *RevHist*, n.º 18 (1954), pp. 343-351.

248. «Un recueil de *sueltas* éditées par Sebastián de Cormellas (Barcelona, 1618-1619)» [en colaboración con G. Gantié], *BHi*, LIV (1952), pp. 405-411.

249. «La découverte spirituelle du Nouveau Monde, de Las Casas à Acosta», *ACF*, LII (1952), pp. 276-281.

250. «Études sur le *Viaje de Turquía* attribué à Andrés Laguna», *ACF*, LII (1952), pp. 281-285.

251. «Pedro Salinas (1892-1951)», *BHi*, LIV (1952), pp. 112-116.

252. «Amado Alonso (1896-1952)», *BHi*, LIV (1952), pp. 450-452.

253. «William J. Entwistle (1895-1952)», *BHi*, LIV (1952), pp. 452-453.

254. «Sir Henry Thomas (1878-1952)», *BHi*, LIV (1952), pp. 454-455.

255. Reseña de Dom Philippe Chevallier, *Le texte du «Cantique spirituel» mis au net par saint Jean de la Croix*, en *BHi*, LIV (1952), pp. 78-81.

256. Reseña de *Provincias españolas de la Orden Hospitalaria, San Juan de Dios. Primicias históricas suyas* (ed. M. Gómez Moreno), en *BHi*, LIV (1952), pp. 83-85.

257. Reseña de J. Sánchez Montes, *Franceses, Protestantes, Turcos. Los Españoles ante la política internacional de Carlos V*, en *BHi*, LIV (1952), pp. 208-211.

258. Reseña de Fray Bartolomé de Las Casas, *Historia de las Indias* (ed. A. Millares Carlo), en *BHi*, LIV (1952), pp. 215-221.

1953

259. «L'idée de la découverte de l'Amérique chez les Espagnols du XVIᵉ siècle (d'après un livre récent)» [reseña de Edmundo O'Gorman, *La idea del descubrimiento de América*], *BHi*, LV (1953), pp. 23-55.

260. «Las Casas et le Licencié Cerrato», *BHi*, LV (1953), pp. 79-87.

261. «Zumárraga, reformador del clero seglar (Una carta del primer obispo de México)», *HM*, III (1953), 10 pp.

262. «*Pedro Carbonero con su cuadrilla...*; Lope de Vega devant une tradition», *RomPhil*, VII (1953), pp. 26-34.

263. «La tortolica de *Fontefrida* y del *Cántico espiritual*», *NRFH*, VII (1953) [*Homenaje a Amado Alonso*], pp. 291-306.

264. «Les tours espagnols *sí que...*, *sí que no...*, *sé que...*», *Mélanges de linguistique et de littérature romanes offerts à Mario Roques*, II, M. Didier, París, 1953, pp. 35-43.

265. «La tradition recueillie par Lope de Vega dans *Pedro Carbonero*», en *BHi*, LV (1953), pp. 375-377.

266. «Comentarios a un famoso parecer contra Las Casas», *Letr*, n.º 49 (1953) [Actas del Congreso Internacional de Peruanistas de 1951], pp. 241-254.

267. «Origines intellectuelles et religieuses du sentiment américain en Amérique latine», *ACF*, LIII (1953), pp. 277-284.

268. «Cervantès et le baroque: examen d'interprétations récentes», *ACF*, LIII (1953), pp. 284-285.

269. «José María de Queirós Veloso (1860-1952)», *BHi*, LV (1953), pp. 106-107.

270. Reseña de *Fontes narrativi de S. Ignatio de Loyola et de Societatis Jesu initiis*, II: *Narrationes scriptae annis 1557-1574* (ed. C. de Dalmases, S.J.), en *BHi*, LV (1953), pp. 200-202.

271. Reseña de *Epistolario de Morel-Fatio y Menéndez Pelayo* (ed. E. Sánchez Reyes), en *BHi*, LV (1953), pp. 202-204.

272. Reseña de Publio Ovidio Nasón, *Heroidas* (ed. y trad. de A. Alatorre), en *BHi*, LV (1953), p. 205.

273. Reseña de A. M. Salas, *Las armas de la Conquista*, en *BHi*, LV (1953), pp. 211-212.

274. Reseña de J. de Segura, *Proceso de Cartas de Amores* (ed. E. B. Place), en *BHi*, LV (1953), pp. 212-213.

275. Reseña de Menéndez y Pelayo, *Bibliografía hispano-latina clásica*, I-X (ed. E. Sánchez Reyes), en *BHi*, LV (1953), pp. 217-218.

276. Reseña de Ibn Hazm de Córdoba, *El Collar de la Paloma* (trad. de Emilio García Gómez; prólogo de J. Ortega y Gasset), en *BHi*, LV (1953), pp. 388-391.

277. Reseña de *Incunables Poéticos Castellanos*, I: Martín Martínez de Ampiés, *Triumpho de Maria*; II: *Coplas de Mingo Revulgo*, en *BHi*, LV (1953), p. 412.

278. Reseña de A. Pérez Gómez, *La «Passión trobada» de Diego de San Pedro*, en *BHi*, LV (1953), p. 412.

279. Reseña de João de Barros, *Ropica Pnefma*, I (ed. I. S. Révah), en *BHi*, LV (1953), pp. 412-413.

280. Reseña de Real Academia Española (reimpresiones en facsímil), en *BHi*, LV (1953), pp. 413-414.

281. Reseña de F. Metge, *Tesoro escondido de todos los famosos romances...*, en *BHi*, LV (1953), pp. 414-415.

282. Reseña de *Silva de varios romances (Barcelona, 1561)*, (ed. A. Rodríguez-Moñino), en *BHi*, LV (1953), p. 415.

283. Reseña de A. Pérez Gómez, *Romancero de Don Álvaro de Luna*, en *BHi*, LV (1953), pp. 415-416.

284. Reseña de *Cancionero gótico de Velázquez de Ávila* (ed. A. Rodríguez-Moñino), en *BHi*, LV (1953), p. 416.

285. Reseña de *Cancionero de galanes* (ed. M. Frenk Alatorre), en *BHi*, LV (1953), p. 417.

286. Reseña de Sor Juana Inés de la Cruz, *El Sueño* (ed. A. Méndez Plancarte), en *BHi*, LV (1953), pp. 418-419.

287. Reseña de Sor Juana Inés de la Cruz, *Obras completas*, I-II (ed. A. Méndez Plancarte), en *BHi*, LV (1953), pp. 419-420.

288. Reseña de Rubén Darío, *Cuentos completos* (ed. E. Mejía Sánchez), en *BHi*, LV (1953), p. 424.

289. Reseña de Rubén Darío, *Poesía* (ed. E. Mejía Sánchez), en *BHi*, LV (1953), pp. 424-425.

290. Reseña de J. Dagens, *Bérulle et les origines de la Restauration catholique (1575-1611)*, en *RLComp*, XXVII (1953), pp. 466-469.

1954

291. *El sentido del «Lazarillo de Tormes»*, Les Conférences du Monde Hispanique, París, 1954, 29 pp. [2.ª ed. revisada del n.º 178.]

292. «Quelques notes sur le *Viaje de Turquía*», *LNL*, n.º 128 (1954), pp. 1-8.

293. «Glanes cervantines», *QIA*, n.º 15 (abril 1954), pp. 393-397.

294. «Les *Douze questions* péruviennes résolues par Las Casas», *Hommage à Lucien Febvre*, II, A. Colin, París, 1954, pp. 221-230.

295. «Historiografía oficial de Colón: De Pedro Mártir a Oviedo y Gómara», *IM*, V (septiembre 1954), pp. 23-29.

296. «L'entreprise de Christophe Colomb défigurée sous Charles-Quint» (Séance publique annuelle des cinq Académies, du lundi 25 octobre 1954), *Institut de France*, XIII (1954), pp. 13-19.

297. «Sur l'idée de la découverte de l'Amérique», *BHi*, LVI (1954), pp. 364-365.

398   MARCEL BATAILLON

298.   «Pour l'*Epistolario* de Las Casas: une lettre et un brouillon», *BHi*, LVI (1954), pp. 366-387.

299.   «Mérimée et l'américanisme d'il y a cent ans», *BHi*, LVI (1954), pp. 424-430.

300.   «Les sources et l'influence de la *Historia general de las Indias* de López de Gómara», *ACF*, LIV (1954), pp. 311-315.

301.   «Structure et style dans le roman espagnol précervantin», *ACF*, LIV (1954), pp. 315-325.

302.   «L'Espagne des lumières (À propos d'un livre de Jean Sarrailh)» [reseña de Jean Sarrailh, *L'Espagne éclairée de la seconde moitié du XVIIIe siècle*], *ÉdNat* (7 octubre 1954), pp. 12-14.

303.   «Georges Le Gentil (1875-1953)», *BHi*, LVI (1954), pp. 5-13.

304.   «Eugenio d'Ors (Barcelona 1882-Madrid 1954)», *RLComp*, XXVIII (1954), pp. 516-518.

305.   Reseña de Juan López de Palacios Rubios, *De las Islas del mar Océano*, y de Fray Matías de Paz, *Del dominio de los Reyes de España sobre los Indios* (ed. S. Zavala y A. Millares Carlo), en *BHi*, LVI (1954), pp. 181-184.

306.   Reseña de Manuel Giménez Fernández, *Bartolomé de las Casas*, I: *Delegado de Cisneros para la reformación de las Indias 1516-1517*, en *BHi*, LVI (1954), pp. 184-194.

307.   Reseña de A. Zamora Vicente, *Léxico rural asturiano: Palabras y cosas de Libardon*, en *BHi*, LVI (1954), p. 218.

308.   Reseña de L. N. d'Olwer, *Fray Bernardino de Sahagún* (1499-1590), en *BHi*, LVI (1954), pp. 330-331.

309.   Reseña de J. Ortiz de Valdivielso y Aguayo, *Discursos exemplares* (1634), (ed. A. Rodríguez-Moñino), en *BHi*, LVI (1954), p. 333.

310.   Reseña de Bruce W. Wardropper, *Introducción al teatro religioso del Siglo de Oro (Evolución del Auto Sacramental, 1500-1648)*, en *BHi*, LVI (1954), pp. 431-435.

311.   Reseña de Prosper Mérimée, *Correspondance générale* (ed. y notas de M. Parturier), 2.ª serie, t. I: *1853-1855*, en *BHi*, LVI (1954), pp. 440-445.

312.   Reseña de João Pinto Delgado, *Poema de la Reina Ester. Lamentaciones del Profeta Jeremías. Historia de Rut, y varias poesías* (ed. I. S. Révah), en *BHi*, LVI (1954), p. 450.

313.   Reseña de J. Bermúdez y Alfaro, *El Narciso, Flor traducida del Cefiso al Betis (1618)*, (ed. S. Montoto), en *BHi*, LVI (1954), pp. 450-451.

314.   Reseña de Bartolomé de Torres Naharro, *Propalladia and*

other works (ed. J. E. Gillet), III: *Notes*, en *RomPhil*, VIII (1954), pp. 48-52.

315. Reseña de *Die Amerbach Korrespondenz* (ed. A. Hartmann), IV, en *BiblHuRe*, XVI (1954), pp. 261-265.

1955

316. *Dos concepciones de la tarea histórica. Con motivo de la idea del descubrimiento de América* [en colaboración con Edmundo O'Gorman], Imprenta Universitaria, México, 1955, 119 pp.

317. «Jean d'Avila retrouvé (À propos des publications récentes de D. Luis Sala Balust)», *BHi*, LVII (1955), pp. 5-44.

318. «Les Patagons dans le *Primaleón* de 1524», *CRAIB*, n.º 2 (1955), pp. 165-173.

319. «José Ortega y Gasset», *RLComp*, XXIX (1955), pp. 449-452.

320. «La herejía de Fray Francisco de la Cruz y la reacción antilascasiana», *Miscelánea de Estudios dedicados al Dr. Fernando Ortiz*, La Habana, 1955, pp. 134-146.

321. «Introduction» a Domingo F. Sarmiento, *Souvenirs de province* (traducción francesa de Gabrielle Cabrini), Col. Unesco d'Œuvres Représentatives, Série Ibéro-américaine, Nagel, París, 1955, pp. 7-21.

322. «Structures et style dans le roman précervantin (suite)», *ACF*, LV (1955), pp. 319-324.

323. «Place de Gómara dans l'historiographie des pays hispano-américains du Pacifique», *ACF*, LV (1955), pp. 316-319.

324. Reseña de *Programa de Historia de América. Homenaje a José Martí en el centenario de su nacimiento*, en *BHi*, LVII (1955), pp. 440-442.

325. Reseña de Américo Castro, *Le sultan Saladin et les littératures romanes*, en *RLComp*, XXIX (1955), pp. 271-273.

326. Reseña de Jean Sarrailh, *L'Espagne éclairée de la seconde moitié du XVIIIᵉ siècle*, en *RLComp*, XXIX (1955), pp. 277-283.

327. Reseña de *Leben und Wandel Lazaril von Tormes. Verdeutzscht 1614*, en *RLComp*, XXIX (1955), pp. 562-563.

1956

328. «Le lien religieux des conquérants du Pérou», *The Third Canning House, Annual Lecture*, Londres, 1956, 18 pp.; traducción castellana en *LT*, VI, n.º 21 (1958), pp. 41-56.

329. «Ce que l'hispaniste doit à l'Espagne», *CPESD*, n.º 7 (15 abril 1956), pp. 483-488.

330. «Hernán Cortés, autor prohibido», *Libro Jubilar de Alfonso Reyes*, Universidad Nacional Autónoma, México, 1956, pp. 77-82.

331. «Préface» a José Toribio Medina, *Historia del Tribunal de la Inquisición de Lima*, I, Fondo Histórico y Bibliográfico J. T. Medina, Santiago de Chile, 1956², pp. vii-xv.

332. «Les études hispaniques en France avant 1940», *REЗup*, n.º 2 (1956), pp. 9-15.

333. «José Ortega y Gasset (1886-1955)», *BHi*, LVIII (1956), pp. 105-106.

334. «Archer Milton Huntington (1870-1955)», *BHi*, LVIII (1956), pp. 106-107.

335. «Andrés Laguna, auteur du *Viaje de Turquía*, à la lumière de recherches récentes» [reseña de W. L. Markrich, *The «Viaje de Turquía»: A Study of its Sources, Autorship and Historical Background*, y de C. E. Dubler, *D. Andrés de Laguna y su época*], *BHi*, LVIII (1956), pp. 121-181; reimpreso en *ES*, IX, n.º 25-26 (1957), pp. 5-66.

336. «Andrés Laguna, contes à la première personne (extraits des livres sérieux du docteur Laguna)», *BHi*, LVIII (1956), pp. 201-206.

337. «Les nouveaux chrétiens de Ségovie en 1510», *BHi*, LVIII (1956), pp. 207-231; reimpreso en *ES*, X, n.º 30 (1958), pp. 393-428.

338. «Pour une bibliographie internationale de littérature comparée» [informe presentado a la asamblea general de la Asociación Internacional de Literatura Comparada, Venecia, 28 septiembre 1955], *RLComp*, XXX (1956), pp. 136-144.

339. «A Jean-Marie Carré», *Littérature générale et histoire des idées*, Col. Études de Littérature Étrangère et Comparée, n.º 34, M. Didier, París [1956], pp. 5-6.

340. «L'influence de Gómara dans l'historiographie de la conquête du Pérou», *ACF*, LVI (1956), pp. 370-372.

341. «Structure et style dans le roman espagnol et portugais du XVIᵉ siècle (suite)», *ACF*, LVI (1956), pp. 372-376.

342. Reseña de C. E. Dubler, *La «Materia médica» de Dioscórides. Transmisión medieval y renacentista*, I, III, IV, V, en *BHi*, LVIII (1956), pp. 232-252.

1957

343. «*Ulenspiegel* et le *Retablo de las maravillas* de Cervantès», *Homenaje a J. A. van Praag*, L. J. Veen's Uitgeversmaatschappij N. V. y Librería Española Plus Ultra, Amsterdam, 1957, pp. 16-21.

344. «Gaspar von Barth interprète de *La Célestine*», *RLComp*, XXXI (1957), pp. 321-340.

345. «Alonso Núñez de Reinoso et les marranes portugais en Italie», *RFL*, IIIᵉ série, n.º 1 [Miscelânea de Estudos em honra do Prof. Hernâni Cidade], (1957), pp. 1-21.

346. «Gómara et l'historiographie de la conquête du Pérou (premières guerres civiles)», *ACF*, LVII (1957), pp. 438-443.

347. «Structure et style dans le roman espagnol et portugais du XVIᵉ siècle (suite): *La Celestina*», *ACF*, LVII (1957), pp. 443-448.

348. Reseña de Stephen Gilman, *The Art of «La Celestina»*, en *NRFH*, XI (1957), pp. 215-224.

349. Reseña de R. Porras Barrenechea, *Fuentes históricas peruanas*, en *BHi*, LIX (1957), pp. 436-438.

350. Reseña de F. de Armas Medina, *Cristianización del Perú (1532-1600)*, en *BHi*, LIX (1957), pp. 438-441.

351. Reseña de A. de Egaña, S.I., *Monumenta peruana*, I: *1565-1575*, en *BHi*, LIX (1957), pp. 441-450.

352. Reseña de Fr. Diego de Córdoba Salinas, O.F.M., *Crónica Franciscana de las Provincias del Perú* (ed. L. G. Canedo), en *BHi*, LIX (1957), pp. 461-462.

1958

353. *Le docteur Laguna, auteur du «Voyage en Turquie»*, Librairie des Éditions Espagnoles, París, 1958, 153 pp.
[Contiene los n.ᵒˢ 236, 243, 292, 335 y 336 de esta bibliografía.]

354. *La vie de Lazarillo de Tormes* (trad. de A. Morel-Fatio, introducción y notas de Marcel Bataillon), Aubier, París, 1958, 221 pp.
[Reseñas: Joseph H. Silverman, *RomPhil*, XV, n.º 1 (1961), pp. 88-94; Francisco Márquez Villanueva, *RFE*, XLII (1958-1959), pp. 185-290.]

355. «J. B. Trend (1889-1958)», *BHi* (1958), pp. 433-434.

356. «Jean-Marie Carré (1887-1958)», *RLComp*, XXXII (1958), pp. 5-11.

357. «L'héritage de Fernand Baldensperger (1871-1958)», *RLComp*, XXXII (1958), pp. 161-167.

358. «La *Célestine* primitive», *Studia Philologica et Litteraria in Honorem L. Spitzer*, Franck Verlag, Berna, 1958, pp. 39-55.

359. «Une légende botanique de l'épopée des Conquistadors: les roseaux géants pleins d'eau», *Miscellanea Paul Rivet*, II, México, 1958, pp. 601-609.

360. «Le Collège de France», *RESup*, n.º 1 (1958), pp. 55-60.

361. «Une grande figure du Collège de France: Edmond Faral», *ÉdNat* (15 mayo 1958), pp. 1-3.

362. «Una nueva edición de la *Historia de las Indias* de Bartolomé de Las Casas» [reseña de la ed. de Juan Pérez de Tudela y Emilio López Oto], *HAHR*, XXXVIII (1958), pp. 529-541.

363. «Les précurseurs de l'historiographie garcilasienne du Pérou», *ACF*, LVIII (1958), pp. 501-506.

364a. Reseña de Lewis Hanke, *El prejuicio racial en el Nuevo Mundo, Aristóteles y los Indios de Hispanoamérica* (trad. de María Orellanes), en *RCHG*, n.º 126 (1958), pp. 355-358.

364b. Reseña de Alberto del Monte, *Itinerario del romanzo picaresco spagnolo*, en *RBPH*, XXXVI (1958), pp. 983-986.

1959

365. «Vendeja», *HR*, XXVII (1959) [Memorial J. E. Gillet], pp. 228-245.

366. «Charles-Quint, Las Casas et Vitoria» (Colloques Internationaux du Centre National de la Recherche Scientifique, Sciences Humaines, París, 30 septiembre-3 octubre 1958), *Charles-Quint et son temps*, CNRS, París, 1959, pp. 77-92.

367. «Estas Indias... (Hipótesis lascasianas)», *CU*, LXVI-LXVII (enero-junio 1959), pp. 97-104.

368. «Montaigne et les conquérants de l'or», *SF*, n.º 9 (1959), pp. 353-367.

369. «Pour une histoire exigeante des formes: le cas de *La Célestine*», *Proceedings of the Second Congress of the International Comparative Literature Association*, I, Chapel Hill, N.C., 1959, pp. 35-44.

370. «Historiographie prégarcilasienne du Pérou (fin)», *ACF*, LIX (1959), pp. 563-567.

371. «Recherches sur *La Pícara Justina*», *ACF*, LIX (1959), pp. 567-569.

372. «Don Rodrigo Calderón Anversois», *Bulletin de la Classe des Lettres et des Sciences Morales et Politiques*, Académie Royale de Belgique, XLV (1959), pp. 595-616.

373. «J. E. Gillet (1888-1958)», *BHi*, LXI (1959), pp. 139-140.

374. «Évangélisme et millénarisme au Nouveau Monde», *Courants religieux et humanisme à la fin du XVᵉ et au début du XVIᵉ siècle*. Colloque de Strasbourg, 9-11 mai 1957, PUF, París, 1959, pp. 25-36.

375. «Les premiers mexicains envoyés en France par Cortés», *JSAmP*, XLVIII (1959), pp. 135-140.

376. «Augustin Renaudet (1880-1958)», *AESC*, n.º 3 (julio-septiembre 1959), pp. 618-622.

377. «Une matinée avec Joliot», *Pe* (septiembre-octubre 1959), pp. 69-70.

378. Reseña de *Die Amerbachkorrespondenz* (ed. A. Hartmann), V, en *BiblHuRe*, XXI (1959), pp. 651-653.

379. Reseña de Henry de Vocht, *History of the Foundation and Rise of the Collegium Trilingue Lovaniense (1517-1550)*, I-IV, en *RHE*, LIV, n.º 2-3 (1959), pp. 564-568.

380. Reseña de Richard Konetzke, *Colección de documentos para la historia de la formación social de Hispanoamérica, 1493-1810*, I-II, en *BHi*, LXI (1959), pp. 450-452.

1960

381. «Historiographie de la guerre civile péruvienne de 1544-1548: Rodrigo Lozano et Gutiérrez de Santa Clara», *ACF*, LX (1960), pp. 413-416.

382. «Nouvelles recherches sur *La Pícara Justina*», *ACF*, LX (1960), pp. 416-420.

383. «Plus Oultre: La cour découvre le Nouveau Monde», *Les fêtes de la Renaissance*, II: *Fêtes et cérémonies au temps de Charles-Quint*, Col. Le Chœur des Muses, CNRS, París, 1960, pp. 13-27.

384. «La Célestine», *Réalisme et poésie au théâtre*, CNRS, París, 1960, pp. 11-12.

385. «Hommage solennel à Henri Bergson» [martes, 19 de mayo de 1959, en el Collège de France], *BSFPh* (enero-marzo 1960), pp. 11-20.

386. «Introducción a Concolorcorvo y a su *Itinerario de Buenos Aires a Lima*», *CuadAm*, n.º 4 (1960), pp. 197-216.

387. «Sur le nom de Gargantua», *Miscelânea de estudos a Joaquim de Carvalho*, IV, Biblioteca-Museu Joaquim de Carvalho, Figueira da Foz, 1960, pp. 377-381.

388. «Urganda entre *Don Quixote* et *La Pícara Justina*», *Studia Philologica* (Homenaje ofrecido a Dámaso Alonso por sus amigos y discípulos con ocasión de su 60 aniversario), I, Gredos, Madrid, 1960, pp. 191-215.

389. Discours du Président à la Séance publique annuelle de l'Académie des Inscriptions et Belles-Lettres, 26 novembre 1960, *Institut de France*, n.º 27 (1960), 16 pp.

390. «Alfonso Reyes (1889-1959)», *BHi*, LXII (1960), pp. 117-120.

391. «Gregorio Marañón (1887-1960)», *BHi*, LXII (1960), pp. 357-359.

392. Reseña de *El Abencerraje y la hermosa Jarifa* (cuatro textos y su estudio por Francisco López Estrada), en *BHi*, LXII (1960), pp. 198-205.

393. Reseña de Antonio de Villegas, *Inventario* (con una introducción de Francisco López Estrada), en *BHi*, LXII (1960), pp. 205-206.

394. Reseña de *La fonte que mana y corre...: La Celestina, 1502-1598* (facsímil del ejemplar único de la edición de Sevilla, 1502) y *El Lazarillo de Tormes* (facsímil de las tres ediciones conocidas de 1554), en *BHi*, LXII (1960), pp. 336-339.

395. Reseña de *La Celestina y Lazarillos* (ed., prólogo y notas de Martín de Riquer), en *BHi*, LXII (1960), pp. 339-340.

396. Reseña de Joseph de la Vega, *Confusión de confusiones* (facsímil de la edición de Amsterdam, 1688), en *BHi*, LXII (1960), pp. 344-345.

397. Reseña de R. Pageard, *Goethe en España*, en *RLComp*, XXXIV (1960), pp. 465-474.

1961

398. «*La Célestine*» selon *Fernando de Rojas*, Études de Littérature Étrangère et Comparée, n.º 42, M. Didier, París, 1961, 270 pp.

399. «Venise, porte de l'Orient au XVIe siècle: le *Viaje de Turquía*», *Civiltà Veneziana*, n.º 8 (1961) [*Venezia nelle Letterature Moderne*. Atti del Primo Congresso dell'Associazione Internazionale di Letteratura Comparata. Venezia, 25-30 sett. 1955 (ed. al cuidado de Carlo Pellegrini)], pp. 11-20.

400. «Nouvelle jeunesse de la philologie à Chapel Hill», *RLComp*, XXXV (1961), pp. 290-298.

401. «El Empecinado visto por un inglés» (trad. y prólogo de Gregorio Marañón), *PSA*, XX, n.º 60 (1961) [Homenaje y recuerdo a Gregorio Marañón, 1887-1960], pp. 275-280.

402. «Un chroniqueur péruvien retrouvé: Rodrigo Lozano», *CIHEAL*, n.º 2 (1961), pp. 5-25 y una lámina.

403. «Introduction» a Concolorcorvo, *Itinéraire de Buenos Aires à Lima* (trad. del castellano por Yvette Billod), Col. Unesco d'Œuvres Représentatives, Série Ibéro-américaine, n.º 13, Institut des Hautes Études de l'Amérique Latine, París, 1961, pp. 1-17.

404. «Gutiérrez de Santa Clara escritor mexicano», *NRFH*, XV, n.º 3-4 (1961) [Homenaje a Alfonso Reyes, II], pp. 405-440.

405. «Gutiérrez de Santa Clara, pseudo-chroniqueur», *ACF*, LXI (1961), pp. 395-399.

406. «Burlesque et baroque dans *La Pícara Justina*», *ACF*, LXI (1961), pp. 399-404.

407. «Une vision burlesque des monuments de Léon en 1602», *BHi*, LXIII (1961), pp. 169-178.

408. «Ladislas Folkierski (1890-1961)», *RLComp*, XXXV (1961), pp. 524-525.

409. Reseña de Werner Brüggemann, *Cervantes und die Figur des Don Quijote in Kunstanschauung und Dichtung der deutschen Romantik*, en *RLComp*, XXXV (1961), pp. 131-136.

410. Reseña de Prosper Mérimée, *Correspondance générale* (ed. y notas de Maurice Parturier), XI-XV, en *BHi*, LXIII (1961), pp. 109-115.

411. Reseña de *Hispanic studies in honour of I. González Llubera*, en *BHS*, XXXVIII (1961), pp. 216-224.

* *Homenagem a Marcel Bataillon*, 2 vols., Livraria São José, Río de Janeiro [*Ibér*, III, n.os 5 y 6 (1961)], 202 + 266 pp.

1962

412. «*El Villano en su rincón*», en *El teatro de Lope de Vega. Artículos y estudios*, Editorial Universitaria, Buenos Aires, 1962, pp. 148-192 [trad. del n.º 152].

413. «Le Brésil dans une vision d'Isaïe selon le P. Antonio Vieira», *RIB*, XII (enero-junio 1962), pp. 7-14; reimpreso en *BEP*, Nouvelle série, XXV (1964), pp. 11-21.

414. «¿Rioseco? La *morería* de *La Pícara Justina*», *Études d'Orientalisme dédiées à la mémoire de Lévi-Provençal*, I, París, 1962, pp. 13-21.

415. «Agrajes sin obras», *StIsp*, n.º 12 (1962), pp. 29-35.

416. «Le Collège de France», *RESup*, n.º 2 (1962), pp. 5-50.

417. «Paul Fallot, professeur au Collège de France», *Livre à la mémoire du Professeur Paul Fallot*, I, Société Géologique de France, París, 1960-1962, pp. 13-14.

418a. «Les colons du Pérou contre Charles-Quint: analyse du mouvement pizarriste (1544-1548)», *ACF*, LXII (1962), pp. 445-457.

418b. «Acerca de los Patagones. *Retractatio*», *Filología*, Buenos Aires, VIII, n.º 1-2 (1962) [Homenaje a María Rosa Lida de Malkiel], pp. 27-45.

418c. Reseña de A. D. Deyermond, *The Petrarchan Sources of «La Celestina»*, en *RLComp*, CXLIV (1962), pp. 596-600.

** *Mélanges offerts à Marcel Bataillon par les hispanistes français* (ed. al cuidado de M. Chevalier, R. Ricard, N. Salomon), Féret, Burdeos, 1962, xxxiii + 745 pp. [*BHi*, LXIV bis (1962)].

1963

419. «*Sicut passer solitarius...* Sur un thème de Leopardi», *Studi in Onore di Carlo Pellegrini*, II, Biblioteca di Studi Francesi, Turín, 1963, pp. 535-540.

420. «Nicolas Le Gras y el problema de la lengua universal», *MP*, n.º 437-440 (septiembre-diciembre 1963) [Libro Jubilar de Víctor Andrés Belaunde], pp. 201-206.

421. «La rébellion pizarriste, enfantement de l'Amérique espagnole», *Diog*, n.º 43 (julio-septiembre 1963), pp. 47-63.

422. «Zárate ou Lozano? Pages retrouvées sur la religion péruvienne», *Car*, I (1963), pp. 11-28.

423. «*La Picaresca*. À propos de *La Pícara Justina*», *Wort und Text. Festschrift für Fritz Schalk*, Frankfurt a. Main, 1963, pp. 233-250.

424. «La originalidad artística de *La Celestina*», *NRFH*, XVII (1963-1964), pp. 264-290.

425. «Sur l'humanisme du docteur Laguna. Deux petits livres latins de 1543», *RomPhil*, XVII (1963), pp. 207-234.

426. «L'Académie de Richelieu, Indre-et-Loire» [sobre Nicolas Le Gras], *Pédagogues et Juristes* (Congrès du Centre d'Études Supérieures de la Renaissance de Tours, été 1960), J. Vrin, París, 1963, pp. 255-270.

427. «María Rosa Lida de Malkiel (1910-1962)», *BHi*, LXV (1963), pp. 189-191.

428. «Jean Sarrailh (1891-1964)», *BHi*, LXV (1963), pp. 465-471.

429. «Le docteur Laguna et son temps», *ACF*, LXIII (1963), pp. 481-485.

430. «L'honneur et la matière picaresque», *ACF*, LXIII (1963), pp. 485-490.

431. «Avant-propos» de *La Célestine ou tragi-comédie de Calixte et Mélibée*, atribuida a Fernando de Rojas (prefacio y traducción de Pierre Heugas), Aubier, París [1963], pp. 7-8.

1964

432. *Varia lección de clásicos españoles*, Biblioteca Románica Hispánica, Ensayos y Estudios, n.º 77, Gredos, Madrid, 1964, 443 pp.
   [Contiene los n.ᵒˢ 205, 242b, 242a, 93, 240, 345, 104, 135, 263, 158, 97, 82, 204, 122, 179, 343, 388, 293, 262, 265, 152, 183, 121 y 177 de esta bibliografía.]
   [Reseña: Edwin S. Morby, *RomPhil*, XX (1966), pp. 142-146.]

433. Domingo F. Sarmiento, *Facundo* (trad. del castellano por Marcel Bataillon), Coll. de l'Herne, Éditions da la Table Ronde, París, 1964, 261 pp. [2.ª ed. del n.º 74].

434. «Interés hispánico del movimiento pizarrista (1544-1548)», *Actas del Primer Congreso Internacional de Hispanistas*, The Dolphin Book Co., Oxford, 1964, pp. 47-56.

435. «Style, genre et sens. Les Asturiens de *La Pícara Justina*», *Linguistic and Literary Studies* [dedicado a Helmut Hatzfeld], Washington, 1964, pp. 47-59.

436. «Les nouveaux chrétiens dans l'essor du roman picaresque», *Neoph* (1964), pp. 283-298.

437. «Remarques sur la littérature de voyages», *Connaissance de l'étranger. Mélanges offerts à la mémoire de Jean-Marie Carré*, Didier, París, 1964, pp. 51-63.

438. «Allocution» en *Hommage à Abel Lefranc (1863-1963)*, París, 1964, pp. 11-17.

439. «Avant-propos» a *Littérature savante et littérature populaire* (Actes du VIᵉ Congrès de Littérature Comparée, Rennes, 1963), Didier, París, 1964, pp. xv-xviii.

440a. «Examen de publications récentes sur *La Celestina*», *ACF*, LXIV (1964), pp. 479-487.

440b. «Avant-propos» a W. A. P. Smit y P. Brachin, *Vondel (1587-1679). Contribution à l'histoire de la tragédie au XVIIᵉ siècle*, Études de Littérature Étrangère et Comparée, n.º 48, Didier, París, 1964, pp. 7-8.

1965

441. «L'originalité de *La Célestine* d'après un ouvrage récent» [reseña de María Rosa Lida de Malkiel, *La originalidad artística de «La Celestina»*, Buenos Aires, 1962], en *RLComp*, XXXIX (1965), pp. 109-123.

442. «Prólogo» a Antonio Rodríguez-Moñino, *Construcción crítica y realidad histórica en la poesía española de los siglos XVI y XVII*, Castalia, Madrid, 1965.

443. «Avant-propos» a *Imprimerie, commerce et littérature* (Actes du 5e Congrès National de la Société Française de Littérature Comparée, Lyon, mai 1962), Études de Littérature Étrangère Comparée, n.º 46, Didier, París, 1965.

444. «Avant-propos» a Américo Castro, *Le drame de l'honneur dans la vie et dans la littérature espagnole du XVIᵉ siècle*, C. Klincksieck, París, 1965, pp. 1-4.

445. «Le Commandeur grec Hernán Núñez et l'humanisme espagnol du temps de Charles-Quint», *ACF*, LXV (1965), pp. 521-526.

446. «Positivisme et ésotérisme dans l'exégèse de *Don Quichotte* au milieu du XIXᵉ siècle», *ACF*, LXV (1965), pp. 526-533.

1966

447. *Erasmo y España. Estudios sobre la historia espiritual del siglo XVI* (traducción castellana de Antonio Alatorre), Fondo de Cultura Económica, México-Buenos Aires, 1966, cxvi + 923 pp. + 32 láminas [2.ª ed. revisada y aumentada, cf. n.º 171].

[Reseñas: E. Asensio, «Los estudios sobre Erasmo, de Marcel Bataillon», *ROcc*, n.º 63 (junio 1968), pp. 302-319; F. Márquez Villanueva, *HR*, XXXVI (1968), pp. 264-270; A. Redondo, *BHi*, LXXII (1970), pp. 190-194.]

448. *Études sur Bartolomé de Las Casas* (reunidos con la colaboración de Raymond Marcus), Centre de Recherches de l'Institut d'Études Hispaniques, París, 1966, xxxix + 345 pp.

[Contiene los n.ᵒˢ 246, 383, 245, 201, 298, 244, 260, 367, 294, 266, 366 y 320 de esta bibliografía.]

449. Miguel de Unamuno, *De l'européisation (opinions arbitraires)*, (introducción de M. Bataillon, traducción del castellano por Claude Aracil), Passeport, n.º 12, Minard, París, 1966, 88 pp.

450. «Sur la conscience géopolitique de la rébellion pizarriste», *Car*, n.º 7 (1966), pp. 13-23.

451. «Mythe et connaissance de la Turquie en Occident au milieu du XVIᵉ siècle», *Venezia e l'Oriente fra tardo Medioevo e Rinascimento* (ed. al cuidado de Agostino Pertusi), Edit. Sansoni y Fondazione Giorgio Cini, Venecia, 1966, pp. 451-470.

452. «L'unité du genre humain, du P. Acosta au P. Clavigero»,

Mélanges à la mémoire de Jean Sarrailh, I, Centre de Recherches de l'Institut d'Études Hispaniques, París, 1966, pp. 75-95.

453. «Pour le centenaire de la naissance de Rafael Altamira», *BHi*, LXVIII (1966), pp. 354-356.

454. «Science et technique selon Florián de Ocampo historien», *Studi in onore di Italo Siciliano*, Leo S. Olschki, Florencia, 1966, pp. 51-54.

455. «Rafael Alberti», *Eur*, n.º 447-448 (julio-agosto 1966), pp. 188-189.

*** *Homenaje a Marcel Bataillon* (artículos de E. Asensio, J. Corrales Egea, D. Devoto, I.-S. Révah, A. Tovar), [*Ins*, n.º 231 (febrero 1966)].

1967

456. M. de Unamuno, *L'essence de l'Espagne* (traducción del castellano por M. Bataillon), Les Essais, CXXVII, Gallimard, París, 1967, 217 pp. [2.ª ed., cf. n.º 9].

457. *Défense et illustration du sens littéral* (The Presidential Address of the Modern Humanities Research Association, 1967), MHRA, Cambridge, 1967, 33 pp.

458. «La profession médicale et son langage devant la littérature: problèmes espagnols du XVIᵉ siècle», *Le réel dans la littérature et dans la langue* (Actes du Xᵉ Congrès de la FILLM, Strasbourg, 29 août-3 septembre 1966), C. Klincksieck, París, 1967, pp. 23-29.

459. «Le *Torres Naharro* de Joseph E. Gillet», *RomPhil*, XXI (1967), pp. 143-170.

460. «Armement et littérature: les balles à fil d'archal» [en homenaje a Richard Konetzke], *Jahrbuch für Gesch. von Staat, Wirtschaft und Gesellschaft Latein Amerikas*, IV, Colonia-Graz, 1967, pp. 185-198.

461. «Don Vasco de Quiroga utopien», *Mor*, XV (noviembre 1967) [*Festschrift for E. F. Rogers*], pp. 385-394.

462. «D'Érasme à la Compagnie de Jésus», *ASR*, n.º 24 (1967), pp. 57-81.

463a. «Jan Herman Terlingen (1902-1965). *In memoriam*», *Actas del Segundo Congreso Internacional de Hispanistas (Nimega, 20-25 de agosto de 1965)*, Instituto Español de la Universidad de Nimega, 1967, pp. 7-9.

463b. «Exégesis esotérica y análisis de intenciones del Quijote» [Coloquio cervantino, Berlín, 1966], *Beiträge zur Romanischen Philo-*

logie, Rutter & Loening, Berlín, 1967, pp. 22-26; ibid., p. 102, nota complementaria sobre Francisco Miranda Villafañe, autor de los *Diálogos de la phantástica philosophía*.

464. «Message [de 1959]» [evocación de la Évora de Luis de Granada y de los primeros jesuitas] (IV Centenário da Universidade de Évora, 1559-1959), *Actas do Congresso Internacional Comemorativo*, Coimbra, 1967, pp. 287-289.

1968

465. *Novedad y fecundidad del «Lazarillo de Tormes»* (traducción castellana de Luis Cortés Vázquez), Temas y Estudios, Anaya, Madrid, 1968, 106 pp. [trad. del n.° 354].

466. «Budé fondateur du Collège de France?», *Mor*, n.° 19-20 (noviembre 1968), pp. 29-32.

467. «La situation présente du message érasmien», *Colloquium Erasmianum* (Actes du Colloque International réuni à Mons du 26 au 29 octobre 1967), Mons, 1968, pp. 4-16.

468. «Erasmo, ¿europeo?», *ROcc*, n.° 58 (enero 1968), pp. 1-19.

469a. «Asturias et Bartolomé de Las Casas», *Eur* (septiembre 1968) [Guatemala. Hommage à Asturias], pp. 6-10.

469b. «Cisneros en famille vu par Juan de Vallejo», *MCV*, IV (1968), pp. 407-410.

1969

470. «Don Ramón Menéndez Pidal (1869-1968)», *BHi*, LXXI (1969), pp. 441-451.

471. *Pícaros y picaresca: «La Pícara Justina»* (traducción castellana de Francisco B. Vadillo), Persiles, n.° 37, Taurus, Madrid, 1969, 252 pp.
[Contiene los n.os 161, 371, 382, 406, 388, 372, 407, 414, 435, 423, 430 y 436 de esta bibliografía.]

472. «Un extremo del irenismo erasmiano en el adagio *Bellum*», *Filología y crítica hispánica* (Homenaje al profesor F. Sánchez Escribano), Ediciones Alcalá, Madrid, 1969, pp. 35-49.

473. «Humanisme chrétien et littérature. Vivès moqué par Resende», *Scrinium Erasmianum* (Mélanges historiques publiés ... à l'occasion du Vᵉ Centenaire de la naissance d'Érasme), I, Brill, Leiden, 1969, pp. 151-164.

474. «Un bon portrait d'Érasme à Louvain (1541)», *Scrinium Erasmianum* (Mélanges historiques publiés ... à l'occasion du Vᵉ Cen-

tenaire de la naissance d'Érasme), II, Brill, Leiden, 1969, pp. 509-511.

475. «Riesgo y ventura del *licenciado* Juan Méndez Nieto», *HR*, XXXVII (enero 1969), pp. 23-60.

476. «Benedetto Varchi et le Cardinal de Burgos D. Francisco de Mendoza y Bobadilla», *LR*, XXIII (1969), pp. 3-62.

477. «Don Ramón y los romanistas franceses», *Ins*, n.º 268 (marzo 1969) [Homenaje a D. Ramón Menéndez Pidal], pp. 1-12.

478. «Notice sur la vie et les travaux de Don Ramón Menéndez Pidal, associé étranger (séance du 14 mars 1969)», *CRAIB* (enero-marzo 1969), pp. 138-151.

479. Reseña de Jacques Bernard, *Navires et gens de mer à Bordeaux aux XVᵉ et XVIᵉ siècles*, en *AESC*, n.º 5 (1969), pp. 1162-1170.

1970

480. «Juan Méndez Nieto à l'Université de Salamanque», *ACP*, II (1970), pp. 180-191.

481. «Joan de Spinosa, ami des femmes, des proverbes et de l'eau», *Homenaje a Xavier Zubiri*, I, Moneda y Crédito, Madrid, 1970, pp. 185-196.

482. «À propos de l'influence d'Érasme», *Hommages à Marie Delcourt*, Col. Latomus, n.º 114, Bruselas, 1970, pp. 243-250.

483. «Santo Domingo *era Portugal*», *Historia y sociedad en el mundo de habla española* (Homenaje a José Miranda), (ed. Bernardo García Martínez y otros), El Colegio de México, México, 1970, pp. 113-120.

484. «Moñino: saber, laboriosidad, hombría de bien», *Ins*, XXV, n.º 287 (octubre 1970), p. 1.

485. «Avant-Propos» a Frère Claude de Bronseval, *Peregrinatio Hispanica* [viaje de Dom Edme de Saulieu, abad de Clairvaux, por España y Portugal (1531-1533)], I, Publ. de la Fondation Calouste Gulbenkian, PUF, París, 1970, pp. 9-13.

486. «Prefacio» a Pero López, *Rutas de Cartagena de Indias a Buenos Aires y sublevaciones de Pizarro, Castilla y Hernández Girón, 1540-1570* (transcripción y notas de Juan Friede, Madrid, 1970, pp. IX-XIII.

1971

487. «El doctor Pedro Carnicer, biografía y genealogía» [en colaboración con D. José M.ª de Palacio y Palacio, Marqués de Villarreal

de Álava], *El Cardenal Albornoz y el Colegio de España*, Studia Albornotiana, XII, Publ. del Real Colegio de España, Bolonia, 1971, pp. 412-462.

488. «El erasmismo de Cervantes en el pensamiento de Américo Castro», en Aranguren, Bataillon, Gilman, Laín, Lapesa y otros, *Estudios sobre la obra de Américo Castro*, Taurus, Madrid, 1971, pp. 191-207.

489. «Las Casas dans l'histoire», *Las Casas et la défense des Indiens* (presentado por M. Bataillon y André Saint-Lu), Col. Archives, Julliard, París, 1971, pp. 7-49.

490. «Política y literatura en el Doctor Laguna», *Lección Marañón*, Universidad de Madrid, 1971, pp. 23-52.

491. «L'île de La Palma en 1561. Estampes canariennes de Juan Méndez Nieto», *Miscelânea de Estudos em honra do Prof. Vitorino Nemésio*, Faculdade de Letras da Universidade, Lisboa, 1971, pp. 21-45.

492. «Les manuscrits du *Viaje de Turquía*», *Actes du XIIᵉ Congrès International de Linguistique et Philologie Romanes (Bucarest, 1968)*, I, Éditions de l'Académie de la République Socialiste de Roumanie, 1971, pp. 37-41.

493. «Livres prohibés dans la bibliothèque du Comte de Gondomar», *Beiträge zur französischen Aufklärung und zur spanischen Literatur* (Festgabe für Werner Krauss zum 70. Geburtstag), Akademie-Verlag, Berlín, 1971, pp. 493-502.

494. «Sobre la fe del carbonero», *Extremos de México* (Homenaje a Don Daniel Cosío Villegas), Centro de Estudios Históricos, Nueva serie, n.º 14, El Colegio de México, México, 1971, pp. 85-88.

495a. «Un problème d'influence d'Érasme en Espagne. *L'Eloge de la Folie*», *Actes du Congrès Érasme (Rotterdam, 27-29 octobre 1969)*, North-Holland Publishing Company, Amsterdam-Londres, 1971, pp. 136-147.

495b. «The Clérigo Casas, Colonist and Colonial Reformer», *Bartolomé de Las Casas in History. Toward an Understanding of the Man and His Work* (ed. Juan Freide y Benjamin Keen), Northern Illinois University Press, 1971, pp. 353-440 [trad. del n.º 246].

496. Artículos sobre *Auto sacramental, La Celestina, Laguna (Dr. Andrés), Lazarillo de Tormes*, en *Encyclopædia Universalis*.

497. Reseña de Marianne Cermakian, *La Princesse des Ursins. Sa vie et ses lettres*, en RLComp, XLV (1971), pp. 110-114.

498. Reseña de *Opera omnia Desiderii Erasmi Roterodami, Ordinis primi Tomus primus*, en BiblHuRe, XXXIII (1971), pp. 429-436.

1972

499. «Basil Munteano, Braïla 9-XI-1897 - París 1-VI-1972», *RLComp*, XLVI (1972), pp. 321-332.

500. «René Ternois», *RLComp*, XLVI (1972), pp. 626-627.

501. «Vers une définition de l'érasmisme», y «Actualité d'Érasme», *Colloquia Erasmiana Turonensia* (Douzième Stage International d'Études Humanistes, Tours, 1969), Vrin, París, 1972, I, pp. 21-34, y II, pp. 877-889.

502. «Génocide et ethnocide initial», *De l'ethnocide* (recol. de textos editados por R. Jaulin), Col. 10/18, n.º 711, París, 1972, pp. 291-303.

503. «L'ostension prénuptiale utopienne et *l'antique habit des Espagnes*», *Mor*, n.º 35 (septiembre 1972), pp. 57-58.

504. «Gutierre de Cetina en Italia», *Studia in honorem R. Lapesa*, I, Gredos, Madrid, 1972, pp. 153-172.

505. «Avant-propos» a Valéry Larbaud-Alfonso Reyes, *Correspondance, 1923-1952* (introducción y notas de Paulette Patout), Études de Littérature Étrangère et Comparée, n.º 67, M. Didier, París, 1972, pp. 9-13.

506. Reseña de *Opera omnia Desiderii Erasmi Roterodami, Ordinis primi Tomus secundus*, en *BiblHuRe*, XXXV (1972), pp. 382-392.

507. Reseña de José C. Nieto, *Juan de Valdés and the Origins of the Spanish and Italian Reformation*, en *BiblHuRe*, XXXV (1972), pp. 374-381.

1973

508. «Estebanillo González bouffon *pour rire*», **Studies in Spanish Literature of the Golden Age presented to Edward M. Wilson**, Tamesis Books, Londres, 1973, pp. 25-44.

509. «A traque barraque. Ciencia y arte de lo vulgar», *PSA*, LXX, n.º CCIX-CCXX (1973) [ofrecidos a Alonso Zamora Vicente], pp. 253-256.

510. «Erasmo, ayer y hoy», *CHA*, n.º 280-282 (octubre-diciembre 1973) [en homenaje a Dámaso Alonso], pp. 323-332.

511. «Érasme conteur. Folklore et invention narrative», *Mélanges de langue et de littérature médiévales offerts à Pierre Le Gentil*, SEDES, París, 1973, pp. 85-104.

512. «Relaciones literarias», cap. 9 de *Suma Cervantina* (ed. J. B. Avalle-Arce y E. C. Riley), Tamesis Books, Londres, 1973, pp. 215-232.

513. «La chasse aux bénéfices vue de Rome par Páez de Castro», *Histoire économique du monde méditerranéen, 1450-1650* (Mélanges en l'honneur de Fernand Brandel), Privat, Toulouse, 1973, pp. 81-93.

514a. «Montaigne et les Conquérants de l'or», *LNL*, n.º 204 (1.er trimestre 1973), pp. 31-50 [2.ª ed. revisada del n.º 368].

514b. «Las Casas dans l'histoire», *Las Casas et la défense des Indiens* (presentado por M. Bataillon y André Saint-Lu), Col. Archives, Julliard, París, 1973, pp. 7-49 [reimpresión del n.º 489].

1974

515a. *Études sur le Portugal au temps de l'humanisme*, Fundação Calouste Gulbenkian, Centro Cultural Portugués, París, 1974, xxiv + + 249 pp. [2.ª ed. del n.º 235, revisada y aumentada con el estudio: «Humanisme chrétien et littérature. Vivès moqué par Resende» (cf. n.º 473) y con el apéndice: «Message [de 1959]» (cf. n.º 464)].

515b. «Para la biografía de un héroe de novela: Eugenio Aviraneta», *Pío Baroja. El escritor y la crítica* (ed. Javier Martínez Palacio), Taurus, Madrid, 1974, pp. 419-422 [reimpresión del n.º 50].

516. «Las Casas ¿un profeta?», *ROcc*, n.º 141 (diciembre 1974), pp. 279-291.

517. «Humanisme, médecine et politique», *Culture et politique en France à l'époque de l'Humanisme et de la Renaissance* (estudios reunidos y presentados por Franco Simone), Accad. delle Scienze, Turín, 1974, pp. 439-451.

518. «L'Amiral et les *nouveaux horizons français*», *Actes du Colloque «L'Amiral de Coligny et son temps» (Paris, 24-28 octobre 1972)*, Société de l'Histoire du Protestantisme Français, París, 1974, pp. 41-52.

519. «Juan de Valdés nicodémite?», *Aspects du libertinisme au XVIᵉ siècle* (Actes du Colloque de Sommières), J. Vrin, París, 1974, pp. 93-103.

520. «Bofetones mecánicos», *Estudios filológicos y lingüísticos* (Homenaje a Ángel Rosenblat en sus 70 años), Caracas, 1974, pp. 97-109.

521. «Utopia e colonização» [reseña de Vasco de Quiroga, trad. de un texto inédito de 1949 por Margarida Barradas de Carvalho], *RevHist*, n.º 100 (1974), pp. 387-398.

522. «Jean Pommier comparatiste», *RLComp*, XLVIII (1974), pp. 5-11.

523. Reseña de Jean Pommier, *Cahiers renaniens n.º 2 et 3*, en *RLComp*, XLVIII (1974), pp. 167-169.

1975

524. «La librería del estudiante Morlanes», *Homenaje a Don Agustín Millares Carlo*, I, Confederación Española de Cajas de Ahorros, Madrid, 1975, pp. 329-347.

525. «Sevilla la realeza...», *Homenaje a la memoria de Don Antonio Rodríguez-Moñino, 1910-1970*, Castalia, Madrid, 1975, pp. 651-684.

526. «Quelques idées linguistiques du XVIIᵉ siècle: Nicolas Le Gras», *Langue, discours, société. Pour Émile Benveniste* (ed. bajo la dirección de Julia Kristeva, Jean-Claude Milner, Nicolas Ruwet), Seuil, París, 1975, pp. 26-40.

527. «Jean Pommier (1893-1973). Promotion de 1913», *Annuaire 1975 de l'Association amicale des anciens élèves de l'École Normale Supérieure*, pp. 70-75.

528a. Reseña de Julius Pflug, *Correspondance...* (ed. J. V. Pollet), II: *1539-1547*, en *BiblHuRe*, XXXVII (1975), pp. 331-336.

528b. «Páez de Castro y su Cardenal», *Homenaje al Instituto de Filología y Literaturas Hispánicas «Dr. Amado Alonso» en su Cincuentenario, 1923-1973*, Buenos Aires, 1975, pp. 29-36.

529. «Testigos cristianos del protosionismo hispano-portugués», *NRFE*, XXIV (1975) [Homenaje a Raimundo Lida], pp. 121-141.

**** *Homenagem a Marcel Bataillon*, Fundação Calouste Gulbenkian, París, 1975, LIV + 665 pp. [*ACP*, IX].

1976

530. «Las Casas face à la pensée d'Aristote sur l'esclavage», *Actes du XVIᵉ Colloque International de Tours*, Col. De Pétrarque à Descartes, XXXII, J. Vrin, París, 1976, pp. 403-420.

531. «La represión cultural», *Historia 16*, extra n.º 1 (diciembre 1976) [número especial dedicado a la Inquisición], pp. 59-72.

532. *Erasmo y España. Estudios sobre la historia espiritual del siglo XVI* (traducción castellana de Antonio Alatorre), Fondo de Cultura Económica, México-Buenos Aires, 1976, CXVI + 923 pp. + 32 láminas [reimpresión del n.º 447].

533. *Estudios sobre Bartolomé de Las Casas*, Col. Historia, Ciencia, Sociedad, n.º 127, Península, Barcelona, 1976, 384 pp. [trad. castellana, por J. Coderch y J. A. Martínez Schrem, del n.º 448].

534. «Las Casas en la historia», en M. Bataillon y André Saint-Lu, *El Padre Las Casas y la defensa de los indios*, Ariel, Barcelona, 1976, pp. 5-58 [trad. castellana, por Javier Alfaya y Bárbara McShane, del n.º 489].

535. «Ensayo de explicación del auto sacramental», en Manuel Durán y Roberto González Echeverría, *Calderón y la crítica: Historia y antología*, I, Gredos, Madrid, 1976, pp. 455-480 [reimpresión del n.º 97, traducido en el n.º 432].

1977

536. «Franco Simone (1913-1976)», *RLComp*, LI (1977), pp. 5-7.

537. *El hispanismo y los problemas de la historia de la espiritualidad española* [Conferencia pronunciada en la Fundación Universitaria Española, el día 24 de noviembre de 1976, con motivo del acto de presentación del Centro de Cooperación Hispanista] (presentación de P. Sáinz Rodríguez), FUE, Madrid, 1977, 101 pp.

538. «Prólogo» a J. I. Tellechea Idígoras, *Tiempos recios. Inquisición y heterodoxias*, Sígueme, Salamanca, 1977, pp. 11-14.

539. «Héritage classique et culture chrétienne à travers *El Scholástico* de Cristóbal de Villalón» [Lección inaugural del Dix-neuvième Colloque International d'Études Humanistes (Tours, 5-17 juillet 1976)].

540. *Erasmo y el erasmismo*, Filología, n.º 1, Crítica, Barcelona, 1977.

[Contiene los n.ºs 501 (b), 467, 468, 472, 511, 498, 506, 501 (a), 531, 241, 462, 482, 507, 519, 425, 495a, 488, 510 de esta bibliografía.]

ÍNDICE ALFABÉTICO

ÍNDICE